张大可文集

史記二十講

第六卷

创于1897
商務印書館
The Commercial Press

图书在版编目(CIP)数据

史记二十讲/张大可著. —北京:商务印书馆,2013
(张大可文集)
ISBN 978-7-100-09391-0

Ⅰ.①史… Ⅱ.①张… Ⅲ.①中国历史-古代史-纪传体 ②《史记》—研究 Ⅳ.①K204.2

中国版本图书馆CIP数据核字(2012)第202571号

史记二十讲
张大可 著

商 务 印 书 馆 出 版
(北京王府井大街36号 邮政编码100710)
商 务 印 书 馆 发 行
北京德富泰印务有限公司
ISBN 978-7-100-09391-0

2013年5月第1版 开本 640×980 1/16
2013年5月北京第1次印刷 印张 30

定价:122.00元

内容提要

本卷《史记二十讲》编列为文集第六卷，内容分为三个部分。第一部分“系列讲座”，原题《史记十五讲》，系作者2010年3月至9月作客国家图书馆“中国典籍与文化讲座”所作的专书典籍讲座，系统评介中国文史名著《史记》及其作者司马迁。司马迁是集文学家、历史学家、思想家于一身的文化巨人，讲座内容扣紧文、史、哲三个方向展开，评说《史记》对中国文学的贡献、对中国史学的贡献、对伦理思想的积淀，与文集第七卷《司马迁评传》相表里。讲稿由国家图书馆出版社于当年2010年出版。第二部分“专题讲座”，是作者应社会团体之邀所作的命题讲座，着重阐释司马迁在《史记》中对治国理民政治思想的历史总结，时间蝉联“系列讲座”，故与《史记十五讲》编列为一卷，题名《史记二十讲》。第三部分书序、书评，是作者应各位《史记》专家之请，为各位作者的《史记》研究论著所写的评论，计书序八篇，书评四篇，积数居然有十二篇之多，藉此可见当代《史记》研究盛况之一斑，也藉此向广大读者推荐。

目　录

系列讲座

专题讲座

书序、书评

系列讲座

【说明】2010 年 3 月至 9 月，作者应国家图书馆之邀作客“中国典籍与文化讲座”所作的专书典籍讲座，凡十五讲。国家图书馆出版社以《史记十五讲》为书题与讲座同步在当年 2010 年 4 月出版，收入国家图书馆“讲座丛书”第二编第六辑。过半讲题系作者《史记研究》专题论文转化而成，本次收入个人文集，为了保持系列讲座的完整性，凡转化为讲座的专题论文从《史记研究》论集中删除。

第一讲　导论:《史记》的民族凝聚力与研究现状

司马迁是我国古代最有创造天才的历史学家和文学家。他有着崇高的人格、坚强的毅力和卓越的史才，所以在两千多年前就写出了一部具有世界史性质的中国古代通史，即纪传体《史记》。这是一部体系完整、规模宏大、气势磅礴、见识超群的历史巨著，并且是传记文学的典范。两千多年来有不可胜计的中外学者阅读和研究它，都给予了崇高的评价，从而形成了一个专门的学术体系，即“史记学”。司马迁给中华民族带来了光荣，给华夏子孙留下了一份最珍贵的文化遗产。

中国近代思想家梁启超，在20世纪初倡导新史学之际，十分推崇《史记》，并提出把《史记》引入高校课堂的远见卓识。1949年，新中国成立后，中国的“史记学”研究分为大陆与台湾地区两支发展，各自都取得了优异的成绩。而后，中国大陆、台湾地区与日本的“史记学”形成鼎立格局。20世纪80年代以来，中国大陆的“史记学”研究迅猛发展，已持续了近30年，成为学术界的一个热门课题，研究队伍迅速壮大，研究成果以加速度的趋势递增，许多高等院校开设了专门的《史记》课，有的高校还成立了《史记》研究室。这些都标志着当代《史记》研究步入了一个黄金时代。适逢其会，这是我们这一代人的骄傲。

一、《史记》的民族凝聚力

在中国传统文化国学精品中，《史记》之树生命长青，它有取之不尽的思想源泉，养育着一代又一代人的成长，具有无与伦比的凝聚作用。这一特殊的历史价值与地位，使《史记》成为中国人的根柢书。司马迁的思想、精神、人格对中国知识阶层、对中华民族产生了不可估量的影响，以至于不研究司马迁和《史记》，就不知文化研究从何谈起。随着时间的推移，《史记》日益走向普及，研究队伍不断扩大，由古及今，每一个时代都有一长串的名流学者涉足这一领域。汉代学者班彪、班固父子，文献学家刘向、褚少孙，哲学家扬雄、王充；唐宋文学八大家，史学家刘知几、郑樵，哲学家程颢、程颐、朱熹等数十人；清代的考据大家与文史哲各界学术泰斗如顾炎武、王鸣盛、钱大昕、赵翼、万斯同、王念孙、阎若璩、章学诚等，不胜枚举；近代的梁启超、刘师培、王国维、胡适、鲁迅、郭沫若、侯外庐、范文澜、钱穆、施之勉、朱东润、程金造、陈直；以及杨向奎、钱钟书、蔡尚思等也为大家所熟知。据统计，历代以来，研究《史记》的作者2028人，留下的论文有4000余篇，著作293部，总字数1亿2000多万字，这是其他古籍研究不可比拟的。《史记》日益走向普及，生命之树常青。20世纪80年代以来的当代《史记》研究更是一个热门课题，每年发表的学术论文持续在百篇以上。对1980年到2008年30年间不完全的数据统计，论文论著作者达1161人，发表论文约3000篇，出版论著151部，总字数6000余万字。当代30年与历代2000余年总量相比，论文占70%，论著占52%，总字数占52%，作者人数占65%。综合评估占总量之半。当代文学、史学、哲学以及自然科学各界无不涉及《史记》研究，阅读欣赏的人也日益增多。《史记》为何有如此大的魅力？它的生命之树为何长盛不衰？其根本原因，《史记》是一部继往开来的“百科全书”，这将在下一讲做专题讲座。此外，它还有四大特点，分述于次。

1. 民族文化的浓缩

第一，《史记》是我国第一部通史，在《史记》之前已有《尚书》、《春秋》、《左传》、《国语》、《战国策》、《世本》、《竹书纪年》、《楚汉春秋》等史书，但所记载的历史史事范围狭窄，内容简单，历史被看成统治者个人的活动，因而缺乏广泛的社会意义，且诸史均只记叙相应时代的史事，没有一部是贯通古今的历史内容。随着社会的发展，时代的需要，司马迁以“究天人之际，通古今之变，成一家之言”为宗旨，创作了上起黄帝、下迄汉武3000年的通史，把历史撰述从一个狭小的天地引向了广阔无垠的大千世界；而且以人为主体，建立了崭新的历史观认知体系，这是前无古人的。

第二，《史记》是我国历史上第一次系统的大规模文献整理。《史记》取材广泛，“厥协六经异传，整齐百家杂语”，融会百家学说、各种知识于一编，这正是奠定了《史记》作为“百科全书”的基础。从文献整理角度，将各种文化典籍整理编撰为一部历史著作，是文献运用的最高形式，也必然是发挥历史文献功能的最好手段，非通才大家不能为。司马迁很好地做到了这一点，成为后代史家的典范，所以《史记》成为各科学习的根柢书。

第三，司马迁第一次叙述了全社会全方位的历史，不仅将社会各色人物及人民群众叙入历史，而且创立了民族一统思想，第一次记载了各民族的历史。自古以来，中国就是一个由多民族组成的国家，中华民族的历史，是汉族和各少数民族共同创造的历史。但是儒家的正统思想却一再宣扬“夷夏之辨”，以中原华夏民族为冠带之国，贬称周边各民族为夷狄之邦，以区分种族贵贱。与司马迁同时代的西汉大儒董仲舒提出的纲常伦理学说，也被推广到民族关系上来。董仲舒认为，诸侯不能与天子平等，大夷小夷不能与华夏族平等，甚至各民族之间小夷也不能与大夷平等，说什么“大小不逾等，贵贱如其伦，义之正也”[①]。而司马迁

① 《春秋繁露·精华》。

却在这“罢黜百家，独尊儒术”的汉武帝时代，不仅在《史记》中为百家学说留一地位，而且首创各民族史传，计有《匈奴列传》、《南越列传》、《东越列传》、《朝鲜列传》、《西南夷列传》等五篇。司马迁将东西南北各民族均视为天子臣民，说中国境内的各民族都是黄帝子孙，把记述各民族的列传与各人物列传等列编撰，表现了他的民族平等思想，表达了各民族的历史发展走向统一的主题。东越反秦佐汉，参与中原改朝换代的政治斗争，司马迁特别加以记载，表现了他承认周边各民族有同等“革命”的权利。这一思想在当时是独步史坛的。

此外，《史记》还写了《大宛列传》，记述中亚各国的历史，留下了中西文化交流的内容，从而赋予《史记》以世界史的内容。由此可见，《史记》走向世界不是偶然的。

2. 民族共同心理的历史哲学

司马迁熔铸于《史记》叙事中丰富的历史哲学思想内涵，是一种民族特征在文化上的表现，它表现了共同的社会心理追求，如主张国家、民族统一的历史观；主张贤人治国，反对暴政的政治观；主张农工商虞并行发展，人人致富的经济观；主张礼生于有而废于无，承认人欲并重义的义利观；主张德才兼备、自奋成才的人才观；等等，这都是中华文化民族传统的精品。尤其是大一统历史观，中华民族共认一个始祖黄帝，这一观念所产生的民族凝聚作用，至今仍有不可估量的影响，足见《史记》的进步历史意义。

3. 历史与文学的成就遗泽后世

《史记》作为历史书，是一部体大思精的著作。体大是指《史记》的五体形式，囊括中外，贯通古今，内容丰富，无与伦比；思精是指《史记》内容的全面性、系统性和进步性。《史记》所述历史内容表现的社会结构，以人为主体，在中国乃至整个人类文化史上，是首次体现历史是“人”的社会活动的发展史。《史记》全书，记载了4000多个人物，专传人物100多，五体中记载人物的篇目达112篇。以人为中心，就要写出活生生的人的活动，从而锤炼写人艺术，创造了历史与文学统一的范例。所以，《史记》的纪传在中国文学史上又是传记文学的典范。司马迁写历史人物，不是记流水账，而是选取生活中典型的事迹，突出人物的特点。在司马迁笔下，人物个性鲜明，一个个呼之欲出。司马迁之所以能成功地完成历史人物的典型塑造，这是从属于他的理想的。司马迁以人物为中心写历史，其目的就是要用活生生的历史人物来警醒世人，寓褒贬，别嫌疑，明是非，使社会各色人物都能在《史记》中找到自己的影子，以史为鉴，培植自己的人生。所以《史记》行世，长盛不衰，成为人们提高素质、锤炼修养的必读教科书。《史记》创造历史与文学统一的艺术价值可供人们欣赏，也是它生命之树常青的原因之一。鲁迅评价《史记》为“史家之绝唱，无韵之《离骚》”，揭示了个中道理。

4. 崇高的人格，创新的精神，激励人生奋发有为

司马迁说：“君子所贵乎道者三：太上立德，其次立功，其次立言。”[①] 三立精神就是司马迁的人生观。他由于受李陵之祸而痛不欲生，但想到《史记》未完成，又坚强地活了下来，将全部愤怒倾注于《史记》中。司马迁在《报任安书》中有一段名言：“人固有一死，或重于泰山，或轻于鸿毛，用之所趣异也。”如果人的一生，不能对社会作出贡献，待后人评说，而仅仅以一死来与黑暗进行抗争，就如同“九牛亡一毛，与蝼蚁何异”。司马迁在《孔子世家》和《伯夷列传》中，引圣人孔子之言：“君子疾没世而名不称焉。”他在《太史公自序》中记载了父亲司马谈的临终遗言：“且夫孝，始于事亲，中于事君，终于立身，扬名于后世，以显父母，此孝之大者也。”立身扬名为孝道的最高准则，这是司马迁借父亲之口提出的新颖见解。这种见解标志着司马迁在生与死的抉择中形成了以立名为核心的荣辱观，司马迁又将其上升成为“发愤著书”说。其言曰：“古者富贵而名磨灭，不可胜记，唯倜傥非常之人称焉。盖西伯拘而演《周易》；仲尼厄而作《春秋》；屈原放逐，乃赋《离骚》；左丘失明，厥有《国语》；孙子膑脚，《兵法》修列；不韦迁

① 严可均辑《全汉文》卷二六《与挚伯峻书》。

蜀，世传《吕览》；韩非囚秦，《说难》、《孤愤》；《诗》三百篇，大氐贤圣发愤之所为作也。此皆意有所郁结，不得通其道，故述往事，思来者。”① 司马迁感情激荡，如波涛滚滚，一泻而下，说明他要发愤著书，效法古人，把自己的全部精力和热血倾注在《史记》之中，成为“一家之言”。司马迁于是从个人的悲怨中解脱出来，忍辱著书，留下了宝贵的实录作品。

司马迁的人格是崇高的，他认为只有那些能够经受得起艰难环境磨炼的人，才能作出一番大事业来。这一认识不但激励了自己，而且也启迪着后人深思。他的“发愤著书”说，在文学史上产生了深远的影响。“唐宋八大家”中的韩愈提出“不平则鸣”的文学主张，欧阳修提出“诗穷而后工”的观点，就是对“发愤著书”说的继承和发展。司马迁自己成功的伟大创作，更成为人们学习的样板，因而《史记》的生命之树常青。

二、当代《史记》研究的特点

当代《史记》研究是指 1979 年以来中国改革开放 30 多年间的“史记学”发展。《史记》问世以来 2000 多年的“史记学”发展，大体分为四个发展阶段：古代，从汉至清末，时间跨度 2000 年；近代，从 1905 年到 1949 年，时间跨度 45 年；现代，从 1950 年到 1979 年，即新中国成立后的前 30 年；当代，从 1980 年以来。阶段的划分是按《史记》研究成果的内容所含时代性与研究方法的更新为依准，只代表一家之言。当代《史记》研究已历 30 多年，还未达到顶点，再过数年，划时代界碑工程的完成，是当代《史记》研究达于顶峰的标志。中国史记研究会正在推出的《史记疏证》工程，是集历代《史记》研究大成的界碑工程，可望在 2015 年前后完成。

《史记》研究的四个发展阶段，古代与近代为传统《史记》

① 《报任安书》，载《汉书》卷六二《司马迁传》。

研究，偏重微观，在名物典章、地理沿革、文字校勘、音韵训诂、版本源流，以及疏解、读法、评注等方面下功夫，方法是抄撮材料，排比引证，集甲说乙云，这就是传统注疏与乾嘉考据的治学方法。唐代形成的《史记》三家注是传统方法的一个界碑。近代研究是一个过渡时期，仍侧重“文献研究”，对《史记》的宏观研究已引起了重视。

新中国成立以来至今半个多世纪是文史工作者运用唯物主义方法研究《史记》的新时期。由于政治起伏，形成了前30年与后30余年《史记》研究的不同局面，因而分为现代、当代两个时期。前30年，即1949年至1978年，因“文革”运动的中断，实际只有1951年到1965年共15年。时间短，一代新人未成长，又是新方法运用的发轫期，大家还很不熟练，论著多以普及读物为主导，一般是小册子。老一辈学者作出贡献又具有时代界碑价值的成果，值得称道的论著有七种，即中华书局点校本《史记》(1959)、贺次君《史记书录》(1958)、金德建《司马迁所见书考》(1963)、陈直《史记新证》(1979)、钱钟书《管锥编·史记会注考证》(1979)，以及白寿彝的《司马迁与班固》(1963)和《史记新论》(1981)。前五种均属“文献研究”的范围，只有后两种白寿彝的论著是运用唯物史观与丰富史料相结合的宏观研究，在学术界作出了示范。

20世纪80年代以来的当代《史记》研究，出现了前所未有的生动局面，是2000多年来“史记学”的发展高峰，在此予以重点评述。下面从研究特点与发展趋势两个方面来谈。先说当代《史记》研究的特点，主要有四个方面。

1. 唯物史观的方法

古代传统研究对司马迁“一家之言”的思想只有零星的探索，而且立论肤浅，例如“史公三失”，争论2000年也没把它说明白。明清评点家对司马迁思想不乏精到见解，但总体上却是偏重辞章技巧，因而陷入寻章摘句中，同时，又刻意追求史公微文，往往断章取义，任情附会，脱离历史实际。这是缺乏唯物史观就事论事的必然结果。当代学术界在唯物史观指导下，把司马迁的写作活动与当时社会政治、经济状况紧密地联系起来，不仅揭示了司马迁历史活动的动机，而且能够从社会关系的总体中分析这种发展的客观规律性，看出物质生产发展是这种关系的根源。这种从广阔的历史背景上去考察司马迁思想的方法，在20世纪50—60年代，人们还很陌生，对司马迁思想的考察忽左忽右。20世纪50年代有拔高的倾向，如说司马迁是“人民歌手”、“人民历史的开创者”、“处处从人民立场上来评价历史人物和历史事件”，等等。到了20世纪60年代，则出现了贬低的倾向，如有人认为，司马迁的历史观，只不过是由“英雄史观、历史循环论、神学史观等糅合于一体”的“唯心主义历史观体系”，他“是地主阶级的思想家”，“他所宣扬的是为统治阶级服务的封建伦理道德”，等等。唯物史观方法，在20世纪80年代以来宽松的学术氛围中为新一代论者所普遍掌握，推动了“史记学”的迅猛发展，论说理据充实，平允中肯，标志着研究者思想理论的成熟。

2. 纵横比较的方法

古代的《史记》研究，比较方法局限于马班异同。当代的《史记》研究大大开拓了比较的范围，概括地说有三个方面：其一是《史记》篇目自身的比较，提示司马迁运用互见法的成绩。其二是将《史记》与前代、后代的史学和文学作比较。《史记》与前代的比较，如《史记》与《春秋》、《左传》、《战国策》、诸子的比较，与《离骚》、《楚汉春秋》等的比较，探索司马迁对前代思想及资料的继承；《史记》与后代的比较，除与《汉书》外，还与《资治通鉴》以及政书、戏曲、小说作比较，探索司马迁对后世文化的影响。明清评点家已将《史记》与小说比较，不过大都是札记性质。当代全面系统地探索《史记》对后世传记及小说的影响，成为文学界研究《史记》的一大主流，论文论著都不少，占当代《史记》研究总量的三分之一还多。其三是将《史记》与国外的史学著作比较。齐思和在1956年1月17日《光明日报》上发表的《史记产生的历史条件和它在世界史学上的地位》一文，是第一篇运用历史比较法将《史记》与希腊史学名著对比，分析了"《史记》的特点在于它的全面性，尤其是对于生产活动、学术思想和普通人在历史上的地位的重视"，简明地表述了《史记》在世界文化史上的地位。20 世纪 80 年代，这种比较研究日渐成熟，如李少雍的《司马迁与普鲁塔克》[①]、黄新亚的《论司马迁在中国文化史上的地位》[②]、刘清河的《从〈旧约〉与〈史记〉的比较试探东方文学的一点规律》[③]、夏祖恩的《试比较司马迁与修昔底德的经济史观》[④] 等文，颇有创见。诸文比较的结果是，司马迁在知识的积累、认识的深度、表现力的强度方面，都是同时代东西方最杰出的代表人物。因此，司马迁不仅是汉代的文化巨人，而且可以说是整个古代世界的文化巨人。

3. 各种新方法的借鉴与运用

随着现代化的进程，中国与世界文化的交流更加广泛和深入，国外的文化传入中国，有新学科的传入，有新方法的尝试。如系统论、价值论、艺术辩证法等都运用在《史记》研究上。徐兴海的《史记所体现的系统观》[⑤]、党丕经的《论史记的史学框架》[⑥]，就是运用系统论分析《史记》整体结构和史学框架的尝试。艺术辩证法运用广泛，除了分析《史记》实录与人物塑造的关系的许多论文外，还有宋嗣廉的《史记艺术美研究》、郭双成的《史记人物传记论稿》等论著也作了成功的尝试。技术性的现代化手段，如李波等编制的《史记索引》就是利用微机处理《史记》原文取得的成果。运用计算机检索较之传统手工检索不仅速度高出几百倍，而且准确无遗漏。

4. 文献与考古相结合

近代考古学的发展运用于《史记》研究，首推王国维用甲骨文、金文证明《史记》记载的三代历史为可信。王国维和郭沫若都运用汉简考证司马迁生卒。利用考古材料全面论证《史记》的

① 《文学评论》1986 年第 5 期。
② 《陕西师大学报》1986 年第 3 期。
③ 《汉中师院学报》1988 年第 3 期。
④ 《福建论坛》1987 年第 6 期。
⑤ 《人文杂志》1987 年第 3 期。
⑥ 《陕西师大学报》1988 年增刊。

史料价值，陈直的《史记新证》作出了新贡献。吴树平等人的《全注全译史记》也大量吸收考古成果，成为一大特色。

近代、现代的 80 年是新旧交替的时期，当代是研究方法全面更新的收获时期。当代的《史记》研究，更偏重宏观，以历史的研究为主导，把《史记》从“史料学”的研究水平提高到“史记学”的研究高度上来，把司马迁和《史记》放到中国文化、中国思想文化史的大背景中进行评述，走上了科学化的轨道，从而把司马迁的思想研究作为主轴提到议事日程，开拓了“史记学”的新格局。应该肯定，传统的考证研究是有贡献的。在史实考辨、鉴别真伪等方面是不能离开考据方法的。但是如果仅仅拘泥于一些僵死的事实的搜集和考据，而离开对事物发展的过程的考察研究，往往会偏离正确的轨道，即使是博学宏通的学者有时也会迷失方向。例如近代文献学家余嘉锡先生考证《史记》缺佚，著《太史公书亡篇考》，洋洋十万余言，引证材料几百条，用此证明《史记》有十篇亡逸，认为张晏之说不虚。尽管余先生引证宏博，究源竟委，但他离开了《史记》本证，囿于班固、张晏之成说，考证的起点就偏离了方向，所以他的详细考证不能成为定案。20 世纪 80 年代对此重新作了审定。近人和今人运用考据，一般均能将考据与唯物史观的分析方法结合，宏观与微观互相补充，考论结合，提高了研究水平。在这方面，前辈学者王国维、郑鹤声、白寿彝、陈直、程金造等在他们的论著中作出了表率。当代学者施丁的《马班异同三论》，陈可青的《太史公书凡例考说》，吴汝煜的《史记与公羊学》，张大可的《太史公释名考辨》、《史记断限考略》、《史记残缺与补窜考辨》，刘家和的《史记与汉代经学》，赵生群的《〈史记〉〈战国纵横家书〉史料价值考论》、《司马迁所见〈晏子春秋〉〈管子〉考》等，都是考论结合的佳作。

三、当代《史记》研究的发展趋势

当代《史记》研究的发展趋势是提高与普及双向发展，前者总结，后者开拓，盛况空前。主要标志有以下四个方面。

1. 队伍宏大，成绩显著

据前文所列数据统计，《史记》问世2000多年来有论文总量4000篇，论著总量293部，总字数1亿2000余万字，作者2028人，当代20世纪80年代以来的30年间的研究成果占2000多年来总量之半，这足以说明，当代是“史记学”研究的一个黄金时代。

2. 方法更新，中青年学者大放异彩

20世纪80年代是老中青学者共展宏图的时代。例如20世纪80年代初展开的司马迁与公羊学的讨论，杨向奎首发其端，张维华继之于后，他们两位是老一辈专家。陆永品、施丁、吴汝煜是中年学者，赖长杨是崭露头角的青年学者。司马迁与公羊学这一课题，正是在老中青学者共同参与的热烈争鸣中取得突破的。中青年学者视野开阔，锐气旺盛，引进了系统论、比较研究等新方法，许多重大课题的攻关在他们手中完成，已出版的有分量的著作十之八九也出自他们之手。白寿彝的《史记新论》(1981)、程金造的《史记管窥》(1985)、吴中匡的《太史公自序注说会纂》(1984) 等是前辈学者的成果，施丁、陈可青的《司马迁研究新论》(1982)、陆永品的《司马迁研究》(1983)、聂石樵的《司马迁论稿》(1985)、张衍田的《史记正义佚文辑校》(1985)、吴汝煜的《史记论稿》(1986)、宋嗣廉的《史记艺术美研究》(1985)、何世华的《史记美学论》(1989)、郭双成的《史记人物传记论稿》(1985)、可永雪的《史记文学成就论稿》(1991)、李少雍的《司马迁传记文学论稿》(1987)、韩兆琦的《史记通论》(1996)、杨燕起的《史记的学术成就》(1996) 及与他人合作的《历代名家评史记》(1986)、仓修良的《史记词典》(1991) 等是中年学者的代表。张大可出版了《史记研究》论集 (1985)、《史记论赞辑释》(1986)、《史记全本新注》(1990)、《司马迁评传》(1991)、《史记精妙语》(1998)、《史记文献研究》(1999)，以及合作的《司马迁一家言》(1995)，总成果近400万字，在学术界别树一帜。老中青结合的《史记》全本注译主要有两种：王利器主编的《史记注译》(1988)、吴树平等人的《全注全译史记》

(1995)。宏观与微观研究相结合的《史记》全本新注，当推韩兆琦的《史记笺证》(2004)。该书是韩先生用力最勤的一部力作，也是千年世纪之交《史记》界的一项最新成果。此外还有全本《白话史记》六种。

长江后浪推前浪，1990年代涌现出了一批青年学者。覃启勋的《史记与日本文化》(1989)、俞樟华的《史记新探》(1994)、赵生群的《太史公书研究》(1994)、《史记文献学丛稿》(2000)、张新科和俞樟华的《史记研究史略》(1990)、韦苇的《司马迁经济思想研究》(1995)、陈桐生的《史记与古文经学》(1995)、程世和的《史记——伟大人格的凝聚》(1995)，表现了青年学者的实力。从总体上看，中青年学者数量大，目前正处于巅峰状态，自觉地肩负起重任而大放异彩，这是20世纪80年代以来“史记热”持续不衰的根本保证。

3. 研究领域不断扩展，研究课题不断深入

20世纪80年代以来的《史记》研究者，对司马迁思想和《史记》文、史、哲、经的内涵展开了全面的研究，《史记》百科全书的价值正在日益不断深化阐释和显露。对司马迁的历史观、政治观、经济观、社会伦理观、学术观、历史编纂学、历史文学、艺术表现手法及马班异同、《史记》与《春秋》等各个方面都作了比较深入的研究，提出了不少引人注目的新观点。此外，司马迁的战争观、美学思想、法律思想、民族思想、人才学思想、天文学、医学成就，《史记》与档案资料、《史记》与地方志等等课题，不断被开发，而且都有系列论文发表或专题论著出版，取得了丰硕的成果。研究的水平和质量大大提高，1980年代取得了许多重大课题的突破。例如司马迁与公羊学、《史记》的疑案研究，包括司马迁行年、《史记》断限、《史记》残缺与补窜、“太史公”释名、司马谈作史等等，都有新的探索。

4. 协作攻关，总结性的界碑工程提上议事日程

唐代完成的《史记》三家注，是“史记学”的奠基工程，从那以来已历经一千四五百年，由于20世纪80年代以来的“史记热”和新方法的运用，总结性的界碑工程历史性地落到了当代《史记》

研究者的肩上。20 世纪 80 年代中期开始，出现了更为可喜的形势，学术交流扩大，横向联系加强，全国性的《史记》学术研讨会从 1987 年以来已举办了 15 次。1993 年陕西省成立了司马迁研究会，促进了总结性工程的开展。2001 年中国史记研究会成立，这是当代《史记》研究步入黄金时代的一个标志，必将极大地促进全国各地学者之间的交流与合作，推动《史记》研究向纵深发展。中国史记研究会凝聚了当代的《史记》研究精英，协作攻关总结性的大型学术界碑工程《史记疏证》，规划 1500 万字，2015 年完成。《史记疏证》的内容是继唐代《史记》三家注以来又一次的大规模“史记会校会注会评”整理，“融古今研究成果于一编，聚当代时贤于一堂”。这一学术工程的完成，毫无疑义是 21 世纪初“史记学”的一项大总结，具有划时代的界碑价值。

5.《史记》的普及工作，做得有声有色

在前文所列当代 151 种《史记》论著中，普及型的论著有工具书 9 种，《白话史记》6 种，选本 20 种，通俗读物 29 种，其他读物 5 种，合计 69 种，2500 余万字，可以说是不同层次上的《史记》普及工作。在 20 世纪 50—60 年代，瞿悦园的《史记故事选》(1956)、张友鸾等的《史记选》(1956)、郑权中的《史记选讲》(1959)、上海古籍出版社《中华活页文选》合订本第四辑(1962) 等，很受读者欢迎，打下了普及的基础。1980 年代后，《史记》的普及工作上了一个新台阶。1950 年代，只有王伯祥一家《史记选》(1957)，还是学术性选本，1980 年代后多数选本都是普及与提高相结合。韩兆琦的《史记选注集说》(1982) 与《史记选汇评》(1990)、张大可的《史记选注讲》(1989)、上海古籍出版社编选的《史记纪传选译》(1987)、杨燕起的《史记精华导读》(1993) 等，都是学术性普及选本。韩兆琦别开生面，在选注文章后集说名家评议并加按语，有助于读者领略太史公的创作义理与笔法。韩兆琦还有《史记评议赏析》两种 (1985 年内蒙古人民出版社、1988 年巴蜀书社)，精选《史记》名篇赏析，普及《史记》的艺术美。提供治学门径和信息的工具书编制，1980 年代后有突飞猛进的发展，出版 9 种，1200 余万字，成为系列。《史记资料索引和论文专著提要》（1985）、《史记索引》（1990）、《史记词典》（1991）、《司马迁与史记研究论著专题索引》（1995）四种，都是近年出版的大型工具书，很有实用价值。

文学界对《史记》文学性与艺术美的研究，达到了一个全新的境界，大大提高了《史记》的知名度，在当代《史记》研究中扮演了生力军的角色。《白话史记》、《漫画史记》、《绘画史记》、《史记精言妙语》、《史记》故事等等普及读物，百花齐放，光彩夺目。普及工作将是今后一个时期的方向，随着精神文明建设的强化，《史记》不再是少数文人墨客的案头物，而将成为广大人民所共享、共识的文化艺术品。

四、《史记》读法

司马迁写《史记》运用当时口语化的文学语言，字面意义不难懂，似乎人人都能读，但深入了解《史记》蕴涵的义理，却难以读懂。司马迁早有警言说："非好学深思，心知其意，固难为浅见寡闻道也。"[①] 读懂《史记》不是一朝一夕的事。但只要执著与坚持，细心体会，《史记》又并非难读。下面略说几点体会。

（1）反复阅读，每读一遍，着重体会其某一层意义，多读几遍，反复揣摩，必能有所获。

（2）相关篇章联系起来读。三十世家与七十列传均可分为若干相关的一组，如三代世家为一组；战国时期的赵、魏、韩、齐等四篇世家为一组；汉初五功臣世家萧、曹、张、陈、周五篇为一组；战国孟尝、平原、信陵、春申四公子列传为一组；汉武帝伐匈奴相关列传为一组；等等。

（3）两两对照，多方比较，相辅见义。例如高祖与项羽两纪的对比，李广与卫霍两传之对比，以分人物品性之高低，作者感情之倾向；汉文帝与张释之冯唐两篇纪传对照，以见司马迁对开

① 《史记》卷一《五帝本纪赞》。

明政治的设计与向往；《史记》五体首篇之对照，以见作者提出礼让治国的理念；等等，这是深层次的分析，积久才能见效果。

(4) 互见法是读《史记》的一把钥匙，特别是塑造历史人物的一种方法。如《魏公子列传》写魏公子礼贤下士，集中塑造他高大完美的形象，而缺点写在《虞卿列传》中，苏洵称之为“本传晦之，他传发之”。

(5) 把握司马迁的叙事方法、语言特色，也是读懂《史记》的重要因素。如寓论断于叙事，人物情节故事化，语言的讽刺艺术，感情色彩，等等。

五、附录：推荐 20 种 20 世纪《史记》研究论著参考书目

1. 中华书局点校本《史记》

此本是新式点校的唐代三家注合排本，1959 年初版，直行繁体字排印，分装 10 册，235 万字。现已多次重印，仍不敷所需，可见影响之大。每次重印都订正一些错误，日益完善。《史记》版本定型于唐代三家注，而奠基于南朝宋裴骃《史记集解》（参阅裴氏《史记集解序》与《四库全书提要》）。点校本《史记》的出版，是学术界继唐代三家注定本以来最精善的一次整理，集千余年来学术研究之大成的善本，在《史记》版本校勘学研究发展史上，是一个重要的里程碑。

点校本《史记》，以清同治年间金陵书局刊行的“史记集解索隐正义合刻本”为底本，这就保证了迄今为止《史记》校勘的最佳质量。因为金陵书局本经晚清著名校勘学家张文虎与唐仁寿校订。张、唐二人根据钱泰吉的校本，又博采宋元明清诸善本汇校汇考，又采择梁玉绳《史记志疑》、王念孙《读书杂志》、钱大昕《史记考异》等书成果，详为校刊，考其异同，精审采择，世称善本。点校本在此基础上参考凌稚隆的《史记评林》、吴见思的《史记论文》、张裕钊校刊的归方评点本和吴汝纶点勘本等的句读，对《史记》原文和“三家注”作了全新的断句、标点和分

段整理，是最便阅读的读本。此本有两大特点。第一，分段精善。一般是每事一段。但为了避免琐碎，凡事情简易、文字短小者，数事合为一段。反之，一个大事件，文字很长，则按事件发展的波澜分成若干段。如《项羽本纪》的“鸿门宴”一节就分为四段。分段精善，使史实内容条理清晰，线索分明。第二，技术处理合理。为了段落之间眉目清楚，根据段与段之间的不同联系作了不同的技术处理。凡大段之间空一行。二人以上合传，关系密切的叙完一人事迹接续一人事迹时空一行；关系不密切的，人物之间空二行；附传人物为一组，之间不空行。正文中的大段引文如《秦始皇本纪》和《陈涉世家》所引《过秦论》，以及后人增补的文字如《张丞相列传》、《郦生陆贾列传》所附增窜文字均另起一行，低二格以示标志。年表部分，在书眉上标注了西历纪年，又在《十二诸侯年表》、《六国年表》、《汉兴以来诸侯王年表》的双页码的左边加上国名标尺，阅读和考证都十分方便。点校者对于已断定的增删文字也作了有标志的技术处理。删去的字用圆括号小号字排，增添的字用方括号标排，以避免武断。在《史记》正文中，将张文虎特别喜欢保存的古字都改成今体字，改回避讳的缺笔字，版刻异体字改作现在的通行字。对“三家注”，则用小号字分条排列于各段正文之后，标注号码对应。《史记》经过这样整理以后，具有很高的学术价值，具备了新的时代风貌，有利于统一《史记》学习和研究者的“语言”，不仅给广大读者提供了精善的读本，也给专门研究者提供了完善的引证本。这一成果，也为我国古籍整理作出了有典范意义的重要贡献。

2.《史记全本新注》

张大可注释。三秦出版社 1990 年初版，1992 年再版，2000 年华文出版社重出，简称《史记新注》。全套精装 4 册，200 万字。《新注》以阐明司马迁一家之言为宗旨，打破传统旧注的局限，将宏观研究与微观研究结合起来，创造了全新的注释体例，包括序论、五体说明、题解、段意、简注、简论等六项内容。“序论”，宏观评述司马迁其人其书，对《史记》全书结构、书法和史事内容作了轮廓的勾画。“五体说明”，对《史记》五体特点以及篇目系统作简明概说，写在每体篇目之前，评述《史记》编纂学。“题解”，加在每篇之前，将解题与题要结合起来，包括四个基本内容：一释篇题；二介绍传主；三提示篇旨；四作者意向。“段意”，对段落内容的概括，具有点题、剖析、归纳的作用，不是复述，而是对篇中史事内容作大段落的高度概括。“简注”，以简洁明快疏通原文语意为旨归，音、义、人物、地理、职官、典章制度、历史掌故，均用白话简释，一般不作引证，歧义只注一说。为求通达，难句加串译。“简论”，内容灵活，抒发见解，或评或论，补述史事，多择举篇中一、二重点作画龙点睛式的评说，不求划一，有论则发，无论则省。六项注释体例，有机联系，相辅相成。每个单篇四项内容，“简注”微观考释，重点是疏通语意；篇前“题解”，篇中“段意”，篇后“简评”，三项前后呼应，点示义理。

《新注》体例在“史记界”独树一帜，以“简”为最大特色，符合当今时代节奏。阐释内容有三大特点。第一，注疏以义理为重点，指导读者从宏观上把握，体察言外之意，真正读懂《史记》。《史记》难读，不在字面意义，而是言外义理，浅尝辄止，人人可读，愈是深入，愈觉难读。《新注》从体例到内容紧紧把握这一重点，因而别具一格。第二，宏观研究融入注释，侧重探索司马迁思想，揭示出篇中精义。如《五帝本纪·题解》提示说：“儒家经典《尚书》记事起于尧，宣扬仁德；司马迁推前至黄帝，是宣扬天下大一统。”篇末“简论”总括全篇旨意呼应说：“轩辕氏‘修德振兵’，统一了天下。《史记》开卷起自黄帝，寓意于颂扬大一统。《史记》所载三代天子、列国世家、忠臣义士，追祖溯源，皆归本于黄帝。中华民族皆黄帝子孙，这一观念就奠基于《史记》。《史记索隐》作者司马贞不明此旨，越俎代庖替《史记》补《三皇本纪》，可谓画蛇添足。”寥寥数语，指导读者读《史记》要全书关联，并辨正千年聚讼，揭示《史记》断限之本旨，理据充实，简洁明快，显示了宏观注疏的优势。第三，注文吸收古今人研究成果，用考论结合的方法融会贯通，极富时代神韵。如《周本纪》对西伯姬昌被囚羑里，盖益《易》之八卦为六十四卦句，新注云："盖，疑词，司马迁认为文王演《易》在疑似之间。据《易正义》云：'伏羲制卦，文王作卦辞，周公爻辞，孔子十翼。'按，《易》为卜筮之书，但记载了许多殷周历史故事，以及许多自然界和社会变化现象、因果，包涵朴素辩证法思想，非成于一时一人之手。据研究十翼成书于秦汉之际。"这段注文简约而义丰，融会了古今学人对《易》的研究成果，对有关问题均作了交代，澄清了可能产生的误解，而且更证明司马迁记载的审慎和恰当，提示了读者要细心地理解原文。此外，《新论》以中华书局点校本为底本而作了全新的技术处理，将《史记》原文、司马迁在传中引用的文献、褚少孙补文、其他增窜文字、司马迁附记太初以后大事等项，均用不同字体区分排版，既保存了流传的《史记》定本，又还《史记》原本之真，提供读者以方便的参考。

3.《全注全译史记》

吴树平等 35 人合注。天津古籍出版社、国际文化出版公司 1995 年出版，大 16 开本，精装 3 册，580 万字。本书作者阵容整齐，凝聚了历史学、考古学、文献学各界专家，通力合作，开创了多学科协力攻关整理大型古籍的范例。本书注与译均用精练的白话文，合于信、达、雅的要求，将学术性与普及性结合起来，使本书具有参考与阅读的双重价值。译文流畅，可读性强，阅读价值及水平明显高于诸多的白话本《史记》。注释的最大特色是大量吸收了当代考古学成就印证文献典籍，清晰地勾画出古代中华文明的发展历程，大大地丰富了《史记》的内容，焕发出时代的青春。例如注者在《五帝本纪》中引用近年甘肃秦安县大地湾距今六七千年的新石器氏族公社的新资料，证明《水经注》等典籍记载的黄帝应是居于西方的氏族。颛顼是东方的东夷氏族，东西方氏族在融合过程中被编织在一个世系里。注者不是堆砌材料，而是融会贯通提炼出当今学术成就注释古史传说，具有很高的参考价值。本书各篇注释详略悬殊，水平参差。例如《平准书》"作业剧而财匮"句，无注，译文为"战事和兴建繁多，但物资匮乏"，不准确。这里讲汉兴以后，已无战事。"作业"，指

"治生之业"，"剧"应释为"艰"。句译应为"生产停滞而物资匮乏"。成于众手，在所难免，不足以影响该书的整体价值。

4.《史记论赞辑释》

张大可辑释。本书是对《史记》中的"太史公曰"作为司马迁的史论加以贯通研究的专著。作者指出：《史记》的论赞，系指《史记》中的"太史公曰"。"太史公曰"，为司马迁仿《左传》"君子曰"所创造的史论形式。习惯地称篇前之"太史公曰"为序，篇末的为赞，篇中的为论。在《史记》中还有一种"论传"，如《伯夷》、《日者》、《龟策》三列传和末篇《太史公自序》。《太史公自序》实为《史记》的总论。《史记》中的这种多种形式的史论，构成了司马迁系统的史学理论和是非观点，集中地表现了他的"一家之言"。对《史记》论赞的研究，是探索司马迁思想的第一手资料。本书共辑释"太史公曰"134篇，计序论23篇，赞论106篇，论传5篇，共30936字，占《史记》全书的6%。篇幅虽不长，内容却极为丰富，为《史记》一书的血气。《辑释》中还收入了《报任安书》及贾谊的《过秦论》（因司马迁以其为《秦始皇本纪》的赞语）。本书引文以中华书局1962年点校本《史记》为依据，共分9个单元：五体论赞各为单元，论传分3个单元，《报任安书》自为单元。《辑释》所整理的内容为：说明（在每单元之前）、注释、译文、简论（有的无简论）。"说明"和"简论"，系对司马迁史论体系及内容的简要评述。序赞篇目依《史记》五体序列编排。为突出司马迁的经济思想将《货殖列传》置于《平准书》之后。《太史公自序》分为7段，翻译时加了7个标题。本书立意得体，论述精当，表现了作者独特的见解。本书1986年8月由陕西人民出版社出版。

5.《史记考索》

朱东润著。开明书店1943年初版，1948年再版。全书收文18篇，约14万字。讨论史例者4篇，论史实者3篇，论史注者4篇，辑佚3篇，附录史公年谱订正、太史公释名、《史记》书名、《史记》伪窜等考辨文4篇。作者卷首小识记述作之因，为诸生讲演《史记》，所论为开课专题。时值"乡邑沦陷"，艰苦抗战的

1939 年，客居于四川乐山，“箧笥既乏”，所据仅《史记会注考证》、《一切经音义》数种资料。正由于此，使本书具有以《史记》考《史记》的特点，即以司马迁自己的阐述为依据，用《史记》序赞与传文比照，以“三家注”为佐证，对《史记》断限、体例、史实抵牾、伪窜、异文等问题进行辨析，提出自己的独到见解。并首次对“三家注”的例义进行了条理，对已亡佚的邹诞生和刘伯庄的《史记音义》分别作了辑佚。朱氏考论，强调本证，反对三病：其一，论古书“强人以救我”，即“本无是例，强为代立”；其二，“强前人以救后人”，即“以后起之书，别定新例，追论古作”；其三，“强古人之阔略以就今人之文网”。刘知几论《史记》体例，曰“天子为本纪”，以“开国承家，世代相续”为世家，即以后世《汉书》体例去范围《史记》。朱氏以史公《自序》为依归，认为《史记》本纪，只是“科分条例，备举大纲”，因诸侯史记皆亡，秦记独存，为之纲纪，《秦本纪》可作也；项羽“分裂天下而封侯王，政由己出，号为霸王”，《项羽本纪》可作也；孝惠不听政，纲纪天下者吕后，故《吕太后本纪》可作也。又论“辅弼股肱者”即为世家，故史迁之作世家也，“开国可也，不开国亦可也，世代相续可也，不能相续亦可也，乃至身在草野，或不旋踵而亡，亦无不可也。明乎此而后可读《史记》”。由于条件所限，朱氏立论与疏证较为简略，但都是深思熟虑依本证为言，合于史公大旨，对读者掌握《史记》本义很有启迪。本书考论史实的三篇文章，为朱氏读史表的独特见解，史识高人一筹，最为精绝。

6. 《史记新证》

陈直撰。天津人民出版社 1979 年出版，14 万言。本书是作者运用“二重证据法”，充分利用考古材料与文献结合证明《史记》的史料价值，乃至文义辨析的专门著作，作者广泛引用甲骨文、两周铜器铭文、秦汉权量、石刻、简牍、铜器铭文，同时也征引《盐铁论》、《九章算术》、扬雄《法言》、《全后汉文》等典籍文献，“使文献与考古合为一家”，获得了许多新见解，在《史记》研究中展现了新面貌。主要用力于考证先秦古史，证史公记载为信史。作者指出，“太史公作《殷本纪》，合于殷墟甲骨文者，有百分之七十”(作者《自序》)。如《殷本纪》载，“伊尹名阿衡”，后世学者对“伊尹”这一人物多有疑惑，《新证》引据《殷墟前编》材料有殷人“以酒祭伊尹之记载”，则“疑古之喙，可以稍息矣”。又《周本纪》载“昭王子满，是为穆王”。作者依据1954年长安县普渡村出土铜器铭文“佳三月初吉丁亥，穆王在下减居，穆王乡丰”等文字，断定穆王为生前之号，非死后之谥，指出王国维考证周代王号皆生前所加为确论，并指出《史记·殷本纪》所载“汤曰吾甚武，号曰武王”是其文献上的显证。此条是“二重证据法”的生动例证。在考订史实之外，作者兼及对《史记》文句脱误以及“三家注”、《史记会注考证》等各家注释之误提出驳证。如《太史公自序》“紬史记石室金匮之书”，《集解》引徐广曰：“紬音抽。”《索隐》引小颜注云：“紬谓缀集之也。”作者引《居延汉简释文》卷一证“紬”即“抽”之假借，下按语判断云“徐广注是，颜师古失之”。陈氏考订计734条，条条有依据，论说绝大多数精当可靠，直以案语出之，表现了作者的自信。

7.《司马迁之人格与风格》

李长之著。上海开明书店1948年初版，三联书店1984年再版，22万字。本书是第一部把司马迁作为文史学家与思想家并重加以考察的学术专著，具有评传性质，附论了司马谈。内容包括《史记》产生的时代特点，司马迁的生活经历与学术渊源、历史观点、政治思想，以及《史记》各篇的真伪辨析、写作年代、文章风格与艺术成就等，对这些问题作了广泛的探讨。本书出版在新中国诞生的前夜，以探索司马迁思想和《史记》艺术成就为主线，语言精练，文情并茂，可以说开了一代新风，在“史记学”发展史上具有承先启后的历史地位。作者宏观识力精审，提出了许多独特而深刻的见解。作者论证了司马迁的学术渊源，认为秦汉大一统是齐楚文化的胜利，都充满浪漫精神。齐楚文化“丛集于司马迁之身”，使他成为了“自然主义的浪漫派”。又说，司马迁精神上受惠于孔子，有着“真正的共鸣”，但家学影响，根本思想还是道家。论司马迁的“历史意识”，认为历史是演进的，要“通古今之变”，“究天人之际”。作者推崇《史记》“是真正人类整个活动的历史”，它“提高了平民的地位”，“在历史科学的方法上贡献尤大”，“实在已由广度而更进于深度”。本书最精彩的评述，是对《史记》文学成就的分析。作者称赞司马迁是一个不朽的抒情诗人，《史记》是一部散文诗史。《史记》之文最“纯正”，可用“奇而韵”称之。“奇”，来自秦文的矫健，而变为疏荡；“韵”，乃是经过《楚辞》的洗礼，使疏荡处不走入偏枯躁急。作为传记文学的《史记》，司马迁做到了文风与所记述人物性格相符，并在全书组织中，反映出作者有意造成整体的和各部分的建筑美，并且通过跌宕的句式、和谐的音韵等表现出来。因此，自唐宋以来，《史记》被视为散文典范，司马迁成为事实上的古文运动宗师。本书的不足之处，微观考辨疏略。如说，司马谈是世传的历史家，司马迁生于建元六年的十条佐证，对《史记》补和缺的推论等，大都依据薄弱，想当然的成分居多。此外，评论用语，某些概念含混，个别地方阐述尚欠妥帖，或比附不当。但总体上，作者的论述，在当时达到了时代的最高境界，无可置疑。至今读来，仍觉亲切。

8.《司马迁》

季镇淮著。季镇淮，北京大学中文系教授。其著作除本书外，尚有《历代诗歌选》及主编《闻一多研究四十年》等。本书是一本简要的司马迁传记及介绍《史记》的读物，由“家世”、“童年”、“漫游、侍从和奉使”、“为太史令——从内廷到外廷”、“著述理想的开始、挫折和坚持”、“伟大的现实主义的历史家和文学家”、“司马迁在中国文化史上的地位和影响”等 7 部分组成。前 5 部分论述了司马迁的家世和经历，认为：司马迁自称是重、黎之后，“是很渺茫的”，他引出这样一个远祖，“不过是要表明他的家世是一个悠久的史官家世罢了”。作者同意司马迁生于汉景帝中元五年（前 145）之说，并认为“董仲舒的《春秋》学说，竟成为司马迁后来著作《史记》的带有根本性的思想上的动力”。司马迁以什么原因为郎中，“我们一点也不知道”。“李陵之祸”出狱后，司马迁为中书令，以一个宦者的身份，在内廷侍候。“他内心忍受着痛苦的煎熬和无限的愤恨”，至太始四年（前93）十一月，《史记》已经基本完成了。在“伟大的现实主义的历史家和文学家”一节中，作者认为，《史记》的写作自元封三年（前108）司马迁为太史令起到太始四年，共经过16年。作者还分析了《史记》的内容和意义，指出了《史记》的人民性和现实主义精神。认为：“司马迁的独创性在于他能够‘网罗天下放失旧闻’，把三千年的历史，作一次通盘的清理，并使之纳入一个庞大而完整的系统”。司马迁依据的史料除“金匮石室”的“死史料”外，还有“流传广大地区、广大阶层的人们的口头上的‘活史料’”。“司马迁所以一方面被人们誉为‘有良史之才’，一方面又被另一些人毁为‘作谤书’的原因，也就在于他的叙事是‘不虚美、不隐恶’的‘实录’”。司马迁“并没有受统治阶级传统的道德标准束缚，而直接从被压迫人民的利益与愿望来看道德问题”。“司马迁一生丰富的生活实践和被压迫的亲身体验就是他的深刻的人民性的思想最为直接的来源。”最后作者论述了司马迁在中国文化史上的地位和影响。本书出版在新中国成立之初，对介绍司马迁及《史记》有一定的功绩。尤以其有叙述翔实、深入浅出、语言简练的优点，为群众所乐读。本书1955年3月由上海人民出版社出版。

9.《司马迁评传》

张大可著。南京大学出版社1994年出版，36万字。学术界已出版三种司马迁评传，本书是最大的一种，纳入匡亚明主编的200部《中国思想家评传丛书》中。全书10章58节，以《史记》成书为经，司马迁行状为纬的特别构思，用以反映司马迁与《史记》是不可分割的一体这一特点。十个章题序列如次：第一章，“故里、家世及少年时代”；第二章，“出仕与扈从”；第三章，“家学渊源与师承”；第四章，“司马迁之父司马谈”；第五章，“发愤著书”；第六章，“体大思精的历史著作”；第七章“史记的文学成就”；第八章，“司马迁思想”；第九章，“大一统时代的骄子”；第十章，“名山事业垂千秋”。第一至第五章，纵向勾画了从远古至汉代所积累的产生司马迁的人文历史条件以及司马迁创作《史记》的自觉意识；第六至第八章，从史学、文学、思想三个方面总结司马迁事业的成就，展现了这位文化巨人集文史哲于一身的风采；第九至第十章，总结《史记》产生的主客观历史条件，回应全书，并阐明“史记学”的形成和发展，纵向勾画了司马迁及《史记》对后世的影响。本书从中国思想文化发展史的角度，突出司马迁的创造和个性，时间跨度上下五千年。也就是说，作者把司马迁放在中国五千年悠久文化思想发展史的大背景下来考察，思路开阔，宏观立论，符合唯物史观。十个章题的总体结构是一个纵向的时间序列，而具体章节内容，则描绘了若干个横断面，形成纵横交错的网络结构，做到舒展自如，回环照应，这就是《司马迁评传》的写作方法。行文考论结合，有评有传。对于诸多涉足的《史记》疑案，不是一笔带过从某说，而作了全新的细密考证，作出明确论断，自成一家言。总括地说，《评传》在动态中研究，在继承的基础上创新，具有个性鲜明、新意突出、总结得体三大特点，对如何写历史名人的思想评传，提供了一个成功的范例。

10.《历代名家评史记》

杨燕起、陈可青、赖长扬选编。北京师范大学出版社 1986 年出版，60 万字。本书是一本摘要资料书，选录自《史记》问世以来至 1949 年底，两千余年历代 420 位学者研读《史记》的评论资料，汇集为一书，以飨读者。全书分上、下两篇，合排精装一册。上篇总论，分为十个子目：(1) 通论；(2) 论作者生平；(3) 论学术思想；(4) 论编纂体例；(5) 论取材；(6) 论叙事；(7) 论缺补增改；(8) 论马班异同；(9) 论流传和影响；(10) 论其他。下篇分论，按《史记》130 篇序列分篇评论。上下篇条目，由古及今按评论者时代顺序编列，其中古代的条目大致按评论者生年先后排列，近现代的条目大致按所引论著发表的时间先后次第为序。取材范围主要有六个方面：(1) 关于司马迁的学术思想；(2) 关于司马迁的学术源流、学派倾向；(3) 关于《史记》的文学成就；(4) 关于《史记》的体例；(5) 关于司马迁的生平行状；(6) 关于《史记》所载重大史实及重要疑案的卓有成效的考证发明。属于一般性的史实考证、文字正误、文句辨析等资料不予选录。所选资料以学术价值为准绳，不计其是否为名家，散见资料用力搜集，已有铅印本的论著如梁玉绳的《史记志疑》、郭嵩焘的《史记札记》等，只作适当录取，以省篇幅。谨严的选录标准与得体的编排体例，表现了编选者的眼光和史识，增强了本书的学术性。全书内容充实，各种思想观点兼容并包，举凡历史上关于《史记》的重要思想评论都有辑录。这是一部带总结性和指导性的文献资料书，是研究《史记》必不可少的参考书目。值得一提的，该书附录“本书所录作者、书名及版本”，按收录的作者时代及生卒年先后排列，标示辑录资料的来源书名及版本，以利读者寻查。在一定意义上，这个附条勾画了“史记学”发展史的基本线索，是该书学术价值不可或缺的组成部分。

11.《史记新论》

白寿彝撰。本书为新中国成立以后研究《史记》的第一部综合性评论著述。著名历史学家白寿彝先生，20 世纪 60 年代初期曾集中精力研究《史记》，发表过多篇影响深远的论文，并培养了一批在以后的年代崭露头角的中青年《史记》研究人才。基于白先生此时期的研究心得，1963 年 5、6 月间，在给中共中央高级党校理论班学员讲课时，他“对司马迁编著《史记》的宗旨、历史背景、写作方法以及《史记》在我国史学史上的重要地位与贡献，作了较系统的论述，并提出了一些有启发性的见解”（《出版说明》）。1981 年 8 月，求实出版社将其讲课记录整理出版，而为此书。

本书的主要特点有三：（1）在更为广阔的背景上研究了《史记》成书的历史条件。通常论述《史记》的写作背景，“一般只讲当时几年或几十年的事情”（引文均见原书），而本书上溯 700 多年，从西周末年共和执政时说起，一直讲到司马迁写《史记》时为止，以更为深邃的历史眼光，说明了《史记》是长期以来经济、政治、思想文化以至历史观、历史编纂学发展的结果，“是长期的历史研究成果的集中体现”。此一论述，有助于拓展人们的认识，并深化了《史记》本身的科学价值。（2）第一次分别从“究天人之际”、“通古今之变”、“成一家之言”的角度，论述了司马迁创造性的史学成就。显示出在马列主义指导下，探索《史记》创作宗旨所呈现的史学价值所能具有的积极意义，以一种有别于旧式纯考证性历史研究法的崭新面貌，将对《史记》的研究，提到了一个能充分体现时代精神的理论高度，故本书在当时客观上起到了一定程度的引导研究方向的作用。在具体的论述上，本书提出了一些有益的观点。如明确《史记》中"所说的'受命'、'天命'是指历史条件"，"司马迁的心目中有一个古今演变的大势，眉目分明"，"当人们正热衷于吹捧武帝统治的丰功伟绩，高唱国泰民安赞歌的时候，他却看出了汉朝统治的危机已在隐伏之中……对汉武帝统治的前途，已经提出了严重的警告"，以及"司马迁的政治理想是道家的，而在实际作法上，则倾向于法家和儒家的主张"的"杂家"思想，等等，其认识体现了学术创新和实事求是的精神，因而受到史学界的重视及好评。此外，本书还充分而系统地论述了司马迁在历史编纂学上的光辉成就。

(3) 在文风上，作者学识宏通，但语言平易，说理深透，叙述生动，读起来使人有亲切之感，易于为人了解接受。且全书无长篇引文的赘述，亦有别于常文。

12.《史记研究》

张大可撰。甘肃人民出版社 1985 年 4 月出版。2002 年华文出版社重出该书，扩大收文共 32 篇。本书系新中国成立以后第一部个人的《史记》研究论文专集。全书 36 万字，共辑文 23 篇，分为 5 个部分。第一部分是综合性的论述，重点研究《史记》产生的原因和成书的历史条件。第二部分讨论《史记》疑案，主要是对司马迁生卒年、太史公释名、《史记》断限、《史记》残缺与补窜等问题的探索、考证。第三部分研究《史记》编纂学，着重讨论了《史记》的体制义例、取材、序赞、互见法、倒书以及塑造历史人物的方法等问题。第四部分论述司马迁的思想，剖析了司马迁的一家之言、历史观、政治思想、经济思想、民族一统思想等。第五部分对新中国成立以来《史记》研究的方法理论和成果作了评述，并提出了有关推进《史记》研究的建议。所有这些部分的独立文篇，并非孤立零散或彼此无关，而是有目的有计划地撰述的，是作者从各种不同的角度和方面对《史记》进行全面系统的探索的结晶。

本书的主要特点，是对《史记》研究旧说的诸多方面，进行了一次较为系统的整理评述，并随之阐发出作者的判断意见。其成就首先对要求接触《史记》研究的读者，有较好的梳理作用，有利于人们对《史记》研究史的发展规模，得到一个较为全面概括的了解。由于本书是运用各种方法作综合分析，故文篇概述性强，眉目清晰，形式多样，加之文情畅达，实亦显示出作者在学术研究中的创造力。其次，虽然本书考证性的评议多于理论性的深入探讨阐发，但不繁琐引证，故常能给人提出些启发性的见解。如涉及《史记》成书的历史条件，司马迁“一家之言”的核心思想和表达形式 司马迁的民族一统思想，以及评论《史记》论赞和互见法，等等，即在开拓研究领域和提出看法方面，都有所建树。本书的出现，是《史记》研究中的可喜事件。

作者对《史记》研究工作的开展表现出一定程度的关心，并提出了自己的一些意见。对具体推进《史记》研究的某些问题，诸如组织队伍，成立研究中心，改善研究条件，编写论著目录及主题索引工具书，编辑出版资料丛书，出版全本新的《史记》注本和多种选本，从各方面组织集体攻关，最后编纂出一部集古今研究大成的会注本等各个方面，所提出的建设性意见，也值得引起学术界及社会有关方面的注意。

13.《史记管窥》

程金造撰。程金造（1908—1985），别名建为，河北人。《史记管窥》共收文章 20 篇，27.4 万字，1985 年 3 月由陕西人民出版社出版。傅振伦先生为本书所作之《序》称，程金造“研治《史记》多年，撰为论文，多发前人所未发，实有光于学术”，“实是真能读古人书而深得其文心、史心者”。

依据多年的研究，本书对《史记》作出了较高的评价，认为两千年来《史记》已成为学人士子的普遍读物。除《五经》以外，更无其他书籍能同《史记》相比。《史记》对中国文化知识的提高，对历代忠义节士去就从违的感染与激励，对后世政治、学术思想以及社会生活经验的启发，对中华民族盛衰兴亡统一的影响，其功劳实不可磨灭。程氏还认为《史记》哺育成就历代许多文章能手，从而提出了历代文章作者，只要领会到《史记》为文精义之一点，都是以名世称家的观点。本书的这些议论，既阐发了《史记》的卓越功能与广博影响，亦表现了作者过于偏爱《史记》的某种倾向。

本书于《史记》研究以治考据之事为最精。诸篇文章除关于《史记》的五体渊源、名称的演变、司马迁生于景帝中元五年说等显示出作者的充实见解之外，还提出证据以为“司马迁死于武帝之后说，是正确而可信的”这一看法，也是一种大胆的意见。尤其是本书各引 10 例，从解释离奇，疑非中国学者所为；袭取颜师古《汉书》注以为己有者；杂抄群书，又多可疑者；原文《正义》移录之可信者 4 个方面，论证《史记会注考证》新增的《正义佚存》条文，“乃后世读《史记》者杂录各书有关《史记》之文字，或读者自行解释之语言，但决非从张守节原本《正义》誊录而出者”，结论为“其不得为赤水遗珠复获，是显而易见的”。这应该视为《史记》考据学的重要收获。又考出明末汲古阁主人毛晋跋语所言，《史记索隐》单行本子是北宋秘书省大字刊本的说法，“不过为高其声价而已”，其实并无事实的根据，而“从其体例规模编次文字观之，它当是小司马原书之本，辗转传录而又经后世羼乱的抄本”。亦可称为有识力的见解。

程氏用心探究史公著书的目的，认为是借史事以明义，亦即其主旨“在于拾古代统治帝王治国理民之所遗，补救其施政行事之缺漏”。通过剖析《五帝本纪》，指出“兴无私之政以利民”为司马迁“一家之言”的正面意义。由于认为这一问题有重要意义，本书批评三家注对太史公著书的宗旨未能有所发明，以晓悟于读者，乃是其“重要的缺失”。

14. 《史记论稿》

吴汝煜著。江苏教育出版社 1986 年 10 月出版。《史记论稿》是当代学术界出版的《史记》研究论著中，兼具文史两个方面价值的一部撰著。由于著者对《史记》体味贴切，故能较准确地把握司马迁的作史真谛，并以之评述《史记》的史学文学价值。

“《史记》与公羊学”一文，论述了汉武帝之尊崇董仲舒《春秋》公羊学与司马迁作《史记》的关系。其中既指出了司马迁把《史记》写成一部“究天人之际，通古今之变”的“一家言”，就是有意追攀以董仲舒为代表的公羊家心目中的《春秋》，又明确了司马迁对公羊学有所批判的诸多方面；特别指出公羊家歌颂汤武革命，主张以有道伐无道，成为了《史记》反暴政的思想武器，使司马迁得以高度评价陈胜、吴广起义；以及根据公羊家所谓“王者无外”的原则，将匈奴、大宛等少数民族地区和国家统统纳入《史记》列传，是司马迁发展了公羊家的“大一统”思想。这些看法能注意从理论上认识与阐述问题，有利于《史记》研究的深入。《论稿》还从社会实际的政治作用的角度，认为在汉初百姓刚“离秦之酷”的具体历史条件下，《史记》对曹参一类人物的肯定并没有抑儒崇道的意思；而汉武帝之提倡儒术，是因为经过董仲舒改造的儒学辅之以法，对约束新贵和暴发户要比黄老政治有力得多，所以在其开始阶段具有明显的进步性；认为孔子政治思想的核心“仁”，是《史记》评价历史人物和事件的最常用的理论武器。说明了司马迁的学术政治思想既不同于道家，又有高于汉初儒学正统思想之处的独特的进步性与批判性。

对于同样的研究课题，如释“史家之绝唱，无韵之《离骚》”，《论稿》能从较新颖的角度，进行深入综合的论述而给人以启发。《论稿》从场面描写、人物描写、论赞咏叹、艺术风格等四个方面，所述《史记》的美学特征，细腻入理，别具识见。“《史记》对后世文学的影响”一文，指出《史记》为后代古文家心目中的千秋宗匠，对韩愈、柳宗元、欧阳修、苏轼等学者有重要的影响；并具体地说明了《史记》为我国古代小说、戏曲、诗歌的创作发展所作出的贡献。文章认为《史记》博大精深的思想、奇伟瑰丽的内容、别具一格的形式和无比宝贵的艺术经验，已经融化在中华民族的血液和灵魂之中。这样豪放精深的评断，足可称赞，在帮助人们认识《史记》对我国文化发展的深远影响方面，具有十分积极的意义。

15.《史记的学术成就》

杨燕起著。北京师大出版社 1996 年出版，27 万字。这是一部基本构建了“史记通论”规模体制的论著。全书七章，加余论，实为八章，分三级标题展开为 26 节，81 目。大体上每一目是一个专题，即全书论列了七八十个专题，内容博大而文字简练。八章可归纳为五个方面的内容：(1) 第一章，“绪论”，讲司马谈作史与《史记》的时代特色，阐释了《史记》的成书条件。(2) 第二章，“我国历史上的第一部通史”。(3) 第三章，“《史记》体例”。第二、三章一表一里阐释了《史记》作为通史的会通内容，以及五体形式两个方面。(4) 第四、五、六、七共四章为全书重点，篇幅占全书过半，分别阐释司马迁的哲学思想、政治思想、历史思想、经济思想，抓住了司马迁诸多思想占主轴地位的几个方面。(5) 余论，“《史记》研究史述略”，是对两千年《史记》学术史发展轨迹的评析。作为“史记通论”的要求尚缺略三个方面的内容：《史记》以人为中心的历史主体地位；司马迁作为一代宗师的语言文学成就；《史记》在学术史上承先启后的历史地位。作者在“前言”中指出，这些将在“来日”订补，可见作者的思路是在构建“史记通论”。迄今为止，历代研究《史记》立名成家者以百数，凡取得突出成绩者，基本立足于某一角度，阐发《史记》某一侧面的学术建树，即可获得丰硕成果。全面探索《史记》的学术成就，作会通的抉发，也不乏有人尝试，但取得的成绩反不如专论某一侧面深入。杨著是作全面考索而获得成功者之一，无论是对于《史记》原本思想的阐发，还是融会前人论说精义于著述中，都完成得十分出色。具体说，杨著新义表现在两个方面：一是旧题翻新，二是独出心裁立新意。“我国历史上的第一部通史”，就是一个老生常谈的课题，但一般论者只做描述性论说，司马迁究竟怎么写通史，有些什么内容，是否大体符合历史实际，提出了哪些历史理论，语焉不详。杨著立足于一个“通”字，作分析归纳论述，一一回答了上述问题，翻出了新意，并在第六章中探讨司马迁历史思想中独出心裁，提出了“通”、“变”、“理”、“势”的历史理论概括，与第二章前后关联，使人耳目一新。又如第四章讲司马迁的哲学思想，不是一般的思维模式，讲《史记》的表层文章，即天人关系，而是独辟蹊径，结合《公羊传》、公羊学，对司马迁哲学思想作了深层次的分析。第五章讲司马迁的政治思想，第七章讲司马迁的经济思想，均能打破常规的思维模式，屏除空言论道、史为论注的方法，而是脚踏实地，论从史出，在分析中引出独到的见解，实现诸多的借鉴意义而显现出时代特色。

16. 《司马迁经济思想研究》

韦苇著。陕西人民教育出版社 1995 年出版，23 万字。这是第一部全面考察司马迁经济思想及其影响的论著，因此具有界碑的价值。全书七章，结构布局是作者独树一帜的理论构架，有四个层次，两条历史发展的线索。第一章，开门见山，和盘托出司马迁经济思想的体系，这是全书的立论基石，即本义，是第一层。第二章，渊源；第三章，历史背景和地位；第四章，对后世的影响，这三章勾画了司马迁经济思想这一理论体系的历史发展，是本义的延伸，是为第二层。第五、六两章，分古代、近代与现代两个历史阶段，总结学术界的研究成果，评述学术发展的轨迹，亦即人们认识司马迁经济理论的历史过程，是为他义，这是第三层。最后，全书殿卷的第七章，评述司马迁经济思想与当代市场经济，这是作者集中阐述的我义，目的是翻新司马迁经济思想，引申和发掘它的现实意义，赋予学术研究以时代的内容，这是第四层。一、二两层勾勒思想史发展的历史线索；三、四两层总结学术史发展的历史线索，四个层次、两条历史发展线索，井然有序地构成一个整体，表现了作者思维的缜密和匠心独运的安排，独树一帜，具有鲜明的个性特质。本书语言流畅，论说简明，不着修饰，直抒胸臆而带政论气质，一扫经院气息，也是一大特点。

17. 《史记艺术美研究》

宋嗣廉著。东北师大出版社 1985 年出版，全书 5 章，12 万字。本书是从美学角度研究《史记》文采的专论，开辟了“史记学”的新领域。作者认为，《史记》所传写的人物、事件情节和结构布局所表现出来的美学风格，大体有雄奇、悲壮、流动、匀称等几个特点。作者发现，司马迁“发愤著书”的非“中和”美思想，渗透在全书中，这是形成《史记》雄浑悲壮的美学风格极其重要的因素。作者首次引入“艺术辩证法”的概念，并列专章讨论《史记》的艺术辩证法。作者认为，司马迁继承了《诗经》以来中国文学美的优良传统，在处理褒善和贬恶、实录与想象、多样与统一、共性与个性等关系上，合于艺术辩证法。拿“实录”与“想象”来说，“史记”在“实录”的基础上，对某些细节通过“入情合理”的想象，“称量以出之”，加以“文饰”，这与小说家之言是不可同日而语的。倒是那种把“实录”只理解为承认客观的看法是不全面的。此说新颖而中肯。作者认为《史记》艺术美是“全面反映了时代风貌的”，并列专章比较《史》《汉》两书的艺术风格，论述了从西汉到东汉文学风格的变化，就总体来说，马《史》具有反对专制、向往百家争鸣的倾向，有异端思想；班《汉》则维护专制，支持独尊儒术，尽心于“圣人之教”，表现了正统观念。就学术思想而言，马、班是有重道与崇儒的差别的。又说，“司马迁之学为君道，班氏之学为臣道”，但是在以“实录”和以人为中心述史上，《汉书》是继承和发扬了《史记》的传统。书后五篇附录，择举《史记》的具体篇章作了示例分析，有助于读者对《史记》艺术美有亲切而真实的了解。

18.《司马迁传记文学论稿》

李少雍著。重庆出版社 1987 年出版。全书由六篇专论构成，32 万字。本书对《史记》纪传体的创立、产生原因、列传题名、纪传文学的意义和艺术特征，以及在小说发展史上的地位和影响，作了全面、深入的研究，颇多创见。本书论从史出，占有丰富资料，运用考证的地方十分精严，因而立论严谨，有很强的说服力，一些独到的见解，使人耳目一新。例如对司马迁写人物传记，谋篇布局故事化的艺术手法，作了具体细微的生动分析，是前所未有的。

19.《史记文学成就论稿》(修订本更名《史记文学成就论说》)

可永雪著。内蒙古教育出版社1991年出版，全书八章，32万字。本书全面系统地抉发了司马迁写人艺术，堪称一部研究《史记》文学性的代表作。该书在继承的基础上创新，进行理论总结，下了很深的功夫。该书最大成就在两个方面。第一，从人物形象塑造角度抉发《史记》的文学性，不仅总结了系统的理论，而且作了大量的例证分析，结论令人信服。作者认为，司马迁具有文人和诗人的气质，对塑造人物的文学性有明确的认识，知道文学应该写什么，为什么写，以及怎么写。作者在例证分析中，总括司马迁在使用《尚书》、《左传》、《国语》、《战国策》等前代典籍文献时是怎样进行再创作的。作者从选择传主、提炼主题、剪裁取舍、类传和合传、互见法、增润生发、移甲作乙等七个方面分析司马迁在典型化方面的创造和贡献，提出了许多新见解，为进一步研究《史记》的文学性开拓了新的研究起点。第二，对司马迁作为一代语言巨匠所获得的语言成就，作了全面系统的研究，达到了一个新的境界。本书2001年作者重出了修订版，更名为《史记文学成就论说》，内容有较大调整，突出了对《史记》语言成就的论说，行文更为简洁。

学术界对《史记》文学性的认识与阐发，全面系统地探索司马迁塑造历史人物典型形象的艺术手法，这是20世纪80年代以来当代《史记》研究的一大主流方向，在学术界创造了生动的局面。从1980年以来的近30年发表有关《史记》的论文3000篇，其中文学部分占总量23%。鸿篇巨制的论著有多部，上列17、18、19三种仅举其代表而已。可永雪的《史记文学成就论稿》，后来居上，取得突破性成绩是很自然的。

20.《史记评议赏析》

韩兆琦著。内蒙古人民出版社1985年6月出版。全书分两大部分，第一部分是总的分析论述司马迁其人与《史记》其书，包括《司马迁的受宫刑及其忍辱著书》、《司马迁的进步历史观》、《司马迁的求实精神》、《司马迁的经济思想》、《司马迁的审美观》、《史记的小说因素》、《史记：一道悲剧英雄人物的画廊》、

《史记的抒情性》、《史记书法释例》等文章；第二部分是对《史记》单篇作品进行的分析论述，包括《项羽本纪》、《高祖本纪》、《陈涉世家》、《留侯世家》、《魏公子列传》、《廉颇蔺相如列传》、《田单列传》、《刺客列传》、《李斯列传》、《淮阴侯列传》、《魏其武安侯列传》、《李将军列传》等名篇。书后还附有《关于史记的一些常识》和《司马迁生平年表》。作者关于司马迁受宫刑是因为与汉武帝的“宿怨新愆总爆发”的结果和《史记》是一道悲剧英雄人物画廊等观点，曾在学术界引起很大反响。

第二讲 《史记》是一部继往开来的百科全书

本讲集中研讨司马迁创作《史记》的宗旨，《史记》的内容，为什么成为一部历史百科全书，它对于中国传统文化的传承产生了什么样的影响，下分四题来谈。

一、继《春秋》创一代大典

"春秋"本是各国史书的通名，自战国儒家说孔子作《春秋》之后，《春秋》一书就专指春秋时期鲁国史书。《春秋》记事始于公元前 722 年，迄于公元前 481 年。它以简练的语言记载春秋大事，类似于后世的大事记。汉代儒学独尊，《春秋》为六经之一，它的地位相当于一部国家宪法。继《春秋》创一代大典，成了司马谈、司马迁父子的理想，也就是创作动机。

孔子作《春秋》说，司马迁在《史记·孔子世家》、《十二诸侯年表》、《儒林列传》、《太史公自序》等篇章中均有记载。这些记载的大意是：春秋末年周室衰微王道中断，孔子为救世而周游列国宣传王道，但各国诸侯都不能用他。晚年的孔子受获麟的激励而作《春秋》。《春秋》笔削严谨，辞约指博，字里行间蕴含了许多“义法”，孔子就是通过这些义法来评价历史和现实，以“使乱臣贼子惧”。《十二诸侯年表序》说，孔子“论史记旧文，兴于鲁而次《春秋》，以制义法，王道备，人事浃”。《太史公自序》说得更鲜明，说孔子作《春秋》是“上明三王之道，下辨人事之纪，别嫌疑，明是非，定犹豫，善善恶恶，贤贤贱不肖，存亡国，继绝世，补敝起废，王道之大者也”。即要从道德评判出发，树立社会楷模，整齐社会秩序，概括为两句话，就是“为后王立法，为人伦立准则”。《春秋》的“王法”施行之日，就是王道社会的重建之时。《春秋》是礼义的“大宗”，它是凝聚了孔子心血、希望、理想的力作，是知孔罪孔的唯一依据。

司马氏父子著述《史记》(当时叫《太史公书》)的宗旨，就是要上继孔子《春秋》。这个学术宗旨最初是由司马谈确定的，《史记·太史公自序》载司马谈遗嘱说：“幽厉之后，王道缺，礼乐衰，孔子修旧起废，论《诗》、《书》，作《春秋》，则学者至今则之。自获麟以来四百有余岁，而诸侯相兼，史记放绝。今汉兴，海内一统，明主贤君忠臣死义之士，余为太史而弗论载，废天下之史文，余甚惧焉，汝其念哉!”司马谈心目中的《太史公书》，是要从孔子《春秋》绝笔之年写起，以展现王道由中断到接续再到中兴的历史过程，论载在这个过程中明主贤君忠臣死义之士的辉煌业绩。同篇又载司马迁之语：“先人有言：‘自周公卒五百岁而有孔子。孔子卒后至于今五百岁，有能绍明世，正《易传》，继《春秋》，本《诗》、《书》、《礼》、《乐》之际?’意在斯乎！意在斯乎！小子何敢让焉。”司马迁在此表示，他深知父亲对自己的殷切期望，决心通过述史来继承孔子删述六经的事业，让司马氏的《太史公书》能够像孔子《春秋》一样，成为新的历史条件下的一王之法。

司马迁非常自信，他以承接道统而自居，所写《史记》是一部道德伦理教科书，因此是人人必读的《春秋》。《太史公自序》说：

> 故有国者不可以不知《春秋》，前有谗而弗见，后有贼而

不知。为人臣者不可以不知《春秋》，守经事而不知其宜，遭变事而不知其权。为人君父而不通于《春秋》之义者，必蒙首恶之名。为人臣子而不通于《春秋》之义者，必陷篡弑之诛，死罪之名。其实皆以为善，为之不知其义，被之空言而不敢辞。夫不通礼义之旨，至于君不君，臣不臣，父不父，子不子。夫君不君则犯，臣不臣则诛，父不父则无道，子不子则不孝。此四行者，天下之大过也。以天下之大过予之，则受而弗敢辞。故《春秋》者，礼义之大宗也。夫礼禁未然之前，法施已然之后；法之所为用者易见，而礼之所为禁者难知。

二、《史记》的创作宗旨

司马迁为了实现继《春秋》创一代大典的理想，他鲜明地提出了《史记》的创作宗旨，在《报任安书》中高度概括为 15 个字："究天人之际，通古今之变，成一家之言。"这三句话既概括了《史记》在史学上的贡献，也反映了司马迁进步的历史观。先说"究天人之际"。

1. 究天人之际

"究天人之际"就是研究"天"与"人"的关系。今天来看，天人关系是十分简单的事情，即人与自然的关系。但在古代，除自然之天外，还有意志之天，即上帝；命运之天，即某种具有循环周期的天道。《天官书》说："夫天运，三十岁一小变，百年中变，五百载大变，三大变一纪，三纪而大备，此其大数也。"这就是命运之天。得天下就是得天命，丢失天命，就要丢失天下。古人所说的革命，就是革天命。所以，究天人之际，在古代是上层建筑领域的一个重大问题。天能支配人事，这一观念是维护统治权的理论基础，所以它总是统治阶级的官方哲学。殷周时代宗教神学主宰着思想界，天是至高无上的权威。殷人最迷信，他们把至上神与祖先神合而为一，认为上帝就是他们的祖先。纣王快到亡国的时候还说：

“我生不有命在天乎!”[①] 认为有天命保佑是不会亡国的。武王伐纣，殷朝覆灭了，天命受到了一次沉重的打击，“天命靡常”的观念产生了。西周末年，幽王无道，发生了骊山之变和平王东迁，王权从天上跌落下来。春秋战国之际的动乱，贵族下降为皂隶，平民上升了，诞生了新兴的封建地主阶级，政治上发生了变法运动，“亲亲”观念被“尊贤”所代替。各国都重视人谋，讲求富国强兵。所以在《左传》中就记载了“吉凶由人”[②]，“天道远，人道迩”[③] 等无神论思想。战国末年的思想家荀子甚至提出了“人定胜天”的思想，写出了战斗的唯物主义哲学著作，即《天论》。秦汉之际，社会发生更大的演变，不仅是“五年之间，天下三嬗”，而且陈涉佣耕，兴起为王，他所遣王侯将相竟灭秦。不仅汉高祖刘邦起自匹夫，而且汉初开国功臣大都是细微的下层人物。这些变化给人们提出了两个尖锐的问题，即天人关系与古今变化。在天人关系上，取得了统治权的统治阶级就要恢复天上的权威来巩固地上的王权，所以秦始皇和汉武帝两个雄主都十分迷信。董仲舒宣扬天人感应的神学，就是适应汉武帝加强中央集权而产生的。司马迁向董仲舒学习《公羊春秋》，接受他的大一统思想，但反对老师的“道之大原出于天”的神学思想，而“究天人之际”，在当时是一种了不起的革命奋发精神。

首先，司马迁把自然现象与阴阳五行的迷信说法区别开来。司马迁发挥父亲司马谈的《论六家要指》，对阴阳家评论说：

> 夫阴阳四时、八位、十二度、二十四节各有教令，顺之者昌，逆之者不死则亡，未必然也，故曰“使人拘而多畏”。夫春生夏长，秋收冬藏，此天道之大经也，弗顺则无以为天下纲纪，故曰“四时之大顺，不可失也”。[④]

---

① 《史记》卷三《殷本纪》。
② 《左传》僖公十六年。
③ 《左传》昭公十八年。
④ 《论六家要指》，载《史记》卷一三〇《太史公自序》。

这里司马迁肯定了阴阳五行学说中对自然规律的概述，评判了“使人拘而多畏”的迷信禁忌学说。《太史公自序》还批评了“星气之书，多杂禨祥，不经”。《封禅书》对秦始皇、汉武帝的迷信活动更作了无情的揭露和揶揄讽刺。在这个意义上，司马迁“究天人之际”是与阴阳五行学说的迷信开展的一场针锋相对的斗争。

其次，司马迁通过对实录史事的具体论述，对天道提出了质疑。《伯夷列传》为七十列传之首，以议论为主，是一篇示例的论传。这篇论传的中心思想是对“惩恶佑善”的天道提出了质疑，实际上是在提示七十列传是讲人事活动的。支配历史发展的是人而不是天。《项羽本纪》与《高祖本纪》是两篇传记性质的《本纪》，相互衬映，构成了强烈的兴亡对比。楚亡汉兴的根本原因不是天意，而是人心的向背决定了事业的成败。《太史公自序》明确地指出：“子羽暴虐，汉行功德。”项羽一系列的杀人屠城的倒行逆施导致了他的失败。所以司马迁在《项羽本纪赞》中批评项羽至死不悟，怪罪“天亡我”是十分荒谬的。在《高祖本纪》中，司马迁进一步通过刘邦之口直接说出了天意不能支配人谋。刘邦说：

> 夫运筹策帷帐之中，决胜于千里之外，吾不如子房。镇国家，抚百姓，给馈饷，不绝粮道，吾不如萧何。连百万之军，战必胜，攻必取，吾不如韩信。此三者，皆人杰也，吾能用之，此吾所以取天下也。项羽有一范增而不能用，此其所以为我擒也。

这里最清楚明白地说明了刘邦得天下是他善于用人的结果。天意不能支配历史的变迁，同样不能支配个人的祸福。《伯夷列传》在叙述了颜回早夭后说：“天之报施善人，其何如哉?”这是对苍天直接发出了抗争的质问。《蒙恬列传赞》否定了蒙恬怪罪筑断地脉而遭诛屠的观点，指出他轻百姓力，助纣为虐，死有余辜。

以上两个方面是司马迁“究天人之际”的主流和精髓。

但是，司马迁却又保留了天命的地盘。他在《高祖本纪赞》中说，“三王之道若循环，终而复始”，并以此证明汉得“天统”。

他还在《秦楚之际月表序》中，赞叹汉得天下，“此乃传之所谓大圣乎？岂非天哉，岂非天哉！”并说：“非大圣孰能当此受命而帝者乎？”在《天官书》中更是记载了许多天人感应的例证，并作出这样的结论：“为国者必贵三五。上下各千岁，然后天人之际续备。”这些话显然是宣扬天命的言论。

从现象上看，司马迁在天命问题上既承认，又怀疑，时而清醒，时而糊涂。这种矛盾思想恰恰反映了那个时代人们所受到的阶级局限性和历史局限性。作为史官，司马迁必须对天命论这一官方哲学作出反应。他扈从汉武帝几十年，参与了封禅、祭祀天地百神等活动，既看到了这些活动的虚诞，同时也看到了这些活动对于加强统治的作用而进行记载，这就是阶级局限性。司马迁通古今之变，认为三代之兴是累世积德行义而得天下，秦汉之际天子起于匹夫，古今何以有这样大的差别，他不可能从政治经济学的角度去求得解释，只好求助于天命论，这就是历史局限性。但是，司马迁有着特殊的生活经历，他知识渊博，壮游全国，奉使巴蜀，扈从武帝负薪塞河，有着极其深厚的生活实践，了解人民群体的力量，尤其是无辜遭腐刑，体验了天道的虚妄。这些生活与体验就是司马迁产生进步的天人观的源泉。所以从总体思想上看，司马迁尽管留有天命论的地盘，并不否认有意志的“天”的存在，但是他主要的思想倾向不是深信，而是怀疑，不是顺从，而是违抗。表现在《史记》中，对天命是抽象地承认而具体地否定。讲“天命”只是表面文章，强调人为才是重点。司马迁在具体地论述历史变迁和评价人物的时候，是看不到天命论的影子的。

司马迁对天道的怀疑而“究天人之际”，强调历史研究以人物为中心，原原本本地总结人为的历史经验，探寻治乱之源，成为古代史学的优良传统。司马迁“究天人之际”的主要思想倾向是应该肯定的。

2. 通古今之变

“通古今之变”这一命题是与董仲舒宣扬的“天不变，道亦不变”针锋相对的。“变”是司马迁朴素唯物主义历史观的核心。

他认为宇宙间一切事物都在“变”，只有用“变”的观点才能探究事物的规律。他说：“无成势，无常形，故能究万物之情。”①没有一成不变的态势，没有永恒存在的形体，所以才能洞悉万物的真情。从“变”的理论观点出发，决定了司马迁用发展变化的眼光看待人类社会的历史，他名之曰“变”，曰“渐”，曰“终始”。他说：“天人之际，承敝通变”，“略协古今之变”②；“臣弑君，子弑父，非一旦一夕之故也，其渐久矣”；“是以物盛而衰，时极而转，一质一文，终始之变也”③。司马迁在这方面的言论是很多的。“物盛而衰，固其变也”，“儒者断其义，驰说者骋其词，不务综其终始”④，等等，不胜枚举。“变”，指社会不断地进化和发展；“渐”，指的是进行、运动，即进化和发展的过程；“终始”，指的是因果关系，人类社会发展的一个个里程是有因果相连的关系，即有规律可以认识的。总括为一句话，“通古今之变”的目的就是“稽其成败兴坏之理”⑤，探寻社会治乱的规律。

通观整部《史记》，司马迁“通古今之变”是围绕以下几个层次全方位展开的：

一是时势之变。这是司马迁“通古今之变”的重点。清人顾炎武《日知录》曾说司马迁写《史记》“胸中固有一天下大势”，这的确是提纲挈领地点出了《史记》的通变精神。作为中国历史上的第一部通史，司马迁是把古往今来的历史贯通起来考察的，他不仅在本纪中反映了从黄帝至汉武帝三千年间朝代变迁和帝王相承的大势，而且在年表中以时代的变革划分段落，把他所写的中国通史划分为上古至春秋、战国、秦楚之际及汉代四个阶段，鲜明地表现了各个历史段落的时势发展与变迁，同时还在表序中对各个历史段落的大势承递作了理论的剖析，综其始终，供人自镜。所以白寿彝先生《史记新论》说：“在‘通古今之变’的问

① 《论六家要指》。
② 《史记》卷一三〇《太史公自序》。
③ 《史记》卷三〇《平准书》。
④ 《史记》卷一四《十二诸侯年表序》。
⑤ 《报任安书》，载《汉书》卷六二《司马迁传》。

题上，十表是最大限度地集中体现这一要求的。司马迁每写一个表，就是要写这个历史时期的特点，写它在‘古今之变’的长河中变了些什么。把这十个表总起来看，确又是要写宗周晚年以来悠久的历史时期内所经历的巨大变化——由封侯建国走到郡县制度，由地方分权走到皇权专制。”可以说，从时势变化来“通古今之变”，是从大处把握了历史的发展变化。

二是兴亡之变。所谓兴亡之变，是指朝代国家的兴亡变化，这也是司马迁“通古今之变”的重点。《史记》中详细记载了夏、商、周和秦、汉的兴亡，并揭示了兴亡的原因。他在《外戚世家》中说：“夏之兴也以涂山，而桀之放也以末喜；殷之兴也以有娀，纣之杀也嬖妲己；周之兴也以姜原及大任，而幽王之禽也淫于褒姒。”这是从后妃是否有德关系到国家兴亡的角度来论述夏、商、周的政权更替的。司马迁论秦亡时则说：“秦失其政，而陈涉发迹，诸侯作难，风起云蒸，卒亡秦族。”[①] 这是说，秦朝实行暴政，遭到人民的反对，终于被陈涉起义推翻了。在《秦始皇本纪赞》中，司马迁还引用贾谊《过秦论》总结了秦亡的三点原因：其一，“仁义不施，攻守之势异也”；其二，“危民易与为非”；其三，“壅蔽之伤国也”。秦始皇用暴力统一天下，但不懂得用仁义治天下，而是变本加厉地实行暴虐专政，秦二世因之不变，把全国人民推入了火坑。所以陈涉揭竿而起，天下一呼百应，“其民危也”。又由于秦朝“多忌讳之禁”，皇帝拒谏，没有人敢于出来直言，农民起义的烽火已成燎原之势，可皇帝还被蒙在鼓里，秦朝也就不可避免地灭亡了。贾谊所分析的这些情况，司马迁在《秦始皇本纪》等篇中都有深入描写和论述。

三是成败之变。司马迁尝以“稽其成败兴坏之理”自许，这是他“通古今之变”第三方面的重要内容。在《史记》中，所载由胜而败，或反败为胜的史实，可谓俯拾皆是。如《燕世家》、《乐毅列传》等篇载，乐毅是燕国名将，攻打齐国所向披靡，节节胜利，只要再拿下即墨和莒这两座城池，就可以一举灭掉齐国

① 《史记》卷一三〇《太史公自序》。

了，可燕惠王因“与乐毅有隙”，“疑毅，使骑劫代将”，结果被齐国的田单用火牛阵打得大败，燕国从此也一蹶不振，以至于亡，而齐国反败为胜，重振了雄风。又据《廉颇蔺相如列传》载，赵孝成王七年，秦、赵两军在长平对垒。老将廉颇以“固壁不战”的战略沉着应付，一时胜负难分。后来赵王中了秦人的反间计，用只会纸上谈兵的赵括代替廉颇，结果被秦将白起打得一败涂地，40万赵兵在长平惨遭活埋，使赵国大伤了元气。类似的例子很多，司马迁不仅注意到了成败易变的发展过程，而且深刻点明了造成这种变化的重要因素，这就是用人的得当与否。总结了历史上的用人得失以后，司马迁在《楚元王世家》中深有感触地说：“国之将兴，必有祯祥，君子用而小人退；国之将亡，必有妖孽，贤人隐，乱臣贵。贤人乎，贤人乎，非质有其内，恶能用之哉！甚矣，安危在出令，存亡在所任，诚哉是言也!”

四是穷达之变。我国历史上的一个农民起义领袖陈涉有句名言：“王侯将相宁有种乎?”的确，风云际会，沧海桑田，多少王侯将相由达而穷，沦为平民，同时又有多少出身低微的人青云直上，变否为泰而发迹。陈涉只是个佣耕者，却在农民起义的浪潮中做了王；刘邦原先不过是个泗水亭长，后来却机缘凑巧做了皇帝；其他如没落贵族后裔张良做了王者师，刀笔吏萧何做了丞相，饿夫韩信做了大将军，还有商鞅、苏秦、张仪、范雎、蔡泽、蔺相如、李斯、张耳、陈馀、陈平、公孙弘、司马相如等人，无不是由穷而达的典型。司马迁在叙写这些人物的穷达之变时，重在以下两点：一是时代机遇。俗话说，沧海横流方显出英雄本色。时代风云变化，使一些人丧失了原有的尊贵地位，也使另一些人有了大展身手、取得功名富贵的机会。司马迁笔下的穷达变化的历史人物主要集中在春秋战国和秦汉之际，就是因为这个时期的社会动荡变化最为激烈的缘故。二是个人本身的才能和努力。在相同的历史条件下，并不是人人都可以做到由穷而达的，如果本身不具备一定的才能，或者有才能而不肯发奋努力，那都将一事无成。司马迁对那些穷则思变，不甘心碌碌无为，而是勇于进取，建立了功名的历史人物，都作了肯定和赞扬。

以上四个方面，从社会到个人，从整体到个体，从一般到特殊，是司马迁“通古今之变”的四大核心内容。由于司马迁在继承上古以来的史文化的同时，又将《易》理与道家哲学融会一体，因而他的“通古今之变”的“通变”历史观实际上也是一种整体观、辩证观与系统观，具有超越于表象世界而直透历史本质的内在深刻性。

司马迁还有一套通古今之变的方法，要点有原始察终，见盛观衰，详今略古，详变略渐等，这属于历史研究方法论的范畴，将在“司马迁对中国历史学的贡献”专题中阐释，兹从略。

3. 成一家之言

“成一家之言”是司马迁在历史学上的一个首创。这表明，司马迁作史，并不是历史资料的汇抄和事实的堆积，而是要阐明自己的思想。“言”就是议论、理想和主张。司马迁的“一家之言”熔铸在《史记》中，表现为他对哲学、政治、经济、文化、社会及伦理各个领域的观点，内容极其丰富。简括地说，司马迁融会贯通百家学说以建立统一的新思想体系。其核心思想是“稽其成败兴坏之理”，以“自古自镜”。具体说，司马迁的“成一家之言”，包括了以下几个方面的内容：其一，在学术宗旨上，司马迁不宗一家，不主一说，而是融会贯通百家，自我立说，自成一家，建立了自己的思想体系，因此《史记》蕴涵的思想，既不是道家，也不是儒家，而是新立的史家，品人论事的思想，今称之为历史哲学。其二，在著述构架上，司马迁的“成一家之言”，既包含《史记》的内容，也包含《史记》的体例。即《史记》的五体创造与百科内容均是司马迁的一家之言。其三，在叙述模式上，《史记》是文、史、哲三位一体。首先是史学，记事实录。其次，以人为中心，劝善惩恶而塑造了典型化的人物形象，创立了传记文学。再次，基于事而趋于道，寓论于序事之中，像子书作者那样大量地把自己的思想感情融会在写人叙事之中，为中国史书的叙述模式开创了一个新体式。司马迁自称为“成一家之言”。总上三点，后人评析，按其内容，统称之为“历史百科全书”。

三、《史记》百科全书的内容

从历史学角度看《史记》的百科内容，它囊括天人古今，具体条例，可概括为五个方面。

1. 备载天地万物

天地是人生之根本，人类社会活动的舞台。司马迁“究天人之际”，把天文、地理、水利等自然环境纳入史学范畴，考察人与自然的依存关系。司马迁十分形象地指出：“夫天者，人之始也；父母者，人之本也。”① 父母为个体的人的根本，天地为人类的根本。研究人，必须研究天，研究地，就这样，天文学、地理学在《史记》中得到反映，于是特立了《天官书》、《历书》、《河渠书》等专篇。此外，《夏本纪》三分之二的篇幅也是地理专篇。

2. 囊括国家大政

五帝三王时代，国家大政被归纳为八政：一曰食、二曰货、三曰祀、四曰司空、五曰司徒、六曰司寇、七曰宾、八曰师。这是先秦时代儒家的八政观念，载于《尚书·洪范》，《史记》采入《宋微子世家》。民以食为天，故食货居八政的第一、第二。《史记》八书为：礼、乐、律、历、天官、封禅、河渠、平准。司马迁认为礼是维系等级秩序的制度，为治国头等大事，所以列礼为八书之首。礼乐相辅为治，故《乐书》与《礼书》蝉联。《洪范》八政内容，在八书中的反映，“食”、“货”对应“平准”，“祀”对应“封禅”，“司空”对应“河渠”，“宾”对应“礼”、“乐”，“师”对应“兵”（即《律书》）。《洪范》八政的司徒、司寇在八书中没有对应之篇，然而在列传中有对应之篇，“司徒”对应“儒林”，“司寇”对应“循吏”、“酷吏”。同时《史记·货殖列传》亦为食货之事。对应只是一种近似的比较。总之，《洪范》八政，在《史记》中均有反映，表明司马迁把国家大政纳入了历史学研究范围之内，专列八书系列

① 《史记》卷八四《屈原贾生列传》。

开后世政书之先河。内容和序列的调整，表现了司马迁的史学观点和国家大政的轻重序列。班固《汉书》十志，序列为律历、礼乐、刑、食货、郊祀、天文、五行、地理、沟洫、艺文，内容更丰富，结构更严密，发展了司马迁史学，这是应当揭明的。班固还把职官纳入了史学范围，创《百官公卿表》以载其制。

3. 展现古今社会

国家大政只是社会生活的一部分，而更多更丰富更广阔的内容，应是社会基层老百姓大众的物质及精神文化生活。历史家的责任，就是要全面地反映以往历史的社会生活，摆事实，讲道理，还历史本来面目，知往鉴今，使读者受到启迪。司马迁很好地尽到了他的责任，以人物为中心贯通古今，全面地展现了古今社会。司马迁不只研究上层人物、帝王将相，也研究了社会下层各个阶级、阶层的人物，全方位反映社会生活，司马迁对古代社会的风俗习惯、精神风貌等等，都进行了研究和总结，达到了“备天地万物”的境界。

4. 辨章一切学术

《太史公自序》论列六家要指，又立“老庄申韩”、“孟子荀卿”等列传，辨章学术，把学术学派纳入了史学研究范围。班固在《汉书》中立《艺文志》，对学术学派分类，更加条理和细密，是弘扬司马迁之学。其实《汉书》所列九流十家，《史记》中都有反映。《苏秦》、《张仪》两传反映纵横家。《韩长孺列传》述韩安国学术渊源说：“尝受《韩子》、杂家学说于驺田生所。”这里明确将杂家视为一个学派。《司马相如列传》载《子虚赋》，是典型的文学虚构，至于卓文君夜奔故事就带有小说笔法。这说明司马迁把小说家纳入了研究范围，并吸取其技巧。司马迁的视野是极其广阔的。有些学术、学问，在当时还不甚发达，或未引起史家足够的重视，无论《史记》、《汉书》都没有专列论载，但实际上司马迁也是纳入了研究范围的。例如金石、简牍、甲骨，作为专门学术是后代的事，金石学形成于宋代，简牍学、甲骨学奠基于近代，但这些学问已在先秦发源。三代已经铸鼎彝，秦代已经重刻石。甲骨盛行于殷周，秦汉是简牍为主的时代。《史记》对金石、简牍、甲骨都有不同程度的载述。《周本纪》记武王克殷后“封诸侯，班赐宗彝，作《分殷之器物》”。《秦始皇本纪》多次记载“刻石颂秦德”。《封禅书》记载得宝鼎，李少君鉴赏齐桓公器。这说明司马迁已将金石作为史学研究对象。《周本纪》记“尹佚策祝曰”，《齐太公世家》记“史佚策祝”，《鲁周公世家》记“史策祝曰”，《孔子世家》记“（孔子）读《易》，韦编三绝”，《匈奴列传》记汉遗单于书，牍以尺一寸。单于遗汉书以尺二寸牍，及印封皆令广大长。反映了简牍的形制、使用情况。可以说简牍已纳入了史学研究对象。至于甲骨，有《龟策列传》，此外记载卜筮卦象的篇章是很多的，如《周本纪》、《晋世家》、《田敬仲世家》等篇，不必一一具引。

5. 遗事旧闻纳入史学研究范围

拾遗事，网旧闻，司马迁作为史学理论贯彻，《太史公自序》作了明确的交代。一则曰“拾遗补艺”，《索隐》注：“补六艺之阙也。”再则曰“网罗天下放失旧闻”，《索隐》注：“旧闻有遗失放逸者，网罗而考论之也。”拾遗补缺，《左传》注《春秋》开其端，司马迁条释为理论成为中国史学的传统。裴松之《三国志注》，发展成为一种史书体裁，可以说是司马迁拾遗补缺、网罗旧闻理论在实践中的发扬光大。

拾遗补缺，贯彻在创作中，使《史记》内容更加全面。例如，孔子高足七十子，《仲尼弟子列传》实载七十七人。《史记索隐》注：“自公伯缭、秦冉、鄡单三人，《家语》不载。”说明也补了《孔子家语》之缺。《日者列传》说：“古者卜人所以不载者，多不见于篇，及至司马季主，余志而著之。”古代日者社会地位低贱，史书不载，司马迁特补前人之失而作《日者列传》。列传中许多附传人物，亦是补无传之缺，如《卫将军骠骑列传》补公孙贺、李息等14人无传之缺。《史记》十表，特别是汉代诸表，不仅补纪、传人物之缺，也补行政大政之缺。如《将相表》记高祖六年“立大市”，“更命咸阳曰长安”，以及太尉之废置，都是本纪中没有记载的。

以上条列了司马迁创立百科全书式通史五个主要的方面，均属历史学的范围，所以《史记》最本质的定位，是一部历史学著作。由于以人为中心，司马迁写人，创造了传记文学。《史记》既是史学，又是文学，所以一般通称，《史记》是一部文史名著。

四、《史记》成为百科全书的原因及意义

司马迁为何把一部文史名著，写成百科全书呢？主要有以下四个原因。

其一，中国传统的哲学理念是天人合一。孟子就说："天生蒸民"，"为之作之君，作之师"。《左传》说："天生民而树之君。"[①] 人君为王。《说文》："王，天下所归往也。"董仲舒曰："古之造文者，三画而连其中谓之王。三者，天地人也。而三通之者，王也。孔子曰一贯三为王。"[②] 人立于天地之间，不能脱离天地而生存，所以天地人作为一体来写。用司马迁自己的话说就是"究天人之际，通古今之变，成一家之言"。

其二，历史本身的含义是指过去的事，即以往的一切事情。由于古代生产力低下，社会分工不发达，从而限制了人们的认识能力，反映到思想文化领域，也要求学者、先知先觉的圣人知晓一切。所以古代的历史学家，无论中外，都认为史学要包括一切知识。刘知几在《史通·自叙》中说："夫其书虽以史为主，而余波所及，上穷王道，下掞人伦，总括万殊，包吞千有。"他认为史学、史书、史学研究与评论要总括天地古今的一切。古希腊历史学家希罗多德所写《历史》就是"百科全书"式的。

其三，在司马迁时代，学科分类方兴未艾，正是所谓文史不分的时代，而正是由于《史记》对文学、史学的突出贡献，推动了文学、史学的分途。

其四，司马迁父子的理想，要完成一代大典，效《春秋》为

① 《左传》文公十三年。
② 《说文解字》卷一。

民立则。司马迁评论《春秋》说："《春秋》文成数万，其指数千。万物之聚散皆在《春秋》。"其实是指《史记》的写作宗旨，要包罗万象，古今皆备。司马迁之父司马谈发凡起例，司马谈为太史令，本身就是掌管天文之官，兼理国家图籍之府。资料搜集，要"网罗天下放失旧闻"，"厥协六经异传，整齐百家杂语"。如此浩繁的工作，司马谈感到一人之力难以完成，所以培养司马迁继承自己的事业，临终遗命司马迁接力修撰《史记》。古人治学，就有这样一种精神，父死子继，为了理想绝不急功近利，这就需要执著精神。司马谈自比孔子，是几百年才出现的圣人之业的继承者，表明他自觉地肩负起这一历史使命，寄希望于司马迁来完成，于是规划了"百科全书"。

司马迁继承父志，完成并发展了"百科全书"的规划，《史记》博大精深，是一部名副其实的继往开来的百科全书，其意义就是"继往"与"开来"。《史记》继往，全面总结了前代历史文化；《史记》开来，推动了文史哲的分途，影响深远。提起中国古代学术文化，人们有文史不分之说，这主要是指先秦时代。当时的文学、史学、哲学，各有分野。《诗经》、《楚辞》是文学，《春秋》、《尚书》、《左传》、《战国策》是史学，《周易》、诸子散文是哲学。但是，又为什么说文史不分呢？当时散文没有纯文学，更没有写人艺术的纯文学；而诸子散文说理，寓含历史知识，而文采斐然；上列史学专书，不仅反映的历史内容和范围有限，而且形式体制都极为原始，《尚书》只是资料汇编，《战国策》可以说是文史参半。也就是说先秦百家争鸣是学术的黄金时代，文学、历史、哲学，往往是一而二，二而一，或三位一体。当时各种学科都还处在童年和蓬勃发展时期。冶文史哲于一炉的《史记》，就是在这样一种历史传统和历史背景下产生和创造出来的。也正由于《史记》的巨大成功，把文史哲的发展推向了一个高峰，从而也推动了文史哲的分途。也就是说，司马迁是集文史哲于一身的一个伟大时代的文化巨人。

第三讲 《史记》对中国历史学的贡献

梁启超在《中国历史研究法》中说："中国于各种学问中，惟史学为最发达；史学在世界各国中，惟中国为最发达。"这段话充分肯定了史学在中国传统文化中的地位。四部目录经、史、子、集，史籍部居第二位，充分显示了它的地位。中国古代史学大家，一般都具有恢宏的历史视野，学兼天人，会通古今，并以高度自觉的精神，肩负修史使命，视史学有补于人伦道德与政治借鉴，强调以古为镜，经世致用，实录史事，这些都是中国史学的优良传统。

中国史学优良传统的创始人就是西汉创作《史记》的杰出史学家司马迁，前苏联大百科全书称司马迁为中国史学之父。《史记》的问世，对中国史学产生了巨大、深远的影响，司马迁对中国史学作出了卓越的贡献。司马迁对中国史学的贡献和影响，最主要的有以下四个方面。

一、奠定了中国史学的独立地位

中国史学的产生有悠久的历史。早在殷商时代就有史官，但这种史官只是记载商王的言行，并负责占卜，类似宗教官员。周代继承这一传统，到春秋、战国时代，史籍产生，有所谓“左史记言，言为《尚书》；右史记事，事为《春秋》”的说法。即《尚书》是“左史记言”的典范著作，《春秋》是“右史记事”的典范著作。列国史官形成的著作有晋《乘》、郑《志》、楚《梼杌》、鲁《春秋》等，均属记言、记事的性质，很少有历史研究。《逸周书》、《左传》、《国语》、《周礼》、《仪礼》、《世本》、《竹书纪年》、《战国策》等，也属史籍，其特点多为资料汇编，或修订、解释历史文献。一般成于众手，作者多为史官或士大夫。成书既非一时一人，因此没有严格的体例。正由于此，先秦史籍成为后世多种史体的源头，故唐代刘知几总结唐以前史体流派有六家①，先秦史籍占了四家。比较有严格义例的是《春秋》家和《左传》家，代表的是编年体。中国古代史籍的三大体为纪传、编年、纪事本末，最早产生的是编年体。

先秦史籍内容庞杂，文字疏简，记事粗略，史实中杂有神话、传说、寓言，又多有后人的增饰，真伪并存。而且先秦史籍，没有系统地、全面地、全方位地记载人类的社会活动。先秦时代的思想家，他们关注历史，凭借掌握的历史资料、历史传说，用来宣传他们各自的政治主张，他们没有自觉地将历史单独地进行有体系的研究，他们关注历史，往往只是把某些片断的历史资料和历史研究作为政治的一部分。诸子著作《墨子》、《商君书》、《申子》、《韩非子》、《虞氏春秋》、《吕氏春秋》等即是如此。这些著作是子书，而融入了历史。孔子作《春秋》，创立了编年史，但重在一字褒贬，不注重史事记载。解释《春秋》形成的《左传》、《穀梁传》、《公羊传》，着重阐释书中的微言大义，《左传》是最具有历史性的典籍，较为详细地记载了春秋242年的历史，但仍然是借用历史资料来阐释儒家学派的政见、理想，并未对历史溯源、反思和借鉴，对当时的历史也没有作系统的、

① 《史通·六家》中六家为《尚书》家、《春秋》家、《左传》家、《国语》家、《史记》家、《汉书》家。

全方位的记载，因此仍然是经书，而不看做是史书。

总上，先秦史籍，只是反映了片段历史，没有独立成为史书，也没有独立的史家概念。殷商是中国史学的萌芽时期，春秋、战国、秦是中国史学的童年，史籍只是经部的附属。

《史记》问世，改变了这一状况。司马迁以“究天人之际，通古今之变，成一家之言”为宗旨，创作了上起黄帝、下迄汉武3000年的通史，不仅把历史撰述从一个狭小的天地引向了广阔无垠的大千世界，而且以人为主体，建立了崭新的历史观认识体系，这是前无古人的。

《史记》与先秦史籍比较，它是由量变发生了质变，《史记》是一部真正的历史著作，它结束了中国史学的童年而走向成熟。由于《史记》的影响和带动，司马迁之后，史籍蓬勃发展，两汉以后，史籍独立成部，蔚为大观。东晋李充著《四部书目》，史籍已部居第二。

《史记》作为成熟史学的标志，它有着独特的创造，最突出的贡献有以下三个方面。

1. 自觉的历史使命

《史记》书成，司马迁题名为《太史公书》，即太史公所记之书，到东汉桓、灵之际，《太史公书》才演变为《史记》之称。太史公，是司马迁对其父司马谈为太史令的尊称。《太史公书》就是纪念司马谈发凡起例修撰《史记》的业绩。《史记·太史公自序》追述司马氏世系，源远流长，始祖为唐虞之世的重黎氏，职掌司天司地之职，司天即为史职。重黎氏之后，至于夏商，世序天地。到了周代，重黎氏后裔为司马氏，仍世典周史。惠、襄之间，司马氏中衰，去周适晋，史职中绝。司马迁津津乐道，追述远祖，其深层寓意是强调司马氏为史官世家。汉武帝即位，司马谈出仕，职任太史令，他以祖先世世代代为史官而自豪。司马谈重振天官学，并以这一“光荣家谱”教导司马迁，希望他发扬祖德，确立修史壮志。司马迁郑重其事记载了远祖世为史官的传说，也意味着他们父子来修撰一部贯通古今的通史是义不容辞的责任，是当然肩负的历史使命。司马氏父子是自觉的历史家。为此，司马谈发凡起例，以继孔子，效《春秋》为使命，修撰一代大典。司马谈的写作宗旨，《太史公自序》作了明确的交代。司马谈临终遗言说："夫天下称诵周公，言其能论歌文、武之德，宣周、邵之风，达太王、王季之思虑，爰及公刘，以尊后稷也。幽、厉之后，王道缺，礼乐衰，孔子修旧起废，论《诗》《书》，作《春秋》，则学者至今则之。自获麟以来四百有余岁，而诸侯相兼，史记放绝。今汉兴，海内一统，明主贤君忠臣死义之士，余为太史而弗论载，废天下之史文，余甚惧焉，汝其念哉!"司马谈的这段临终遗言，可条列其发凡起例的宗旨有三端：一曰效周公"歌文武之德"；二曰继孔子，效《春秋》，"修旧起废"，为后王立法，为人伦立准则；三曰颂汉兴一统，论载"明主贤君忠臣死义之士"。合此三端，即以人物为中心，帝王将相为主干，颂一统之威德，这正是秦汉中央集权政治在学术思想上的反映。《论六家要指》就是司马谈所作的述史宣言，倡导融会百家思想为一体，自成一家之言。这些就是《史记》的本始主题。

史学是什么？在司马迁时代，整个思想界还是一片朦胧的认识，司马迁本人也没有直接提出"史学"的概念。但是，在司马谈和司马迁的头脑中，早已孕育成熟了一个完整的系统的史学思想体系，并且父子两代身体力行在实践中。司马谈为此，耗尽了一生，司马迁继承父志为太史令，接力修史。当《太初历》颁布之时，汉兴已历百年，封建国家出现了空前的统一，封禅改历，举国欢庆。这年司马迁 42 岁。他在激动之中，深感修史责任重大，岁月蹉跎，一种紧迫感也在催促自己要奋力写作。这时司马迁再次想到了父亲的遗言，他说："先人有言：'自周公卒五百岁而有孔子，孔子卒后至于今五百岁，有能绍明世，正《易传》，继《春秋》，本《诗》《书》《礼》《乐》之际。'意在斯乎，意在斯乎！小子何敢让焉。"先人，即指父亲司马谈。司马谈认为周公卒后五百年而有孔子，孔子卒后至于今，应该有人继承孔子，宣扬清明盛世的教化，依据《诗》《书》《礼》《乐》来衡量一切。他发凡起例，功业未就而与世长辞。如今这副担子落在了司马迁的肩上，司马迁要实现父亲的遗愿而不敢推辞。司马迁也耗尽了一生，最终完成了《史记》，并将《史记》的主题升华为“究天人之际，通古今之变，成一家之言”。“言”即议论、理想和主张。“成一家之言”，就是要独创一个思想体系，具有划时代的内容，能启迪后人，影响社会。“成一家之言”，是司马迁在历史学上的一个首创，这一创造，把历史记述与历史研究融合起来，从而写出了具有理论体系的真正历史著作，也开创了史学研究的先河。司马迁自觉述史的创造，既为士大夫开辟了一条治史做学问的新路，同时也使史学研究从经学附庸中脱颖而出，引起了统治者的高度重视。班彪即“专心史籍之间”，撰写《史记后传》。其子班固继承父业，潜精研思，改《史记后传》为独立的断代史书《汉书》。班固初为私撰，惊动朝廷，汉明帝批准，班固名正言顺奉诏修史，这正是士大夫受《史记》影响热衷治史，而统治者亦重视治史的例证。《汉书》问世，被目为五经之亚。从此纪传体史籍的“正统”地位确立，治史成为统治者的行政要务，也是士大夫的学问大端。

2. 司马迁第一次叙述了全社会全方位的历史

《史记》体大思精。体大，指《史记》的五体形式；思精，指《史记》内容的全面性和系统性。《史记》体例完备，内容丰富，包罗万有，贯通古今。它上起黄帝，下迄太初，汇总古今典籍，“网罗天下放失旧闻”，成为一部百科全书式的古代中国通史，从内容到形式都是划时代的伟大创造。诸如经济、政治、文化、学术、民族、社会以及自然界的星象、历法、地理、水利等等无所不备。人物除帝王将相之外，还记述了农民起义的领袖，如陈涉、吴广等，下层社会的侠客、医卜、工商、俳优、博徒、妇女等等，凡在人类活动中起过作用的人物都叙入史中。也就是说，司马迁创作《史记》，虽然以帝王将相为中心，但它却扩大范围，描写了全社会的各个阶层。司马迁不仅首创民族史传，记载周边各民族的历史发展；而且记载了国外民族，远及西亚，这是司马迁当时所理解的世界范围，使《史记》具有古代世界史的意义。《史记》内容如此丰富，正是因为五体结构形式体大思精，能容纳丰富的历史素材。

3. 独立史体的创立

《史记》由本纪、表、书、世家、列传五体构成，它是司马迁创作的独立的新史体，既是编纂方法，也是史学研究的基本方法。五体分开来看又各自成为一个独立的系统，首尾完备贯通历史发展的线索，各有不同的侧面和重心。五体合起来看又是组织严密互相交融的一部著作，自成一家之言。这种新史体、新方法，以人为本位，得到了历代史家的认同。因此“百代而下，史官不能易其法，学者不能舍其书”①，“自此一例一定，历代作史者，遂不能出其范围，信史家之极则也”②。司马迁之后的继作者，有的五体不全，或缺表，或缺书，后世废封建，世家一体，自然消失。但各史纪传必备，故称纪传体。

由于纪传体以人为本位，帝王将相是人本位的中心，所以得到历代统治者的赞许，历代统治者设馆修撰纪传体，并颁令为正史。中国自《史记》以后历代蝉联而下的纪传体正史积数有26种，4042卷，洋洋4500万言，按各史的朝代完整无缺地保存下来，故学术界有“全史”之称。记事起黄帝迄于清末，中华民族五千年文化发展的规模体制，载述毕于此编。历代封建王朝明令颁布的纪传史，迄《明史》止共二十四史，故二十四史成为学术界的一个专用名词。二十四史加上民国年间修成的《新元史》、《清史稿》，共是二十六史。纪传体史系列的形成，司马迁首创之功，无论怎么评价都不过分。

二、规范了史学研究的对象和范围

《史记》把国家大政、社会生活、学术学问，即古今万物作为史学研究的对象，开创了百科全书式通史的规模，这种模式、格局遂成为后世史学研究的正宗，使两千年的中国封建史学向着

① 郑樵：《通志·总序》。
② 赵翼：《廿二史劄记》卷一《各史例目异同》。

文化史、百科全书的模式发展。虽然《汉书》以下，均断代为史，与《史记》通史有所不同，然研究对象、范围基本上沿袭《史记》，而且根据社会生活的变化发展，不断发展史学研究的对象、范围。

《史记》礼、乐、律、历、天官、封禅、河渠、平准八书，循吏、儒林、酷吏、游侠、佞幸、滑稽、日者、龟策、货殖诸传及其他一些部分，分别论述了国家大政、社会生活、学术学问等，将政治史、军事史、经济史、思想文化史、科学技术史、社会风俗史等包罗无遗。《汉书》沿着这一方面继续前进。《汉书》改“书”为“志”，设律历、礼乐、刑法、食货、郊祀、天文、五行、地理、沟洫、艺文十志，其中地理、艺文、刑法诸志，使《史记》中尚未独立研究的内容，进一步独立起来，使史学研究百科专史的格局有所发展。《汉书》又设《百官公卿表》，把百官的研究纳入史学范围。以后历代修史，都设志、表，以反映一代典章制度、政治、社会生活。如缺志缺表，便会有人补作。

司马迁著《史记》，在史学研究对象上作出的最大贡献是确立了人本位，以人为中心。《史记》的本纪、世家、列传，基本上是人传；表是人谱；书是人事、人传。此后历代修史便都遵循人本位的“祖制”。

司马迁规范史学研究的对象和范围，提出了许多首创的范例。如果把司马迁的创新加以具体的罗列，至少可以列举以下10个主要的方面：

1. 首创纪传体，形象地照映了封建社会的等级序列；

2. 首创贯通古今的通史，建立了历史发展断限理论的年代学；

3. 首创“太史公曰”的史论形式，提出了系统的史学理论；

4. 首创经济史传，发展了古代朴素的唯物史观，意识到经济发展状况对社会历史起决定的作用；

5. 首创军事史传，系统地总结了古代的战争理论和叙述了战史内容；

6. 首创学术史传，辨章学术，考镜源流；

7. 首创民族史传，提出了民族一统的思想；

8. 首创各色人物的类传，全面地反映社会生活；

9. 首创语译古文，使艰深古奥的语言通俗化；

10. 首创历史文学，把历史人物的实录塑造成为典型形象。

其他还可以罗列一些，例如首创礼、乐、历、星等各种专题的文化史传，扩大了历史记叙的范围；首创《大宛列传》，载述外国史事；等等。

三、创立了史学研究的基本方法

司马迁怎样写历史，尤其是古代史，即五帝三王、夏商周、春秋战国这一段历史，今称之为先秦史。在司马迁以前，没有真正的可资借鉴的历史书，也没有史学研究的理论和方法。司马迁的《史记》是第一次系统地整理了古代历史，并赋予了历史哲学的理论体系。司马迁自己称之为“厥协六经异传，整齐百家杂语”[①]。司马迁如何“厥协”与“整齐”历史文献，构建中国古代史，即司马迁编纂史学成书的基本方法，主要有以下四个方面：

1. 原始察终

“原始察终”，司马迁又称“综其终始”、“谨其终始”、“咸表终始”[②]，反复言之。司马迁又说：“考之行事，稽其成败兴坏之理”[③]，即司马迁考察历史事变的始末，是围绕“治”“乱”二字写历史。所谓“成败兴坏”，即“治乱兴衰”。系统地总结历史经验，借鉴历史教训，以求长治久安，这就是司马迁写历史，写通史的目的。从贯通的考察中，从终始的叙述中，探求事理和法则。《史记》十表，划分历史断限，表序作出理论交代。三千年历史，司马迁划分为五个时期。

① 《史记》卷一三〇《太史公自序》。

② 《史记》卷一四《十二诸侯年表序》、卷一八《高祖功臣侯者年表序》、卷一九《惠景间侯者年表序》等篇。

③ 《报任安书》，载《汉书》卷六二《司马迁传》。

（1）《三代世表》，起黄帝，迄西周共和，统称五帝三王时期，表现积德累善得天下的王道时代。

（2）《十二诸侯年表》，起共和，迄孔子卒，即公元前841—前476年，表现王权衰落的霸政时代，也称为春秋时期。

（3）《六国年表》，起周元王元年，迄秦二世之灭，即公元前475—前207年，表现暴力征伐得天下的战国时代。

（4）《秦楚之际月表》，起陈涉发难，迄刘邦称帝，即公元前209—前202年，详著月表以表现“八年之间，天下三嬗”的剧烈变革时代，这是典型的原始察终，若无陈涉发难，哪来秦汉之变？没有陈涉发难，也无楚汉相争。

（5）汉兴以来诸表，分类条析，表现大一统的今世时代。

本纪、世家、列传，依年表所分历史断限，联络相关篇目，合并阅读，就可见这一历史时期的系统历史。五帝三王时期，相关的主要篇目为五帝、夏、殷、周四篇本纪。春秋时期，相关的主要篇目为《周本纪》共和以后的东周前期，春秋十二诸侯世家。战国时期，相关的主要篇目为《秦本纪》、《秦始皇本纪》、韩、赵、魏、齐诸世家，以及相关的战国人物列传。秦汉之际，相关主要篇目为《项羽本纪》、《高祖本纪》、《陈涉世家》，汉初功臣人物列传等。今世汉代，为司马迁所详写的汉代现当代史，占全书过半篇目，不细列举。

每一个历史时期，司马迁均作了系统的整理，我们从《史记》中可以看到系统的三代历史，系统的春秋历史，系统的战国历史，详尽的秦汉变革历史，汉初的建国历史，合起来就是三千年的中国古代通史。如此完备的原始察终，结束了中国史学的童年，司马迁奠定了中国历史学的基础，司马迁被称为中国史学之父，当之无愧。

2. 见盛观衰

“原始察终，见盛观衰”，这八个字是不可分割的一个整体，一个方法论。司马迁用这八个字来看人类社会历史的发展，整个长河是一个不断兴衰发展的连续系列。“原始察终”，前已述及，就是追原其始，察究其终，一个历史事件，从哪里开始，到哪里结束，把握历史大势，就是把握历史的全过程来看它的原因、经过、发展和结果。“见盛观衰”，是把握与观察的一个方法，就是在兴旺的时候，要看到它的转化的起点。这一方法的理论基础，就是承认历史是在不断地变化、发展。变，是历史的永恒主题。所以司马迁写历史，最高原则与目的就是“通古今之变”。这个命题是司马迁针对他的老师董仲舒宣扬的“天不变，道亦不变”提出的。这表明司马迁是一个严肃的历史家，他考信历史的总原则是“考信于六艺，折衷于夫子”，但又不盲从。在一些具体的问题，以及不同价值取舍的原则，又“不与圣人同是非”。例如孔子批评学生子贡经商，孔、孟不言利，司马迁却写《货殖列传》赞颂推动生产发展的商人活动，司马迁的义利观就不与圣人同是非。司马迁吸收董仲舒大一统的历史观，却反对他的“天不变，道亦不变”，而认识到历史之变。而且“变”，是司马迁朴素唯物历史观的核心。他认为宇宙间一切事物都在“变”，只有用“变”的观点才能探究事物的规律。他说，“无成势，无常形，故能究万物之情”[①]。

3. 详变略渐

“详变略渐”是把握古今的一个原则，它又是“详今略古”的一个特例。司马迁对古今关系，基本原则是详今略古，在详今略古的前提下，又“详变略渐”，即详变革之世而略升平之世。“详今略古”包括“详变略渐”，“详变略渐”不能代替“详今略古”，我们可以看成是两个原则，在“详变略渐”的题目下，一并讨论。《史记》述史3000年，共130篇，百年汉史篇幅过半，有62个专篇，兼及13篇，共75篇。而五帝三代近两千年，只有五帝、夏、殷、周4篇本纪，三代、十二诸侯2篇年表，共6篇。详今略古还贯穿在每一个历史时期中。为何详今略古？主要有两大原因：一是愈古史料愈少，巧媳妇难为无米之炊；二是“近己而俗变相类，议卑而易行”，即离今世愈近的历史愈有借鉴价值，这也是详今略古最主要的原因。推广这一原则，愈是变革的历

① 《史记》卷一三〇《太史公自序·论六家要指》。

史，愈有借鉴的价值，所以“详变略渐”，成了处理古今关系最重要的原则。

统观《史记》全书特详四个段落的历史。一，西周建国史；二，战国之世的变革历史；三，秦汉之际的剧变历史；四，武帝建元、元封之间的变革历史。这四段变革历史加起来只有三百多年，只占三千年历史的十分之一，而叙述的内容，占全书 52 万字的百分之八十，即 40 余万字。秦汉之际八年，建元、元封之间三十年，合计不到四十年，而叙述的篇目涉及四十四篇，占三分之一，篇幅字数亦约三分之一。

详今略古与详变略渐，这两个原则的共同点，说明司马迁“通古今之变”，目的是着眼于现世和未来，写古是以古为鉴，不是宣扬复古，所以才详今略古。在详今略古中又着重究变革之世，因变革的历史经验与教训，更有借鉴价值。这一思想，司马迁有着鲜明的交代。其言曰：“居今之世，志古之道，所以自镜也，未必尽同。帝王者各殊礼而异务，要以成功为统纪，岂可绲乎？观所以得尊宠及所以废辱，亦当世得失之林也，何必旧闻？”① 一方面讲以古为镜，一方面又讲古今不同，不可混同古今，表现了司马迁通古今之变的朴素辩证法思想。司马迁特别重视对秦朝历史的总结，就是为汉世作镜子。

4. 熔铸改写

《太史公自序》说：“凡百三十篇，五十二万六千五百字，为《太史公书》。序略，以拾遗补艺，成一家之言，厥协《六经》异传，整齐百家杂语。”一部《史记》引载六经异传及百家杂语，并不是资料的纂辑，而是要纳入“一家之言”中，表达出历史的意蕴，以及作者寓含的思想。用今天的话说，叫做再创作。但历史著作，不同于文学作品，以抒情见意，辞必己出；也不同于哲理著作，以空言论道，设寓说理。写历史要记事实录，广博地占有资料，应当做到无一事无出处，无一字无来历。但历史又是复杂的，写古代史，资料贫乏，司马迁不得不点滴搜求，零散积

① 《史记》卷一八《高祖功臣侯者年表序》。

累。例如《五帝本纪》，司马迁写了黄帝、颛顼、帝喾、唐尧、虞舜五帝，全篇只有 3000 多字，至今可按核的资料来自十余种书，有《尚书》、《五帝德》、《帝系姓》、《国语》、《左传》、《世本》、《庄子》、《孟子》、《韩非子》、《战国策》、《吕氏春秋》、《礼记》、《淮南子》。材料不仅零散，而且风格不一，各种资料有很大的时间跨度，语言不一，甚或事实抵牾。许多当代的人和事，是司马迁第一次撰写，事迹或从传闻中得来，那么创作的成分要居多。从总体说，《史记》有述与作之分。大体说来，百年汉史以"作"为主，战国以前的古代史以"述"为主。所谓"述"，即熔铸剪裁，摘抄旧史而成。"厥协《六经》异传，整齐百家杂语"，是就"述"而言。其工作包括剪裁摘要、增文补史、训释古文、熔铸改写等等。如有关尧舜禅让的传说杂见于《尚书·尧典》、《淮南子·泰族训》以及《韩非子·难一》、《孟子·万章上》等等，彼此有同有异，司马迁熔铸了以上各种说法在《五帝本纪》中，将其改写道："舜父瞽叟顽，母嚚，弟象傲，皆欲杀舜。舜顺适不失子道，兄弟孝慈。欲杀，不可得；即求，尝在侧。舜年二十以孝闻。三十而帝尧问可用者，四岳咸荐虞舜，曰可。于是尧乃以二女妻舜以观其内，使九男与处以观其外。舜居妫汭，内行弥谨。尧二女不敢以贵骄，事舜亲戚甚有妇道。尧九男皆益笃。舜耕历山，历山之人皆让畔；渔雷泽，雷泽上人皆让居；陶河滨，河滨器皆不苦窳。一年而所居成聚，二年成邑，三年成都。""于是尧乃试舜五典百官，皆治。"

《史记》以实录著称于世，是就历史本质而言，至于细节，往往有改动，甚至虚拟情节，尽管与具体事实的细节不符，但更符合历史发展的真实。这一创造，贵在掌握分寸，唯司马迁能之。

四、树立了中国史学的进步历史观

司马迁吸收先秦、秦汉的进步历史观，并发扬光大，体现于《史记》之中，这就为中国史学树立了进步的历史观。《史记》的研究对象与方法影响了后世的史家，《史记》的进步的历史观，也给后世进步的史学家以极大的影响。

司马迁进步的历史观，主体内容可概括为三个方面：

1. 大一统历史观

中华民族认同大一统。中华民族历经夏商周到秦汉已基本形成，并突破中原的界限而实现了大一统局面。这一历史过程为古代思想家所捕捉，经过孔子、董仲舒，到司马迁首次作了完整的构建。司马迁所写的《史记》，上起黄帝，下迄汉武帝，象征历史从统一到统一的发展，就是突出大一统的历史观。在司马迁笔下，从黄帝到秦皇、汉武的大一统，象征着历史发展的方向，象征着帝王德业的日益兴盛。中华民族不断壮大，各民族互相融合，远方殊俗日益统一，这就是司马迁大一统历史观的内容。《史记》开卷为《五帝本纪》，塑造了人文始祖黄帝统一部落、草创国家的生动形象，成为中华民族的共同祖先。三皇五帝的传说是华夏文化多元民族融合的反映。三皇五帝以伏羲、炎帝、黄帝为代表，最尊为黄帝，归功于司马迁的塑造。《史记》全书所写列国世家、周边民族、人物列传，追本溯源，都是黄帝子孙。中华民族自称龙的传人、黄帝子孙或炎黄子孙，其中黄帝子孙这一口号最响亮，毫无疑义，应归功于司马迁的创造。中华民族共认一个祖先，最能唤起同血缘、同地域、同文化的民族亲情，中华民族都是龙的传人、黄帝子孙，这一民族大一统观念，数千年来激励了无数的仁人志士为中华民族的生存、繁荣和进步而斗争。“黄帝子孙”至今仍是一个神圣的名词，具有无限的号召力。只要提起伏羲、炎帝、黄帝，就能唤起全体中华儿女的激情，追念先祖，认同文化，产生民族自豪感和爱国心，奋而思进，不畏艰难险阻，贡献一份儿女情，作出个人的贡献。

2. 发展、进化、变革的历史观

历史是周而复始的循环，还是在发展、进化？历史是因循守旧，回顾往古，还是在因俗变化，不断革新？这是司马迁在《史记》中所要探索和回答的问题。司马迁的历史观带有循环论的色彩。《历书序》云：“夏正以正月，殷正以十二月，周正以十一月，盖三王之正若循环，穷则反本。”这是讲天道循环。《高祖本纪赞》云：“夏之政忠。忠之敝，小人以野，故殷人承之以敬。敬之敝，小人以鬼，故周人承之以文。文之敝，小人以僿，故救僿莫若以忠。三王之道若循环，终而复始。”这是讲人道循环。学术界以往的论述，一讲到“循环”，总与“因循”“倒退”的字眼相联系，或者贴上一记“唯心史观”的标签了事。其实在秦汉之际，我认为循环论历史观是当时人们认识历史发展所能达到的认识论的制高点，初起是一种进步的历史观。在先秦诸子百家争鸣的时代，老子法太古，主张小国寡民的社会为至治之极。儒家法尧舜，也是向后看。他们的理论基础即是认为世风日坏，人心益恶，历史向着衰败的方向演变。主张法后王的法家，赤裸裸地以人性恶为其理论基础，政治方针刚毅戾深。而邹衍倡导的五德终始循环论和董仲舒构思的三统循环论，却是宣扬大一统，是适应秦汉统一的需要而出现的。循环论摒弃了人心益恶，而讲天道惩恶佑善，本来的意愿是劝诫人君重视历史变化，施行仁政，争取民心，争取天命，获得五德之属。“循环”二字包含着发展和变化的思想，只不过是转圆圈。转圆圈也是一种运动。

司马迁发展、进化、变革的历史观，不仅表现在议论中，而且更加鲜明地表现在《史记》的具体内容中。朝代更替，制度建立，对民施政等各个方面都表现了这些进步的历史观点。《五帝本纪》说黄帝之世，部落互相攻战，生产落后，黄帝“修德振兵”，统一了天下。他举风后、力牧、常先、大鸿以治民，按时播百谷草木。风后等人只是黄帝的助手。黄帝本人“披山通道，未尝宁居”。这时制度草创，不能成体系。经过颛顼、帝喾、帝尧相继，礼法与制度日趋完备。当舜之时，礼仪制度都建立起来。舜举了22个贤人治理国家。伯禹为司空，平水土；契为司徒，敬敷五教；皋陶为士，掌理刑狱；垂为共工，主百工；益为虞官，治山泽；伯夷为秩宗，掌礼仪；夔为典乐，和人神；龙为纳言，宣诰命。各部主事有正有佐，“三岁一考功，三考绌陟，远近众功皆兴”，各种事业都兴办起来。司马迁说，“天下明德皆自虞帝始”，这句话就是《五帝本纪》的主题。历史经历了从黄帝到虞舜的不断发展，国家建制才初具规模。《五帝本纪》的思想脉络对于读《史记》全书是一个示例。本篇仅3000余字，具体生动地描绘了五帝相承的发展变化，鲜明地表达了司马迁进化论的历史观。

如上所述，司马迁扬弃和改造了循环论，借用循环论的语言来表述历史之“变”，发展成为进化论的历史观，这是他对历史学的一大贡献。

3. 带二元论色彩的朴素唯物历史观

历史是怎样向前发展、变化的，即是谁在创造历史，司马迁的回答具有浓厚的二元论色彩，但基本倾向是朴素唯物论历史观。我们可以从两个方面来说明。第一，司马迁认为天人相感，却又不受星占术荒诞迷信的束缚。《史记》“极人言”，不言“怪物”，不信鬼神，而在抽象议论中又保留有天命论、天人感应的地盘，但在历史记叙中却是否定天命论，也否定天人感应，对项羽“天亡我”等的天命论进行了批判。司马迁的这种进步历史观，也成为中国优良史学传统的组成部分。刘知几著《史通》纵论唐以前史书，就猛烈地批判了天命论、灾异论。《史通》有《汉书五行志错误》、《五行志杂驳》等篇，专门批判“五行灾异”是“诡妄”之谈，“祥瑞符命”是“欺惑”之说。因此，刘氏主张史书要删除《天文志》、《符瑞志》等内容。这是《史记》问世以后，史学领域对阴阳五行说、天命论等的一次勇猛广泛的清算。司马光一贯反对鬼神灾异之说，“尝疾阴阳家立邪说以惑众，为世患”，而上奏皇帝，禁阴阳家之书①。司马光认为“国之兴衰，在德之美恶，固不系葬地、时日之志凶也”②。他主持编纂《资治通鉴》，对于灾异、符瑞、图谶、占卜、鬼怪之类均剔除之。尽管日食、彗星等一些天文星象仍予记载，但决不“强附时事”，把天象与人事完全分开。以上这些史学家的朴素的唯物主义观点，显然都是继承了司马迁建立的优良史学传统。这个优良

① 《司马文正公传家集》卷六五《葬论》。

② 同上，卷二七。

传统一直到近代仍有很大的影响。

此外，司马迁述史虽以帝王将相为中心，但有两个显著的进步的历史观点，符合唯物主义的认识论，为后世史家所不能望其项背。其一，司马迁认为任何一个成功的统治者都不能自以为是，而是必须广泛集中百官群臣的智慧。他说："尧虽贤，兴事业不成，得禹而九州宁。"① 又说："'千金之裘，非一狐之腋也；台榭之榱，非一木之枝也；三代之际，非一士之智也。'信哉！夫高祖起微细，定海内，谋计用兵，可谓尽之矣。然而刘敬脱挽辂一说，建万世之安，智岂可专邪！"② 为此，司马迁为侠客、医卜、工商、俳优、博徒、妇女等等下层人物作传，创立类传，使《史记》具有丰富的人民性。其二，司马迁认为，民心向背，对一个国家的兴亡起最后的决定作用。"民为邦本"，是儒家宣扬的观点；而司马迁的贡献，是生动地描绘了人民群众的创造力量。秦朝之亡，是由于陈涉发难，"风起云蒸，卒亡秦族"；"子羽暴虐，汉行功德"，这是楚亡汉兴的根本原因。孝文帝"专务以德化民，是以海内殷富，兴于礼义"③。汉武帝专事残酷，郡县相聚而叛，"大郡至数千人"，阻山川，抗朝命，"无可奈何"④。汉武帝晚年悔征伐之事，下轮台罪己之诏，封田千秋为富民侯，改弦更张，西汉才转危为安，出现了昭宣中兴。这是东汉班固在《汉书》中替司马迁续写的一章。《史记》中的许多进步观点也影响了班固。

① 《史记》卷一一〇《匈奴列传赞》。
② 《史记》卷九九《刘敬叔孙通列传赞》。
③ 《史记》卷一〇《孝文本纪》。
④ 《史记》卷一二二《酷吏列传》。

第四讲　《史记》对中国文学的贡献

《史记》作为历史名著，它一问世就得到了学术界的公认，而作为文学名著的认识，则经历了一个漫长的历史过程。《史记》的人物传记，是实录，还是创作？至今文史两界的认识并不统一。由于司马迁笔下的历史人物，一个个栩栩如生，形象鲜明，使读者如闻其声，如见其人，脍炙人口，所以当今《史记》已被公认为古典文学的优秀作品。也就是说，《史记》人物传记兼有史学与文学一身二任的特点。如何界定这一身二任的特点，实质是探索司马迁怎样冶文史于一炉，在实录作品中如何塑造历史人物的。不解决这个问题，对《史记》传记文学的研究就无从谈起。因为，如果脱离写实而侈谈小说创构，那就不是司马迁的文学。

司马迁怎样在实录作品中塑造历史人物，即写人艺术，另作专题来谈。本讲讨论《史记》对中国文学的贡献，实即司马迁对中国文学的贡献，主要有四个方面：其一，语言巨匠；其二，散文大家；其三，创立传记文学；其四，是创立中国文学理论的先驱者。本讲还将讨论《史记》中典型人的形象是实录，还是虚构？是否是小说人物？下分五个问题来谈。

一、语言巨匠

语言与情节是文学创作的最基本元素。语言巨匠，就是文学大家。《史记》语言之优美，不仅独步当时，而且为后世人所不可企及。《史记》中的短句一个字，长句有四五十字，当代汉语中的各种复杂句型，《史记》全有。《史记》语言生动、流畅，而又雄健峻洁，婉曲细微，形成独特的风格。《史记》已经创造了个性化的语言，例如《秦始皇本纪》写始皇统一中国，群臣议上尊号，上奏说："古有天皇，有地皇，有泰皇，泰皇最贵。"始皇批示："去'泰'著'皇'，采上古'帝'位号，号曰'皇帝'，他如议。"这去"泰"著"皇"，一字一顿，凛凛然一派金口玉言，拍板定案不容置喙的至尊语气，极为传神。又如《张丞相列传》中写周昌口吃，模拟周昌神态说："臣口不能言，然臣期期知不可！陛下虽欲废太子，臣期期不奉诏!"其中"期期"是周昌急于表态而又因口吃说不出话时发出的声音，描摹周昌又急又怒的神情声貌，逼真到了十分，历历如在目前。诸如心理刻画、夸张修辞、讽刺艺术，《史记》语言，般般皆有。

语言生动、流畅，文章简洁，辞采华美，是《史记》文学性的第一个层次，魏晋以前最普遍的认识。晋人张辅的评论是其代表。张辅说："迁之著述，辞约而事举"，并举证苏秦、张仪、范雎、蔡泽等传，"逞辞流离"，"述辩士则辞采华靡，叙实录则隐核名检，此所以迁称良史也"①。司马迁语言运用所达到的艺术境界，出神入化，精彩绝伦。金人王若虚《史记辨惑》以挑剔《史记》语言冗赘为能事，多为偏激之言。明人黄震的《黄氏日抄》谓太史公书不可省。曰："苏子由《古史》改《史记》多有不当。如《樗里子传》，《史记》曰：'母，韩女也，樗里子滑稽多智。'《古史》曰：'母，韩女也。滑稽多智。'似以

① 《晋书》卷六〇《张辅传》。

母为滑稽者。然则‘樗里子’三字可省乎？《甘茂传》，《史记》曰：‘甘茂者，下蔡人也。事下蔡史举，学百家之说。’《古史》曰：‘甘茂者，下蔡人也，史举学百家之学。’似史举自学百家矣。然‘事’之一字其可省乎？以是知文不可以省字为工，字曷可省，太史公省之久矣。”《史记》行文，或繁或简，皆有深义，不可增减一字。

有时为了追求感情的淋漓酣畅，司马迁重复使用同一词语，加重抒情成分，增强感染力。这称之为重沓。如《魏公子列传》写魏公子与魏王论韩事曰：“韩必德魏爱魏，重魏畏魏，韩必不敢反魏。”三句十六字，五用“魏”字。《平原君列传》写鲁仲连见新垣衍曰：“吾视居此围城之中者，皆有求于平原君也。今吾视先生之玉貌，非有求于平原君者也。”又曰：“始以先生为庸人，吾乃今日知先生为天下士也。”重复“平原君”与“先生”，似颂似贬，强化鲁仲连游说攻心的穿透力。又如《张释之冯唐列传》，写汉文帝听完冯唐论将后，以手拍腿高兴地说：“嗟乎，吾独不得廉颇、李牧为吾将，吾岂忧匈奴哉！”陆游《老学庵笔记》评云：“两句叠用三‘吾’字，而语若飞动，减一字不得。”

二、散文大家

汉代文章两司马，指的是司马迁与司马相如并称。这是东汉文史大家班固的评论。班固在《汉书·公孙弘卜式兒宽传》赞语中评论说：“文章则司马迁、相如。”班固推崇《史记》散文之优美，与辞赋大家司马相如并列，足见司马迁是一代散文大家。但真正系统地着眼于《史记》散文的成就和艺术风格美，认为司马迁是散文大家，宏扬班固的观点，这是《史记》文学性的第二层次，唐宋人深化的认识。唐宋八大家掀起古文运动，以司马迁为旗帜，把《史记》树为追慕学习的典范。韩愈论《史记》雄健，柳宗元论《史记》峻洁，韩柳并师法《史记》作文，把对《史记》文学性的认识推进了一步。《史记》文章为汉代散文典范，从此确立。明清人评点《史记》，对其文章艺术美的研究，挖掘更深，尤以清桐城派的评点，成绩最大。方苞用“义法”论《史记》，已经明确地触及内容与形式统一的认识。《方苞集·又书货殖传后》说：“《春秋》之制义法，自太史公发之，而后之深于文者亦具焉。义即《易》之所谓言有物也。法即《易》之所谓言有序也，义以为经而法纬之，然后为成体之文。”这里明确地说，“义”就是“言有物”，即文章的内容；“法”就是“言有序”，即文章的表现形式。“义以为经而法纬之，然后为成体之文”，也就是内容与形式的高度统一，才是富有文学价值的好文章。桐城派另一大家刘大櫆，在方苞义法说的基础上，进一步探索《史记》散文的艺术美，指出《史记》文法有“大”、“远”、“疏”、“变”的四大特点。桐城派最后一位代表人物林纾，他对《史记》散文艺术美的研究卓有成绩。他撰写的《春觉斋论文》，对《史记》文章情韵之美，以及运用虚字和结尾艺术作了不少具体分析，发前人所未发。

三、创立传记文学

刘勰《文心雕龙》标立“史传”专题，明确地把《史记》人物传记包括在文学范围之内。从人物形象塑造的角度评价《史记》的文学性，文章结构，转折波澜，细节描写，具有小说因素，这是第三层次，明清评点家多所发抉。宋人已开始了这方面的探索。《史记评林》引南宋魏了翁评论《高祖本纪》中高祖还乡一节文字时说：

> 后世为史者，但云“还沛置酒，召故人乐饮极欢”足矣。看他发沛中儿，教歌，至酒酣击筑，歌呼起舞，反转泣下，缕缕不绝。古今文字淋漓尽致，言笑有情，安可及此！

这里指出，司马迁对高祖还乡生活细节的描写，对浓厚的人情味的刻画，已经超出了历史记述的范围，而是刻画人物形象需要的文学创作了。宋末元初的刘辰翁，在《班马异同评》一书中，对《史记》人物形象的塑造和细节描写就作了大量的分析，并明确指出《司马相如列传》中文君夜奔的故事是一段小说情节。最早把《史记》与小说相提并论的是明嘉靖间人李开先。他在《词谑》一书中说："《水浒传》委曲详尽，血脉贯通，《史记》而下，便是此书。"李开先把《水浒传》的情节安排与文章技巧与《史记》的文章技巧联系起来。到了明末清初，金圣叹径直把《史记》、《庄子》、《离骚》、杜诗、《水浒传》、《西游记》并称为"六才子书"。金圣叹在评点《才子古文》一书中留下了他选评的《史记》序赞 90 余篇。又在《水浒传》和《西厢记》的评点中多次赞扬司马迁的文笔。尤其是《史记》与小说的关系，金圣叹有深刻的认识。他在《读第五才子书法》中说："《水浒传》方法，都从《史记》出来，却有许多胜似《史记》处。若《史记》妙处，《水浒》已是件件有。"金圣叹还在《水浒传会评本》第二十八回回评中说："马迁之为文也，吾见其有事之巨者而隐括焉；又见其有事之细者而张皇焉；或见其有事之缺者而附会焉；又见其有事之全者而轶去焉，无非为文计，不为事计也。"金氏从史料剪裁、细节的夸张描写、附会增益、略去枝蔓的事实等四个方面，说明司马迁处理史事人物，服从于文学性的创作，这见解是很深刻的。

全面地系统地抉发司马迁塑造历史传记人物典型形象的艺术表现手法，这是第四层次，可以说是近年来才深入的。

四、司马迁是创立中国文学理论的先驱者

先秦时代，文史哲各学科还是混沌一片，正处于分立的前夜，各学科的理论建立还是萌芽状态。当时文学、史学的概念尚未提出。各家学说，统称百家。司马谈归并为儒、墨、名、法、阴阳、道六家。司马迁写作《史记》，宣称"自成一家言"。言，

就是理论和主张，自成一家，就是别立一家，有理论，有主张。《史记》跨史学、文学两家，司马迁对史学、文学都有一系列的理论与主张，正由于此，《史记》才成为既是史学，又是文学，《史记》的成就，推动了史学与文学的分途。那么司马迁都有着哪些文学理论与主张呢？是否超越了前人，启迪了后人呢？

在司马迁之前，孔子有言："诗三百，一言以蔽之，曰思无邪。"[①]《诗谱序》有"诗言志，歌永言，声依永"[②] 的说法，诸子中也有这样零星的文学理论思考。司马迁首先较为系统地提出了他对于文学的理论与主张，而现今的中国文学史没有给予足够的重视，这就是本文所要谈的重点。

司马迁的文学理论可以概括为四个方面。

第一，开始注意文学的特点，区分文学与学术的界限。"文学"一词出现很早，《论语·先进》曰："文学，子游、子夏。"子游、子夏都是孔子的高足，这里的文学主要是指经学。在《史记》中多次出现。

《孝武本纪》："上乡儒术，招贤良，赵绾、王臧等以文学为公卿。"《晁错传》："晁错以文学为太常掌故。"《儒林列传》："今上即位，招方正贤良文学之士。"又说："窦太后崩，武安侯田蚡为丞相，绌黄老、刑名百家之言，延文学儒者数百人，天下学士靡然乡风矣。"这些"文学"，均指精通文献典籍的学士，是一个复合词组的概念，精通儒家的典籍，就是精通经学，因儒家典籍在汉代被尊为经。

对于诗赋、文章的文学特质，司马迁有明确的认识。他创造了"文章"、"文辞"、"文采"、"辞"等词语来描述。如《三王世家》："文辞烂然，甚可观也。"《屈原列传》："屈原既死之后，楚有宋玉、唐勒、景差之徒者，皆好辞而以赋称。"《报任安书》："所以隐忍苟活，鄙设世而文采不表于后也。"这些，表明了司马迁有意识地突出文学的特质，与非文学的学术相区别，对当时和

① 《论语》第一七《阳货》。

② 《诗谱序》，载《十三经注疏·毛诗正义》。

以后人们的文学观念和文学实践具有重大的推动作用。班固修《汉书·艺文志》就明确地把诗赋别为一略。

第二，重视文学创作和文章家。司马迁为屈原、贾谊、邹阳、司马相如等文学家立传，大量引载他们的作品入传，开创重视文学与文学家的先河。

第三，强调文学作品的讽刺作用，提出了"发愤著书"说。在我国古代文学发展史上，讽刺是现实主义文学作品创作的一个优良传统。先秦儒家就十分重视文学作品的社会功能。孔子说："《诗》可以兴，可以观，可以群，可以怨。迩之事父，远之事君。"[①]《诗》序则说："风，风（讽）也，教也，风以动之，教以化之。"[②] 要求文学作品发挥感人、化人，起到移风易俗的作用。司马迁肯定屈原、司马相如赋的讽喻价值。《屈原传》称赞《离骚》说："上称帝喾，下道齐桓，中述汤武，以刺世事。明道德之广崇，治乱之条贯，靡不毕见。"《太史公自序》说："作辞以讽谏，连类以争义，《离骚》有之。"司马迁在《史记》中把讽刺艺术发挥到了极致。至于司马迁提出的"发愤著书"说，强调作家的写作动机是"发愤"，不仅是继承了孔子说"诗可以怨"的传统，更多的是继承和发展了《离骚》"发愤以抒情"的文学观，在文学理论上具有重大的开拓作用，影响巨大。唐李白倡言："正声何微茫，哀怨起骚人。"韩愈《送孟东野序》云："大凡物不得其平则鸣，人之于言也亦然。有不得已而后言，其歌也有思，其哭也有怀。凡出乎口而为声者，其皆有不平者乎！"宋人欧阳修也说："非诗人能穷人，治穷者而后工也。"[③] 清赵翼《论诗》说："国家不幸诗人幸，赋到沧桑句始工。"这些议论与司马迁"发愤著书"说一脉相承。

第四，主张作家思想品格与作品内容一致，作品内容与形式一致。司马迁以此原则评论前代作家与作品。例如评价屈原与《离骚》说："《国风》好色而不淫，《小雅》怨诽而不乱，若《离

---

① 《论语》第一七《阳货》。
② 《诗经·周南·关雎序》。
③ 《梅圣俞诗集序》。

骚》者，可谓兼之矣。”又说：“其文约，其辞微，其志洁，其行廉，其称文小而其指极大，举类迩而见义远。其志洁，故其称物芳；其行廉，故死而不容，自疏濯淖污泥之中，蝉脱于浊秽，以浮游于尘埃之外，不获世之滋垢，皭然泥而不滓者也。推此志也，虽与日月争光可也。”这里，司马迁认为作家的思想品格对作品的内容有决定性的作用。由于屈原具有“志洁”、“行廉”的伟大人格，才有千秋不朽的《离骚》，其作品才有深厚的内容，才具有那种沁人心脾、滋人五内的含蓄美。而司马相如等一些辞赋家由于多缺乏这种人格美，所以他们的作品多“虚辞滥说”，或只有形式上的“从容辞令”，做不到“文约”而“义远”。

司马迁除要求艺术与人格统一外，还要求作品深厚的内容有美的语言与美的形式。汉武帝封三子为王，本无事迹可述，只因封册文“文辞烂然，甚可观”而作《三王世家》。《儒林列传》要求群臣奏章“文章尔雅，训辞深厚”。司马迁作《史记》，要求有“文采”以便流传后世。司马迁的刻意追求，所以《史记》才能以丰富多彩的内容和独具一格的纪传体形式，以及与优美语言完美地结合在一起，从而成为文史结合与文质结合的典范，达到“史家之绝唱，无韵之《离骚》”的境界。

五、《史记》中典型人物的形象是实录，还是虚构？是否是历史小说？

在司马迁笔下的历史典型人物，个性鲜明，一个个呼之欲出。像项羽的叱咤风云，刘邦的豁达大度，吕后的刚毅嫉妒，樊哙的勇猛粗犷，叔孙通的阿谀逢迎，公孙弘的诈伪饰智，周勃的木讷厚重，陆贾的风流倜傥，石奋的恭敬醇谨，韩安国的圆滑世故，张良的策谋，陈平的奇计，李广的善射，张汤的苛酷，以及古代人物，如信陵君的谦恭，蔺相如的智勇，廉颇的忠诚，苏秦、张仪、范雎、蔡泽等策士的智辩，屈原的志洁，荆轲的悲壮，等等，各色人物都有极成功的刻画，生活细节的描绘，心灵深处的情感，给人留下深刻的印象，成为典型的人物形象。司马迁能够言人人殊，如张释之是厚重之人，就“还他一篇厚重文字”；万石君、张叔是醇谨之人，就“还他一篇醇谨文字”。总之，司马迁笔下的人物各具风采，他写谁像谁。司马迁的笔力如此非凡，能在实录之中带有文学创作成分，这是不容否定的。人物生活细节，两个人的密谋或窃窃私语，个性化的语言，有谁看见，有谁听见？例如鸿门宴的场景，霸王别姬的诀别，有录像记录吗？赵高与李斯的密谋，淮阴侯韩信教唆陈豨谋反，有窃听记录吗？司马迁是怎么知道的？诸如此类情节甚多，是实录，还是虚构？于是有人断言，《史记》是一部历史人物小说集。杨荫深的《中国文学史大纲》在《汉代文学家》一章中说：《史记》是“一部最伟大的创作，不仅可以作史学读，实可当作一部小说读”。胡怀琛编选的《史记选注》在《序言》中径直说《史记》“绝像是现在的历史小说”。当今研究古典文学的不少学者对《史记》典型人物的许多情节分析，往往以小说情节、虚构故事，一语带过，从而忽略了历史的真实与价值，也不能领悟司马迁的思想与写人艺术，是应予纠正的。

首先，要弄清什么是实录和历史真实？评价要有一个标准。刘向、扬雄评价《史记》说，司马迁“博极群书，皆称迁有良史之才，服其善序事理，辨而不华，质而不俚，其文质，其事核，不虚美，不隐恶，故谓之实录”①。

这段话提出了实录的两条标准。第一，其文直，其事核，即文字要质朴，说的事要真实，有一说一，有二说二。第二，不虚美，不隐恶，即善与恶都要说，可以夸张，可以包容创作成分，所谓“直而不俚”者指此，但不是虚夸，所夸张的部分也是确有其事。

但在实际操作中，实录要符合当时的礼义道德标准。古代最被称颂的直笔史家，晋董狐“书法不隐”，书“赵盾弑其君”；齐太史氏兄弟直书“崔杼弑其君”，十分悲壮地献出了生命。但董狐与齐太史氏，他们记录的历史并不是完全的历史事实，董狐隐

① 《汉书》卷六二《司马迁传》班固引。

去了晋灵公的作恶，齐太史氏隐去了齐庄公的荒淫。因为当时古人对于“史”的观念，是重义不重事，列国史官直笔是据礼直书，并非据事直书。古时的大义要维护君君、臣臣、父父、子子的道德纲常，所以孔子修《春秋》提出了为尊者讳、为亲者讳、为贤者讳，又说：“父为子隐，子为父隐，直在其中矣。”[1] 这说明在古史文献中记载的实录，要受到时代的道义与史家立场的局限，并不是完全的历史真实。同一件事，流传讲述，因人而异，有了许多差别。《史记》中许多矛盾的记载，正是这一情况的反映。司马迁是第一个提出了“贬天子，退诸侯，讨大夫”，不为尊者、亲者、贤者讳的人，是最尊重历史真实的一位历史家。

第二，文与史相异而本质却又相通。历史要真实，文学可以虚构，这是最大的相异，好像水火不容。文学与史学，都是写人的活动，其实在本质上又相通。古代史学理论极为重视文史相异，提出了史笔与文笔的分野。直笔记事，不带任何主观色彩，如同照相一样留下逼真的影像，这就是所谓的史笔。对一件事，铺陈夸张，描写绘声绘色，细节生动，感情强烈，这就是所谓文笔。中国古史理论，反对文人修史，反对用文笔述史。例如本讲前文所引《高祖本纪》写高祖还乡置酒，按史笔但云“高祖还沛置酒一事，召故人乐饮极欢”两句，11 个字即足。司马迁洋洋洒洒写了 300 多字一大段文章，看高祖悉召故人父老子弟饮酒，发沛中儿教歌，至酒酣击筑，歌呼起舞，反转泣下，缕缕不绝。《史记评林》引魏了翁曰：“古今文字淋漓尽致，言外有情，安可及此!”如果没有这段文笔描写，何有高祖形象，焉有《大风歌》的流传。

再进一步看，没有生活细节，不能状历史之真。例如《鸿门宴》，按史笔写：“某年某月某日，刘项入关，会于鸿门，嫌隙稍解。”司马迁却铺陈了 1000 余字的大块文章，补充了许多史事和细节，展示了两大集团君臣的智略与斗争艺术。在这里，作者描写了刘邦在张良等人的协助下怎样收买项伯，争取项伯，挫败范

① 《论语》第一三《子路》。

增，从而在鸿门宴这场惊心动魄的斗争中化险为夷，表现了刘邦在政治上的成熟与随机应变能力，对比了项羽的幼稚、粗疏、寡谋与优柔，预示了刘邦斗智必胜，项羽斗力必败。宴会座次的细节描写与人物对话，把矛盾冲突与化解渲染到了最高潮。细节揭示了人物性格与智略，道出了成败的原因，从而反映了最大的历史真实。如果说，没有细节、故事和感情，就没有文学，同样，没有细节故事和感情也没有史学。《春秋》经文是一部天书，纯粹的史笔，隐去了历史细节，也隐去了历史真实，不是真正的史学。《左传》补充了细节、故事，融入了感情，既创造了文学，也创造了史学。在本质上，文学、史学是相通的。一见到史学中有细节，就说是虚构，完全是错误的。史笔与文笔的分野是必要的，也是必须的，但分别过了头，也就是谬误。

第三，文学虚构的细节是以文生事，可以无中生有，史事细节也是创作，是以文运事，内核不能无中生有，这是两者的区别。史事细节是在已知的事实基础上，通过合理想象和推理去补充历史细节，恰恰在求历史之真。因为这些细节，是本已发生，只是没有记载下来罢了。合理想象，就是在补记。但合理想象的史事细节，必须把握一个“度”，这个“度”就是真实发生的历史事件。“鸿门宴”实有其事，处下风的刘邦赴宴向项羽赔礼道歉，也是必然的事，当时或有传闻，或有口述，或有记录，司马迁加以升华遥想，正是补其历史真实，不能说是小说虚构，这是显而易见的。

第五讲　史家之绝唱　无韵之《离骚》

鲁迅称誉《史记》是“史家之绝唱，无韵之《离骚》”（《汉文学史纲要》），十分中肯，是学术界公认的定评。本讲研讨这一定评的具体内容。

一、史家之绝唱

“史家之绝唱”，从狭义上说，指司马迁的创作，独具个性，前无古人，后无来者；从广义上说，就是继往开来，对先秦史籍作了集大成的总结，给后来的史学发展开拓了广阔的领域，提供了榜样，从而成为两千年传统史学的优秀楷模。具体用一句话概括：《史记》是一部体大思精的著作，其要义是“体大思精”四个字。体大，指《史记》的五体结构，规模宏大，是一个系统工程，能容纳百科知识。思精，是内容的全面性和善叙事理。下面分四个节目来谈。

1. 宏大的五体结构

《史记》由五体构成：《本纪》12 篇，《表》10 篇，《书》8

篇，《世家》30 篇，《列传》70 篇。凡 130 篇，526500 字。《史记》的这一五体结构，载述古代从黄帝到汉武帝 3000 年历史，创造了纪传体通史，从内容到形式都是划时代的伟大创造。在史学史上建立了一座巍峨的丰碑。宋代史学家郑樵评论说：

> （《史记》）使百代而下，史官不能易其法，学者不能舍其书，六经之后，惟有此作。[1]

清代史学家赵翼更进一步评论说：

> 司马迁参酌古今，发凡起例，创为全史。……自此例一定，历代作史者遂不能出其范围。[2]

郑樵和赵翼的评论，基本上是符合事实的。自班固《汉书》以下至《明史》，以及后来的《清史稿》，都承袭了《史记》的体例，创一代一代的大典，丰富了中华民族的悠久文化。《史记》所起的开创与启后的作用是非常巨大的，无论怎么评价都不过分，"史家之绝唱"的评价当之无愧。

五体结构的意义和特点有三：

其一，五体结构是一个完整的统一体系，它是一种编纂方法，能容纳大量的历史素材。内容决定形式。《史记》是百科全书，分门别类加以有条不紊的记载，决定了五体形式。《本纪》以王朝的更替为体系，用编年的方法纂录历史大事。《世家》记述诸侯世系。《列传》载官僚、士大夫、名人和一般平民的活动，是注述《本纪》的。《表》用简明的表格标注错综复杂的史实，表现历史发展的线索，它是联系纪、传的桥梁。《书》分专题记述政治、经济、天文、地理、典礼等方面的制度沿革，可以看做是分门别类的文化专史。五体各部是一个独立的纵向体系，叙述

---

① 《通志·总序》。

② 《廿二史札记》卷一。

从古到今的历史发展，《本纪》和《表》均上起黄帝，下讫太初。五体相互之间又有着横向的联系，司马迁创造了互见法，详此略彼，使五体构成了一个统一的体系。这样的五体结构拥有无限的容量。正如刘知几评论所说："《史记》者，纪以包举大端，传以委曲细事，表以谱列年爵，志以总括遗漏，逮于天文、地理、国典、朝章，显隐必该，洪纤靡失，此其所以为长也。"①

其二，《史记》五体，各具笔法义例，呈现宝塔式结构，形象地照映了封建社会的等级秩序。特别是《本纪》、《世家》、《列传》三体，用不同笔法载述社会等级序列的人群，呈现出鲜明的等级序列。裴松之《史目》云："天子称本纪，诸侯曰世家。"司马贞曰："列传者，谓叙列人臣事迹，令可传于后世，故曰列传。"张守节发挥说："本者，系其本系，故曰本；纪者，理也，统理众事，系之年月，名之曰纪。"② 刘知几总论之曰："夫纪传之兴，肇于《史》、《汉》，盖纪者，编年也；传者，列事也。编年者，历帝王之岁月，补《春秋》之经；列事者，录人臣之行状，犹《春秋》之传。《春秋》则传以解经，《史》《汉》则传以释纪。"③ 因此，纪传史是以帝王将相为中心的历史，适应了封建统治者的思想体制，这就是纪传史之被封建王朝颁令为正史的内在原因。

司马迁运用五体序列的等级秩序，破例为体寓褒贬，如为项羽立本纪，为孔子、陈涉立世家，降吴王刘濞，淮南王刘长、刘安，衡山王刘赐为列传，均是寓褒贬。

其三，五体结构的序列、数目，内涵天人合一与五行运行的哲理，形象地展现历史就是不断循环往复的流年。

本纪十二篇，称十二本纪，写帝王，编年记事。十二这一数目象征一年有十二月。

表十篇，称十表，为数之极。十又为两五，恰是人的一双万能的手的数目。十表划分历史断限。

书八篇，称八书，象征一年四季的两倍。八书分门别类载朝

① 《史通》卷二《二体》。

② 裴松之、司马贞、张守节诸人之语，均见《史记》三家注。

③ 《史通》卷二《列传》。

章国典和天文地理。《史记》八书为：礼、乐、律、历、天官、封禅、河渠、平准。

世家三十篇，称三十世家，载诸侯，象征一月有三旬，二十八宿环卫北辰，是中央王朝的藩篱。

列传七十篇，称七十列传，记载将相黎庶。七十之数是环周天 360 度的五分之一。五行环周天，其数 360 度，一行为 72 度，70 举其成数。列传记载人臣黎庶等众多人物的言行。

《史记》的五体结构，是五行哲学图解宇宙运行的模型，把宇宙的书面描写从结构上变成一个可视可感知的年、月、日的时间流逝运行。《史记》五体之数，构建了一个思维模型。五体结构又是一个人间等级制度的宝塔模型。本纪是塔尖，列传是塔基，表、书、世家是塔身，形象地反映了封建社会的等级序列。

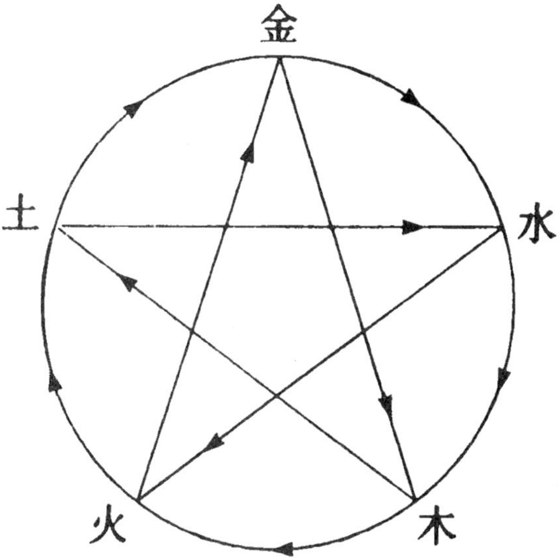

五行相生相克图示

（圆上顺时针箭号为相生；五角星上箭号为相克。）

汉代流行的五德终始学说，是一种循环论的理论。司马迁的历史观包括历史进化论、循环论、二元论、大一统历史观等。五行哲学与五德终始学说是司马迁创作历史的理论基础之一。那么什么是五德终始呢？五德终始，又称五德之传，是战国时期齐人邹衍等人解释历史发展改朝换代的一种循环论理论。这种理论把古代朴素的自然观五行说用于人事。“五行”为金、木、水、火、土五大物类，也是构成世界万物的五大元素。五行是运动变化的，生生不息。其规律是五行相生相克。五行相生为：木生火、火生土、土生金、金生水、水生木。五行相克为木胜土、土胜水、水胜火、火胜金、金胜木。如此相生相克，永恒不灭，构成了万物变化的世界，具有朴素唯物论与朴素辩证法思想。朝代更替为五行相克，循环往复相承，故称“五德终始”。其说认为：黄帝为土德，夏为木德，商为金德，周为火德。代周者必为水德。照五行说法，水为北方，色黑，水德主阴，阴主刑杀。秦以水德王，所以秦始皇统一六国后，衣服、旄旗、节皆尚黑，施政以刑杀为主，不能讲仁慈。汉代秦，克水者为土，所以汉为土德，色尚黄。秦汉时代是五行学说盛行的时代，五德终始是当时深入人心的历史观。司马迁化五行哲学为五体结构，创造了纪传体历史编纂学的人工系统工程。

2. 善叙事理

两汉学者刘向、扬雄、班彪、班固等评价司马迁“善叙事理”，“辨而不华，直而不俚”①。这是从《史记》的文采方面立论。“辨而不华”，指《史记》叙事，翔实而不空疏；“质而不俚”，指叙事有文采，质朴而不粗俗。这两个特点，明何乔新作了具体阐释，他说：“如叙游侠之谈，而论六国之势，则土地甲兵，以至车骑积粟之差，可谓辨矣，而莫不各当其实，是辨而不华也；叙货殖之资，而比封侯之家，则枣栗漆竹，以至籍藁鲐鮆之数，可谓质矣，而莫不各饰以文，是质而不俚也。”② 何氏的评述和所举例证，都极为精当。如《货殖列传》，记叙各地都市、地理、气候、物产、风俗、人情，样样皆为实录而文采斐然，内容翔实而不浮华，行文质朴而不粗俚，全篇布局精妙，就是一篇

① 见《汉书》卷六二《司马迁传》。
② 《何文肃公文集》卷二。

善叙事理的奇文。

文采是“叙事”的表现形式，而内容实质，就是一个“叙”字。司马迁“序帝王”、“记侯国”、“系时事”、“详制度”、“志人物”，全都是叙事，目的是“通古今之变”，要在历史实录中把握社会事势之变，阐明历史演变因果，表明自己的看法和分析，这就是理。叙事说理，不华不俚，生动形象与事理交融，天衣无缝，这是历史书法。例如《五帝本纪》，熔铸剪裁古史文献，司马迁都能在叙事中贯注了黄帝开创一统和尧、舜明德的历史观点。清人吴见思评论说：“尧、舜二纪，纯用《尚书》、《孟子》之文，略改字面，便是太史公之文，不是《尚书》、《孟子》之文。且既经删改，而运用插和，绝无痕迹，岂非神手！”[①]

《史记》中蕴含了司马迁整套的叙事述史的书法，如大场面描写，细节构思，对比映衬，虚实详略，氛围渲染等文学手法，限于篇幅，不一一展开。《史记》行文，谋篇布局，结构巧妙，是善叙事理的一大特色。《史记》叙事，章法结构，别开生面，似散而紧凑，千头万绪而条理明晰。《魏其武安侯列传》是一典范。全传只3000余字，叙事涉及西汉统治集团上层人物27人。传中三个主人公窦婴、田蚡、灌夫都是平庸的官僚，无甚业绩可述。司马迁以三人为主线，关联穿插了形形色色的政治人物，编织了一幅寓意深微的政治风云画卷，用以揭示西汉盛世下的宫廷内外的矛盾斗争，通过贵族们互相倾轧、横暴自恣的丑恶形象，有力地抨击了当时专制政治的黑暗和腐朽。全传叙事，看似平淡，读来却扣人心弦。三人合传的章法结构就别开生面。三传分开来说，各具首尾，只反映各个人物的个人荣辱，平淡无奇，司马迁把三传连缀起来，利用两个外戚的特殊地位，穿插各色人物，从而把复杂的矛盾交织起来，反映了波澜壮阔的历史画面。清人郭嵩焘说：“魏其、武安、灌将军，各以其势，盛衰相次言之，合三传为一传，而情事益显。”[②] 此外，筛选一系列典型的生活场景来组织故事，刻画人物，反映不同政治集

① 《史记论文·五帝本纪》。

② 《史记札记》卷五下。

团势力的消长，富有生活情趣，引人入胜。窦田矛盾发展有两个重要场面。一是窦婴夫妇宴请田蚡，一是灌夫使酒骂座。前者是窦婴夫妇宴请田蚡，马屁没有拍上，倒助长了田蚡的骄矜，一席酒肉，换来了田蚡求索城南田，真是赔了夫人又折兵。后者是窦婴、灌夫去庆贺田蚡结婚，窦婴遭众人冷眼，好打抱不平的灌夫，气恼不过使酒骂座，遭来横祸。两次宴会，起因都是失势的窦婴和灌夫主动去讨好田蚡，结果弄巧成拙，演出了两场滑稽戏。这根本原因是窦婴、灌夫两人内心极为嫉恨田蚡，于是结成同党来对抗，可是他们又心存幻想，表面上巴结田蚡，想借田蚡的势来抬高自己的身价。也就是窦婴、灌夫两人违心事权贵，内心积蓄的憎恶与痛苦如洪水一样冲决了强颜欢笑的堤防，所以导致逢迎的表演弄巧成拙。司马迁捕捉这些典型的生活场景来铺叙故事，情节虽无波澜起伏，却曲折生动，引人入胜。

巧妙的篇章布局和善于选取典型素材，这是司马迁善叙事理的大关节。此外，司马迁在一篇之中的段落层次，以至一句之中的字法变化，也十分讲究叙事笔法。如清人李晚芳评《伯夷列传》说："一篇之中，忽序忽断，如论如赞，若吊古，若伤今，令读者迷离，莫名其妙。"吴见思评《汲黯列传》说："忽序事，忽行文，忽而简质，忽而铺排，逐段变换，又有山回谷转、云破月来之妙。"这说的是叙事段落笔法的变化。牛运震评《廉颇蔺相如列传》中"完璧归赵"一节说："一璧耳，变出易璧、奉璧、完璧、授璧、得璧、求璧、取璧、持璧、破璧、送璧、归璧、留璧，字虽非经意，即有多少生情处！"① 这是说字法变化。一个"璧"字，随着情节发展，用一系列不同的动词变化，描写场景的转换，表现人物心态的变化，酣畅淋漓地刻画了蔺相如大智大勇的形象。由此可见，司马迁叙事段落起伏，以及文字变化，完全是为了写好人物或者增强说理服务的，非大手笔，不能为此。

3. 记事实录

记事实录，又称实录精神，或直笔精神，它是我国古代史学的一个优良传统。两汉大儒都十分推尊《史记》为实录。班固在

① 《史记评注》卷八一。

《汉书·司马迁传》中引刘向、扬雄之言，赞扬《史记》“其文直，其事核，不虚美，不隐恶，故谓之实录”。具体内容和特点，有三个方面，试析之如下。

其一，其文直，其事核。文直事核是实录的最基本精神，也是历史著述最基本的方法。它要求史家作史有据，要全面地占有材料，承认客观事实的存在，全面而系统地直书史事，不做任何曲笔或漏略。司马迁写历史，全方位地展现社会生活，他写了各色人物的传记，反映了历史的本质，这是实录精神的一种反映。忠于实录，从更高的标准来看，它不是记流水账，而是要捕捉事件和人物的典型性，它表现为一个史家高远的识见，反映在史例史体中。司马迁为项羽、吕太后作纪，为孔子、陈涉、后妃立世家，就是实录精神升华为卓越史识的一种表现。

实录精神要求对具体史实的载述，要符合事实的本来面貌，不能随从流俗和习惯，对讹传的史事要作细致的调查和考证。这些方面，司马迁做得很出色。他在许多篇章作出交代，说明所引据的史籍或其他根据。如《五帝本纪》：“予读《春秋》《国语》”；《殷本纪》：“自成汤以来，采于《书》《诗》”；《高祖功臣侯者年表》：“余读高祖侯功臣，察其首封”；等等。又如司马迁在五帝、夏、殷、周各篇的“太史公曰”中，对古史的考证作出了说明。写五帝事迹，是综合各种材料“择其言尤雅者”；夏、殷两代的姓氏，夏禹之崩于会稽，殷人之习俗，周室何时迁居洛邑，都作了认真的考证，可见司马迁作史的谨严态度。

司马迁不从流俗为苏秦翻案，特在赞中作出交代。他认为“苏秦起闾阎，连六国从亲，此其智有过人者。吾故列其行事，次其时序，毋令独蒙恶声焉”。苏秦行事奇异诡谲，在民间流传中，“异时事有类之者皆附之苏秦”，有许多附会传说，神化了苏秦；而在史籍记载中，由于苏秦早死，张仪“振暴其短以扶其说，成其衡道”，千方百计诋毁苏秦，使“天下共笑之”。对苏秦的过誉或过损，都不符事实，所以司马迁据事迹实录，让读者公断是非。又如《李斯列传》记载秦丞相李斯，他有大功于秦，却被五刑而死，天下之人咸称其冤。司马迁用事实记载，条列了李斯辅佐秦始皇统一六国，建立制度的功绩，同时又记叙了他因贪重爵禄，与赵高合谋，助二世为虐的罪责，改变了历史的进程，成为天下的罪人，其死虽惨，固不足惜。从而驳斥了李斯极忠而死的俗议。

其二，不虚美，不隐恶。这是在“文直事核”的基础上的进一步发展，它要求史家具有求是存真的高尚史德，不仅要善恶必书，具有两点论；而且要“明是非”，“采善贬恶”。自觉地表明对史事人物的褒贬爱恨，而且要做到恰如其分。司马迁明确反对“誉者或过其实，毁者或过其真”的主观臆断[①]。所以司马迁论载史事人物，一般不作全盘肯定或全盘否定，而是原原本本地讲清楚人物行事和客观事物的变化和发展，依据事实给予恰如其分的评价，不虚美，不隐恶。例如，司马迁反对秦朝的暴政，却肯定秦朝的统一之功和制度体系；司马迁颂扬汉家一统，却又深微地揭露和刺讥汉家帝王的一些隐私和时政；司马迁肯定项羽灭秦之功，把他塑造成一个叱咤风云的英雄人物，但也揭露和批判了他的残暴不仁；司马迁同情李广，形象生动地描写了他的英勇善战和爱国主义情怀，并给予了高度评价，但并不饰过；司马迁极其憎恶酷吏，却也肯定了廉洁不枉法的酷吏；如此等等，力求做到尊重客观的历史实际。因为只有实录的历史，才能提供真正有益的教训，使历史起到镜子的作用。

其三，书法不隐，写当代汉史赋予了深刻的批判精神。刘知几称赞古代的直笔史家说：“董狐之书法不隐”，“齐史之书崔弑，马迁之述汉非，韦昭仗正于吴朝，崔浩犯讳于魏国”[②]。这些直笔史家，以司马迁成绩为最大。刘知几着重指出，史家直笔，贵在对现实生活不合理部分的批判，特别肯定了司马迁的“述汉非”。如果一个史家没有批判现实的勇气，没有爱憎分明的立场，没有直言不讳的精神，那么史家就丧失了史德，也就没有史家的地位和历史的价值。司马迁“述汉非”被东汉王允斥为“谤书”[③]。章

① 《史记》卷六七《仲尼弟子列传赞》。
② 《史通》卷七《直书》。
③ 王允语见《三国志·董卓传》裴注引谢承《后汉书》，又见范晔《后汉书·蔡邕传》。

怀太子李贤注云："凡史官之事，善恶必书。谓迁所著《史记》，但是汉家不善之事，皆为谤也，非独武帝之身。"① 这说明司马迁"述汉非"的内容，不只是刺讥汉武帝，它涉及了百年汉史的整个纵横面。司马迁对汉朝最高统治者刘邦到汉武帝，对汉代文质彬彬而竞荣逐利的儒生，对汉武帝时代的社会矛盾，都作了深刻的"微文刺讥"。例如"受命而帝"的"大圣"刘邦，他的自私、刻薄、猜忌、冷酷，在司马迁笔下，得到淋漓尽致的反映。清人王鸣盛从《史记》描写中总结刘邦品格，说他唯利是图，顽钝无耻，"有急则使纪信代死，不顾子女，推堕下车；鸿沟既画，旋即背之；屡败屡蹙，不以为辱；失信废义，不以为愧也"②。

汉儒的代表为叔孙通、公孙弘、董仲舒。叔孙通草具汉仪法，公孙弘倡导儒学，董仲舒治"公羊春秋"宣扬大一统。司马迁对这三个赫赫有名的人物，均在平实的记述中，肯定了他们的业绩，同时也对他们各自的个性弱点予以意味深长的讽刺。叔孙通之"谀"，公孙弘之"诈"，董仲舒之"迂"，都描绘得十分形象而生动。

百年汉史的重点是集中地写武帝一朝的政治、经济、文化各个方面。司马迁深刻地揭露了汉武帝时代的社会矛盾，批评时政。《平准书》集中批判横征暴敛的经济政策；《酷吏列传》集中批判残酷黑暗的官僚政治；《儒林列传》、《公孙弘传》通过揭露汉儒阿贵取容的丑态，批判文化政策；《封禅书》讥刺汉武帝的痴妄迷信，劳民伤财。这些篇章，《平准书》起照应各篇、点明其内在联系的纲领作用。司马迁首先写汉承秦之弊，经过 70 年间休养生息，民殷国富，以此为铺垫与汉武帝大肆兴作由盛转衰作对照。然后以"物盛而衰，固其变也"，将笔锋转入正题，一桩桩一件件载述武帝对外用兵、对内兴作与聚敛所造成的民穷国困，结尾以秦喻汉给统治者敲起了警钟。《平准书》记事至元封元年止，意味深长地示意见盛观衰，不能不使人惊叹司马迁的胆

① 注文见《后汉书·蔡邕传》注。

② 《十七史商榷》卷三。

气豪壮与识见非凡。

4. 寓论断于序事

一部史书只有事实的堆积，而无史家的论断，它只是一部文献学而不是历史学。司马迁首创史论形式，称“太史公曰”，直接发表史家的论评，为后代史家所继承，“班固曰赞，荀悦曰论，东观曰序，谢承曰诠，陈寿曰评，士隐曰议，何法盛曰述，扬雄曰撰，刘昞曰奏，袁宏、裴子野自显姓名，皇甫谧、葛洪列其所号”①。名称虽殊，但都是效法司马迁作史论。“太史公曰”，内容丰博，涉及政治、经济、军事、思想、文化、天文、地理、历史、伦理、世俗、形势、人事等等，往往补篇中所未备。“太史公曰”，议论宏阔，笔势纵横，言辞精练，旨义深微，或考证古史，或叙游历所得，或揭示取材义例，或明述作之旨，或褒贬人物，或纵论史事，或隐微讥刺，皆直抒胸臆，观点鲜明，构成了系统的历史学理论。司马迁所引典籍及君子之言，如《诗》、《书》、孔子、诸子等，皆化为自己的语言。还大量引用诗赋歌谣及俚语俗谚来加强评论的生动性和通俗化。

司马迁还创造了更高级而隐蔽的史论，把作者的论点贯注在叙事中，不言而评论自见。清人顾炎武首发此论，他在《日知录》卷二十六中说：“古人作史，有不待论断而于序事之中即见其指者，惟太史公能之。《平准书》末载卜式语，《王翦传》末载客语，《荆轲传》末载鲁勾践语，《晁错传》末载邓公与景帝语，《武安侯田蚡传》末载武帝语，皆史家于序事中寓论断法也。”今人白寿彝先生指出：司马迁的这种方法，在“历史写作上，给我们开创了一个很好的范例”②。肯定了这是历史叙述中的一种好方法，至今仍有借鉴意义。

顾炎武举的例子都是在篇末借他人之语来表达作者的评论，是其显例。其实这样的例子在篇中更多，可以说是举不胜举，而且形式多样。例如《叔孙通列传》对叔孙通的批评，自秦博士诸

① 《史通》卷四《论赞》。

② 《司马迁寓论断于序事》，载《北京师大学报》1961年第4期。

生之言，有汉初鲁生之言，有高帝之言，有弟子之言，这些批评贯穿于全篇之中。秦博士诸生之言与两鲁生之言是正面批评，高帝之言是褒奖，弟子之言是恭维，形式多样，其旨则一，都是讥刺叔孙通的面谀。

寓论断于序事，借他人语只是形式之一，而最基本的形式是在历史叙述过程中就表达了作者的爱恨和褒贬，唯司马迁能之。如《淮阴侯列传》用重笔叙写韩信拒武涉、蒯通之说，可以说就是司马迁用事实为韩信辩诬，寓论断于序事的妙笔，韩兆琦先生在《史记书法释例》一文中①，列举的十例，可以说都是寓论断于序事的文理构思。具体内容为：其一，明知史实不确，亦必记入，以见作者的观点、理想。如《赵世家》载程婴、公孙杵臼义存赵孤之事，《滑稽列传》载优孟之效叔孙敖之事，不过是借事以道义，至于事实的有无，则不重要。其二，基本事实或有，而夸张虚构细节，以求故事生动感人。其三，书写神灵怪异，若有介事，实乃厌恶其妖言惑众。其四，记载“阴谋阳祸”，似信天命，实乃借以抒发愤世不平。其五，著录荒诞传闻，以表个人之爱憎。其六，故露矛盾破绽，以见大事之隐情。其七，口赞其是，实则正鄙其非。其八，口斥其非，实则正叹其是。其九，引入大段言论，以翻历史冤案。其十，细节饱含感情，以发难言苦衷。我们还可以列举一系列史笔的与文笔的书法创例，如叙事安排的次序颠倒、对比衬托等，都可泛含在寓论断于序事的大题之中。在《史记》一书中，寓论断于序事最精彩的笔触，也总是体现在最典型的人物传记中。例如秦始皇、汉高祖、项羽、陈涉、萧何、曹参、张良、陈平、周勃、吴起、商鞅、战国四公子、屈原、贾生、李斯、蒙恬、张耳、陈馀、淮阴侯、叔孙通、万石君、魏其武安侯、李将军、刺客、游侠等人物传记，都是运用各种笔法实写历史事迹来说明、论断历史问题，有关文学细节构思也是从属于史实的。总之，“寓论断于序事”，是立足于史论结合，冶文史于一炉的有效方法之一。历史功能是自然妥帖的“摆

① 该文收入作者《史记评议赏析》，内蒙古人民出版社 1958 年版。

事实”、“讲道理”的方法。白寿彝先生指出：“应该学习司马迁，让历史事实说话，作者不要站在前面大声吆喝”，不要“强加于人”，肯定了这一方法在今天仍有借鉴意义。“寓论断于序事”的文学功能，就是不发空论，通过事实把道理说透，把人物写活，表达了飞扬的神韵，引导读者对人物评价自然而然地得出结论。总括这两个方面，可以说“寓论断于序事”是太史公创作的文史交融的叙事笔法，也是《史记》散文叙事的一大特点。

二、无韵之《离骚》

从形式比较，屈赋与《史记》两者文体不同，内容迥异，一个是抒情诗，一个是史传散文，似有天壤之别。但学术界一致认为二者精神一脉相承，把《史记》与《离骚》相提并论，有许多评论，鲁迅作了最准确精要的概括，称《史记》是“史家之绝唱，无韵之《离骚》”，获得文史两界的公认而成定评。明杨慎说：“太史公作《屈原传》，其文便似《离骚》其论作《骚》一节，婉雅凄怆，真得《骚》之旨趣也。”① 清刘熙载说：“太史公文，兼括六艺百家之旨。第论其恻怛之情，抑扬之致，则得于《诗三百篇》及《离骚》居多。”又说：“学《离骚》得其情者为太史公，得其辞者为司马长卿。”② 刘鹗说：“《离骚》为屈大夫之哭泣，《史记》为太史公之哭泣。”③ 近人李长之说：“司马迁的先驱实在是屈原。”④ 鲁迅的评价，不仅是指二者思想相通，还包含了《史记》获得了无与伦比的文学艺术成就，如同《离骚》那样永垂不朽。“无韵之《离骚》”，短短五个字，蕴含深厚的历史内容，是对《史记》文学性成就及思想精髓的高度评价。下面从三个方面加以阐释，抉发《史记》的文学思想与艺术成就。

① 《史记评林》引。
② 《艺概·文概》。
③ 《老残游记序》。
④ 《司马迁之人格与风格》，三联书店1984年版，第2页。

1. 司马迁发愤著书，其思想与屈原相通

屈原是楚文化的杰出代表，司马迁读屈原赋，敬佩他的为人，同情他的遭遇，从思想到精神，从精神到文章，处处都深受到了屈原的教育和鼓舞。

屈原是在司马迁时代影响司马迁最大的近代诗人。两人坎坷的遭遇，命运相通；两人的品格情趣，思想相通。司马迁受李陵之祸发愤著书，并提炼出发愤著书说，直接来自屈原的影响。

所谓“发愤”，就是指一个人身处逆境而其志不屈，更加激扬奋发而有所作为。司马迁受祸遭腐刑，痛不欲生，他引古人自况，认为只有那些能够经受得起艰难环境磨炼的人才能作出一番事业来。他从沉痛中奋起，用更加坚韧的毅力来完成传世之作，揭露和抨击统治者的荒淫和横暴，同情社会的下层人民，歌颂敢于反抗、敢于斗争的历史人物，把个人的不平和愤懑，宣泄在对历史人物的褒贬上，述往事，使来者思，升华了《史记》的主题，这是加害于司马迁的统治者们非始料所及的。

2.《史记》愤怨，深得《离骚》情韵

抒情性与叙事性是相对概念。《史记》主要是一部叙事作品，但由于司马迁与屈原有共通的人生坎坷际遇，司马迁深受屈原的影响，效其为人，运笔于心，《史记》辞章情采，有浓郁的抒情性与悲剧性，颇似屈赋。《史记》、《离骚》，都是作家呕心沥血之作，倾注了鲜明的爱憎感情，因而《史记》行文，深得《离骚》情韵。具体分析，主要有以下三种形式。

其一，《史记》行文夹叙夹议，或以叙代议或以议代叙，叙议结合，使整个作品像一首抒情诗。《伯夷列传》的论赞，就是另一首《天问》。而《屈原列传》则“其文便似《离骚》。其论作《骚》一节，婉雅凄怆，真得《骚》之旨趣也”[①]。又有部分段落颇具抒情意味。大部分篇末的“太史公曰”都有此特征。如《孔子世家》的论赞：“《诗》有之：‘高山仰止，景行行止。’虽不能

① 《史记评林》引明代杨慎语。

至，然心向往之。余读孔氏书，想见其为人。适鲁，观仲尼庙堂车服礼器，诸生以时习礼其家，余祗回留之不能去云。天下君王至于贤人众矣，当时则荣，没则已焉。孔子布衣，传十余世，学者宗之。自天子王侯，中国言《六艺》者折中于夫子，可谓至圣矣!”句句感叹，句句传情。

其二，个别段落如诗般押韵，行文则长短句交错运用，形成参差错落之美，又以重沓、虚字传神等手法，增强语言的节奏感。更有直接以诗歌的韵文形式，构成一唱三叹的抒情效果。如《滑稽列传》淳于髡论酒一节，其文如行云流水，唱叹有致：

> 赐酒大王之前，执法在傍，御史在后，髡恐惧俯伏而饮，不过一斗径醉矣。若亲有严客，髡帣鞲鞠𦚰，侍酒于前，时赐余沥，奉觞上寿，数起，饮不过二斗径醉矣。若朋友交游，久不相见，卒然相睹，欢然道故，私情相语，饮可五六斗径醉矣。若乃州闾之会，男女杂坐，行酒稽留，六博投壶，相引为曹，握手无罚，目眙不禁，前有堕珥，后有遗簪，髡窃乐此，饮可八斗而醉二参。日暮酒阑，合尊促坐，男女同席，履舄交错，杯盘狼藉，堂上烛灭，主人留髡而送客，罗襦襟解，微闻芗泽，当此之时，髡心最欢，能饮一石。故曰酒极则乱，乐极则悲；万事尽然，言不可极，极之而衰。

其三，大量诗赋和民间谚语歌谣的引入，尤其是作品中人物的即景作歌，更增强了文章的抒情色彩。《大风歌》对国家未来的隐忧，“四顾寂寥，有伤心者”的心境及深沉的反思；《鸿鹄歌》的无奈与凄惶；《易水歌》的慷慨悲壮……都成为千古绝唱。至于《垓下歌》更是“一腔愤怒，万种低回，地厚天高，托身无所，写英雄失路之悲，至此极矣”。而这类诗赋，正像清代周亮工所指出的那样：“垓下是何等时？虞姬死而子弟散，匹马逃亡，身迷大泽，亦何暇更作歌诗？即有作，亦谁闻之，而谁记之欤？

吾谓此数语者，无论事之有无，应是太史公笔补造化，代为传神。”[1] 显然，在表现某种特殊情景时，作品的主人公慷慨悲歌，用诗句和歌声道出内心的各种感受，已成为文学创作的一个重要抒情模式。

3. 司马迁尚奇，继承了《离骚》浪漫主义的精神

司马迁尚奇，西汉扬雄首发此论。唐司马贞附其议。清章学诚在《文史通义·史德》篇说司马迁是“贤者好奇”。近人李长之认为，司马迁好奇是继承了屈原《离骚》的浪漫主义精神的“最露骨的表现”[2]。屈原好奇，在《离骚》中有着充分的表现。他以鸷鸟自比，以精玉为粮，驱策龙凤，役使风云雷神上天下地，真可以令人叹奇观止了。所以刘勰称《离骚》为奇文。

司马迁的好奇审美观又是从“发愤”精神中引申出来的，所以好奇的内容又是现实的，与屈原的好奇有所区别。屈原好奇，充满幻想，他以香草美女自喻，通过神游往古，访圣求贤，餐菊饮露等的描写来抒发自己的奇情奇趣和高尚胸怀。司马迁好奇，是好奇人奇事，李长之径直解释为“爱才”，就是爱好奇人奇事。用司马迁的话来说，就是爱那些“忠臣死义之士”，“辅拂股肱之臣”，“扶义俶傥，不令己失时，立功名于天下”的人。司马迁在忠于史实的前提下，描写“奇伟倜傥”之人的奇行、奇言、奇策、奇计、奇伟功业或奇伟德行。例如，写项羽，他是一个“力拔山兮气盖世”的奇人，身长八尺，力能扛鼎，长有重瞳子；他有奇行，巨鹿之战惊天动地，鸿门宴上仁如妇人，垓下突围悲歌别姬，乌江自刎以头赠人。写荆轲，易水送别风云变色，秦廷行刺鬼泣神惊。写妇女，卓文君夜奔，太史嫩女自择婿，聂荣赴死扬弟之名，缇萦上书救父，她们是奇女。写游侠，一诺千金，不爱其躯。写重义，程婴、公孙杵臼为救赵孤而献身。写知遇，豫让漆而为厉、吞炭变哑为知己报仇。写发愤，范雎入秦，孙膑走齐，吴起干将，越王勾践卧薪，无不充满传奇色彩。总之，司马

① 钱钟书：《管锥编》引。

② 《司马迁之人格与风格》，三联书店 1984 年版，第 92 页。

迁好奇，是“传畸人于天下”，他要塑造一系列人灵之精的奇节异行，讴歌英雄主义。

司马迁与屈原两人具有共通的傲世精神，一是基于进步的政治主张，一是共同蒙受了不平的遭遇。他们都是才不世出，学问渊博的学者，有理想、有抱负，又刚直不阿，“正道直行，竭忠尽智，以事其君”，但却“信而见疑，忠而被谤”，一个遭放逐，一个受腐刑，正由于此，司马迁对屈原的思想感情、生平志趣、政治遭遇，以及作品抒情，发生了强烈的共鸣。屈原的作品具有强烈的批判性，锋芒所指，上至楚君，下至党人，卖国贼、专权者、嫉妒者、造谣者，统统成了笔下的鞭挞对象。司马迁以屈原为榜样，无所畏惧地批判了汉代帝王的种种劣迹，剥去皇帝头上的神圣光圈，把刘邦的无赖，汉景帝的寡恩，汉武帝的残酷、迷信和好大喜功，一一暴露在光天化日之下。至于那些厚颜无耻的小人如田蚡，阿谀逢迎的市侩如叔孙通，外宽内深的伪君子如公孙弘，尸位素餐的平庸官僚，如狼似虎的贪吏、酷吏，司马迁有区别地作了有力的揭露和鞭挞。司马迁这种不畏权势、不媚权贵的刚正性格，正是屈原精神的真正继承者。至于他们积极的政治热情，讥刺时政的锋芒，并不是为了个人利益的得失，而是带有一种深沉的思考，深重的忧患，忧国，忧民，忧社会。忧患意识促使敢于坚持真理的思想家大胆揭露社会矛盾，奋力与污浊的社会现实抗争。司马迁与屈原正是这样的诗人、哲人。他们的精神也给后代进步文人产生了积极的影响。

第六讲　司马迁的写人艺术

本讲接续第四讲，“《史记》对中国文学的贡献”这一话题，专题探讨司马迁创立传记文学，是怎样塑造历史人物的。具体说，是司马迁怎样在实录史事的基础上刻画了典型性的人物形象，用通俗的话说，就是司马迁的写人艺术。下面概括为十个方面来谈。

一、纪传体的确立，奠定了写人艺术的理论基础

司马迁创立纪传体，由十二本纪、十表、八书、三十世家、七十列传构成，体大思精，容纳百科知识，发展了史学。同时，五体以人为中心述史，变“编年”为“纪传”，改记事为写人，突出人的作用，反映了社会历史的变革，由神的历史进入了人的历史，这不仅是史学上的空前创造，而且也是文学上的空前创造。五体中，本纪、世家、列传三体，重点都是写人，特别是记言记行的人物传记，本身就是文学发展的标记。换句话说，纪传体的确立，就是为传记文学奠基。

写人本不是史学家的必然要求。司马迁以前的史学著作或为

编年体，或为国别体；或记事，或记言。编年以事系人，人为事件的附庸；记言则将一个人的故事集中编排，有集中表现某一人物的倾向，但材料还是机械组合，并非有机组合。不管体例如何，它们都很成功，都不失为中国史学史上的经典。也就是说，体例是否为纪传体，并不影响作品的史学价值。而司马迁五体设计的意图何在？《太史公自序》明确地做了回答，那就是为写人而创设。集中叙写人物的列传，就是为了表彰“扶义俶傥，不令己失时，立功名于天下”的人。立功、立名、立言是儒家的追求。司马迁写《史记》而立言，也同时将历史人物的功、名记载下来，给别人“立名”即通过“立人”而“立己”。因而纪传体的体例设计是司马迁将写史、立人、立己三者合为一体的表现。

纪传体的创立打破了以前的史书分国或系年纪事，人作为事件的附庸出现的旧例；它以人为本，使作者有可能更充分更集中地刻画人物性格，并较完整地写出人物的命运；这与叙事文学主要靠描写人物来反映生活的这一特征，在精神实质上是一致的。高尔基说过：“文学就是人学。”因而，纪传体不仅成为后代史书的固定体例，最重要的是它也成为后代传记文学和小说的不祧之祖。司马迁以非凡的热情和无限的创造力独创了纪传体体例，为塑造成功的人物形象提供了基本保证。

二、选择人物，剪接材料

司马迁以人物为中心记述历史，目的有二：其一，勾勒历史；其二，贤贤贱不肖，为后王立法，为人伦立准则。《史记》全书载述 4000 多个人物，绝大多数是帝王贵戚、列侯显宦，司马迁用本纪、年表、世家分别记载，用以勾勒从黄帝到汉武帝 3000 年的历史发展，而司马迁着力刻画的，则并不以血统尊卑和爵秩高低为转移，而是侧重于那些对历史作出了重大贡献的英杰人物。这一原则，司马迁有着明确的揭示。他在《张丞相列传》中交代说：“自申屠嘉死之后，景帝时开封侯陶青、桃侯刘舍为丞相。及今上时，柏至侯许昌、平棘侯薛泽、武强侯庄青翟、高陵侯赵周等为丞相，皆以列侯继嗣，娖娖廉谨，为丞相备员而已，无所能发明功名有著于当世者。”这就是说，即便是封侯拜相的显赫人物，尸位素餐，则不为立传。反之，“能亦各有所长”的佞幸，司马迁立有《佞幸列传》；“谈言微中，亦可以解纷”的俳优，司马迁立有《滑稽列传》；“取与以时而息财富”的商贾，司马迁立有《货殖列传》。刺客、游侠、医卜、日者等都是社会下层人物，司马迁均选择典型，一一作传，表彰他们对于社会所作的贡献。凡列传人物，特别是社会下层人物，包括附传人物，都是经过严格选择的，每个人各有自己的特色。例如，《游侠列传》热情歌颂“修行砥名”的布衣之侠朱家、郭解等人。“至若北道姚氏，西道诸杜，南道仇景，东道赵他、羽公子，南阳赵调之徒，此盗跖居民间者耳，曷足道哉!”对这些“侵凌孤弱”的土豪恶霸，司马迁不为之立传。司马谈临终遗命说，他所欲论载的是“明主贤君忠臣死义之士”[①]，司马迁是继承了这一原则的。至于古史所载皋陶、伊尹、傅说、仲山甫、柳下惠等若干历史人物，由于文献不足，司马迁也不立传。后世史家以繁博为功，许多人物“阙之不足为少，书之唯益其累”[②]，失去了司马迁选择之旨，连篇累牍的帝王将相家谱，一系列的生老病死账单，人物事迹平淡，形象也就很难塑造了。

传主既定，一生行迹并不做流水账式的记载，而是依照一定的主旨，以及人物个性特点，选择材料，剪裁熔铸。司马迁在《留侯世家》中示例说：“留侯从上击代，出奇计马邑下，及立萧何相国，所与上从容言天下事甚众，非天下所以存亡，故不著。”作为刘邦的主要谋臣张良“言天下事”甚众，司马迁删去枝蔓，只集中了关于辅助刘邦争天下的“运筹”大事来塑造张良善谋的特点。又如商鞅刻薄，李斯贪利、项羽勇猛、刘邦狡诈、韩信多智、萧何稳重、李广善射等等古今人物各有各的性格特点和才

---

① 《史记》卷一三〇《太史公自序》。

② 《史通》卷八《人物》。

干。司马迁总是抓住人物的各自最主要的特点去筛选材料，进行集中和概括，以此塑造人物形象，突出个性，获得了很大的成功。所以《史记》的传记人物都具有小说人物的特点。

三、运用“互见法”，治文史于一炉

选材剪辑，若把人物传记写成人物特写，它就不能全面地反映这个人物的精神面貌和品德，也就失去了具体人物的历史真实。既要选择和集中材料造出丰满的人物形象，又要不失历史之真，司马迁巧妙地运用“互见法”来融汇二者的关系，两全其美，冶文史于一炉，表现了司马迁卓越的创造和艺术才华。

互见法是将一人事迹，或一件历史事件分散开来写，参错互见，彼此相补，互文相足。例如“鸿门宴”这一历史事件，《项羽本纪》、《高祖本纪》、《留侯世家》、《樊郦滕灌列传》等篇同时记载，但详略不同，互相补充。各传详略不同都是为了有利于凸显本传人物。一人事迹的分散更利于塑造人物形象。例如《项羽本纪》，集中笔墨叙述巨鹿之战、鸿门宴、垓下之战三个关键的历史事件，铺叙故事，塑造了项羽的英雄形象，写得有声有色，流传后世，家喻户晓。而项羽的缺点，尤其是他个性中凶残的一面，在本传中只是轻描淡写，一笔带过，或略而不载，却分散在《高祖本纪》、《陈丞相世家》、《淮阴侯列传》、《黥布列传》等篇中补叙出来。又如《魏公子列传》，司马迁满怀深情塑造了一个礼贤下士坚持正义的政治家形象，魏公子急人之难，形象高大，可以说是一个完人。但是，在《范雎列传》中却补述了魏公子畏秦不纳魏齐的虚饰情态，受到了侯嬴的批评，而本传却只字不提。

四、两两对照，烘托人物

两两对照记叙人物是司马迁常用的一种写作方法，它对比见义，形象鲜明。在篇目排列上，司马迁有意识地在时代顺序中进行穿插，连类相及。在本纪中，刘、项两纪对照。在世家中，赵、魏、韩、田齐四篇对照，因三家分晋与田氏篡齐为同一类型的诸侯。在列传中，苏秦与张仪两传，战国四公子四传，张释之冯唐与万石张叔两传，李将军与卫霍两传均构成对照。以上是相邻篇传的对照，因体例不同而编目悬远的也构成对照。例如卷三十《平准书》与卷一百二十九《货殖列传》对照，卷五十三《萧相国世家》与卷九十二《淮阴侯列传》对照。合传、类传人物更明显地在一传之中构成强烈对照。如《管晏列传》，管仲与晏婴，一奢一俭相对照，又是知人与不知人相对比。《平津侯主父列传》，廉吏与贪利之对比：公孙弘廉，善终；主父偃贪，族灭。《循吏》与《酷吏》两类传对比，突出抚民与虐民两种治民态度的对照。正传人物与附传人物对比，有如红花衬以绿叶。如《李将军列传》，李广和程不识对比，李广对士宽，程不识治军严；李广与李蔡对比，李广怀才不遇时，立功不得封，李蔡平庸却得封侯，任宰相。各人个性，才能大小，品格高低，对比叙写，节省笔墨而又相得益彰，作者感情倾向，在对比见义中而自显。以上各种类型的对照，构成了司马迁塑造历史人物独具的互相映衬的特色。

两两对照，刘邦与项羽是相邻之传，容易看出。不相邻之传的对照则要细心体会。李广和卫霍两传之间隔插《匈奴列传》，这是司马迁有意编排的，用以表现征伐匈奴的专题人物。司马迁将李广与卫青、霍去病两个贵族将军，从出身、治军、出征、结果各个方面进行对比。李广出身寒微，全靠善射和英勇征战而升为将军。他爱惜士卒，才气无双，只因廉正不阿，落得个悲剧的下场。卫、霍靠裙带关系青云直上，出征匈奴虽打胜仗却不恤爱士卒，尤其是霍骠骑，“重车余弃粱肉，而士有饥者”。李广的将才因得卫、霍这两个声势显赫的贵族衬映而更觉超群。再如萧何与韩信均为汉初大功臣，但有两种不同的下场。萧何小心谨慎，又依日月之光，靠走吕后的门子，虽不免高帝之忌，曾被囚禁，但他终于保住了自己的爵禄，颇带喜剧色彩；韩信功高震主却不识时务，明知“汉王畏恶其能”，偏又“日夜怨望，居常鞅鞅”，成了刀下亡人。这两传构成悲喜剧的强烈对照，加强了淮阴侯韩信的悲剧气氛，激发读者思绪回荡，使淮阴侯的形象让人可敬可惜，从而也揭露了专制政治的恐怖与黑暗。为了让读者体味这一对比的气氛，司马迁在《萧相国世家赞》中意味深长地说：“淮阴、黥布等皆以诛灭，而何之勋烂焉。位冠群臣，声施后世，与闳夭、散宜生等争烈矣。”

在一传之中构成强烈对照当以《魏其武安侯列传》最典型。该传写了三个主要人物：魏其侯窦婴、武安侯田蚡、将军灌夫。标题只称“魏其武安侯列传”是为了突出矛盾主线。灌夫是窦婴死党，斗争中同归于尽，故附入；御史大夫韩安国虽是党同田蚡，但非死党，而且尚能荐贤喜士，有长者之称，故司马迁另立一传以示有别于田蚡。班固抄录《史记》将四人合传，标题“窦田灌韩传”，只是平铺直叙了历史过程，没能把生动曲折的主线委曲尽致，人物形象不如原传生动，由此可见司马迁结构布局之妙。窦田两人都是平庸人物，靠裙带关系飞黄腾达。司马迁借两人的斗争来表现封建盛世下的宫廷斗争，揭示封建社会统治阶级的尔虞我诈。品德愈是卑鄙无耻，愈能占上风。正直的人总是要遭殃的，这就是所谓君子败而小人胜。正所谓“卑鄙是卑鄙者的通行证，高尚是高尚者的墓志铭”。所以该传主要篇幅写田蚡，也正是用主要篇幅在揭露封建社会的黑暗面。作为历史人物，田蚡微不足道，但他很典型，集中了小人的丑行。该传还写了一些陪衬人物，两个不可一世的皇太后，两个至高无上的君主，一班保官自全的朝臣，一群蝇营苟且的宾客，纷纷登场表演。司马迁将各色人物纳入窦田矛盾这一主线上来，用犀利的笔触展示他们的内心世界，勾画了一幅绝妙的群丑图，各色人物在对照衬映中形象异常鲜明。

五、人物事迹情节故事化，引人入胜

《史记》重要人物的传记，大都按时间顺序，包举一生行事。开篇写姓名、乡里、家世、生辰，结尾述其死，人物一生言行，构成首尾完备的故事。《项羽本纪》写一个盖世英雄如暴风骤雨般兴灭的故事，《高祖本纪》写一个布衣平民登基的故事，《李将军列传》写李广怀才不遇的故事，《魏其武安侯列传》写窦婴、田蚡等人互相倾轧的故事，等等。而且人物一生言行的情节发展也故事化。如《李将军列传》重点记述李广追杀匈奴射雕者、佯死脱险、斩霸陵尉、右北平射虎没镞、破左贤王之围、不对簿自刎等六个故事，展现他一生“数奇”、怀才不遇的悲剧故事。《廉颇蔺相如列传》重点有三大故事，即完璧归赵、渑池之会、负荆请罪。中间穿插赵奢、赵括、李牧事迹，也可分解为若干故事。司马迁写人物言行的一个细节，一个场面都可构成故事。如《陈丞相世家》写陈平为宰分社肉的故事，由 36 字对话构成。其文曰：

里中社，平为宰，分肉食甚均。父老曰：“善，陈孺子之为宰！”平曰：“嗟乎！使平得宰天下，亦如是肉矣！”

这一简短对话，描写了陈平的抱负和怀才不遇的慨叹，在对话中父老的赞语也反映了陈平的为人。对话具有故事性，使读者仿佛看到了说话人的精神。

《史记》中人物传记最精彩的篇章，也是故事性最强的名篇。《刺客列传》《游侠列传》每一人物传记都是一个完整的故事。《魏公子列传》主要写信陵君虚左迎侯生、窃符救赵、从博徒卖浆者游等故事，特别是他救赵抗秦的大事件，也化做窃符救赵的故事。历史人物的事实不能虚构，但是通过选择、剪裁、集中、布局等各种手法，进行故事化的构思，也就是人物典型化的过程。可以说，情节故事化是司马迁创作人物典型化的一个最基本的方法。中国明清小说人物带史传色彩，中国人喜欢听故事，可以说就是受《史记》的影响。

六、熔铸鲜明的爱憎感情以感染读者

司马迁写历史人物熔铸了自己鲜明的爱憎感情。强烈地感染着读者，引起共鸣，从而增强了人物的形象。司马迁褒贬人物的爱憎感情之所以能够深深地打动读者，是因为他同情被压迫人民，反对暴力统治，颂扬正义，诅咒邪恶，与古代的人民感情同声相应，同气相求。司马迁二十壮游，广泛地接触了下层社会，故而在《史记》中不仅写了帝王将相，也写了众多的小人物。刺客、游侠、俳优、工商、医卜等等中下层人物，在统治阶级眼里是没有社会地位的市井小民，但在司马迁笔下，他们有着优秀的品德、卓越的见识和一技之长，受到了热情的歌颂和肯定。还有一些正传中的附见人物，如《平原君虞卿列传》中的食客毛遂、邯郸传舍子李同，《魏公子列传》中的夷门监者侯嬴、市井鼓刀屠者朱亥以及邯郸博徒毛公、卖浆者薛公，这些人物具有傲视权贵的高尚情操，强烈的爱国主义感情，尤其有助人于危难的牺牲精神，司马迁以饱满的热情刻画了他们的光彩形象。司马迁对重义的公孙杵臼，对先国家后私怨的蔺相如，对勇于改过的廉颇，对义不帝秦的鲁仲连，对铮铮硬骨的田横，对发难灭秦的陈涉、项羽，对抗暴的刺客，对己诺必诚、助人危难的游侠等等都写得有声有色，强烈地贯穿着歌颂正义、歌颂抗暴的精神。反之，对暴君污吏则尽情地鞭挞和揭露。《酷吏列传》刻画酷吏们枉法害众的残虐形象，面目可憎。总之，司马迁对美好事物、崇高形象无比热爱，无比赞赏；对腐朽事物、邪恶形象无比愤怒、无比痛恨。“正因为他爱得深，所以他也恨得切。在他的笔端纸上、字里行间不期而然地就翻滚激荡着感情的波涛，给读者的心灵以强烈的震撼，这就是《史记》抒情性的根本来源”①，这也是《史记》人物能感动人震撼人的根本原因。

其次，司马迁对所写人物赋予深沉的人情味，也是感染读者的一个原因。垓下之围，项羽悲歌别姬，江边赠马与亭长、赠头与故人，情调悲凉，表现一个倔强英雄在穷途末路时对于人生的眷恋，寄托了作者无限的惋惜之情。司马迁写刘邦好酒及色、无赖、大言、斤斤计较、豁达大度与小肚鸡肠，都极富生活情趣。

① 韩兆琦：《史记赏析集·前言》，巴蜀书社 1968 年版。

刘邦晚年还乡纵酒，与父老击筑而歌，即席赋诗，唱《大风歌》，令一百二十小儿和习歌唱，描绘的是胜利者的风光无限，一生戎马征尘，刘邦难得有这样的人生欢乐。司马迁这样描写，具有多方面的艺术效果。君王与百姓同乐，正是为了表达天下安定后人民对于高祖的深切感念。另一方面，《大风歌》也透露了刘邦屠灭功臣后的悲哀之意，大好山河，谁来辅佐，曲折表达了集权专制君王的复杂心态。至于《魏公子列传》，司马迁不仅以公子名篇，而且一篇之中，凡称公子147次，许多段落句句有公子，这不像在叙事，而是在娓娓讲故事，叙感情，可以说每一个字都倾注了作者满腔热情的歌颂，魏公子的形象自然光彩照人。

人情味的另一种表现形式是司马迁坚持了评价人物的客观性。司马迁对正面和反面人物都不作绝对化的评论。他歌颂正面人物，同时也惋惜和批判他们身上的缺点。例如批判项羽天之亡我为谬，惋惜李广无辜杀降和杀霸陵尉的狭小胸怀。反之，对酷吏中廉者亦加以肯定。总之，司马迁写历史人物有血有肉，不是超凡脱俗的神仙圣人，使人可亲可爱。

七、场面描写，制造氛围；轶事传神，以小喻大

司马迁擅长大场面的描写，夸张渲染，制造氛围，凸显人物个性，同时又精于细事点染，借轶事传人物之神，以小喻大。试分别言之。

《项羽本纪》载鸿门宴就是一个大场面。司马迁把楚汉君臣聚合在一起斗智，刻画人物形象。刘邦狡诈、项羽坦荡、张良机智、范增阴险、樊哙憨猛、项伯笃厚，各个人物个性鲜明。鸿门宴经过司马迁的重笔夸张和渲染，情节如戏剧般的紧凑、集中。例如樊哙闯宴，《项羽本纪》作了如下描写："哙即带剑拥盾入军门。交戟之卫士欲止不内，樊哙侧其盾以撞，卫士仆地，哙遂入，披帷西向立，瞋目视项王，头发上指，目眦尽裂。"显然，"卫士仆地"，"头发上指，目眦尽裂"等，皆夸张之词。樊哙数

落项王，喻之为虎狼之秦，也不无渲染成分。司马迁立意用樊哙的勇猛憨直来衬托项羽的仁爱和坦荡胸怀，故作夸张，但有违史实，于是在樊哙本传中用互见法陈述事实来补正。樊哙本传云："樊哙在营外，闻事急，乃持铁盾入到营。营卫止哙，哙直撞入，立帐下。"对比两传，显然樊哙本传的记载切合历史实际。

与大场面相映照，司马迁又擅长于文学的细节描写，用以揭示人物的思想面貌，着墨不多，却能表现出人物特有的个性。所以，司马迁在选择材料和谋篇布局中，常常穿插生活小故事。如《淮阴侯列传》开篇写韩信少时穷困受辱，极具匠心地组织了三个小故事展现人物的思想情志。其一，写韩信怒绝南昌亭长，表现了他对世态炎凉的憎恶，对势利小人的唾弃。其二，写韩信受漂母施饭之恩，谓之必报，表现了他以德报恩的忠义思想。其三，写韩信遇恶少而"孰视之，俯出袴下"，表现了他的忍耐性格。这三个小故事表现的精神气质，照应了韩信的一生。韩信怒绝南昌亭长，为他后来背离项羽伏笔。韩信报答漂母和俯出袴下，正是他不背德汉王，即使被夺兵、徙封、诈捕、降爵，都能逆来顺受的思想基础。又如《酷吏列传》写酷吏张汤，用他审讯老鼠盗肉的故事开头：

> 张汤者，杜人也。其父为长安丞，出，汤为儿守舍。还而鼠盗肉，其父怒，笞汤。汤掘窟得盗鼠及余肉，劾鼠掠治，传爰书，讯鞫论报，并取鼠与肉，具狱磔堂下。其父见之，视其文辞如老狱吏，大惊，遂使书狱。

这个小故事活脱脱刻画出张汤酷烈毒辣的性格，为以后治狱刻深作了铺垫，给读者留下深刻印象。《李斯列传》，司马迁用四次叹息的细节描写做眼，展示李斯人物个性的发展，写活了李斯。李斯见厕鼠、仓鼠的不同处境一叹，贵为丞相一叹，篡改遗诏一叹，具五刑一叹。这四叹深刻地揭露了李斯利己主义的人生观，从而刻画出一个既极端自私又抱负不凡的双重性格的人物形象。司马迁描写这些小故事与"言天下事"的取材原则并不矛盾，因这是为着刻画人物突出个性特点和展示思想境界的，是典型的材料。像《管晏列传》和《张释之冯唐列传》，司马迁只描写了几个生活片断和小故事就把大政治家管仲、晏婴和汉初名臣张释之、冯唐等人的神态写活了，这是司马迁塑造人物的一大特色。

八、遥情想象，补充细节

“实录”是司马迁写历史人物传记的一项最根本的原则，得到扬雄、刘向、班氏父子的肯定，称之为：“其文直，其事核，不虚美，不隐恶，故谓之实录。”① 但“司马迁的实录并不是无动于衷、完全被动地直录事实，而是和他的著述理想密切联系的”②。司马迁继承父志，记载“贤君忠臣死义之士”，为的是传之久远，深恐“文采不表于后世也”，所以要着意刻画人物形象，“面目活现”，故在他所写的史事中添加某些细节的补充和想象，这是符合历史真实的。事实的真实，只是说明发生了什么事，历史的真实是要揭示为什么发生这件事，所以合情入理的想象与评析补充是合乎逻辑的。例如《五帝本纪》写象谋害舜，让舜打井，象落石填井，以为舜必死，于是匆匆忙忙赶回舜宫去调戏两位嫂嫂。舜亦知象要谋害自己，于是打井时留了一手，在井壁上穿了一个支洞，史载“匿空旁出”。《孟子》等书的记载是，当象奔入舜宫时，舜早已回到宫中。孟子主张男女授受不亲，他不能允许象去玷污两位嫂嫂，只不过用象来陪衬舜的高尚伟大、仁慈友爱，记事符合孟子的义理。司马迁引用，改动了细节，写舜从支井逃出，回到宫中时，象已经坐在自己的床上调戏二嫂了。这一改动不仅加强了戏剧冲突，它更符合事实的发展，若真有其事，象肯定要先于舜赶回宫中。又如鸿门宴的惊心动魄的细节描写，显然有作者的添枝加叶。但这些细节的补充，是对真实事件

① 见扬雄《法言·重黎篇》及《汉书·司马迁传》赞语。

② 季镇淮：《司马迁怎样写历史人物传记的——从“实录”到典型化》，载《语文学习》1956年8月号。

的回顾，是合理想象的补充，与子虚乌有的虚构有本质的不同。这一点时贤往哲有着许多中肯的评论。明代黄省曾说：司马迁、班固之史“每传一人，则不特功德言语了了无遗，模写如画，又且其形态之状，以铺张之”①。凌约言评论《吕后本纪》时说：“欲侯诸吕，则有先封，而以‘乃’字转之；欲王诸吕，则有先应，而以‘风’字转之——皆太史公揣摩吕后本意欲假公义济私也。”② 今人钱钟书在《管锥编》中作出理论概括说：“史家追叙真人真事，每须遥体人情，悬想事势，设身局中，潜心腔内，忖之度之，以揣以摩，庶几入情合理，盖与小说、院本之臆造人物、虚构境地，不尽同而可相通。”上述昔贤今人所用“铺张”、“模写”、“忖度”、“悬想”等等，用词不同，其实都是指以“入情合理”的想象补充细节，这是作家在实录史事过程中，必然要包含的作者对事实的认知、想象与体会，可以说这也就是小说因素，虽非小说而与小说相通。两者的区别就在于尺度的把握，是“入情合理”还是“天马行空”，创作者与读者都是心知肚明的。

九、运用通俗化和个性化的语言，凸显人物形象

司马迁博览群书，“年十岁则诵古文”，是先秦散文语言的集大成者。他又周览全国名山大川，采集了四方之民的口头语言。也就是说文人锤炼的书面语言和人民大众的生活语言，这两个方面司马迁都认真学习和吸收，并加以创造性地运用，形成了独具艺术魅力的《史记》语言。司马迁写人物声口毕肖，叙故事波澜起伏，发议论酣畅淋漓，抒感慨抑扬尽情，成为罕有其比的语言大师。通俗化和个性化是司马迁语言艺术最突出的两个特色。

司马迁创造通俗化的书面语言，突出地表现在以下三个方面：

---

① 《史记评林》引。
② 《史记评林》引。

其一，引用先秦文献资料，对古奥难懂的古文进行汉代通行语的翻译。例如，我们将《尚书·尧典》与《五帝本纪》对照就可以发现司马迁作了全面的翻译，有的句子直译，有的为意译，有的变换了语序句式和转译词汇，有的为熔铸改写，表现了司马迁在古语今译上积累了丰富的经验。

其二，大量采用和提炼民歌谣谚，以及方言俚语叙事，丰富了语言的内容，提高了语言的表现力。例如“桃李不言，下自成蹊”，这是古代流行的一个谚语，意思是说桃树李树没有向人们打招呼，由于它有甜美的果实而吸引着无数的人争相趋往，在树下踩出了一条路。李广厚重木讷，他的忠实心肠感动了天下的人，司马迁就用桃李的果实来做比喻，于是引用这个谚语来赞颂他，不仅形象鲜明，含义深刻，而且用得非常贴切，富有生活气息。《春申君列传》写春申君优柔寡断，不采纳朱英的劝告杀掉奸人李园而遭害，司马迁评论说：“语曰‘当断不断，反受其乱’，春申君失朱英之谓邪?”姑息奸人就是对自己的残忍。“当断不断，反受其乱”，这条谚语把这一历史教训总结得极为深刻，用它一点，胜过千言万语。又如《白起列传》载鄙语云：“尺有所短，寸有所长”；《淮阴侯列传》载“狡兔死，良狗烹；高鸟尽，良弓藏；敌国破，谋臣亡”等等谚语，蕴含的哲理极为深刻，司马迁也用得恰到好处，足以使作品增色。

其三，司马迁用于刻画人物的语言，精意锤炼，使之口语化，并模拟各种人物声色口吻，具有个性色彩，成为一大特色。例如《李将军列传》写霸陵尉酒醉，呵止李广不得夜行，回答李广“故李将军”的解释时说：“‘今’将军尚不得夜行，何乃‘故’尔!”这是模拟装腔作势的醉汉语言，用以摹写醉汉神态，十分精妙。《魏其武安侯列传》写灌夫使酒骂座，语言又别具一格。灌夫是一个骄横的失势将军，他是借酒生事，并非真醉，所以他不需装腔作势，而是冲着临汝侯灌贤指桑骂槐，挑起事端，接着怒冲冲对武安侯说：“今日斩头陷胸，何知程、李乎!”一副狂态。吴见思《史记论文》于此批注说：“语无伦次，是醉中语，如闻其声。”这个评论指出灌夫的醉语切合灌夫的个性。又如

《魏其武安侯列传》，在东朝廷辩一节，司马迁通过切合各人身份、品格的语言，把窦婴之怒，田蚡之奸，韩安国之圆滑，王太后之愚泼，汉武帝之难言，惟妙惟肖地再现出来，使各个人物的情态历历如在眼前。

《范雎蔡泽列传》写须贾发觉秦丞相张禄就是范雎，顿时吓得面无人色，大吃一惊，赶忙肉袒膝行请罪，入门对范雎连连磕头说："贾不意君能自致于青云之上，贾不敢复读天下之书，不敢复与天下之事。贾有汤镬之罪，请自屏于胡貉之地，唯君死生之!"语气急促而无伦次，左一个贾如何如何，右一个贾如何如何，一副失魂落魄而惊惶乞命的情状跃然纸上。

总之，司马迁运用语言的成功，是他精意学习和锤炼语言，使之口语化、通俗化、个性化的结果。司马迁还运用各种修辞手段和虚字来加强语言的文学性，打破平铺叙述的史笔，所以《史记》文章极富文采，这和班固的严谨形成了截然不同的风格。司马迁正是用这种独具魅力的语言，塑造出了一个个形神俱备、栩栩如生、个性鲜明的人物形象。

十、司马迁塑造历史人物的理想

司马迁将历史人物典型化，这是他有意识地创造以符合述史理想的需要，其用意是以史为鉴，"善善恶恶，贤贤贱不肖"，使社会各色人物都能够照照镜子。他把《史记》看成是继《春秋》的著作，"上明三王之道，下辨人事之纪"，为后王立法，为人伦立准则。司马迁在《太史公自序》中发表长篇议论来评价《春秋》，说它"文成数万，其指数千"，包括了君臣父子的伦理秩序，每个人要立于人世间都必须读《春秋》。司马迁是借题发挥阐明《史记》塑造历史人物的微义。司马迁写历史人物进行全面褒贬，用以警醒世人，"别嫌疑，明是非"，若无形象性是达不到目的的。这一点，司马迁有着明确的认识和交代。他在《报任安书》中说："所以隐忍苟活，函粪土之中而不辞者，恨私心有所不尽，鄙没世而文采不表于后也。”这里所说的文采，不单单是指文章辞采的练达；作为历史传记的文采，更重要的是指人物形象的塑造。司马迁冶文史于一炉，并不是偶然的音韵天成，而是刻意的匠心独运，有意识地突出历史人物的典型性，用以表现他“一家之言”的理想。当然，客观环境和文化传统也是重要因素。秦汉之际是我国历史上一个剧烈变化着的时代，也是英雄辈出的时代。西汉前期的鼎盛孕育了司马迁的博大胸怀。中国古代的文化传统是文史并重，文学和史学没有截然的区分。著述家无论写史学、哲学都讲究文采辞章和表达技巧，而文学作品也充满着典故和史实。例如《左传》《战国策》等书都是文史兼包的著作。司马迁继承了这一传统，并创造性地使二者达到了高度的统一。

以上漫谈，使我们清楚地看出，司马迁塑造历史人物的成功，不只是他有厚重的文学素养，而更重要的是他有进步的历史观，有崇高的理想，敢于创新。司马迁塑造历史人物的创新精神和取得的成就，达到了传记文学的高峰，对后世影响深远，值得我们借鉴和思考。

第七讲　司马迁悲壮抒怀感动读者两千年

明人茅坤评价《史记》说："读《游侠传》即欲轻生，读《屈原贾谊传》即欲流涕，读《庄周》、《鲁仲连传》即欲遗世，读《李广传》即欲立斗，读《石建传》即欲俯躬，读《信陵君传》即欲养士。"[①] 形象地描绘了《史记》抒情性给予读者的感染力。抒情的实质是内心感情的宣泄，激昂慷慨，是文学范畴。记事是冷静的叙事，理性思维，是史学范畴。中国古代正统史学理论家如唐刘知几，是反对将二者混淆的。悲剧抒情是最激昂的抒情。韩兆琦先生说，《史记》是一道悲剧人物的画廊，全书悲剧人物达一百二十人[②]。《史记》人物充满悲剧色彩，这说的是《史记》的悲剧性。悲剧性的形成有主观和客观两大原因。客观原因，从春秋战国到秦汉之际，500多年间，社会政治、经济、军事、文化，一切都发生着急剧的变化，这是一个多灾多难、战乱不休的时代，人间悲剧时时上演，同时也是一个英雄辈出、风云变幻的豪迈时代。两者合一，结晶为时代充满悲剧英雄。主观原因，司马迁所受腐刑的悲剧，使

① 《史记钞》。
② 韩兆琦：《史记通论》，广西范师大学出版社1996年版，第179页。

他承受了身体的伤残与一度精神的崩溃，痛不欲生。但司马迁最终以极强的意志力挺过来，化悲痛为力量，并从悲剧人物身上汲取豪迈气质，净化自己的人生。因此，司马迁与所写传主的悲剧精神心灵相通，化于笔端，往往借他人酒杯，浇自己之块垒，情不自禁地宣泄悲壮情感，使《史记》人物充满浓郁的抒情性与悲剧性，强烈地感染一代又一代的读者，至今两千多年，仍然鲜活生动，跃然纸上。司马迁打破史笔禁区，把浓郁的抒情与冷静的叙事融合在一起，从而创造了既是史学，又是文学的史传文学。史传文学不是纯文学，它根植于记事实录。所以本文解读的《魏公子列传》、《廉颇蔺相如列传》、《鲁仲连邹阳列传》、《屈原列传》、《李将军列传》五篇，着重于思想分析，不做文学欣赏，以斑窥豹，品味司马迁写史传人物的情怀。

一、魏公子列传

魏公子无忌，是魏昭王的小儿子，魏安釐王之弟，封信陵君，是战国四公子之一，而最贤者。战国四公子为齐国孟尝君田文、赵国平原君赵胜、楚国春申君黄歇，以及魏公子无忌。战国四公子分别为齐、赵、楚、魏四国之相，各养士 3000 人，又是同时代的贤公子，所以并称“战国四公子”。《史记》各有专传，而唯独信陵君以“魏公子”名篇，篇中称魏公子者，凡 147 处，表现了司马迁对信陵君的无比敬仰、亲切而特称公子。后世读者习惯上以封爵统称四公子，故《魏公子列传》，也称《信陵君列传》。

魏公子礼贤下士，所养士人多杰出之士。附传人物有侯嬴、朱亥、毛公、薛公，都是不平凡的人。信陵君一生大关节在救赵却秦，史称“窃符救赵”，而成其这一大功者，全赖乎客。故本篇以“客”作眼，通篇以客起，以客结，前后照应，连环无端，成一篇绝妙文章。写客是为了衬托信陵君的礼贤下士和急人之难的高尚品德。信陵君礼贤以国事为重，这是司马迁的理想，故本篇充满爱国主义的激情。信陵君窃符救赵，表现违抗王命，实质救援盟国，亦实救魏，落叶归根，还在“爱国主义”四个字上。

四公子礼贤养士，而真正能礼贤下士的只有魏公子。孟尝君有鸡鸣狗盗之徒。平原君几失毛遂之才，但能接受毛遂自荐，亦佳公子也。春申君晚年昏聩，失朱英之谋而断头。

三公子广收宾客，很大成分出于讲排场，摆阔气，故有平原君客与楚春申君客争艳斗富的故事。因此，当时许多有才能的士人，近在三公子咫尺往往失之交臂。像埋名于博徒和卖浆家的毛公、薛公就闻名在外而平原君不知。唯有魏公子礼请侯生，亲为之执辔，信用屠夫朱亥，微服访毛公、薛公，关键时候得诸人之力，生动地表现了魏公子的真诚待士，以及主客关系。《魏公子列传》重点笔墨也就自然地落在魏公子与诸人的交往上。

侯嬴隐身在看门人队伍中，度过了漫长的岁月，无人能知其贤者。偏偏信陵君知道他是一个贤者，而且精心设计了一个礼请侯嬴的场面。魏公子特别举行盛大宴会，高朋毕至，贵宾满堂。就在此时，公子本人率领了众多的人马车辆，亲自去迎接侯嬴赴会。这给了侯嬴以很大的面子。而侯嬴的表现似乎要比当年的田子方更过头些。他穿戴着破旧的衣帽，表露出满不在乎的轻慢。公子亲自驾车，他却傲然直登上座。车到半途，他又下车去访问自己的朋友朱亥，站在喧闹的街市，故意与朱亥谈论了很久，倒把公子冷落在一边。但是公子的态度却是越来越温和，没有丝毫的愠色。在宴会上，公子当着满堂贵宾，赞誉侯生，又亲自向侯生祝酒。末了，侯生却大言不惭地对公子说：“今日嬴之为公子亦足矣。”因为侯生在大庭广众之中故意用自己的倨傲放诞来反衬公子的礼贤下士和虚己待人，这实实在在是一种不同寻常的举动。后来信陵君在窃符救赵的非常壮举中完全得力于侯生的策划，到这时，我们才完全领悟到“嬴之为公子亦足矣”这句话含有多大的分量！这句话的意思就是“今日我侯嬴也够难为公子了”，表示为以身许公子了。侯生后来果然以死励军，实践了自己的诺言。

毛公、薛公，一个沉沦在赌徒中，一个靠卖酒浆为生。在平原君眼里，这种操业卑下的人，不值得与之交往。但信陵君却不然，他看人不在于其人的操业，而是品格和才能。所以当他探得毛公、薛公是贤者，就装扮成平民，放下架子主动去拜访，吃了闭门羹也不计较。魏公子的赤诚相待，金石为开，毛公、薛公终于成了他的座上宾。从平原君与信陵君对待毛公、薛公的态度上，清楚地显现了二人在识见上的高下。平原君好客，只是一种豪举，并不注重实际，所以尽管收罗了很多门客，具有真才实学的人却寥若晨星，而贤能的人往往还不肯屈就。信陵君就高明得多，他好客，特别注重才学德行，为了罗致门下，不惜放下架子，折节礼待。由于这个缘故，有学行的人也就乐于为之所用了。有一次，公子和魏王下棋，魏王得到报告说赵国要入侵，公子说这是赵王在打猎。后来证明确实是赵王在打猎。公子的情报之所以那样确切，以致连赵王的一举一动都能了如指掌。我们由此也可以判断，信陵君不仅在赵国布满了耳目，其他诸侯国基本上也是如此，可见信陵君的本领之大。而这正得力于他礼贤下士的优秀品质和作风。

信陵君在司马迁的心目中是个理想化了的历史人物。这篇列传除了叙述他能礼贤下士外，还叙述了他在其他几个方面的品德和优点。

信陵君突出的优点是善于听取别人的批评，采纳正确的意见，及时改正错误。这在封建时代的贵族身上是难能可贵的。信陵君因窃符救赵及椎杀晋鄙两件事，得罪了魏王，故长期居留在赵国。秦国伺机不断侵犯魏国，魏王派遣使臣迎请公子归国，以解救魏国的危急。公子因旧憾未释而不愿回去，并不许宾客们劝谏。这时，毛公和薛公出来，正色批评他昧于大义，言辞很激烈。公子幡然醒悟，立即整顿行装返国，担负起抗秦的重任。在对待自己国家的态度上，若以孟尝君与信陵君比较，是不能等量齐观的。孟尝君有功于齐国，但被齐王废黜后却怀恨在心，背弃祖国。当他做了魏相国后，竟联合燕、秦、赵一起出兵进攻齐国。孟尝君的这一举动，实在是不足取的，这分明已是把自己的利益和恩怨放在祖国之上了。

信陵君能奋不顾身急人之难。当秦攻赵时，邯郸危在旦夕，而魏王救赵却又举棋不定。信陵君和门客们想尽一切办法企图说服魏王立即催促晋鄙进军救援，但是劝说无效。信陵君竟不顾一切，准备带领亲信赴前线与秦军拼命。信陵君也明知这是一条下策，等于自投虎口。但他这样做，的确是表现了不怕牺牲的侠义精神和大无畏的勇气。当然，这种举动对解救邯郸的危亡毫无作用，可以说是不明智的。然而，这却是信陵君高人一等的可贵品德，即能急人之难。窃符救赵就靠了这一精神品德，赢得了各种人士的帮助，赢得了全军的上下一心，也赢得了胜利。

在《史记》中，《魏公子列传》是作者对传主感情最深厚最真挚的篇章之一。信陵君在司马迁的心目中是一个理想化了的人物，这使作者在行文中既洋溢着对他的崇敬之情，又充满了同情和惋惜之心。

信陵君忠于兄长魏王，却不谙世故。魏王与信陵君虽是同胞，但连枝而不同气。出于利害关系，魏王一直就对信陵君怀有猜忌，不敢任以国政。信陵君窃符救赵以后，长期住在赵国，魏王既无骨肉之情，也无存魏安魏的远大打算，一任亲弟久羁异乡。只是由于秦国不断地侵犯，国势日危，才不得已把公子请回来。兄弟相抱哭了一场，似乎有所悔悟，其实不然。因为这时再不请公子返国，领兵抗秦，恐怕连身家性命也保不住了。公子在军事上有出色的才干，他率领五国军队联合抗击秦兵，击败了不可一世的猛将蒙骜，这在战国合纵史上，是东方各国卓有成效的一次联合军事行动，使整个政治局势一度出现了有利于东方各国的转机。魏国得以暂时摆脱了困境，而公子施展才能的机会也随之告终了。公子被废黜，反间计固然是厉害的一着，但如果内部团结牢不可破，秦有何机可乘？魏王害怕公子的声望太大，有了兵权，会动摇自己的王位，便夺了他的兵权。公子一再遭受猜忌，不能施展才能和抱负，最终陷进了自暴自弃的泥潭。其结局是可悲的，公子死后不久，魏国终于为秦所灭。

当然，历史总归是前进的。信陵君生当秦国正在猛烈向东方挺进的时期，统一的趋势在秦军节节胜利的步伐声中已经明朗化了。信陵君纵使能够充分施展自己的才能，也只能暂时挽回一时的局面，所谓大厦将倾，非一木所能支，魏国和东方各国的覆灭最终还是不可避免的。信陵君生当那个时代，身处那种地位，本身就是一个悲剧。司马迁也看得很清楚，他在《魏世家》末尾的论赞中曾说："天方令秦平海内，其业未成，魏虽得阿衡之佐曷益乎?"这里的"天"字是对客观历史必然事势的简练概括。任何个人的力量是无法挽回的。但是，司马迁认为，历史事势包含着人为努力的积极因素。信陵君在那个时代，本来还可以发挥出更大的历史作用，只是由于人为的原因，使他失去了机会。司马迁在另一名篇《屈原贾生列传》中就曾无限感慨地引《易经》说："井泄不食，为我心恻。"即"井挖好了，但泉水仍未被人们取用，使我感到伤心"。比喻人才被埋没，难以施展自己的抱负。《屈原列传》说，屈原死后数十年（实为55年）楚国便灭亡了；《魏公子列传》中也说，信陵君死后18年，魏国就灭亡了，用的手法是一样的。旨在说明屈原、信陵君身系着国家的存亡安危。这就揭示了这样一个真理，即人才的使用问题，直接关系到了国家的兴亡。人才是每个国家、每个民族、每个时代都有的，但机缘对每个人却不一样。司马迁笔下的屈原和魏公子，在他们生活的时代里不能施展自己的才干，这是值得人们深思和同情的。

《魏公子列传》始终以信陵君与宾客之间的活动为主线，把当时的历史画卷有机地贯穿起来，展现在人们的眼前。信陵君礼贤下士，士也乐于为之奔走，而信陵君声名的远扬和事业的成功，又全赖于宾客们的帮衬。作者通过具体事例，把信陵君的才能品质等各方面的优点用饱含激情的史笔揭示了出来。篇末赞语，寥寥数语也充分表现了这一特色。司马迁没有用华丽的辞藻对信陵君大加歌颂，而只是淡淡地说，自己曾访求过大梁遗址，又寻访了当年的夷门。接着又说，汉朝建立后，高祖每次巡行经过大梁，常常亲自去祭祀公子，又特地叫人看守公子的坟墓，待以诸侯之礼。这些具体事由如叙家常般地絮絮道来，作者对信陵君的怀念之情，跃然纸上。

二、廉颇蔺相如列传

《廉颇蔺相如列传》是赵国四大忠臣良将廉颇、蔺相如、赵奢、李牧的合传。他们不仅智勇兼备，而且品德高尚，先国家之急而后私仇，在保卫赵国、抗击强秦的斗争中立下卓越的功勋。司马迁以热情的笔触叙写了四人的品质和才干，突出地表现了他们身系赵国安危的历史作用，颂扬了他们的爱国主义精神。为了突出“廉蔺交欢，将相合而赵强”这一思想，所以只用廉、蔺标题，赵、李均为附传。

本传是《史记》中最脍炙人口的名篇之一。它的思想深刻，写法也别具匠心。宋代黄震说：“太史公作《廉颇蔺相如列传》，而附之赵奢、李牧，赵之兴亡著焉。一时烈丈夫英风伟概，令人千载兴起。而史笔之妙，开合变化，又足以曲尽形容。”① 明代茅坤也说：“两人为一传，中复附赵奢，已而复缀以李牧为四人传，须详太史公次四人线索，才知赵之兴亡矣。”② 黄震、茅坤两人的评议，十分中肯，他们把本传高度的思想性和奇绝的艺术手法深刻地揭示了出来。所谓“开合变化”、“次四人线索”，是指本传的构思奇特；“赵之兴亡著焉”，是说思想性深刻；“一时烈丈夫英风伟概”、“曲尽形容”，则是指人物形象生动、语言精妙。本文准备着重从构思奇特和人物形象塑造两个方面作一些分析。

1. 构思奇特，完美地表现了思想性和艺术性的高度统一

本传记事上起赵惠文王十六年（前 283）廉颇东伐齐，迄于赵王迁八年（前 228）秦灭赵，前后历赵惠文王、赵孝成王、赵悼襄王、赵王迁四君 55 年。从全篇布局看，首为蔺相如传，次为赵氏父子传，再次为李牧传，各自可以独立。而廉颇传则如一条串珠的红线，他的事迹分散在合传的全篇，但却又的确是靠着

① 黄震：《黄氏日钞》。

② 茅坤：《史记钞》。

他将各传串连起来。司马迁为何如此布局？茅坤说，“须详太史公次四人线索，才知赵之兴亡”，这给我们作了很好的提示。只要我们将本传所载史实与《史记·六国年表》对照，排出廉蔺赵李等人的活动年代，就可以鲜明地看出，司马迁在这里所描写的是一个时代的风云变化，它生动地记载了阏与之战、长平之战等大大小小的几十次战争，但他不是着眼于某个人物的个人际遇，而是通过这个系列的人物画卷来寄寓国家兴亡之感。当战国后期，东方六国日益削弱，争相与秦连横的局势下，赵国前后相继涌现出廉、蔺、赵、李等一大批忠臣良将，他们精忠报国，使赵国一度强盛，成为阻挡秦兵东进的主要障碍。赵惠文王尚能用贤纳谏，外交倚蔺相如，军事重用廉颇、赵奢，强秦无如之何；赵孝成王、悼襄王、赵王迁却都是平庸之主，故廉蔺李的际遇如江河日下，一天不如一天，而赵国也就日渐衰落，并终致灭亡。这不只是某几个人的悲剧，也是赵国的悲剧。《太史公自序》云：“国有贤相良将，民之师表也。”而贤才的任与废却取决于政治的好坏。由于四人活动时代不尽相同，彼此间又不尽有牵涉的四人合传的事迹，然而司马迁居然构成了一幅时代变迁的风云画卷，使作者寄寓的深刻思想得到了鲜明的反映。

本传不仅谋篇布局好，而且叙事清晰，详略得当。廉颇是本传的中心人物，他历仕赵惠文王、孝成王、悼襄王三王，功劳最大。赵王迁时，他客死于楚，仍念念不忘为故国效力。老将廉颇的荣辱紧紧地与赵国的盛衰相联结。司马迁尽管对廉颇的事迹写得很简括，“然叙次诸人，在以廉颇缨络其间”[①]，的确是抓住了最适合表达全篇主题的典型。蔺相如的主要功绩是取得外交上的成功。战国时代的外交斗争是军事斗争的继续和补充，具有很重要的地位。蔺相如使秦完璧归赵和渑池之会，为赵争得了地位，顶住了强秦的压力，具有不同寻常的意义。而这两次外交活动的背景，恰恰又是强秦对赵取得军事胜利之后所进行的政治讹诈。蔺相如抗拒强秦所表现的智勇和才干令人惊叹！对于廉颇，蔺相

① 《桐城先生点勘史记》引张廉卿语。

如却以大局为重，处处表示谦退，“先国家之急而后私仇”，表现了崇高的精神境界和广阔的磊落胸怀。司马迁极为铺陈蔺相如的事迹，着意刻画他的形象，就是以他的这种思想照应全篇，这也是一个典型。廉蔺二人，一个以其事迹贯通首尾，一个以其思想照应全篇，这就是本篇奇特构思的神韵。

2. 塑造了一批公忠体国、无私无畏的人物群像，高度颂扬了“先国家之急而后私仇”的爱国主义精神

梁启超说：“太史公述相如事，字字飞跃纸上，吾重赞之，其蛇足也。顾吾读之而怦怦然刻于余心者，一言焉，则相如所谓‘先国家之急而后私仇’也。呜呼，此其所以豪杰欤！此其所以圣贤欤！彼亡国之时代，曷尝无人才？其奈皆先私仇而后国家之急也。往车屡折，来轸方遒，悲夫！”①

蔺相如的高尚情操和他的大智大勇，是通过一组生动的故事表现出来的，完璧归赵、渑池之会是集中地表现他建立在爱国思想基础上的勇和智，将相和则是集中表现他识大体顾大局的高尚境界。

秦昭王以十五城易赵国和氏璧，这一悬殊的不等价交换出于强秦之口，显然不是出于诚意。赵国答应易璧，等于自甘屈服；如不答应，秦国就可以借口出兵侵赵。赵国君臣十分清楚秦国的这种政治阴谋。经过权衡之后，他们决定通过外交斗争以求得解决，争取化被动为主动。但是谁可以为此出使呢？在这紧急关头，宦者令缪贤推荐了蔺相如。

秦国历来贪暴无信，人们称之为“虎狼之国”，蔺相如的使命是十分艰巨的。但是，由于他事前有周密的考虑、充分的准备和明确的斗争目的，所以能够做到随机应变，处处争取主动。秦王在离宫中的章台接见蔺相如，传璧以示美人及左右，没有举行隆重的接见礼，完全暴露了无意偿值赵城的企图。蔺相如当机立断，他机智地诓回和氏璧，并以身死玉碎威慑秦国君臣，迫使秦王不得不“辞谢固请，召有司案图”，装出一副真想偿还赵城的样子。这种无可奈何的表演，不管其真意如何，本身就宣告了秦

① 《饮冰室合集》。

王第一场外交斗争的失败。

在"渑池斗智"中，相如请秦王击缶，召入御史书之，请咸阳为赵王寿，一次又一次狠挫秦王的锐气，直到盟会结束，秦王"终不能加胜于赵"。蔺相如以他的机智再次取得了外交斗争的胜利。

廉颇与蔺相如相较，资格老，建功早，他有"攻城野战之功，以勇气闻于诸侯"，位为国家的上卿。对于蔺相如由一个布衣之士一跃而为上卿、尊贵且位在自己之上，廉颇是不服的。他认为蔺相如"徒以口舌为劳"，声言要当众折辱他。一个是勇将，一个是智士。蔺相如深知，"强秦之所以不敢加兵于赵者，徒以吾两人在也"。而今二人相斗，如两虎相扑，"其势不俱生"，这将危及国家的安危。于是他顾全大局，称病不朝，"不欲与廉颇争列"。道遇廉颇，"引车避匿"。相比之下，廉颇意气用事，争个人名位，真是太渺小了。但是廉颇毕竟是一位忠心耿耿的社稷之臣，他的争胜，无非是争个人的面子。后来当他一旦明白过来，立刻悔愧交加，立即负荆请罪，肉袒谢相如。廉颇勇于改过的精神同样是出于"先国家之急而后私仇"，这就是廉蔺交欢的思想基础。历代以来，"将相和"的故事深入人心，被历代人民群众口碑相传，正说明了先公后私这种思想的感人之深。

赵奢、李牧两人的传记很自然地融于廉蔺传中，仍然是以先公后私的爱国主义精神贯起来的。传文不仅歌颂了赵、李二人的善于征战，而且记载了英雄蒙冤、国家遭难的结局，使全传笼罩在慷慨悲凉的气氛中。

三、鲁仲连邹阳列传

这是一篇跨时代而连类相及的合传。鲁仲连，战国时人；邹阳，西汉人。两人合传，其交合的类在哪里？为什么两人合传？为什么不同时代的人能合传？司马迁似乎已考虑到人们会提出这些问题，所以在传末赞语中作了交代。其言曰："鲁连其指意虽不合大义，然余多其在布衣之位，荡然肆志，不诎于诸侯，谈说于当世，折卿相之权。邹阳辞虽不逊，然其比物连类，有足悲者，亦可谓抗直不桡矣，吾是以附之列传焉。”这段话既是评说鲁邹两位历史人物，也是解说为什么二人合传。“比物连类”是一句关节语，也是双关语。邹阳“上梁王书”，引载众多的古人尽忠受谗，排比连类以自况；再是指鲁邹二人合传亦是比物连类，即二人皆为抗直之士，又皆以雄辩取胜于人，所以合传。可以说这是出人意料之外。鲁仲连与邹阳，时代不同，行事不同，司马迁居然找到了两人同类的契合点，写成合传。司马迁的交代，只是一个表层的意义，目的在于提示，凡合传，类传，都有相提并论的契合点，提请读者注意，这是司马迁发现与运用的一种历史观，非常进步，史识非常超前，也就是现在流行的比较研究法。司马迁所达到的比较研究的学术水平与识见之精，在古代历史家中是空前绝后的。下面先说本篇合传的内容及特点。

司马迁创造的人物传记，因是记述历史人物，不能随意虚构，主要是载人物的言与行，情节故事化。事迹多故事，也多曲折，例如文臣有治绩，武将有战功，才艺之士有造诣，有成果等，都好叙述。而游说人物，其精彩之处是能言善辩，驰骋说词。本篇合传，实际只是连缀了三篇言辞。第一篇是对话，记载“鲁仲连说辛垣衍义不帝秦”，《战国策》有记载，是一篇历代传诵的名篇，一般标题称“鲁仲连义不帝秦”。第二篇，鲁仲连“遗燕将书”，替齐将田单说降燕将，齐兵不战而下聊城。第三篇，邹阳“狱中上梁王书”，自我辩解，鸣冤得释。鲁仲连的言辞是替人排忧解纷，邹阳的言辞是替自己鸣冤，事势大小不可同日而语，但两人都善言辞，又都品德高洁，不屈于权贵，以言辞释难解纷，所以合传。司马迁仅仅载其文，略加点缀，以文如其人的精神显现文章主人的风骨情采，纯以言传人，这真是一大奇特创造，非大手笔不能为。《史记》中《孔子世家》、《司马相如列传》都是以言传人的名篇。《孔子世家》基本取材《论语》，将孔子语录编织在特定的场景中，成为显现的人物传记，活生生再现了人物精神。司马迁采用人物语言，略加点染或特色编排，便成司马迁之文，并使原文增色，令人拍案叫绝。

再具体分析，司马迁是怎样运用人物语言显现其人灵魂与风骨的，供读者评说。

鲁仲连说辛垣衍义不帝秦，其背景是秦赵长平之战后，秦围邯郸，赵国面临亡国之祸，而诸侯不敢救。长平之战，秦赵两国都拼了全力。秦国15岁以上的男子都征发上了战场。赵国战败，40多万大军全军覆没，被秦军坑杀，表现了秦为虎狼之国的残暴行径。长平之战，震动诸侯。秦国向各国发出外交照会，谁敢救援赵国，秦军灭赵后就移兵攻打它。本来秦军是进攻韩国，赵国出兵救韩国，引火烧身而有长平之战。但是赵国不救韩国，秦国将各个击破，统一天下。春秋战国长期战乱，人们渴望和平，渴望统一，这是天下大势。秦国最强，有统一天下的实力。从历史进程说，秦统一天下，顺应潮流是进步的，但秦取天下多暴，遭到东方各国人民的强力反抗，这也不能厚非。鲁仲连义不帝秦，就是扶持大义，主张抗击秦国，反对秦国的暴虐。鲁仲连义不帝秦，是站在人民立场，站在反暴虐的立场，应该肯定。只有用辩证观点才能说清当时的历史事势。

话说秦围邯郸，赵求救于魏，魏安釐王派大将晋鄙率十万大军救赵，但又慑于秦国的威吓，命令晋鄙将军停驻在国境上，仅仅作为赵的声援，观望不进，讨好秦国。魏王还受到秦国的欺骗和压力，派出辛垣衍秘密入赵，游说赵王公开尊奉秦国称帝，这样秦国就可退兵。假如辛垣衍游说成功，赵国尊奉秦王称帝，秦国不但不会撤军，且会一鼓作气攻下邯郸。赵国尊奉秦国称帝，实际就是投降。赵国投降，诸侯更不敢救，必将很快为秦各个击破。赵国坚持抗秦，只要阻止了秦军的锐气，诸侯之军就会跟上来，与赵军一起打击秦军，这一形势，鲁仲连看得很清楚，即赵魏皆万乘之国，为什么一战败北就要屈服于秦呢？赵国虽败，由于秦军暴虐，所以赵国邯郸军民斗志高涨，因此辛垣衍是秘密入赵，暗中运动。鲁仲连先会见平原君，由于平原君对辛垣衍说，秘密被公开了，尊秦为帝要做一番辩论，可以说鲁仲连已先声夺人，辛垣衍在辩论之前就泄了气。

鲁仲连不仅词锋锐利，而且有理有据，用大量历史事实说明尊秦为帝在政治体制上带来的后果。鲁仲连的思想是当时极少数开明思想家才具有的头脑。例如孟子的民贵君轻说可为鲁仲连思想注脚。司马迁身受专制腐刑，有切肤的体会，把鲁仲连说辛垣衍义不帝秦与邹阳狱中上梁王书联系起来，有隐微的深层思想，表达司马迁内心深处对暴虐的抗议，因而使原文增采。

鲁仲连列举历史教训，生动地论证尊秦为帝，天下人皆为奴虏，赵魏君臣都将地位不保，甚而被秦人剁成肉酱。鲁仲连用此危言耸听来表达他反对妥协投降的决心。辛垣衍最终被说服，接受鲁仲连的建议，赵魏联合抗秦，表明他们内心也是不甘心投降的，包括平原君、赵魏两王，尽管不甘心降秦，但又束手无策，可以说是国难当头，肉食者鄙。但他们在布衣鲁仲连的指点下猛然醒悟，值得称道。于是秦人听到辛垣衍受挫，将意味着赵魏联合抗秦，立即后退了 50 里。这时楚魏救兵赶来，联合击退了秦军。鲁仲连功成不居，不接受平原君的封赏，而且终身不再现世于显贵人之前。鲁仲连用行动表明他身入危城，游说辛垣衍抗秦，丝毫不带个人利益的高风亮节。其后鲁仲连替田单劝降燕将，结束了两年多的争战，仍不接受任何封赏，再次显示了他的志向高洁，为人排难解纷而毫无所取。苏秦、张仪等纵横家，游说诸侯亦纵亦横，目的是个人富贵。鲁仲连功成不居，其人格精神影响后世深远。

燕将守聊城，齐田单围攻一年多，未能攻下，齐军损失惨重。鲁仲连认为燕将既受困于齐，又受猜忌于燕，已经走投无路，坚持战斗，只是徒伤军民。燕将只有两条路，或撤出战斗回燕接受燕王惩处，或降齐另谋出路，不做无谓的战斗，结束将士和聊城人民的痛苦。鲁仲连投书燕将劝降。燕将得书，哭泣三日，选择自杀，不愿活着受辱，解救军民，结束战斗。这个历史上的无名的燕将，是一位悲壮的英雄，他以孤城抗击田单倾齐国之兵两年不败，说明他是一位很得士众心的名将。他为了保全军民而自杀，显示了一个名将的风采。燕将自杀，军中无主，田单乘乱攻城，屠了聊城，违背了鲁仲连的初衷，田单的行为应当受到谴责。所以鲁仲连逃于海上，从此隐居，不干世事。

邹阳在狱中上梁王书，解了自己的危难，也是一个机智的奇士，且书辞优美，说理具有不可辩驳的力量，两人合传，前后辉映，显示言辞的威力，这就是两人合传的原因。

四、屈原列传

屈原与贾谊两人合传，称《屈原贾生列传》，本文只解读《屈原列传》。屈原传是司马迁为我国古代第一位伟大的爱国主义诗人写的传记。在《史记》中，屈原传抒情味最浓，带有《离骚》的影子。司马迁一反常态，以激烈奔放的感情，一再直接发表议论，发泄感情，在列传的字里行间，又带上了自己的身影。

为何作屈原传，其宗旨是什么，司马迁在《太史公自序》中作了明确的交代。司马迁说："作辞以讽谏，连类以争义，《离骚》有之。"作辞，指辞赋创作。讽谏，指对现实黑暗的揭露。至于"争义"，指坚持正义，用今时语言，叫做为真理而斗争。《离骚》是屈原的代表作，这里以《离骚》为代表，包括屈原的所有作品。也就是说，《离骚》有之，指屈原所有作品，都坚持了正义，深刻地揭露了当时政治的黑暗与腐朽，表现了诗人的人格和为真理而献身的精神，值得歌颂，应该青史留名而为之作传。司马迁在《伯夷列传》中说："伯夷、叔齐虽贤，得夫子而名益彰。颜渊虽笃学，附骥尾而行益显。"此言乃示例，表明司马迁作史传人物的自信，屈原伟大，得司马迁之笔而名益彰，借史传而流芳百世。

屈原出身贵族，与楚王同姓，血统高贵；而自身才能出类拔萃，"博闻强志，明于治乱，娴于辞令"；职任左徒，地位显赫，侍从楚王，参与政事，起草诏令，协办外交，可以说是国之柱石，楚国上层统治集团重要的核心人物之一。屈原以其出身、才能、显职，原本是楚怀王的亲信，"入则与王图议国事，以出号令，出则接遇宾客，应对诸侯"。但是一个出身、才能、地位都比屈原低下的小人上官大夫，敢于"夺稿"又"诬告"，给楚怀王打了一个小报告，屈原就遭"怒而疏之"，被撤职冷落。上官大夫敢于“夺稿”，说明他既是一个小人，更是楚怀王的耳目。上官大夫说屈原“夸伐其功”，本是莫须有的诬陷，即使有，也仅仅是有些骄傲，小小的过失而已，楚怀王却小题大做，疏远屈远，撤职免官，这生动地揭示了专制制度对人才的摧残。独裁政治，个人说了算，偏听偏信，容易使人昏。而昏君总是爱奴才而不爱人才。奴才一句话，国家栋梁就倒塌了。

屈原“正道直行，竭忠尽智以事其君”，却被谗见疏，他不胜忧愤，“故忧愁幽思而作《离骚》”。司马迁以极大的同情直笔点出：“屈原之作《离骚》，盖自怨生也。”怨恨是屈原的创作动机。怨恨谁？怨恨楚怀王。在等级禁严的专制社会，最高统治者一国之君，一国之王是不可怨恨的。君要臣半夜死，臣不敢五更亡。君要臣死，也是恩惠，所以称“赐死”。屈原只是被疏远，被剥夺了工作，怎么就可以怨呢？司马迁代言回答说：“信而见疑，忠而被谤，能无怨乎？”司马迁在《太史公自序》中说：史官可以“贬天子，退诸侯，讨大夫”。天子有错是可以褒贬的，怨就更在其次了。司马迁发人所不敢发之言，透出了他的开明思想，民主思想。显然是自身的遭遇，借屈原的酒杯，浇自身的块垒，所以才写得如此的动情。

《离骚》是中国文学史上不可多得的一首抒情长篇自序诗，也是一首爱国诗，最高境界是忧患国事。司马迁最看重的也是这首诗的政治内容，称它是“上称帝喾，下道齐桓，中述汤武，以刺世事，明道德之广崇，治乱之条贯”。司马迁又认为，《离骚》兼有《国风》、《小雅》之长，“好色而不淫”，“怨诽而不乱”，价值超过了《诗经》。司马迁所处的汉武帝时代，尊儒之风不可逆转，《诗三百》已尊为“经”，称《诗经》，由于《离骚》的讽怨作用强于《诗经》，所以司马迁《风》《骚》并论，甲《骚》而乙《风》，可以说是冒天下之大不韪，胆识超群。

屈原的品格与为人，对其创作的成就有着重大的影响。司马迁评价《离骚》说：“其文约，其辞微，其志洁，其行廉，其称文小而其指极大，举类迩而见义远。”也就是说，正因为屈原的志趣高洁，他用芳草、美人来比拟，用以寄托自己的理想，形成独具的高雅风格。正因为屈原的行为正直，所以在作品中展示了毫不妥协的战斗精神。正因为屈原“志洁”、“行廉”，他才能“故死而不容，自疏濯淖污泥之中，蝉蜕于浊秽，以浮游尘埃之外，不获世之滋垢，皭然泥而不滓者也”。反过来，由作品推见屈原的人格、思想、品德、情操，就像日月的光芒一样明亮。司马迁通过对屈原为人与作文的论述，鲜明地表述了二者的关系，一个人的思想境界与世界观对创作的巨大影响，也是司马迁文学观的组成内容之一。

屈原被谗见疏，君子退，小人进，对楚国政治产生了重大的影响。司马迁以实录精神记述了一系列历史事件，说明屈原进退，影响了楚国的兴衰。由于屈原被黜，小人包围了楚怀王，引诱楚怀王贪利受骗，为了商於六百里之地而与盟友齐国绝交，楚国孤立，遭秦攻击，又不度德量力而孤注一掷，“悉发国中兵深入击秦”，楚国遭受重创而一蹶不振。楚怀王始终不觉悟，竟不听屈原劝告，入秦不归。楚怀王之子顷襄王比其父还要昏聩糊涂，竟忘记国仇家恨，继续迫害屈原，使之遭到第二次放逐，直至沉江汨罗。

屈原遭遇两代楚王的迫害，身心健康受到很大摧残，他“颜色憔悴，形容枯槁”，但屈原九死其犹未悔，仍然是心系国事，蔑视群小，凛然宣称：“易初本由兮，君子所鄙。”“离滑而不迁兮，愿志之有象。”① 屈原的高洁意志，永远坚强而不动摇。当国破噩耗传来，屈原毅然沉江身死国难，这一天是农历五月初五日。后世人们祭奠屈原，把五月初五定为端午节。传末，司马迁录载屈原的绝命辞《怀沙》作结，感情格外沉痛，也格外坚定，照应全篇，突出了屈原的悲剧氛围，也显现了屈原的坚贞不屈。

五、李将军列传

飞将军李广是西汉反击匈奴侵扰战争中涌现出来的一位

---

① 屈原绝命辞《怀沙》。

英雄。

秦时明月汉时关，万里长征人未还。
但使龙城飞将在，不教胡马度阴山。

这首著名的《出塞》诗，是唐代边塞诗人王昌龄的作品。它反映了历代人民每当国家有敌警之时就想起了李广，由此可见，李广在历史上的地位和影响。李广是一位神箭手，百发百中，李广用兵神出鬼没，善于奔袭敌人，敢于打近战，短兵相接，拼死战斗，全军团结如一人，个个神勇，匈奴将士畏之如神，于是给他起了一个绰号叫“汉朝的飞将军”。

然而，这样一个不可多得的将领，在仕途上却得不到公平的待遇，后半生始终是“官不过九卿”，“无尺寸之功以得封邑”。特别是最后一次与匈奴决战，统治集团出于偏见与私心，竟把李广调出主力部队，使他难以施展自己的才干；加之行军迷路，贻误军机，在上司的威逼下，不得不含恨自刎。

李广的悲剧暴露了封建社会摧残人才的本质。汉武帝是想干一番事业的。他曾破格提拔了一批人才，而他的迷信、偏私，又使他压抑了某些人才。李广的命运在封建时代具有普遍性的意义。

单从战功来看，李广一生血战，败多胜少。而且从汉匈战争的大背景来看，李广带兵四五千最多一万骑，不是汉军主力，常常是作为配合主战场的支路战术部队来使用的。像李广那样的战将很多，例如与李广齐名并称的程不识将军，也是当时名将。司马迁没有给程不识立传。此外，将军公孙贺、公孙敖、赵信、李息、张次公、苏建等一大批封侯的将军有几十位，司马迁何不为之立传，为何单单给李广作传？而且李广正因为有司马迁才垂名青史，受到万人景仰的。司马迁对李广的遭遇极为不平，百分之百的同情，对统治集团最高统治者处事不公发出深深的愤慨，但又没有直接表露，而是“寓论断于叙事”中，把悲愤之情藏于字里行间，所以写得辞采流离，是一篇情、理、事绝佳的人物传记。司马迁是怎样塑造李广的典型形象呢？下面试作分析，用三个题目来谈。

1.《李将军列传》的内容

汉武帝时的汉匈大决战，几次大战役都投入了数十万的兵力，李广作为二千石级的将军，虽然独立作战，只是支军策应，由于带兵少，遇上匈奴主力因寡不敌众，总是遭到重创，甚至全军覆灭，乃至一次被俘逃脱，可以说李广一生悲剧，一生传奇，最后自杀也是惊天地，泣鬼神。司马迁与李广是同时代人，他目睹李将军其人风采，熟悉他的为人，采访的事迹一定不少。但作者没有记流水账，不是泛泛记述人物，只选取了若干典型事例，仅用3000多字的篇幅，就把李广一生活灵活现的精神风采和人格魅力再现了出来。

全文有五个段落。

第一段，用简要文字写李广的家世和他在青年时期仕文景时的际遇与战功。可以说李广出场就与众不同。李广出身于盛产将军的关西，是陇西成纪人。秦汉时有“山东出相，山西出将”的民谚。因春秋战国至秦汉之际，今陕甘一带地区是汉族与胡人争战之地，生活在那里的人们对打仗是十分熟悉的，男女都能走马射箭。而李广又身为世代将门之后，其先人就是秦朝著名大将李信，受着“世世受射”的家庭熏陶，更具有当军事指挥员的优越条件。因此从军之初，便很快显露出他的才干。李广侍卫皇帝，他“冲陷折关”，搏斗猛兽；李广与吴楚军作战，“取旗，显功名昌邑下”。李广担任的职务随着战功也迅速提升，从中郎到武骑常侍，从骁骑都尉到边郡太守。论年龄，当时不过30多岁，而李广已经以勇猛善战著称于世了。难怪汉文帝对他说：“惜乎，子不遇时！如令子当高帝时，万户侯何足道哉!”李广生不逢时吗？历史的答案是否定的。在文景时，李广就在平叛吴楚之战以及在边郡与匈奴的战斗中崭露头角，可是未得封侯，在武帝时赶上大规模反击匈奴的战争，而阴差阳错，仍未封侯。司马迁引用汉文帝的话来对李广的杰出才干作了高度评价，也是后来李广没有得到公平待遇的反证。司马迁在传记一开头就引用了汉文帝对李广的评语，其用意深刻，并透出一种悲凉气氛。

第二段，写李广与匈奴作战的事迹，以及突显李广善射特长的遗事射虎没矢等内容，展示了李广胆略超群，治军简易，很受官兵爱戴的名将风度。同时也写了李广心胸狭隘，枉杀霸陵尉的故事。本段内容是全传的精髓，而对敢打硬仗的作风的描写是重中之重。作者用精细的笔触，绘声绘色地写下了三个完整、生动的战斗故事。

第一个是追捕射雕人，突然遇敌，在众寡悬殊的情况下，他从容自若，指挥战士佯装“诱骑”，使对方上当受骗，终于化险为夷，最后脱险而归。

第二个是受伤被俘，在押送途中，他乘敌不备，飞身夺马，且战且逃，最后脱险而归。

第三个是被十倍于己的左贤王军队包围，他率领全军将士浴血奋战，即使伤亡过半，仍鼓舞士气，沉着应敌。一直战斗到援军赶来，迫使敌人解围而去。

三个故事表现了李广作为指挥员的三个侧面：第一个表现他临危不惧，沉着机智；第二个表现他善抓时机，勇脱困境；第三个表现他身先士卒，顽强坚定。看过这三个故事，读者没有不为李广超人的胆略和勇猛善战的精神所感动的。

李广在战场上对敌人猛打猛冲，冷酷无情；平时和战士相处又是那样平易近人，对士卒关怀备至。他得到皇帝的赏赐，从不独占，总是献出分给部下。队伍饮食供应不足，一向是“士不尽饮，广不近水；士不尽食，广不尝食”。他的生活十分简朴，为二千石 40 余年，而“家无余财”，看来他也从不把治家产的事放在心上，“终不言家产事”。

在治军方面，他也有独特的风格。行军没有严格的编制和行阵，幕府中的文书簿籍事务一律“省约”，甚至夜间连刁斗都“不击”。是不是李广太随便、太麻痹大意了呢？不是这样。他只是不讲究烦琐的形式，而在关键的地方他是丝毫也不放松的。作者明明白白地告诉我们“然亦远斥候”，这句话很有分量，尤其是那个“远”字，对表现李广治军粗中有细的特点，颇有画龙点睛的作用。

第三段，写李广一生血战不得封侯的苦闷，晚年出征，遭受排斥，含恨自刎的悲剧。李广青年从军，为二千石 40 余年，却始终未能封侯，相反“为人在下中，名声出广下甚远”的李蔡，不但封侯，还做了丞相，位至三公，甚至连“才能不及中人”的李广部下，封侯者也多达以十计，这是什么缘故呢？李广心情十分苦闷，找望气者王朔解答。望气者王朔是专以观测星象云气预卜吉凶的，这种人算命的诀窍就是先引诱人说出自己一生中最内疚的事，然后接过话题作为占卜的依据，以便自圆其说。所以当李广说出“杀已降”的事件之后，他便煞有介事地告诉李广“祸莫大于杀已降，此乃将军所以不得侯者也”。倘若李广说出别的内疚的事，他也会接过来说，“啊！祸莫大于如此如此”的。这等人，说话总是左右逢源，不足为训。那么李广何以难封，本文留待后面探讨，这里打住。

第四段，写李广门第的衰落，加重了悲剧气氛。传末写李陵降匈奴事，因与李广个人事迹较远，这里亦不作对李陵的评论。

第五段，作者评论。称赞李广是活在人们心中的英雄。

2. 李广难封的原因

李广未能封侯，当时军民为之抱不平，故李广死时，一军皆哭，天下知与不知的平民百姓也为之动容。历代以来，人们也为李广鸣不平，以至“李广难封”成为一个讨论的课题，至今还争论不已。有人说，李广难封，因其祖上李信是秦朝大将，汉朝承秦，对秦人遗民子孙有歧视。这种观点毫无根据，把现代的阶级观念搬到了古代，不符历史，姑置不论。有人说，李广不善言辞，不会公关，不拍马屁。也有人赞同作者提示的观点，李广数奇，即命运不好。李广数奇，是一般世俗之见，是当时人的历史局限，也是给予李广不平待遇的汉武帝、卫青等人的观点，而且还是李广本人无可奈何而叹息的观点。这一观点，今天当然更不能立脚。李广难封，有主客观的原因。客观原因是当时人们观念凝固，立法不健全，主观原因，李广受到不公平的待遇。

秦汉时奖励战功，以斩敌首级来论功，杀敌首级，爵位升等，所以封爵为级。卫青、霍去病，他们打了大胜仗，且不用说，而跟随卫霍主力作战的那些偏将军，才能不及中人，在李广之下的人，乃至李广部属因调离李广后不久也得了封侯，因为他们都立了战功，杀敌若干，俘获若干，自己未败。李广呢？却总是与敌死战硬拼，杀得匈奴人胆寒，畏李将军如虎，李广杀敌不少，可是却没有战功。原因是，李广为支军诱敌，总是以少击众，例如元狩二年，李广出右北平，以四千骑之众迎战匈奴左贤王四万骑，虽然血战杀敌，而自己也差点全军覆没，于是功过相抵，无赏。这种封赏的法律本身是不公平的。李广打的是阻击战、攻坚战，策应主力，本军作出重大牺牲是对全局付出的代价，应为首功。现代战争，被受命打阻击战的作战部队差不多也要全军覆没，可是他们是当之无愧的英雄。特别是李广死心眼打仗，吃亏不小。元光六年（前129），卫青、公孙贺、公孙敖、李广等四将军，各率万骑分路出击匈奴。李广等三路掩护卫青主力深入匈奴龙城，卫青如入无人之境，长驱直入龙城，立了战功，而李广出雁门恰遇匈奴主力，血战而全军覆没，自身被匈奴生俘，半道拼死逃脱回来，不但无功，按汉律还有死罪，由于李广勇猛杀敌，允许用钱赎罪，免官为平民。司马迁为之愤愤不平，字里行间批评李广为什么这样死心眼打仗？司马迁是以贬为褒，就像写《屈原列传》，埋怨屈原为什么不离开楚国到别的国家去谋发展，可是读了《离骚》后深受屈原爱国的精神感动，认为自己的想法是错的，不觉出了一身冷汗。司马迁埋怨李广死心眼打仗，很可能也出了一身冷汗，所以才倾其全力用心用血写出《李将军列传》，表彰李广的爱国主义情怀，作者的命意就在此。千百年来，世世代代人产生对李广的同情、怀念，李广难封而身后却活在人们的心中，李广及其作者司马迁可以欣然长眠于地下了。

李广难封的主观原因当然是受到统治集团的不公平待遇。

李广最后一次出征，正是汉朝大规模反击匈奴的漠北战役。汉朝投入骑兵十万，步兵（包括辎重部队）数十万，卫青、霍去病各率一军，兵分两路，双管齐下，这对李广来说是最难得的杀敌立功的好机会。他不顾年迈，“数自请行”。作为汉武帝本应该给他创造条件，发挥这位老将的作用，特别是发挥他百发百中的射技。不料，汉武帝表现却很冷淡，“弗许”。经过再三请求，“良久乃许之”，以李广为前将军。前将军本应为先锋，正面当敌，李广的愿望眼看就要实现，不料，出军之时别生枝节。原来卫青是个外戚将军，他为郎时，其友公孙敖救过他的命。这次出征，卫青早有计算，他要公孙敖为先锋立功封侯，于是从中作梗，利用汉武帝迷信心理进行活动。果然汉武帝嘱咐卫青“李广老，数奇，毋令当单于，恐不得所欲”。这样，卫青有恃无恐，强令李广改出东路。东路迂远，又失向导。结果，李广非但不能杀敌立功，亲捉单于，而且还贻误了军机，按军法当受审。他毅然“引刀自刭”，酿成了一出千古悲剧。

李广死后，李氏的不幸并未结束。作者在第四段落又告诉我们，李广的儿子李敢因替父报仇击伤了大将军卫青，结果又被霍去病趁打猎的机会用暗箭“射杀”。当时霍去病正威名显赫，汉武帝为了袒护他这个姨侄，竟声称“鹿触杀之”，一桩人命相关的事，就这样不了了之。

李广的一生大部分时间都是在战场上度过的，他为保卫汉朝边境的安全立下了汗马功劳，但最后并没有死在战场上，反而死在自己的刀剑之下，这个历史悲剧是很能发人深思的。它告诉我们，封建社会统治阶级对人才的培养选拔除了要符合本阶级利益的需要外，还有一层亲疏关系，恩怨关系，以及个人偏爱或成见等等人为的罗网在笼罩着它。即使像雄才大略的汉武帝和功劳显赫的卫青、霍去病也不例外。何况李广又是个“讷口少言”、“自负其能”的人，遇到不顺心的时候还敢和顶头上司发脾气，不辞而别，这样一个有“个性”的人才，要想取得统治者的重用显然是很困难的。

一生血战的李广虽得不到统治者的喜欢，在人民群众中却享有崇高的威望。他死以后，“广军士大夫一军皆哭”，“天下知与不知，皆为尽哀”，可以肯定在这个悼念的行列里一定也有司马迁一个。作者是怀着深深的敬意与同情来追述李广的故事的。在第五段赞语中作者引用了一句古语和一则谚语，高度赞扬李广那种以身作则的精神和朴素无华的美德，说明他和李广在感情上已经产生了巨大的共鸣，爱其所爱，憎其所憎，这篇传记之所以具有感人至深的力量，根本原因也就在这里。

3.《李将军列传》的艺术特色

本传作为千百年来传颂的名篇，不但内容丰富，思想厚重，而且艺术绝伦。举其大端有以下几个特点。

其一，司马迁塑造典型人物，善于立一主题编织故事，人物情节故事化，本传也是一个典型。从故事性来看，《李将军列传》重点记述李广追杀匈奴射雕者、佯死脱险、斩霸陵尉、右北平射虎没矢、破左贤王之围、不对簿自刎等一系列故事，用以展现李广一生“数奇”怀才不遇的悲剧故事，故事突出，所以读来兴味无穷，氛围悲壮，发人深思。从主题看，明人陈仁锡说：“子长作一传，必有一主宰，如《李广传》以‘不遇时’三字为主。”[1]李广一生屡立奇功而受到不公平待遇，这是一个突出的矛盾。全篇故事围绕这一主题矛盾来组织和展开，因此寓意深刻，非大手笔不能为此。

其二，把握人物特征，突显李广“善射”与“忠实宽厚”，写出个性。先说“善射”。凡名将各有特长，李广“善射”，乃他家“世世受射”祖传，在李广身上发扬光大达于顶点。李广“与人居则画地为军阵，射阔狭以饮，专以射为戏，竟死”。这里的“竟死”，指李广一辈子，终其身以善射为乐。匈奴是引弓之民，为汉边患，李广以“善射”对匈奴，征服射雕者，其武艺精彩绝伦，乃至于射虎、射石没矢。艺高人胆大，如比“善射”，敢与引弓之民匈奴比高低，所以李广敢打近仗、硬仗。李广凭“善射”判断敌情，伤中贵人者乃匈奴射雕者。李广还凭“善射”脱险，凭“善射”在打遭遇战中稳住阵脚，阻敌前进。射石没矢，则是“善射”的传奇。李广有如此绝世之才艺，运用于生逢其时的抗匈战争中，而以悲剧结局，更加耐人寻味。因此司马迁写李

① 《陈评史记》卷一〇九。

广“善射”，不是孤立地写才艺，而是写人的际遇与命运，韵调高昂，不同凡响。

其三，把握人物性格特征，展示人格魅力。李广“忠实宽厚”也是古代名将中最突出的。李广外貌“悛悛如鄙人”，长得像一个庄稼汉。李广不善言辞，司马迁说他“口不能道辞”，一句假话都不会说，一点装假也装不出，可以说貌如其心。李广作风宽缓不苛，让士卒人人自便，尊重人格，又廉洁奉公，把赏赐都分给了部下。李广行动上热爱士兵，“乏绝之处，见水，士卒不尽饮，广不近水；士卒不尽食，广不尝食”。李广做到了“其身正，不令而行”的圣人之教。司马迁许之以“忠实心”，说李广“忠实心诚信于士大夫”。这些是李广的人格美、心灵美，赢得了全军的拥护。李广死心眼打仗，与他的人格一致。

其四，善用对比手法。在《李将军列传》中，司马迁将李广的“善射”与匈奴射雕者对比；将李广的治军与程不识对比；将业绩与李蔡对比，突出了李广的才艺、品格与际遇。用《史记》的互见法展开来看，《李将军列传》与《卫青霍去病列传》对比，显现李广死心眼打仗的艰苦卓绝，虽受不平待遇而爱国精神不减，这正是中华民族的可贵的民族精神，牺牲小我，一切为国为家。《李将军列传》与《韩安国列传》对比，韩安国是忠厚长者，善待侮辱过他的人，而李广却杀了霸陵尉，这是对李广心胸狭隘的批评，也恰与一个粗犷猛将的生性合拍。

其五，语言朴素精炼，生动传神。作者往往用三言两语就能把人物栩栩如生地刻画出来。例如李广夜行霸陵，三人情态就跃然纸上。三人：李广、随从、霸陵尉。三人对话场面非常精彩。霸陵尉喝醉了酒，一开口便“呵止广”。听了随从的介绍，他非但不收敛，反而借酒意挖苦人——“今将军尚不得夜行，何乃故也”，地地道道是一副酒醉失态的下级军官的模样。李广的随从话语不多，只有一句“故李将军”，但说得不卑不亢，十分得体。试想，在这种场合还能让李广出面介绍说“我是从前的李将军”吗？显然不能；再加上霸陵尉是乘酒兴执法，争吵不得，所以四个字看来简单，其实不多不少，正切合人物身份。那么此时此刻站在旁边的李广心情如何，不言而喻，肯定是感到蒙受了莫大的侮辱，他难受，他气愤，恨不得猛击对方一拳，方能吐出这口窝囊气。但他终究还是把怒火强压下来。他心里明白，自己毕竟是“故李将军”啊。

短短三十几个字，刻画了三个人物的形象。霸陵尉与随从当面对话，是明写；李广默不作声，是暗写。明写者，形象鲜明，惟妙惟肖；暗写者，虽不著一字，但读者根据作者叙述的矛盾冲突，完全可以想象得出他的心理、神态面貌的变化，多么精彩，多么耐人寻味！

第八讲　秦汉之际天下三嬗

——司马迁笔下的陈胜、项羽、刘邦

古代民谚："时势造英雄。"西方哲学家爱尔维修曾经说："每一个社会时代都需要有自己的伟大人物，如果没有这样的人物，它就要创造出这样的人物来。"[①] 秦汉之际的社会剧变，产生了改朝换代的三个伟大历史人物，陈胜、项羽、刘邦。如果没有司马迁之笔的记载，三个伟人中，可能有两位要被历史的长河吞没，留下的只有一个刘邦。司马迁的笔触，写下陈胜发难，项羽灭秦，刘邦诛暴，这是一种独特的历史视角，表现了司马迁的睿智，带给我们三个历史伟人，供我们评说思考。

一、陈胜发难

发难，也称首倡，特指高举义旗带领受苦难的大众向施暴者发起进攻的第一个带头人。这里讲的是中国历史上第一个农民起义领袖，秦朝末年的陈胜。陈胜（？—前 208），字涉，阳城（今

① 转引自《马克思恩格斯选集》，人民出版社 1972 年版，第 450 页。

河南登封东南）人。出身雇农，少怀壮志，常有鸿鹄之思。秦末赋役繁重，刑政苛暴。秦二世元年（前 209）七月，陈胜与戍卒 900 人，被官府强征去戍渔阳（郡名，治所在今北京密云西南）。陈胜与好友吴广两人为屯长。当他们行驻在大泽乡（在今安徽宿县东南刘村集）时，赶上连天滂沱大雨，计算行程，不能按期赶到渔阳。按照秦法，误了日期，按军法应判处斩刑。在死亡面前，陈胜与吴广，当机立断，揭竿起义。起义军旬日之间，连克数县，队伍发展到数万人。陈胜在陈郡治所陈县（今河南淮阳）建立张楚政权，被推为王。陈王随即调兵遣将，四出攻秦。将军召平、葛婴向东南吴、楚进兵。武臣、周市北上攻略赵、魏。假王吴广率主力围攻秦军事重镇三川郡（郡名，治所在今洛阳）。将军周文与宋留分路直指秦都咸阳。周文军正面攻函谷关，宋留南出宛（今河南南阳），取道武关入咸阳，周文军发展迅速，叩关入秦，有车千辆，步卒数十万。周文驻军在关中戏亭（在今陕西临潼东）待援，被秦将章邯所败。章邯出关，再败周文，破吴广军，围攻陈县张楚政权。陈王军败退至下城父（地名，在今安徽涡阳东南），被叛徒陈王车夫庄贾杀害。

陈胜称王只有 6 个月就失败了。但他发动的反秦起义如火如荼地蔓延开来，大江南北，黄河上下，几千人、几万人的起义军，不可胜数。秦王朝，已陷入四面楚歌之中。两年后，秦王朝在项羽、刘邦等多支起义军的攻击下灭亡了。项羽、刘邦是在陈胜发难后响应起义的，而刘邦曾归附项梁；项梁起兵曾接受陈胜部将召平假传的陈王之命拜项梁为楚上柱国。后来项羽破秦军主力于河北巨鹿，刘邦受降秦王子婴于咸阳。项羽、刘邦完成了灭秦大业，不仅是陈涉发难，开辟了道路，而且他们就是受陈王之命，竟其遗志，所以司马迁为陈涉立世家，与孔子世家为邻，并把刘项的灭秦之功，归许于陈胜发难。司马迁评论说："陈胜虽已死，其所置遣侯王将相竟亡秦，由涉首事也。"[①] 刘邦称帝后，按诸侯王的规格为陈涉置守冢三十家。司马迁也按诸侯王的体例

① 《史记》卷四八《陈涉世家》。

在《史记》中立了“陈涉世家”，并把陈胜与项羽、刘邦相提并论，称赞他们是改朝换代的三大英雄。《秦楚之际月表》说：“太史公读秦楚之际，曰：‘初作难，发于陈涉；虐戾灭秦，自项氏；拨乱诛暴，平定海内，卒践帝祚，成于汉家。五年之间，号令三嬗，自生民以来，未始有受命若斯之亟也。’”司马迁在《太史公自序》中对陈胜首难作了更高的评价，把陈胜与三代圣王汤、武，以及圣人孔子并提。司马迁的评价对不对呢？这是我们所要研讨的主题所在。

在中国历史上，除司马迁外，没有第二个人对陈胜发难做如此高的评价。与司马迁同时代稍早的思想家贾谊在《过秦论》中，论秦之亡，归结为“仁政不施”，这当然是对的，但对于陈胜的发难未作高度评价。贾谊称：“陈涉，瓮牖绳枢之子，甿隶之人，而迁徙之徒，才能不及中人。”唐代史学评论家刘知几在《史通·世家》中批评司马迁为陈涉作《世家》。刘知几说：“陈胜起自群盗，称王六月而死，子孙不嗣，社稷靡闻，无世可传，无家可宅，而以世家为称，岂当然乎？”对比之下，司马迁的历史观点，难能可贵。

如何评价伟大的历史人物，归根结底是两个方面。第一，是功绩；第二，是创造功绩的个人超凡出众的某种品质。孔子论人，认为最高品质有三：智、仁、勇。陈胜、项羽两人皆有勇，刘邦有智、有仁，智、仁皆能胜勇，所以刘邦最终取胜。推翻暴秦，创造新世界，是盖世之功，陈胜、项羽、刘邦三人皆有份，所以三人并提。项羽善战，经常以少胜众，灭秦主力，皆项羽之功，项羽之勇，不言而喻。陈胜之勇，表现在首难，这不仅是勇，而且是大勇，这是司马迁独具的慧眼。如何看待陈胜的大勇呢？通过比较，不难得出。

陈胜首难，反抗暴虐专政的秦王朝，惊天地、泣鬼神。当时秦王朝是世界上的强国，积累了几百年兼并统一的战争经验，军事力量十分了得。秦始皇统一中国，建立了强大的中央集权政治，严刑酷法，摄人心魄。秦王朝销毁了天下的兵器，焚毁了诗书典籍。陈胜与900名戍卒，在秦王朝军官的监护下，手无寸铁，人心不协，神情沮丧，似乎只有等待死神。在这种背景下，陈胜与吴广敢为天下倡，死中求活，发动起义，这一大无畏的精神，可以说是空前绝后。与陈胜同时，有多少英雄豪杰，或隐姓埋名于民间，或聚众为盗横行山林草泽间，但他们不敢首倡发难。例如项梁、项羽叔侄，楚国名将之后，项羽更是盖世英雄，曾经发出了取秦始皇而代之的豪言，但这两位英雄却埋名在吴中，观望待时。反秦英雄黥布，曾被征发修骊山陵，他广纳豪杰，反出关中，为盗鄱阳湖上。汉初开国名将彭越，亦为盗巨野泽中。汉高祖刘邦窜伏芒、砀山中。反秦义士张良隐于下邳，曾组织大力士谋刺秦始皇。几多英雄，几多豪杰，敢于反抗秦朝，却不敢公开发难，相形之下，陈胜之勇，反暴意识之炽，首屈一指。

还有一例，衬托陈胜之勇，更为生动，公元前208年，当全国起义的大暴动形势已经明朗，项梁、项羽已率江东八千子弟北上山东之时，安徽东阳少年杀秦官吏，相聚数千人，公推典狱长陈婴为王。陈婴母对陈婴说："自我嫁归陈家，还没听说陈氏祖先有尊贵之人，现在你称王不是好兆头。我看还是依附能人，胜利了可以封侯，失败了也容易躲藏。"陈婴听了母亲的话，归附项梁。陈婴不敢称王，患得患失，何能发难。陈胜誓众，气贯长虹。陈胜与吴广谋划造反，相与议曰："今亡亦死，举大计亦死，等死，死国可乎？"陈胜誓众，豪言更为绝伦。陈胜说："公等遇雨，皆已失期，失期当斩。藉弟令毋斩，而戍死者固十六七。且壮士不死即已，死即举大名耳。王侯将相宁有种乎！"①

谚语曰："舍得一身剐，敢把皇帝拉下马。"陈胜以视死如归的精神，藐视王侯将相贵种，为解救苍生发难，这就是"死国可乎"。司马迁有言："人固有一死，或重于泰山，或轻于鸿毛。"一连串的"死"字从陈胜口中吐出，苍凉慷慨，昂扬振奋。陈胜不是白白去送死，恰恰相反，他要从"死"中求活，即使一死，也要悲壮，也要为国。所以司马迁在《太史公自序》中评价陈胜的死国精神，与汤、武和孔子并列。司马迁说："桀、纣失其道

① 《史记》卷四八《陈涉世家》。

而汤、武作，周失其道而《春秋》作。秦失其政，而陈涉发迹，诸侯作难，风起云蒸，卒亡秦族。天下之端，自涉发难，作《陈涉世家》第十八。”这段话有三层意义。第一，失道、失政的昏暴之主，如夏桀王、殷纣王、秦二世等，应该推翻，人民有革命的权利。第二，倡导革命的发难者，商汤王、周武王、陈胜，他们建立了大功勋，如同圣人孔子写《春秋》，应当名垂万世，人民不应当忘记。第三，说明为陈胜立“世家”的理由。司马迁对首难的发现，及其高度的评价，是不同凡响的历史观。

二、项羽灭秦

项羽名籍（前 233—前 202），字羽，秦下相县（在今江苏宿迁西南）人。项羽是秦汉之际时势造就的一位失败的英雄，用文学语言叫做“悲剧英雄”。西汉史学家司马迁在《史记》中特为项羽立本纪，精心撰写了一篇伟大的传记《项羽本纪》，被梁启超誉为《史记》十大名篇之一。司马迁集中笔墨刻画项羽的英雄形象，而于叙事之中揭示他失败的原因，真实地再现了项羽这一历史人物和秦汉之际的历史事势，具有很高的历史价值和文学价值。秦灭汉兴，刘邦攻下秦都咸阳，而灭亡暴秦的真正英雄是项羽，这是《项羽本纪》的历史价值；司马迁聚精会神用笔于巨鹿之战、鸿门宴、垓下突围自刎于乌江三件大事，生动地塑造了一个叱咤风云的悲剧英雄形象，这是《项羽本纪》的文学价值。

本讲对项羽不作全面的论评，只着重讨论两个问题。第一，秦末是刘邦攻下咸阳，为什么说是项羽灭秦？第二，项羽何以成为悲剧英雄，他失败的原因是什么？本节先说第一个问题。

公元前 209 年七月，陈胜、吴广揭竿而起，向暴秦发难，天下云集响应。九月，项梁和项羽也在吴中起事，杀了会稽太守殷通。项梁自为会稽郡守和将军，任用项羽为裨将（副将），分派“吴中豪杰”为军吏，分头攻下会稽各县，整编队伍，有精兵 8000 人。

这年十二月，陈胜王兵败战死。广陵人召平领兵在广陵（今江苏扬州东北）作战，他急中生智，打着陈胜王的名义，拜项梁为楚国的上柱国（官名，相当于太尉）催促项梁率兵北上，西击秦军。项梁安定了江东，也借机名正言顺率军渡江北上。项羽为先锋。这时大江南北，黄河内外，到处是起义军。因此北上的项梁军，沿途没有遇上秦军的抵抗，吸引了多支起义队伍的归附。项梁进军到彭城，打败了不听陈王号令的秦嘉，队伍发展到十余万人。项梁听从居鄛人范增的建议，立了战国时楚怀王之孙熊心为楚王，仍号称为楚怀王。这时，沛公刘邦也率军来归附。项梁十分欣赏刘邦，他命项羽与刘邦结拜为兄弟，两人并肩作战，突进中原。项梁自号武信君，率领楚军主力在山东境内与秦将章邯作战。公元前208年六月项梁立了楚怀王，八月进兵东阿，大败章邯军，项梁于是骄傲轻敌，九月在定陶反被章邯打败，项梁战死。章邯转战河北，围攻赵国。秦朝防御北方匈奴的边防军也南下与章邯会师，大有一举攻破赵国，歼灭各支起义军的架势。河南各支起义军北上救赵，也集中兵力在河北。秦军主力与诸侯起义军会战河北，秦军强大，形势危急。在这转折关头，楚怀王熊心，收缩兵力，召回项羽、刘邦，从盱眙进军彭城，重新部署反秦战略。决定楚军分兵两路，主力北上，以宋义为将军，项羽为裨将，范增为末将，黥布、蒲将军皆受宋义节制。另一路沛公刘邦率领本部由河南西进，从武关迂回攻击秦都咸阳。楚怀王与诸将约："谁先入关，谁做关中王。"很明显，楚怀王让刘邦西进做关中王，并借项梁之死削弱项羽势力，把西路军主将项羽降为北路军副将，而刘邦从西路军副将升为了主将，地位在项羽之上。项羽当然不服，从此与楚怀王有了矛盾。

公元前207年十月，宋义率领楚军北上，他畏惧秦军，不敢渡河，把军队屯驻在安阳（今山东曹县东），滞留46日不进。当时"天寒大雨，士卒冻饥"。项羽主张立即进军河北，既解赵国之围，又求食于河北，宋义不听，项羽诛杀了宋义，夺取了兵权。项羽有了军权，声威显赫。他大义凛然地向全军宣称："宋义与齐国密谋造反，不北上救赵，我奉楚怀王的手令诛杀了他。

现在立即渡河救赵，到那里去吃饱饭。”全军欢呼，众将军说："项家将军原本就是我们的首领，楚怀王也是项家将军拥立的。现在项家将军杀了叛将，完全应该。”于是众将拥举项羽为主帅，大军立即前进救赵。

项羽挥师渡河，前进到了漳河南岸，与围困赵国的秦军隔岸对峙。这时秦军气盛，兵精粮足。包围巨鹿城的是秦将王离率领的驻守长城的精锐秦军，有20余万。章邯所部亦20余万，保护粮道，为王离军的后援。在战场上的秦军有50余万。诸侯救赵的各路大军，在巨鹿外围扎下十几座营盘，每支军也有数万人，包括项羽楚军，共有40余万。但诸侯之军互不统属，都不敢单独与秦军作战，大家都作壁上观，秦军不侵犯诸侯之军，只集中全力攻打巨鹿城。秦军的战略是，只要攻下巨鹿，各支诸侯军将不攻自破。巨鹿告急，赵国守将张耳派人出城督促城外赵军作战。城外赵军为陈馀率领，有数万之众。陈馀认为，赵军独进，好比以肉投饿虎，必将覆没。他分拨5000人试攻，一接触秦军，立刻被吞没。在这千钧一发之际，项羽没有被秦军的声威势大所吓倒。他首先派出勇将黥布率领两万人渡过漳河，占领滩头阵地。接着项羽亲率十几万楚军全军渡河，背水为战。项羽下令凿破渡船，打碎炊具，烧掉营落，每个战士只带三天干粮，表示了勇往直前、义无反顾的决心。这就是千古流传的破釜沉舟的故事。这一仗恰似后来韩信破赵的井陉之战，背水为阵，把全军置之死地而后生。十几万楚军，同仇敌忾，要杀出一条求生的血路，只有打败秦军，才能死中求活。因此，楚军斗志高昂，战士无不以一当十，奋勇杀敌，喊声震天动地。项羽在渡河的当天就发起了九次攻击，九战九胜。项羽直接打击的是攻城的王离军，留下章邯不打，也是各个击破秦军。结果楚军大胜，精锐的秦朝长城军急剧瓦解。项羽俘虏了秦军主帅王离，杀死了秦军副将苏角，秦军另一副将涉间自杀。最后，只有章邯军实力尚存，他顽固地与项羽相持半年多。最后秦朝大势已去，章邯独木难支，才率领残兵20余万，向项羽投降。

巨鹿之战，项羽全歼秦军主力，决定了秦朝覆亡的命运，有力地支援了刘邦向关中进军。公元前207年十月，刘邦早项羽两个月进入关中，秦王子婴向刘邦投降。刘邦封藏了府库，除秦苛法，与关中民约法三章，维护社会秩序，并展开政治宣传，大肆宣扬怀王之约，谁先入关，谁做秦王。于是"秦人大喜"，"唯恐沛公不为秦王"①。刘邦拒绝项羽入关，派兵把函谷关把守起来。

刘邦攻下秦都咸阳，后来又建立了汉朝，按通常道理应是刘邦灭秦，西汉时人，无论皇室贵族、官僚士大夫和普通民众，都是这样认识的。但是司马迁不认为是刘邦灭秦，而把灭秦之功归于项羽，因为是项羽消灭了秦军主力。秦将章邯灭陈胜王，灭项梁，扫荡了河南的起义军主力，认为楚地不足忧，又集中了秦朝的边防军，如果攻破赵国，瓦解各支入援赵国的诸侯军，毫无疑义要延缓秦朝的寿命。章邯不灭，回救关中，刘邦进不了武关，也就攻不下咸阳。国家的核心力量是掌控军队，项羽灭了秦军主力，也就实质上推翻了秦王朝。司马迁鲜明地提出项羽灭秦的观点，也是卓越的历史观。司马迁作为汉朝臣子，他肯定汉朝开国皇帝刘邦的对手，不仅要有大勇，而且还要有大智，因为"项羽灭秦"，是一个违反官方认识的敏感话题。司马迁运用互见法，巧妙而鲜明地表述了历史的真实。"项羽灭秦"的论述，既有明写，又有暗写。《陈杞世家》曰："伯翳之后，至周平王时封为秦，项羽灭之，有本纪言。"这是明写。《太史公自序》曰："秦失其道，豪杰并扰；项梁业之，子羽接之，杀庆救赵，诸侯立之。"这里所说"项梁业之"，指灭暴秦之业，项梁开其端，项羽接其力，灭秦的标志是项羽杀庆救赵，巨鹿之战，消灭秦军主力，诸侯拥立项羽为盟主。这是暗写项羽灭秦。《陈涉世家》记述了近二十支反秦义军，只字不提刘邦的沛公军。这是司马迁故作疏漏，目的就是不承认刘邦灭秦，而归功于项氏。《陈涉世家》说，陈王死后，"会项梁立怀王孙心为楚王"。又说："陈胜虽已死，其所遣侯王将相竟亡秦，由涉首事也。"这也是暗写项羽灭秦。司马迁运用春秋笔法，指出灭秦大业是陈涉发难，项羽灭

① 《史记》卷八《高祖本纪》。

秦。这一论断不仅是打破了传统思维，而且也是反潮流思维，不合时论。这是汉王朝的统治者所不能容忍的，所以司马迁用暗写。但是一味暗写又恐读者不明，所以又用互见法在《陈杞世家》中带出一句“项羽灭秦”的明写。司马迁表达“项羽灭秦”的观点是煞费苦心。

三、刘邦诛暴

汉高祖刘邦（前247—前195），字季，秦泗水郡沛县丰邑中阳里（今属江苏丰县）人。西汉王朝的建立者，公元前202—前195年在位。

青年时期的刘邦，出身农家而不喜欢种地务农，他好交朋友，讲义气，弄枪使棒，直到30多岁才做了一个小小的泗水亭长。秦代实行郡县制，郡下设县，县下设乡，乡下的基层叫里，十里一亭。亭长维护治安，逐捕盗贼，管理交通，接待过往官差。泗水亭是沛县城东的一个县郊亭，离县城很近。因此刘邦与县吏萧何、曹参、夏侯婴等有交往，与县令也能拉上关系。这些社会关系，不仅增长了刘邦的见识，这也是他在秦末乱世中起事的骨干力量。汉初布衣将相的格局，大多是刘邦在沛县的一群哥们。

刘邦作为亭长，曾押送徒役到咸阳服徭役，修骊山陵，看到过秦始皇出行的威仪，禁不住发出感叹：“嗟乎！大丈夫当如此也。”① 这说明了刘邦是一个不安分守己的人，在社会动乱中逐渐产生了野心。公元前209年，刘邦因是亭长，押送沛县役徒到关中修始皇陵，还没有走出沛县，有许多役徒已经逃亡，刘邦估计到不了关中，役徒就会逃光，干脆全部释放了役徒，自己逃亡到芒砀山中以观时变。刘邦爱说大话，凡事敢作敢为，这一性格促使他在一定条件下具有造反精神。

由于秦政暴虐，天下人民共苦患秦。当陈胜、吴广在大泽乡

① 《史记》卷八《高祖本纪》。

起义，如同一根火柴点燃了一堆干草，全国大起义风起云涌。这时刘邦已经拉起了几百人的队伍，回到沛县，在萧何、曹参、樊哙等人的支持下，攻下县城，杀了沛令，自己做了沛公。公，是楚人对令的尊称。刘邦做了沛公，也就是做了沛县县令。他招募沛县子弟为兵，得 2000 余人，接着又攻下了丰邑，就让同村与他同日生的雍齿驻守丰邑。这时陈胜已在陈郡称王，国号张楚，刘邦也拉起了张楚的旗号，拥护陈胜王。

没有多久，陈胜被秦将章邯攻杀。雍齿也反了沛公投奔魏王。沛公正在困危之时，项梁、项羽率军从江东渡过长江，进入山东，成了抗击秦军的主力。沛公带兵去投奔项梁，与项羽拜了把兄弟，此后就一同并肩作战。沛公与项梁等人共同拥立了楚怀王。反秦斗争进入了一个新阶段。

秦二世二年（前 208）八月，起义军再次遭到挫折，项梁战死，秦兵移师河北，河南防务空虚。楚怀王收缩兵力，重新部署攻秦战略，分兵两路击秦。诸将认为刘邦是个宽大长者，让他带兵从河南西进入关破秦。让宋义带领主力北上救赵，牵制秦军主力。楚怀王忌惮项羽，强令他为副将，听从宋义节制。楚怀王又与诸将相约："谁先入关，谁就做关中王。"

项羽世代为楚将，楚国被秦国所灭。他的叔父项梁又被秦将章邯杀害。国仇家恨，使得一个只有 24 岁起兵反秦的项羽，在血气方刚的驱动下表现得十分勇猛而又残暴。他兵锋所向，破敌屠城，杀戮无辜，受到诸将的忌惮和长者的不满。不过秦朝这个大敌当前，人们还能容忍。项羽的复仇怒火使他作战英勇，乐于与秦军主力搏斗。宋义观望不进，项羽杀了宋义，夺了兵权，在巨鹿城下大战秦军，一日九战，喊杀震天，楚军无不以一当十，一往无前。秦军主力被项羽打败，章邯率领残破秦军抗击项羽，坚持数月后投降，尚有 20 万众。项羽担心秦军入关后造反，就在行进到河南新安时把秦兵全部坑杀了。这一大血案，使项羽大失人心，尤其是关中人民，把他恨之入骨。

与项羽相反，刘邦进兵一路招抚。他趁项羽在河北与秦军主力决战的时机，乘虚直入，从武关迂回进入咸阳，秦王子婴投降，秦王朝就这样灭亡了。刘邦几乎没有打什么大仗。陈胜发难，项羽破秦主力，可以说都为刘邦的成功开辟了道路。刘邦入关后与秦民约法三章，即杀人偿命，伤人及盗抵罪。秦朝的苛法全部废除。刘邦派出使者四出告谕秦民，又说，楚怀王与诸侯约，先入关者当为关中王。秦民十分高兴，唯恐沛公不为关中王。这与项羽的暴虐形成了鲜明对比。

项羽入关，大封十八王，刘邦被封为汉中王。不久楚汉战争爆发，经过4年争战，汉胜楚败，刘邦即帝位，建立汉朝。在位期间，继承秦制，实行中央集权，先后消灭了韩信、彭越、英布等异姓诸侯王。大封同姓诸侯王以为屏藩。迁东方六国贵族后裔及豪强以实关中京师，便于加强控制。又推行重农抑商与黄老无为政治，与民休息，参照秦律制定了《汉律》九章。这些措施有利于政权巩固和恢复遭受战乱的残破经济，并使汉朝保有几百年的基业。

项羽暴虐，刘邦诛杀项羽而得天下，司马迁称之为“刘邦诛暴”。《太史公自序》说：“子羽暴虐，汉行功德，愤发蜀汉，还定三秦；诛籍业帝，天下惟宁，改制易俗。作《高祖本纪》第八。”项羽灭秦以暴易暴，刘邦的功绩就是诛灭项羽，平定暴乱，恢复了天下一统的秩序。秦汉之际的改朝换代，陈胜、项羽、刘邦，三人共建奇功。陈胜、项羽都成了悲剧英雄，刘邦是最后的胜利者，逐得秦鹿的最大赢家。

刘邦善于用人，这也是楚亡汉兴的一个重要原因。刘邦做了皇帝。群臣让他总结胜利的原因。刘邦在洛阳设宴庆功，他在庆功会上说：“在军营中定计决策，就可以在千里之外取胜，我比不上张良。镇守后方，安抚百姓，供应粮饷，使运输从不断绝，我比不上萧何。统率百万大军，决战必定胜利，攻城必定取得，我比不上韩信。这三个人，都是超凡的英雄豪杰，我能够任用他们，这就是我得天下的原因。项羽只有一个谋臣范增，但不能够始终任用，这就是他被我消灭的原因。”得人者昌，失人者亡，刘邦用他的亲身战斗经历生动地又一次说明了这个普通的真理。

当然，楚亡汉兴还有着多种的原因。项羽不学无术，项梁过早死亡，项羽年轻气盛，还缺乏担当天下重任的政治经验。项羽总结经验，往往走向反面。例如他残暴杀伐，本来是反秦暴政，而自己却以暴制暴，无法赢得人心。刘邦起兵，投靠项梁，与项羽结为兄弟，而第一个起来与项羽争天下的恰恰是刘邦，这使得项羽错误地总结了生活经验和政治经验，猜忌功臣，防范外姓，只听信项伯等亲人的话，他哪里知道，项伯脚踏两只船，恰恰是个内奸。统治集团上层出了内奸，军事行动的情报都暴露给敌人，这个仗怎么打？最大的失误还是项羽分封十八王。此着一输，全盘皆输。与项羽相反，刘邦的性格“仁而爱人”，他好说大话，给人希望，讲义气，交朋友，例如他先后与项羽，与项伯两人都约为兄弟，项羽、项伯却是叔侄。刘邦管不了这许多，他只是搞政治。在严酷斗争的环境里，刘邦的这种性格与拉人际关系的手腕很能得到群众拥护。由于刘邦人缘好，顺利地当上西征主将，使得他先入关，在政治上占了主动。刘邦起初也没有多大才能，秦朝统一中国时，他已30多岁，才做了一个亭长，还经常去酒店喝酒不付钱，这说明他没有突出的大志。但他跑了一次咸阳，看到秦始皇的排场就想当皇帝，说明他思想活跃，很能跟形势。他能博采众长，招揽人才，集思广益，在斗争中迅速地增长了才干。到鸿门宴时，他敢于身入虎穴，表现他的勇；他计划周密，把统战工作做到了项羽的心里去，让项伯做了汉军的内奸。本来范增要把刘邦封为巴蜀王，把他困在四塞之国的四川盆地。刘邦愤怒地要和项羽拼命。又是张良活动项伯说情，项羽改封刘邦为汉中王。结果项羽既身负失约之名，又实授关中之地。刘邦的确是知人善任，加上自己的进步，他成了杰出的政治家。就这样，一个泗水亭长成了叱咤风云的英雄，也创造出了布衣将相之局的汉家天下。

四、潮起潮落，悲剧英雄谢幕

公元前207年十二月，刘邦、项羽相会鸿门，项羽拥兵40万，刘邦有众10万。鸿门宴拉开了楚汉相争的序幕。四年后，到了公元前203年十二月，天寒地冻，范增的话果然应验了，项羽山穷水尽，被刘邦围困在垓下。这一回楚汉力量对比恰好颠倒过来，刘邦拥众四五十万，项羽只有10万。夜间，汉军四面大唱楚歌，迷惑项羽。项羽惊惶不解地说："难道汉军把楚地都占领了么？为何有这么多人唱楚歌?"项羽上演了霸王别姬，弃军突围。一个统帅，战败弃军逃生，罪不容诛。司马迁又以他独特的视角，不以成败论英雄，通过生离死别霸王别姬的场面描写，东城之战的不服输，乌江自刎的壮举，还赠马送人头，项羽悲剧英雄的高大形象傲然屹立。项羽的人格魅力就是绝不服输，他乌江自刎，向不平的天公发出抗议。他垓下突围本意是渡过乌江返回江东，重整旗鼓与刘邦较量，但他到了乌江边，眼看在身边的二十六骑都不能保护，东山再起的希望破灭，于是毅然改变主意，不渡乌江，以战死沙场来谢幕。因此，项羽的乌江自刎，不是怯懦者无可奈何的逃避，而是勇敢者的人生顿悟，是英雄伟人的自觉承担历史责任的壮举。项羽赠马亭长，又送人头给故人，以德报怨，这与刘邦背信弃义、忘恩负义形成鲜明对照。司马迁精彩淋漓地写项羽乌江自刎，悲壮谢幕，就是要留给人间一片正气。乌江自刎，是《项羽本纪》对项羽的重彩浓抹、精心刻画的艺术形象。一位顶天立地的英雄，屹立天地间，永久活在人们心中。乌江人民世代敬仰，在项羽自刎处立庙祭奠，至今巍峨壮观。

生当作人杰，死亦为鬼雄。
至今思项羽，不肯过江东。

这首《夏日绝句》是宋代女词人李清照怀着对项羽的崇敬心情留下的绝唱，它表述了千百年来人们对项羽英雄气概的肯定，这也正是《项羽本纪》所要阐扬的精神。

司马迁为何要把项羽塑造成悲剧英雄，《太史公自序》作了鲜明的揭示。司马迁说："秦失其道，豪杰并扰；项梁业之，子羽接之；杀庆救赵，诸侯立之；诛婴背怀，天下非之。作《项羽本纪》第七。"这段话，表现了司马迁的卓越史识，他把项羽的贡献放在秦末人民反暴秦的生死斗争转折关头来评价，充分肯定了项羽的历史地位，把项羽作为一个悲剧英雄来讴歌，实在难能可贵。可以说，若无司马迁之识，就无项羽的形象留在高文典册中了。

项羽兴灭，如潮起潮落，来势汹涌，退也匆匆。是非成败转头空，供千秋评说。项羽失败了，他是怎样失败的？《项羽本纪》深透地揭示了它的原因。主要有四个方面。

第一，兵法不精，以力斗智。项羽是楚国世代将家之后，将门虎子，天生会打仗。项羽的祖父项燕是楚国的名将。公元前224年曾大破秦将李信军20万。接着，秦将王翦率60万大军来灭楚，项燕寡不敌众，兵败自杀。第二年，秦灭楚，项羽仅10岁。秦始皇通缉项氏，项羽随叔父流落到吴中避难。国破家亡的悲痛，流亡生活的凄惨，在项羽幼小的心灵中埋下了仇恨暴秦的种子。为报国仇家恨，他立志学“万人敌”。项梁教他兵法，他很高兴。但是，项羽“略知其意，又不肯竟学”。项羽的这一粗犷的性格，使得他没能把兵法学到家。项羽打仗，长于治兵置阵，摧锋挫敌，而不足于权谋，疏于筹略，可以说这是他演成兵败自杀的原因之一。项羽天真地要与刘邦单打独斗来决胜负，刘邦说：“吾宁斗智，不能斗力。”项羽力能扛鼎，就自以为天下无敌，殊不知逞个人之能，只是匹夫之勇，用智是合众人之力，力不能胜智是明摆着的。

第二，用人唯亲，贤才遭忌。项羽猜忌功臣，最听信项伯等亲戚的话，把人才都赶到刘邦那里去了。能征善战的韩信，得不到项羽的重用，给刘邦当了大将；足智多谋的陈平，背叛项羽，给刘邦当谋臣；甚至替项羽打天下的先锋将淮南王黥布也让刘邦挖了墙脚；而项羽最信任的项伯却是一个内奸。项它、项声、曹咎、司马欣这些亲信将领一个个都是草包。项羽派出的外交人员也都是笨伯，出使汉军中的人中了刘邦的反间计，出使淮南的人帮助随何把黥布推向了刘邦。仲离昧坚守了广武阵地反而遭到了项羽的猜疑，仅有的一个谋臣范增而不能用。项羽如此草莽，焉能不败。

第三，残暴不仁，失去民心。项羽性情刚烈，直率粗暴，又由于国仇家恨的刺激演化成“悍猾贼”，残暴不仁。项羽只知杀戮、力战，不懂得争取民心，所过无不残灭。他攻襄城，久攻不下，已拔，尽坑之。他收降了秦卒 20 余万，也不知处置，尽坑之。在灭秦中的这种简单的复仇行为与人民反暴秦的朴素心理相合拍，所以还能得到诸侯将的拥护。可是项羽入关屠咸阳，杀秦降王子婴，入山东烧夷齐城郭，屠杀齐民，这是因迁怒刘邦、田荣而报复人民，这就是毫无道理，而是为渊驱鱼，为丛驱雀了。司马迁批评说，“汉行功德，子羽暴虐”，一点也不错。所以在楚汉战争中，项羽胜利越多，敌人越多，直到四面楚歌而后已。

第四，政治幼稚，封王失计。这是项羽失败最致命的根本原因。鸿门宴被刘邦花言巧语忽悠，项羽政治幼稚已见端倪。鸿门宴后项羽不欲刘邦为秦王，报请怀王，怀王不允，回答说“如约”，这使得项羽在政治上陷入了极端的被动，幼稚得可笑。怀王打压项羽，不让他西进击秦，降了他的主将地位，项羽不服，矫旨夺军，已经与怀王分道扬镳，还请示怀王干什么？项羽请示怀王等于是把共主地位拱手让给了怀王，已经是大为失计。请示未准，项羽就来一个大家都称王，项羽对诸侯们说：“天下初发难时，假立诸侯后以伐秦，然身披坚执锐首事，暴露于野三年，灭秦定天下者，皆将相诸君与籍之力也。义帝虽无功，故当分其地而王之。”项羽入关，有人劝他说：“关中阻山河四塞，地肥饶，可都以霸。”无论称帝或称王，占有关中就占有地利。项羽既然提出论功行赏，大家都称王，实际上把自己摆到了与诸侯同等的地位上，只是当霸主，当老大哥，彻底失去了称帝的机会，也没有理由占据刘邦打下的关中，只好东归彭城，迁怒怀王，把他逐走，又不惜用暗杀手段来泄愤，这更是错上加错，道德信义全都送给了刘邦。假如项羽在鸿门诛了刘邦，一脚踢开怀王，称帝关中，谁曰不然！项羽真的这样做了，与刘邦胜利后诛除功臣又有什么两样？有的论者认为项羽在鸿门放走刘邦是深明大义，他若杀了友军领袖，岂不要逼反诸侯将？这些论点看起来貌似有理，其实放在政治天平上，是经不起推敲的。项羽在军事上是一个巨人，在政治上恰是一个侏儒。阴谋手段并不是高明的政治斗争，当然不应赞许。但是，兵不厌诈，刘邦就是一个阴谋老手却胜利了。既然刘邦为友军，他却派兵守函谷，先失一着，而后自来谢罪，项羽斩之名正言顺，何阴谋之有？看看后世，林冲火并王伦带来了梁山泊的兴旺；李自成谋杀罗汝才并不妨碍他入主北京，这些历史事实是很能说明问题的。

项羽分封是最大的失计，第九讲研讨楚汉相争时再作进一步分析，兹从略。

上述项羽失败的四大原因，司马迁在《项羽本纪》的论赞中作了鲜明的提示，归纳为五个原因：第一，分裂天下，引起争斗；第二，背关怀楚，失去地利；第三，放逐义帝，诸侯叛乱；第四，自矜功伐，不行仁政；第五，专恃武功，失去民心。司马迁的批评，无疑是切合实际的。本讲的分析，若加上失去关中地利，也是五个原因，与司马迁归纳的阐释，精神是一致的。

五、结束语

秦汉之际，时势造就了一大批创业的英雄，陈胜、项羽、刘邦，三嬗天下，是最大的英雄。陈胜大勇，以死国精神为天下倡，既超凡于当时群英之上，又为后世反暴政的英杰树立了楷模。项羽灭秦，叱咤风云，英雄末路，仍不服输，自刎谢幕，无颜过江东，以死承担责任，令人叹惋。刘邦称帝，他的功绩，不只是诛暴。建立大汉，继承秦制而革其弊政，轻徭薄赋，与民休息，成为一个与时俱进而驾驭了时代的明君。这也是刘邦对历史的贡献。励精图治，许多明君都可以做到，后继者汉文帝在许多方面做得更好。但刘邦从一个平庸的布衣而成为大圣皇帝，彻底结束了上古几千年的世卿世禄制度，开布衣将相之局，它对历史的影响，可以说是独一无二的。

第九讲　长风呼啸　马蹄声碎

——司马迁笔下的楚汉相争

秦朝灭亡后，刘邦与项羽两人争夺天下，司马迁称之为平乱诛暴的统一战争，史称楚汉相争。楚强汉弱，项羽凭的是力，善于征战，刘邦凭的是智，用谋略取胜。司马迁是怎样写楚汉相争的，本讲集中评析刘邦的谋略规划与项羽力争的较量，分为六个节目来谈。

一、鸿门斗智，胜负已兆

公元前 207 年十月，刘邦入关破秦，还军霸上，有众 10 万。刘邦欲为关中王，把守函谷关，阻击东方诸侯。十二月，项羽攻破函谷关，驻军鸿门，大军 40 万，与刘邦相距 40 里。项羽谋臣范增向项羽进言说："沛公居山东时，贪于财货，好美姬。今入关，财物无所取，妇女无所幸，此其志不在小，吾令人望其气，皆为龙虎，成五采，此天子气也。急击勿失。"① 于是项羽下令，

① 《史记》卷七《项羽本纪》。下引《项羽本纪》转成白话译文，不再注。

全军戒备，连夜造饭，立即进攻刘邦军。刘邦军 10 万，没有打过大仗；项羽军 40 万，从血战中滚过来，两军决战，刘邦将会全军覆没。

刘邦探知消息，连忙与谋士张良商议对策。张良与项羽叔父项伯是老朋友，张良救过项伯的命。项伯夜访张良，泄露军机，劝张良逃去。张良却趁机邀项伯见刘邦，促成两人结为兄弟和儿女亲家。就这样，项伯成了刘邦的耳目和楚军内奸。项伯要刘邦赶早到项羽军中谢罪，然后告辞连夜赶回，花言巧语劝项羽设宴款待刘邦。项伯对项羽说："若不是沛公打下关中，大王怎能不费力气就入关呢？现在人家立了大功，你还要去攻打他，这是不义的。明早刘邦来拜会大王，不如借机设宴款待，两家和好如初。"项羽答应了。

第二天清早，刘邦果然来到鸿门向项羽赔罪，项羽设宴招待，这就是历史上有名的鸿门宴。刘邦在宴会席上十分谦虚，坐在下首，情意恳切地对项羽说："臣和将军同心协力灭了秦朝，将军在河北作战，臣在河南作战。没料到先进了关中，今天能在这里见到将军，实在是万幸。不知是哪个小人播弄是非，挑动将军与臣不和。臣派兵守函谷关，是防止别人入关，恰恰是迎接将军。"刘邦谦恭地自称臣，表示臣服项羽。这一招很凑效。心直口快、性情爽朗的项羽，被刘邦一顿迷魂汤，灌得心花怒放。他对刘邦说："你的左司马曹无伤派人来报告，说你要做关中王。不然，我哪能进攻你呢。"范增见项羽没有杀掉刘邦的意思，就把项庄叫来，让他舞剑。项庄知道范增让他舞剑的用意，于是一边舞剑，一边杀气腾腾地靠近了刘邦。项伯起身拔剑与项庄对舞，用身子保护刘邦。张良见情势危急，连忙去叫刘邦的侍卫官樊哙救驾。樊哙是一员猛将，他全身披挂，直闯军营，打倒守门的卫士，来到宴席边，瞪圆一双虎眼，愤怒地数落项羽说："楚怀王和诸将约定，先入关者为秦王，可是，沛公进关却秋毫无犯，等待大王来安排，想不到你竟听信小人的话，要杀害劳苦功高的人。你这样做和残暴的秦朝有什么两样！"项羽不知道樊哙这一席话是预先安排好的，一时对答不上来，沉默了一会，觉得理亏，顺口夸赞樊哙："好一个壮士，你请坐吧!"紧张的气氛缓和下来。老谋深算的刘邦，趁这机会，推说上厕所，招呼樊哙溜出军营，一溜烟逃回自己军营中。刘邦利用项羽年轻，缺乏政治斗争经验，又仗恃项伯内应，所以亲入虎穴，打探虚实，不仅化险为夷，而且弄清了内奸。他回到军营立刻杀了曹无伤。

鸿门宴拉开了楚汉相争的序幕，强势的项羽却败下阵来。刘邦赴会鸿门宴，虎口脱身，有惊无险。刘邦避免了在不利形势下与项羽决战，保存了实力。刘邦走后，范增十分遗憾而又颓伤地说："今天放走了刘邦，日后我们都要成为他的俘虏。"

二、项羽分封，虎落泥潭

鸿门宴后，项羽进兵咸阳。他杀了秦降王子婴，火烧秦宫室，大火三月不绝。有人劝项羽建都咸阳称帝，项羽却说："富贵不还乡，好比夜里穿绣花衣，没人知晓。"项羽放弃了称帝的机会，自称西楚霸王，而大封十八诸侯王。项羽认为分王诸侯，从此高枕无忧。殊不知封王诸侯犯了极大的错误，因为这是一着昏棋，彻底走错。失误有三：其一，项羽把亲信将领封王善地，以为这样就可控制局面，殊不知诸将得地称王，就不听他的号令了，黥布封九江王以后不听调遣就是一个典型例证。其二，封刘邦为汉王，放虎归山。范增策划封刘邦为巴蜀王，困死西垂，这是一着妙棋。刘邦要与项羽拼命，又是张良运动项伯说情，改封刘邦为汉中王。项羽这一改动，既负背约之名，而又实授关中之地，为一大失策。项羽把三个秦降将章邯、董翳、司马欣封为三秦王来拒塞刘邦，实际上等于拱手将关中送与刘邦。一是关中三分而势弱；二是因项羽在新安坑杀了秦降卒 20 余万，关中秦民恨透了三秦王，刘邦还定三秦，缺失民心拥护的三秦王无力抗拒，很快败亡。其三，项羽封王不公，主观武断，未能处置好一些拥有实力的军事集团。山东田荣、河南彭越、河北陈馀皆被排斥在封王之外。由于田荣没有出兵援救项梁的定陶之战，导致项梁战死，项羽怀恨田荣，就用大封三齐王的办法来分裂齐国，架空田荣，当然这是行不通的。陈馀、彭越，这两人在河北、河南中原地区拥有实力。因为没有追随项羽入关，项羽不封两人。于是田荣、陈余、彭越三人联合起来发难，项羽四月回到彭城，还没来得及坐下来休息，这几个军事巨头就联合起来反抗项羽，五月山东就乱了套。项羽征讨，陷入泥潭。刘邦趁机明修栈道，暗渡陈仓，占了关中，杀出函谷，直捣彭城，端了项羽的老窝，幸亏项羽及时回救，在彭城打了一个大胜仗，才避免了过早的覆亡。

项羽封王，争论最大。论者或曰，项羽分封代表旧贵族的割据势力，开历史的倒车，必然失败。这种观点值得商榷。公元前210年，秦始皇出游天下，巡行浙江，当时项梁、项羽叔侄随众观看，项羽情不自禁地说："彼可取而代也。"可见他不是不想当皇帝，不是一心想分封。但是如果认为，项羽分封是迫于形势，那就更不符实际。巨鹿之战，诸侯折服，强捷有力者皆归项羽旗下，成了他的部将。最大的异己刘邦，欲与项羽争衡，心有余而力不足，他像踩钢丝一样，冒死入虎穴乞和。当时，谁敢和项羽对抗？那项羽为何分封十八王？追本溯源应是范增劝项梁立楚怀王这一政治失计，给入世未久的项羽套上了绳索。项羽分封诸侯王，也是范增的策划。于是又有一种观点认为，范增非善谋之士，他对项羽的失败应负主要责任，这也是不妥当的。范增只是一个谋臣，听不听还在项羽，何况智者千虑之一失并不足以导致项羽的失败。分封固然是馊主意，确是开历史的倒车，但设计鸿门除害、王刘巴蜀，这些主意并不坏。问题是，范增的馊主意，项羽采纳了；范增的好主意，项羽拒绝了，最后把范增赶走了，重瞳子以亲疏画界，虽有一范增而不能用，不亡何待！而那个改姓刘的项伯，却是项羽言听计从的一个笨伯和内奸！由此看来，项羽因政治幼稚而封王失计，并不是代表旧贵族势力而开历史的倒车。范增劝项羽急击刘邦，可见也是要争天下的。刘邦集团的谋臣郦食其也献策立六国后，被张良建言制止了。最后为了合击项羽，同一个张良建议刘邦封韩信、彭越为王，为了策反黥布也封了王。刘项封王，都是政治策略。不同的是，刘邦是在被动局面上利用封王的策略树羽之敌，壮大自己争取主动，项羽是在主动的鼎盛局面下，为了一个“如约”而封王，恰恰是给自己树敌，显然是政治失计。设鸿门宴的主人项羽，当年才是一个27岁的马背上的将军，他还不懂得用阴谋手段诛除异己，结果放虎归山，自己却陷入泥潭。

三、汉中对策，刘邦东出

汉元年（前206）五月，是一个风和日丽的日子，汉王在南郑的练兵场上筑坛举行了隆重的拜将礼。这是汉王进入汉中兴办的第一件大事。汉王部属，日夜思归。汉王举行拜将大礼，表示整军讲武，是东出的前奏，全军有了盼头，人人欢欣鼓舞。拜将大礼成了激励士气的一项盛典。萧何作了认真的准备，庄严，隆重。午时正刻，汉王登上祭坛，由萧何主司仪。先由汉王祭拜天地，再祭拜祖宗，接着举行拜将大礼。全军注视接印大将何许人也，出乎所有人的意料，原来大将就是新来的治粟都尉韩信，全军皆惊。中国历史上一颗杰出的将星，就这样在汉王建筑的拜将坛上冉冉升起。开汉家四百年基业的军事家韩信，此刻正式登上了安邦定国的政治历史舞台。

拜将礼毕，汉王推韩信坐上座。汉王向韩信咨问天下大计，韩信有条不紊，一吐胸中韬略，提出了楚汉相争的纲领，可称之为“汉中对策”。

汉王曰：“丞相多次推荐将军，将军何以教寡人计策？”

韩信致礼汉王，先不作答，而是提出问题，对汉王说：“现在大王东出争天下，对手恐怕就是项王吧？”汉王说：“正是。”韩信又问：“大王自料勇悍仁强孰与项王？”韩信大胆地单刀直入，让刘邦自己与项王比较，在勇敢、强悍、仁爱、刚毅等方面，哪一个更强。韩信这一问使刘邦陷入了尴尬，答也不是，不答也不是，谁愿当众承认自己不如人呢？可是现实是十分严峻的，知彼知己，才能百战百胜，自己哪些方面不如别人，找出差距才可以扬长避短。鸿门宴前夕，张良也这样向刘邦提出过问题，目前较劲斗力，汉不如楚。汉王沉思良久，终于回答说："不如也。"韩信直率的提问，表现了对知遇的忠诚，汉王坦诚的回答，表现了干大业的帝王气度、虚心请教的胸怀。韩信见汉王吐了真言，非常高兴，拜了再拜，话锋一转，对汉王说："我韩信私下也认为大王勇悍仁强比不上项王。过去，我曾经在项王手下做过事，请允许我谈谈项王的为人。"韩信得到汉王的首肯，他滔滔不绝地对天下大势作了极为精彩的分析。韩信说：

> 项王喑噁叱咤，千人皆废，然不能任属贤将，此特匹夫之勇耳。项王见人恭敬慈爱，言语呕呕，人有疾病，涕泣分食饮，至使人有功当封爵者，印刓敝，忍不能予，此所谓妇人之仁也。项王虽霸天下而臣诸侯，不居关中而都彭城。有背义帝之约，而以亲爱王，诸侯不平。诸侯之见项王迁逐义帝置江南，亦皆归逐其主而自王善地。项王所过无不残灭者，天下多怨，百姓不亲附，特劫于威强耳。名虽为霸，实失天下心。故曰其强易弱。今大王诚能反其道，任天下武勇，何所不诛！以天下城邑封功臣，何所不服！以义兵从思东归之士，何所不散！且三秦王为秦将，将秦子弟数岁矣，所杀亡不可胜计，又欺其众降诸侯，至新安，项王诈阬降卒二十余万，唯独邯、欣、翳得脱，秦父兄怨此三人，痛入骨髓。今楚强以威王此三人，秦民莫爱也。大王之入武关，秋毫无所害，除秦苛法，与秦民约，法三章耳，秦民无不欲得大王王秦者。于诸侯之约，大王当王关中，关中民咸知之。大王失职入汉中，秦民无不恨者。今大王举而东，三秦可传檄而定也。[①]

韩信的这席恢宏大论，只有诸葛亮的"隆中对策"方可与之比美。韩信不是一介武夫，他是一员精通人文地理、韬略盖世的儒将，倜傥风流就在这一席谈吐中。韩信不仅读兵书，他还读百

① 《史记》卷九二《淮阴侯列传》。

家诗书，所以知识渊源，识见高超，有政治战略眼光，分析形势，考虑到了天时、地利、人和。孟子有言："天时不如地利，地利不如人和。"孟子分析战争胜败三要素，天时、地利、人和，三者之中人和最重要，因为"得道者多助，失道者寡助。寡助之至，亲戚叛之；多助之至，天下顺之。以天下之所顺，攻亲戚之所叛；故君子有不战，战必胜矣。"[①] 楚汉相争，论天时，由于项羽背义帝之约，分宰天下不平，诸侯叛之，借众力以斗项羽，项羽虽强，独木难支，趁乱东出，此其时也；论地利，项羽不居关中形胜，又封秦民所怨三秦王，只要汉王东出，"三秦可传檄而定"，岂非天意以三秦资汉王者乎？论人和，汉王更胜项王一筹。"项王所过无不残灭者，天下多怨，百姓不亲附"；而汉王"秦民无不欲得大王王秦者"。这是说，百姓亲附汉王，汉王东出，"以义兵从思东归之士，何所不散！"汉王部属是山东人，高举义旗，打回老家，全军拥护，所向无敌，这是说战士亲附汉王。项羽仁爱，"言语呕呕"，婆婆妈妈，妇人之仁，只能博得那些好面子多礼仪的书呆子们拥护，而汉王慢易，说话粗鲁，但胸怀大度，有功重奖，"以天下城邑封功臣，何所不服"，那些攻城夺地的勇士们都将归到汉王旗下，这是说将相人才亲附汉王。单打力斗，逞匹夫之勇，汉王不如项王，而纵观天下大势，天时、地利、人和，汉王远胜项王，楚汉相争，必然是刘胜项败，韩信分析得清清楚楚，明明白白。如何东出，有步骤，有方略。这第一步就是不失时机，还定三秦，长远方略，则是收拾民心，智胜项王。

韩信说完，汉王心悦诚服，非常高兴，"自以为得信晚"。于是汉王全面采纳韩信计谋，部署诸将日夜操练，作好战备，听从韩信调遣。

韩信五月拜将，八月就兵出秦川。韩信"明修栈道，暗渡陈仓"，取得突击效果，一举拿下陈仓，获得大量军实。汉王入汉中，用张良之计，火烧栈道，麻痹项羽，表示无东归之意。火烧的栈道，是指关中中段入汉中的最近道路褒斜道。韩信要从褒斜

① 《孟子》卷四《公孙丑下》第一章。

道上出兵，就必须要先修复栈道。汉元年六七月，韩信督率大军民工冒着酷暑修复栈道，这一行动就是进军的信号。只要修栈道，就把章邯的注意力吸引到秦川中段偏西的眉县一带杜塞褒斜道北端的斜谷口。由于修复栈道尚需时日，没有一年半载，不能完工。为了日后的大军补给，韩信修复栈道也是认真地在进行。章邯的探马报告的却是实情，而短时间韩信又修不好栈道，章邯要以逸待劳，可以说章邯暂时还没把韩信修栈道的事放在眼里，在他看来汉王刚入汉中，没能力出兵东进。韩信抓住章邯的这一心理，巧妙地打了一个在修复栈道的过程中的时间差，在汉元年八月从陈仓故道出兵偷袭陈仓，端端正正打了章邯一个措手不及。韩信初战得手，乘胜扩大战果，他以迅雷不及掩耳之势，闪电般推进，分兵四出攻击三秦王。仅一个月时间，韩信就打通了八百里秦川。汉元年八月，雍王章邯被围困于废丘，塞王司马欣、翟王董翳望风而降。章邯弟章平与原秦将赵贲等退守陇西、北地，负隅顽抗，为章邯外援，等待项羽驰援。

项羽闻警，但他被田荣的反叛所吸引，没有及时率兵西征，而是以故吴令郑昌为韩王，驻防颍川拒汉兵。项梁、项羽避难关中时与郑昌相识。项羽在紧要关头用人唯亲，将重大军事任务用以酬劳故旧，失策之至。

汉将韩信充分利用秦民拥戴汉王的政治优势，趁项羽伐齐无暇西顾这一千载难遇的战机，他大胆地置关中残敌于不顾，与汉王亲率主力，于汉二年十月东出函谷关驻兵于陕县（在今河南三门峡市西）。张良和赵王张耳前来归汉。

汉二年（前 205）十月，项羽举大兵东击齐，欲先安定后方，再率兵西向。韩信东出关至陕，则是尽力向中原推进，确保关中，扩大领地。这是一着妙棋，在政治和军事上至少有三方面的收获。第一，阻断章邯与项羽的交通，汉军在关中对章邯形成关门打狗之势，章邯只能坐以待毙。第二，汉王大张声势，与诸侯交通，安抚关外父老。第三，韩信出关，趁新韩王郑昌立脚未稳，夺取韩地。

汉二年十一月，河南王申阳降，汉立河南郡。韩信击破韩王郑昌，汉更立韩太尉韩信为韩王，为汉南翼屏障。至是，汉王帐下两韩信。一是大将淮阴人韩信，一是韩王韩太尉韩信。

汉二年二月，汉王入关，正式废除秦社稷，更立汉社稷，临时定都栎阳。萧何为丞相，留守都城。

汉二年三月，汉王集中关中诸军，浩浩荡荡东出，正式打出讨伐项王旗号。汉军从临晋渡过黄河，西魏之魏豹与汉军连和。接着汉军攻下河内，虏殷王司马卬，置河内郡。汉军从平阴津南渡至洛阳。汉王在洛阳采纳新城邑（今河南伊川县西）的一位乡官三老董公的建言，为义帝发丧，亲自吊丧三日，“袒而大哭”，并派出使者连和诸侯，宣告项羽罪恶。檄文说：

> 天下共立义帝，北面事之。今项羽放杀义帝于江南，大逆无道。寡人亲为发丧，诸侯皆缟素。悉发关内兵，收三河士，南浮江汉以下，愿从诸侯王击楚之杀义帝者。①

刘邦的这一着棋影响极大，汉军成了正义之师。强大的政治攻势，迎得了诸侯归心，纷纷派兵讨伐项羽。连项羽的心腹将九江王黥布也不服从项羽调遣，坐山观虎斗。韩信率领的汉军只有3万人，自汉元年八月出兵，到汉二年四月兵进彭城，在短短八个月的时间，由西向东横扫了大半个中国，还定三秦、攻略韩地，一路高奏凯歌，直捣楚都彭城，端了项羽的老窝，兵众从3万发展到56万，几乎扩大了20倍。如此大军，韩信运筹调度，有条不紊，他自称领兵“多多益善”，初露头角，就得到充分的展现。萧何称赞韩信是“国士无双”，毫不夸张。韩信是无与伦比的军事天才。这一年他才24岁。

四、下邑画策，峰回路转

汉二年（前205）四月，汉军攻占彭城，项羽陷入齐地，汉军

---

① 《史记》卷八《高祖本纪》。

若乘胜追击，联合齐军在山东围歼项羽，楚汉战争可提前三年结束。由于汉兵一路顺风，没有遮拦地进入了彭城，汉王志骄意得，以为天下已定，收取楚宫室美人宝藏，日置酒高会。项羽闻听都城已破，赶忙从齐地回救。项羽精选 3 万骑兵，日夜兼程，绕在彭城之西，从萧县发起出其不意的进攻，在黎明夜幕下由西向东向彭城推进。刘邦占领彭城以后，把大军布防在彭城以东以南，阻挡项羽回救。汉军意想不到项羽用轻骑兵从西边的空虚之处杀来。在彭城东面和南面用重兵布防的汉兵未见一兵一卒楚军，而后方阵地已乱了套，在混乱中，汉兵不知楚军虚实，一场混战，汉兵自相残杀，十几万人被推压在睢水中，睢水为之不流。汉兵溃散，刘邦突围，正值大风沙，迎面不见人，刘邦才得以逃脱。项羽用 3 万精兵，打败刘邦的 56 万大军，获得了彭城大捷。这一以少胜多的光辉战绩是范增的杰作。它把项羽的军事生涯推向了顶峰。

由于楚军大获全胜，诸侯倒向，齐、赵与楚连和，魏豹反叛汉王，彭越丧失城邑，汉王处于孤立境地，项王恢复了盛强。

楚军彭城大捷，项羽进入彭城收拾残局，他没有亲自乘胜追歼刘邦，让汉王从容脱逃，这是项羽丧失了一次提早结束楚汉战争的大好时机。也就是说，彭城大战之前与之后，刘项两人各丧失了一次追穷寇而获全胜的时机，而功亏一篑。在天时的利用上，刘项两人打了平手。

汉军彭城溃败，引起了汉王与张良的深思，意识到楚汉相争将是一场持久的较量，如何夺取胜利，需要认真总结失败原因，分析整个战局形势，筹划全盘战略方案，要一步一步周密地规划作战，再不能犯骄傲、被动作战的错误。

刘邦退逃到下邑，召开了紧急的军事会议。下邑，秦县名，在今安徽砀山县，位于刘邦故乡丰邑、沛县西南。这是汉王反秦时的基地，群众基础好。吕后兄吕泽在汉王东进时起兵于下邑，下邑兵人数不多，却都是可靠的家乡子弟兵。汉王与张良等在西逃中前往下邑，靠拢吕泽，收聚散卒，获得了喘息的机会。汉王刚刚摆脱了险境，他还来不及休息，就急切地问计于张良，张良于是规划了楚汉持久的战争方略，这就是“下邑画策”。所谓

“画策”，就是依图而策谋。对此，《史》《汉》两书作了绘声绘色的记载。《史记·留侯世家》曰：

至下邑，汉王下马踞鞍而问曰：“吾欲捐关以东等弃之，谁可与共功者?”

汉王“下马踞鞍而问”，表现了汉王的急切心情，他跳下了马背，来不及解下马鞍，就立地而问张良：“我打算把关东地区分割给英雄，谁能担当此重任，与寡人共同消灭项羽?”汉王之问，要放弃关东之地酬劳能助他消灭项羽的英雄，已经说明他有了持久战的构想，已料到诸侯要反叛，也看到了汉兵独家无法与项羽争胜负，同时也表达了一定要消灭项羽的决心，只要能共同灭项羽，我要与之共功，分给他关东地。张良献计，总是不紧不慢，特别是重大策略，他总是启发汉王，自己领会，提出要求，这才作答，这是张良高超的谏说艺术。汉王如此心急，又如此有了初步的方略，推心下问，张良于是和盘托出他的战略规划。张良说：

九江王黥布，楚枭将，与项王有郄；彭越与齐王田荣反梁地，此二人可急使。而汉之将独韩信可属大事，当一面。即欲捐之，捐之此三人，则楚可破也。[1]

这就是张良下邑画策的总体方略，其核心是调动韩信、彭越、黥布三方力量与汉王自率的汉兵形成四方配合作战，打一场持久战来蚕食项羽，最后消灭项羽。这一战略包括了对敌、我、友三方的历史与现实格局的分析，还运用了间敌与统战的策略，有四大要点和三个步骤，试析如下。

其一，瓦解项氏集团，建立汉兵南翼战线。项羽伐齐，九江王黥布称病不出，彭城大战，决定项王生死命运，黥布坐山观虎斗，张良从中看出了黥布与项王已产生了裂痕。黥布是项王手下

① 《史记》卷五五《留侯世家》。

第一枭将，如果黥布反楚归汉，不仅削弱项氏集团，而且在政治上心理上对项王是沉重打击。黥布所处地理位置，是楚国的大后方，又是汉兵的南翼。只要黥布按兵不出，项王就要分力，尤其是当前汉兵溃败，只要黥布拖住项王几个月时间，汉王就可重组力量，这是至关重要的一着，是眼前成败的关键。汉王称是。他立即考虑派出最能干的使者去完成重任。汉王退逃至虞城（在下邑西，今河南虞城北），对谒者随何说："公能说九江王布使举兵叛楚，项王必留击之。得留数月，吾取天下必矣。"① 随何往说黥布，黥布果然叛楚。

其二，争取中间力量，乱楚后方。彭越是朝秦暮楚的中间力量，是汉军灭楚建立统一战线的首选人物。第一，彭越可独当一面，是一员勇将；第二，彭越恨项羽最深，项羽不仅没有分封彭越，反而夺取他的梁地；第三，彭越的基础在梁地，这是项羽的心脏地区，彭越反楚如同一把尖刀插在楚军的心脏上，乱其后方，断其粮道，破坏楚军的供应，项羽就不能深入，而且腹背受敌。成皋对峙，项羽疲于奔命，顾了前方顾不了后方，正是彭越制造的危害。

其三，放手韩信，开辟北翼第二战场。韩信有独当一面之才，放手使用才能建立奇功。韩信如果待在汉王手下做参谋，无法尽其才能，还要重蹈彭城之败，甚而背汉也未可知。韩信在汉中对策中对刘邦说："以天下城邑封功臣，何所不服！"韩信要功名，后来他的悲剧就在于此。汉王正当用人之际，不能不放手使用韩信，充分调动他的积极性。不放手韩信去开辟北方战场，完成对项羽的战略包围，只在正面与项羽作战，楚汉两军势必只能硬拼，楚强汉弱，对汉不利。张良反问汉王："你不是要分封土地与功臣吗？那就分封给韩信、彭越、黥布三人好了，那么楚国是一定可以打破的。"韩信能为汉王打下半壁江山，多亏了张良的力谏与下邑画策方略。

其四，汉王正面拒敌，牵制项王。张良在回答中没有谈到汉

① 《汉书》卷一《高帝纪》。

王，因为韩信、彭越、黥布三人都是各自独当一面的侧翼作战，正面拒敌者当然是汉王。汉王扼守荥阳、成皋，正面吸引项王，守险不战，消耗楚军，以待侧翼发展，积小胜为大胜，转弱为强。

以上是张良下邑画策的四大要点，它是放眼全局的一个总体作战方略，四个方面军全部发动起来，项羽将陷于前后左右四面受敌之中。汉王在正面，黥布在南翼，韩信在北方，彭越在项羽背后。要实现四个方面军的全面联动与完成对项羽的战略包围，需要时间，所以这个战略是一场人谋规划的持久战。执行下邑画策的当务之急，是要打一场胜仗，阻止项羽西进，使汉军在荥阳、成皋一线站稳脚跟，这是第一步。第二步，就是汉王守险拒敌，全面实施下邑画策，乘势转入相持。第三步，四个方面军全面联动合围之日，就是楚汉相争结束持久战之时，最后总攻，歼灭项羽。

下邑画策提出在汉二年四月汉军溃逃途中。有了正确的战略决策，汉军士气振作起来，峰回路转，出现了胜利的曙光。汉王君臣，全军上下，全力投入对项羽的阻击作战，争取第一步的胜利。汉二年五月，汉军在京索阻击成功，楚汉对峙成皋，直到汉四年九月对峙结束，前后三年共 29 个月，史称成皋之战。接着垓下会战，一战歼灭项羽，战争进程完全按下邑画策预计的计划进行，显示了这一策略的无比伟大与正确。

韩信汉中对策与张良下邑画策，共同构建了楚汉战争的人谋预演，早于诸葛亮隆中对策人谋规划三分天下 400 余年。张良规划全国大统一，诸葛亮规划局部统一。历史条件不同，成功大小有异，而人谋预演历史，是他们的共同之点，非命世之才，不能有此杰作。陈寿评诸葛亮称其为良平之亚①，极为中肯。良平者，张良、陈平也。陈平归汉与张良同在汉王军中为画策臣。汉二年三月，汉王东进击降殷王司马印时，陈平渡河归汉，随同进军彭城。下邑画策，亦当有陈平参与。

---

① 《三国志》卷三五《诸葛亮传》。

五、成皋对峙，智力俱困

成皋对峙，通称成皋之战，它是楚汉战争的相持阶段，也是楚汉相争的主战场和正面战场，汉王刘邦与楚王项羽直接对抗，一方用智，一方用力，是典型的智与力的决战。此役起于汉二年（前205）六月，讫于汉四年（前203）九月，历时两年零五个月，共29个月。双方动员参战第一线的兵力达100余万，是中国古代一次战役投入兵力最多、历时最长的大战役。作战进程分为三个阶段。汉二年六月至汉三年十二月[①]，为成皋序战，是第一阶段，凡八个月。汉三年一月至汉三年九月，为荥阳、成皋攻防战，是第二阶段，凡九个月。此阶段是楚汉双方争夺最激烈的阶段，汉军两度陷入危境，而最终以谋略取胜，双方强弱开始转换。汉四年十月至汉四年九月，双方对峙广武，为第三阶段，凡十二个月。由于韩信、彭越观战，刘邦、项羽智力俱困，相持不决。最后刘邦采用张良计，与项羽以鸿沟为界媾和，中分天下，诱项羽东归，然后顺势追击，才打破均势，转入战略反攻。成皋战役前后，张良、陈平等谋士不离刘邦左右，策划和部署了整个战役的全过程，其中陈平使用的离间计，借项羽之手除掉了楚军智囊奇士范增，从此项羽陷于被动。纵观成皋之战，汉弱楚强，但刘邦依靠了张良等人的计谋，以智补弱取得胜利；反之项羽内部分裂，以力斗智遭到失败。

荥阳、成皋，北依黄河南托嵩山，形成险隘地区，是洛阳东面的屏障，为兵家逐鹿中原的必争要地。清顾祖禹评论说：

> 荥阳、成皋，自春秋以来，尝为天下重镇。由秦而上，晋楚于此争霸，由秦而下，楚汉于此分雄。后之有事者，未

① 西汉纪年承秦制。以十月为岁首。楚汉相争进程详本讲附录一“楚汉相争大事月表”与附录二“楚汉相争作战经过示意图”。

尝不睥睨此地而决成败焉。[1]

正因为荥阳、成皋位置重要，关系到得失中原与危及关中安全的作用。因此，刘邦在彭城惨败后，在此建立防御体系，并千方百计予以加强。项羽争胜，必须打破汉军的成皋防线，直取关中。双方以成皋为中心，展开了29个月的斗智斗勇，异常惨烈，双方投入战争的总兵力100余万。因此成皋之战是楚汉相争的主战场。

序战阶段七个月，汉军的战略要点有五：其一，汉二月六月，韩信设伏，败楚京索间，构筑起成皋防线，楚汉转入相持。其二，汉王入关，灭章邯，立太子，赦罪人，深固根本。其三，派说客随何策反九江王黥布。其四，七月，汉王坐镇成皋，派韩信渡河开辟北方第二战场。其五，统战彭越，利用彭越与项羽的矛盾，在敌后袭扰，断敌粮道，缓解正面战场的压力。序战阶段，黥布反楚，意义尤为重大，它打乱了项羽的军事部署。项羽没有乘胜追击刘邦，自己留下攻下邑，分兵20万给大将龙且讨伐黥布，龙且虽然取胜，而楚军却被迫滞留达七个月之久，汉王得以建立成皋防线。黥布归汉，是一重大事件。

成皋攻防大战十个月，主导方为项羽实施范增设谋，项羽强攻，两破成皋，刘邦差点当了俘虏。范增为项羽制定的是速战策略，打破汉王的持久战略。要点也有四项：

第一，拒绝汉王提出的割荥阳以西归汉的要求和建议，加紧进攻，争取速决。

第二，派人前往淮南说服九江王黥布出兵武关西击关中。

第三，联合齐、赵，共同打击汉王。

第四，由项羽亲率大军攻击荥阳，切断汉军运输粮道，再进取成皋，西入函谷关，与黥布会师关中。

刘邦下邑画策的战略的重心是刘邦固守成皋防线，吸引项羽屯兵于坚城之下，保障南北两支包抄楚军的汉军节节推进，当汉军完成战略包围之时，就是项羽灭亡之日。

① 《读史方舆纪要》卷四七。

项羽实施范增的破汉战略，集中兵力突破成皋防线，攻占洛阳，直指关中。只要楚兵打到洛阳，关中告急，刘邦的包围战略就将崩溃。

汉三年，公元前204年四月至九月，楚汉两军发生激战。项羽贯彻范增战略，于四月猛攻荥阳。汉王刘邦突围遁走，差点被楚军活捉。楚军攻破荥阳，杀汉将纪信，随后又攻破成皋。刘邦调虎离山，南下宛、叶，吸引项羽南追，然后回军又夺回成皋。六月，楚军再破成皋，刘邦逃出至河北，夺了韩信之军，驻屯修武。然后命彭越、刘贾深入楚后方，攻下外黄、睢阳等十七城。项羽回救，刘邦率河北之军渡河收复了成皋、荥阳。项羽回军，楚汉再度相持，战线向东移于荥阳东广武山上。九月韩信向山东进军，十月破齐历下军，十一月，韩信又打败楚龙且救齐大军，稳定了齐境，完成了对楚国的战略包围。

项羽眼看就要打破汉军的成皋防线，却为何两度中了刘邦的调虎离山之计，功败垂成呢？原来在成皋吃紧之时，刘邦采用了陈平的离间计，制造流言，说范增、钟离昧有功不得侯，要投归汉王。项羽派到汉军的使者，刘邦摆下丰盛的宴席款待。还未开宴，却故作惊讶，说这是款待范增使者的，而重新摆出了粗劣食物款待楚使。项羽信用诸项子侄和妻兄弟，他们都是庸才，识不透刘邦反间计。项羽不察，误听亲信之言，怀疑范增、钟离昧。范增一气之下离开了项羽，疽发背而死，钟离昧也被削弱了兵权。项羽身边既无谋臣，又无良将，只凭个人的血气之勇，刚愎自用，连连上当，胜势丧失殆尽，而刘邦则转败为胜，最终打败了项羽。

刘邦称帝后在洛阳宫摆下庆功宴会，要群臣总结楚灭汉兴的原因。高起、王陵说："陛下性情傲慢，喜欢凌辱别人；项羽性情仁厚，注意爱护别人。虽然如此，但是陛下用人攻城略地，攻下城邑就分封给他，与天下人共享利益；而项羽却嫉贤妒能，对有功的人加以伤害，对贤能的人轻易猜疑，打了胜仗不给人家授功，得了土地不给人家奖励，这就是失去天下的原因。"高祖刘邦说："公知其一，未知其二。"接着刘邦说出了一番深切著明的道理。他说：

夫运筹策帷帐之中，决胜于千里之外，吾不如子房。镇国家，抚百姓，给馈饷，不绝粮道，吾不如萧何。连百万之军，战必胜，攻必取，吾不如韩信。此三者，皆人杰也，吾能用之，此吾所以取天下也。项羽有一范增而不能用，此其所以为我擒也。[1]

对峙广武十二个月，刘项两人进行了四个回合的智力决斗，项羽均不敌。

第一回合，项羽欲烹太公。项羽在广武东岸高丘上安置油锅，搭了一个高架刀砧板，呼喊与刘邦对话。项羽对刘邦说："你不投降，我就烹杀太公。"刘邦说：

吾与项羽俱北面受命怀王，曰"约为兄弟"，吾翁即若翁，必欲烹而翁，则幸分我一杯羹。[2]

项羽虏获刘邦之妻吕后和其父太公，拘押作人质，项羽借此做文章，想不到刘邦却说，既然我俩誓约为盟兄弟，我的父亲就是你的父亲，你一定要煮杀你的父亲，也分我一杯羹。刘邦把自己的父亲说成是项羽的父亲。杀太公就是杀你的父亲，你自己看着办吧。这种无赖诡辩的弦外之音，就是说，在争天下的大是大非上，顾不了父亲、妻子，随你处置吧，等着瞧，看我怎么报复你。汉王的弦外之音，由项羽的叔父项伯把它补充了出来。项伯说：

天下事未可知，且为天下者不顾家，虽杀之无益，只益祸耳。[3]

"天下事未可知"，从项伯口中说出，表明项羽集团上层人士

① 《史记》卷八《高祖本纪》。
②③ 《史记》卷七《项羽本纪》。

已无胜利信心，已经在为后事考虑了。项伯的一番话，虽然点出了“且为天下者不顾家”的政治理论，但主题却说“天下事未可知，杀之无益，只益祸耳”，一派内奸口吻。项羽不但不怒，反而听从，这就是他的妇人之仁。项羽就做不到“且为天下者不顾家”。若按这一逻辑，太公可不杀，甚至大度释放，而内奸项伯不可不杀，不杀项伯不足以振军心。这一回合，项羽彻底失败。太公有惊无险，从此在项伯的呵护下，获得了安全。

第二回合，项王只身挑战汉王。项羽与刘邦在鸿沟阵地对话，项羽对刘邦说：“天下争战好几年了，只是因为我们两人的缘故。我希望能跟汉王挑战，决一雌雄，再不让老百姓白白地跟着受苦。”刘邦笑着回答：“我宁愿斗智，不能斗力。”项王让勇士出营挑战，汉王令高明的射手楼烦人接连射杀了楚将三人。项羽大怒，亲自披挂挑战，楼烦人丢下箭逃回营中。这一回合双方打平。项羽亲自出营挑战，荒唐地提出要与刘邦单打独斗，表现了他的急躁与无可奈何，有损楚军士气。

第三回合，汉王数项羽十大罪。古时挑战，先以礼请，对方不出，则施谩骂。项羽亲自挑战，要与刘邦决斗胜负，虽属荒唐，但在古代却在情理中，刘邦不敢斗，则楚人占上风。汉王既言斗智，则须以智胜。于是刘邦隔涧数羽十大罪，表明汉军与楚战是安民除暴，汉军为正义之师。刘邦说：

> 始与项羽俱受命怀王，曰先入定关中者王之，项羽负约，王我于蜀汉，罪一。项羽矫杀卿子冠军而自尊，罪二。项羽已救赵，当还报，而擅劫诸侯兵入关，罪三。怀王约入秦无暴掠，项羽烧秦宫室，掘始皇帝冢，私收其财物，罪四。又强杀秦降王子婴，罪五。诈阬秦子弟新安二十万，王其将，罪六。项羽皆王诸将善地，而徙逐故主，令臣下争叛逆，罪七。项羽出逐义帝彭城，自都之，夺韩王地，并王梁楚，多自予，罪八。项羽使人阴弑义帝江南，罪九。夫为人臣而弑其主，杀已降，为政不平，主约不信，天下所不容，大逆无道，罪十也。吾以义兵从诸侯诛残贼，使刑余罪人击

杀项羽，何苦乃与公挑战！[①]

汉王一口气列数项羽十大罪，称项羽为残贼之人，为天下人所不容，汉王为民除暴，不是两人为争权而打斗，有力地驳斥了项羽。刘邦又是一个有名的无赖，他骂起人来天下无双。最后刘邦骂项羽说："你这个乱臣贼子，只配罪人砍杀，哪有资格和你老子较量。"这一下可真把项羽激怒了，他使人施放暗箭，射汉王胸部。项羽出此下策，也是无可奈何。但射中汉王却是一大胜利。刘邦反应极为机智，他连忙在马背上俯下身子，用手护着伤口，高声喊道："贼人伤了我的手指。"汉王驰入军中。张良力劝汉王强打精神，巡视军中，安定军心，以防项羽乘势进击，然后退入成皋养伤。

这次汉王不死，实乃天幸。

第四回合，订立和约，诱羽后退。两军对峙，勇往者胜，谁也不肯先退，因先退者为怯，怕遭到对方的追击。汉四年七八月间，汉王采纳张良谋略，在军事上策划总攻，在外交上加紧和谈，军事外交双管齐下，逼使项羽订和约。陆贾，能言善辩，劝说项羽，项羽不听。汉王又派侯公说羽，宣示韩信、彭越欲取楚。项王自知兵少食尽，无力持久，最终答应了与汉和约。中分天下，以鸿沟为界。鸿沟以西属汉王，鸿沟以东属项羽。鸿沟原为梁惠王所凿人工运河，秦始皇伐魏，引河水灌大梁（今河南开封），即利用鸿沟运水，从今荥阳市北引河水东流经中牟县北，东南流至大梁，再向东南经陈县至项县合颍水入淮，成为一条中原通往东南的交通运河。割鸿沟以西属汉，项王作了很大的让步。九月和约告成，项羽释放了太公、吕后，双方罢兵，全军庆贺，高呼万岁。足见人心厌战，军心厌战。

和约签订，楚汉战争相持阶段结束，强弱易势，汉强楚弱。广武山在今河南广武县城之北，北临黄河，南接嵩山，今置有广武镇。广武山涧分割广武山顶高原，两岸相对，遥遥相望有数百公尺的直线距离，大约是古代距离的数倍。当年刘项二人隔岸对

① 《史记》卷七《项羽本纪》。

话，相距仅为一箭之遥，故刘邦为楚军暗箭所伤。由于年久风化两岸崩塌，使今距离大于当时。广武山今成为郑州市的旅游景点。市政府在广武山涧东岸丘原上塑建了一匹项王乘坐的“乌骓驹”，高数米，驹首仰天长啸，雄赳赳，气昂昂，象征楚霸王当年之雄风与折翅之悲壮，引发游人遥想。

六、垓下决战，楚亡汉兴

项羽守约，引兵东归。汉王表示守信，也做出西归的样子。张良、陈平两人谏止汉王说：“今汉有天下太半，而诸侯皆附，楚兵疲食尽，此天亡之时，不因其机而遂取之，所谓养虎自遗患也。”汉王听其计，紧紧追击项羽。正如李卓吾所言：“项羽毕竟忠厚。”他怎么也想不到墨迹未干，刘邦便撕毁和约追杀上来。项羽大怒，组织反击，大败刘邦，双方又对峙在固陵。刘邦吃不掉项羽，无可奈何地用张良之计，分封三雄，划界齐王韩信，梁王彭越，淮南王黥布，四面合围项羽，发动垓下总决战，项羽被歼，楚汉战争结束。

垓下，地名，秦汉时属沛国洨县。其地在今安徽灵璧县南沱河南岸，固镇县东 24 公里处的濠城集，古时为洨县。项羽从陈县东撤，目标是回到江东，最近的路线是经寿春到历阳（今安徽和县）渡江。由于黥布攻占了寿春，项羽大司马周殷又叛变于舒县（今庐江），断了项羽的南归之路，他只能东走城父（今亳县城父集）、蕲县（今宿县蕲县东）至洨县，南下东城至乌江浦渡长江。项羽在城父遭到黥布的截击，损失惨重，再往东进入洨县垓下，又受到彭越南下的汉军堵截，项羽陷入了包围，他只能停下来作最后一搏。这就是垓下之战。

双方作战序列，楚方已是残兵败将。统帅，西楚霸王项羽。谋士，只剩下那个离心离德的左尹项伯，将领有钟离眛、季布、项声、项冠、项焊等。收缩后的总兵力，尚有 10 万。汉军四面会围，汉王做了全面总动员。最高统帅，汉王刘邦。谋士，张良、陈平、陆贾、随何等。由成皋一线来的中央军团，将领有：周勃、陈武、樊哙、王陵、郦商、靳歙、御史大夫灌婴。兵力，20余万。四方诸侯之军有：齐军，统帅，齐王韩信，将军有孔熙、陈贺等。梁军，统帅梁王彭越，将领有大夫栾布。淮南军，统帅淮南王黥布，将领有刘贾、楚降将大司马周殷。诸侯之军总兵力32万。垓下会战，双方兵力总计60余万，汉军五倍于楚军。

汉王十分重视垓下决战，与张良、陈平、韩信等谋臣良将会议，制定了精密的战斗方案，摆出了稳操胜券的阵势。诸侯之军组成第一线，兵力32万，由韩信任前敌总指挥，对项羽实施总进攻。刘邦自领中军，即参战成皋的兵力居后为总预备队，兵力20余万。项羽有万夫不当之勇，困兽犹斗，况有10万楚军，汉王不敢怠慢。彭城大战，项羽率3万轻骑打垮汉兵56万，尚记忆犹新。这一次，汉王举轻若重，把歼敌任务全权委托给了善战的韩信。韩信自诩带兵"多多益善"，他第一次独立指挥32万大军，且看他如何运动！

项羽善战，驰骋战场，天下无双。韩信在项羽身边做了两年警卫，体察了项羽多次的攻坚大战，包括巨鹿大战，韩信都经历了。他对于项羽的作战十分了解，尽管自己占绝对优势，他也要智取而不是力敌。这就是韩信，一个天才军事家的韩信。

决战的一天终于来到。韩信派出两支骑兵，孔熙居左，陈贺居右，张开两翼在远离项羽阵地的旷野埋伏待命。韩信打着大将之旗在正面诱敌。为了确保胜利，汉王派出周勃、陈武两将统领预备队在韩信身后，随时支援前方。汉王在最后，汉军三层梯队的纵深部署，把50余万大军全都动员起来，筑起了擒杀项羽的天罗地网。韩信下达了擂鼓的总攻号令，汉军人多势众压向楚军，喊杀声震天，战场十分悲壮。项羽最善于大场面作战，他不怕敌人众多，而担心敌人稀少。敌人众多，只要被项羽冲溃，兵败如山倒，敌人越多，越是乱成一团，项羽的骑兵就可施展神威。巨鹿大战，楚军只啃了几口干粮，一日九战，九战皆胜。彭城大战，项羽一鼓作气，把数十万汉军压迫入睢水。固陵之战，项羽反向一冲，汉军大败。垓下决战，是项羽和楚军的生死之战，其惨烈程度可想而知。项羽果然身手不凡，他气势如虹，勇猛不减，一阵搏杀，第一线汉军死伤累累，全线溃退，项羽乘胜猛追。奇怪的是，这一次汉兵没有出现兵败如山倒的溃退，因为他碰到了克星韩信。韩信充分运用兵多的优势，他组织了层层梯队，与项羽认真血战，只有这样才能把项羽引出阵地。项羽杀得性起，只顾猛冲，逐渐地拉长了战线。韩信步步退却，项羽一个劲地紧逼。彭城大战，汉兵是乌合之众，又是在凌晨遭突袭，所以一朝溃散，就不可收拾。垓下之战，汉兵已是久经战阵的精兵，训练有素，又是有备而来，主动进攻，因此虽然同样是败退，却是有组织的抵抗。项羽只长于力战，兵法不精，不知应变。楚军初战胜利，压迫汉军后退，在不能冲溃汉军的情况下应注意自己的阵脚，留心战斗的变化。项羽只顾一个劲地猛冲，战线越来越长，恰恰中了韩信诱敌深入之计。当楚军进入不利地势，陷入汉军的伏击圈时，陈、孔两将军统率的汉军骑兵从两翼杀入，夹击楚军，切割楚军一分为二，后退的汉军冲回来，团团包围了项羽。项羽陷入了兵少食尽、地势不利的绝境。另一半楚军失去主将，丧失了战斗力，投降了汉军。项王被困，韩信却围而不歼，楚军断了外援，不消几日，用饥饿战法就可瓦解楚军。战国时秦赵长平之战，秦将白起消灭了赵将赵括率领的40余万大军就用的是这一战法。白起引诱赵括出战，诈败退却，两翼埋伏的奇兵拦腰冲断赵军，然后秦军分割包围，围而不歼，饥饿拖垮了赵军。垓下之战类似长平之战，由于主客不同而战法实异。赵括平庸之辈，项羽是百战百胜的将军。长平之战，秦赵势均力敌，白起是在对峙的阵地战中完成对赵军的分割。垓下之战，汉军是在追穷寇。兵法曰“归师勿遏，穷寇勿迫”①，韩信却能在追穷寇的运动战中分割了项羽军。尽管项羽已被打得大败，但他还有数万楚军，消灭他们，汉军要付出很大代价，围而不歼又担心项羽突围，一旦放走项羽，可能留下后患。当前最好的办法是迅速瓦解楚军士气，使其丧失斗志，用最小的代价消灭楚军。汉王

① 《孙子兵法·军争篇》。

是楚人，韩信本人与汉将樊哙、灌婴、曹参、黥布、刘贾、夏侯婴等都是楚人，周殷归降更带来南方的九江兵，楚人擅长楚歌，一呼百应，一唱百和，尤其是在夜间，唱起楚歌，此起彼伏，响彻夜空，它将勾起楚人的怀乡之情，反思为谁而战，为何而战，为什么秦朝灭亡了还要背井离乡，厮杀争战。入夜，汉军在楚军四围大唱楚歌，项羽也受到迷惑，他惊惶不解地说："难道汉军把楚地都占领了么？为何有这么多人大唱楚歌？"项羽心烦意乱，一个劲地喝闷酒，他第一次感到了自己的末路来临，却又不理解自己为什么会落到这步田地？他让人牵来陪他南征北战的乌骓马，面对爱妾虞姬，禁不住唱起了离别的悲歌：

力拔山兮气盖世，时不利兮骓不逝。
骓不逝兮可奈何，虞兮虞兮奈若何！

项羽一遍又一遍地慷慨悲歌，泪流不止，左右的人也一个个泣不成声。英雄陷入了生离死别的窘境，他在痛苦的思索中得出结论"时不利兮骓不逝"，这真是天真而执迷。项羽还不服输，他毅然决定，离开虞姬，丢下数万大军，在沉沉的夜幕下，他跨上了乌骓马，挑选了八百壮士，偷偷突围南逃。悲壮激烈的垓下之战，以霸王别姬而宣告结束。

项羽突出包围，次日清晨，汉军察觉，立刻出动5000骑兵追击。项羽过了淮河，只剩了100余骑。跑到阴陵，迷失道路，又被耕田农夫欺骗陷入了大泽，汉兵追了上来。到了东城四隤山，身边只剩下二十八骑。英雄已到了末路，但项羽仍要一展雄风，他对身边的二十八骑说："我起兵八年，身经七十余战，从没打过败仗，故能称霸天下。今天走投无路，是上天要我失败，不是我不会打仗，不信我再痛快地打一场决战给你们看一看，我要斩将、夺旗，并为你们解围。"于是，项羽在乌江边四隤山上表演了一场精彩的快战和不服输的决战。四隤山地属东城，故四隤山之战史称东城之战。

项羽将二十八骑分为四队，命令从四面突围，到东山会齐。项羽说："我为诸公斩一汉将之头。"说完他突然大喝一声，率领一队冲入敌阵。汉兵仗着人多，围了几重，没把项羽的几队人看在眼里，想不到项羽拼死来冲，出其不意直扑一名汉将，锐不可当，一枪就刺了个正着，结果了汉将的性命。其余汉兵大惊，纷纷退避。项羽的二十八骑全部突围，到达东山。汉兵很快围追上来，项羽为了迷惑汉兵，分军为三处，汉军不知道项羽在哪一处，也分为三处包围，这样汉军也分散了力量。项羽趁汉军分兵之际，再次突围又斩了一名汉将。项羽的人马再次会合，只少了两人，而汉军却死伤了数十人。项羽笑着对众骑说："怎么样？我的话不错吧！"众骑说："大王说得完全对。"

项羽的人格魅力就是绝不服输。项羽东城之战，向天公发出了抗议，常胜将军为何打败仗，项羽愤恨地说："天亡我。"项羽垓下突围本意是渡过乌江，重整旗鼓与刘邦较量，但现在身边只剩下了二十六骑。四隤山离乌江渡口只有 30 里路程。项羽一行摆脱汉军，片刻工夫来到乌江边，但只有亭长的一只渡船在江边，项羽不能丢下身边的二十六骑一个人渡江去苟且偷生。项羽望着眼前浩瀚的大江，回顾身后黑压压的追兵，英雄已经走到末路，面临绝境而顿悟。项羽断然改变主意，不渡乌江，以战死沙场来谢幕。项羽赠马亭长，令二十六骑都下马步战，就是决死之战。项羽杀死了几百名汉兵之后，身受十余创，看到故人吕马童投靠汉军当了司马，项羽对吕马童说："你难道不就是我的故人吗？我听说汉王悬赏千金买我的人头，还要封万户侯，我把这个好处送给你吧！"说完，一代叱咤风云的灭秦英雄，在乌江边拔剑自刎了。这时项羽年仅 31 岁。

项羽乌江自刎，楚亡汉兴。公元前 202 年刘邦即位称帝，建立了汉朝。是年刘邦 46 岁，长于项羽 15 岁。刘邦多次出入险地，九死一生却安然无恙。鸿门宴上，项伯保了他；彭城战败了，丁公释放了他；荥阳出逃，有纪信替死；成皋逃出，项羽不察，这一切仿佛暗中有神灵保佑似的。怪不得司马迁发出了"岂非天哉，岂非天哉"的慨叹。以今天的观点来看，这"天"就是历史必然之中的偶然取得了胜利，实质是一个老谋深算的中年战胜了一个鲁莽天真的青年，刘邦的胜利是必然的，项羽的失败是值得同情的。

附录一　楚汉相争大事月表

<table>
<tr><th colspan="3">纪　年
（公元、干支、国号三合一纪年）</th><th colspan="2">大事记（三合一纪年，加虚实横线，突显岁差。月份为农历大写。汉用秦历，以十月为岁首，正月在十二月之后，为汉纪年之第四月。）</th><th>备注</th></tr>
<tr><td rowspan="2">公元前207
甲午</td><td rowspan="2">（秦王子婴元年）</td><td>十月</td><td>沛公入破咸阳，还军霸上。</td><td>项羽降章邯，将诸侯兵四十万行略地至河南。</td><td rowspan="6">刘项入关</td></tr>
<tr><td>十一月</td><td>沛公约法三章，秦民大悦。</td><td>项羽诈坑杀秦降卒二十万于新安。</td></tr>
<tr><td rowspan="11">公元前206
乙未</td><td rowspan="11">汉元年</td><td>十二月</td><td>鸿门宴，拉开楚汉相争序幕。</td><td>项羽杀秦王子婴</td></tr>
<tr><td>一月</td><td colspan="2">项羽烧屠咸阳，大火三月不灭，掘始皇冢。</td></tr>
<tr><td>二月</td><td colspan="2">项羽分天下立十八王。封沛公汉王。自称西楚霸王。尊楚怀王为义帝，徙都江南郴县。</td></tr>
<tr><td>三月</td><td rowspan="2">四月，诸侯罢戏下，各就国。汉王入汉中，用张良策，烧绝栈道，以示无东意，麻痹项羽。</td><td rowspan="2">项羽还彭城，逐义帝。又怨张良从沛公，不遣韩王就国，劫持至彭城。</td></tr>
<tr><td>四月</td><td rowspan="2">项羽伐齐</td></tr>
<tr><td>五月</td><td colspan="2">田荣反，击齐王田都，都走楚。/陈余逐赵王张耳，立赵歇为赵王。</td></tr>
<tr><td>六月</td><td colspan="2">田荣击杀胶东王田市。</td><td rowspan="4">汉王定三秦，进军彭城</td></tr>
<tr><td>七月</td><td>田荣击杀济北王田安，三齐属荥。</td><td>项羽出兵伐齐。</td></tr>
<tr><td>八月</td><td colspan="2">汉王还定三秦，围章邯于废丘，都栎阳。/ 张良遗书项羽，云齐赵共灭楚，汉王欲得关中而已。项王惑，不救章邯。</td></tr>
<tr><td>九月</td><td>汉王乘胜东出。/ 项羽杀韩王成，张良归汉。</td><td>项羽以郑昌为韩王拒汉。</td></tr>
</table>

续表

公元前206	汉二年	十月	项羽使九江王黥布截杀义帝于江中，大失天下心。		汉王定三秦，进军彭城
		十一月	赵王张耳归汉。		
		十二月	项羽灭田荣。		
公元前205 丙申		一月	韩信破虏郑昌，置河内郡。	项羽坑杀田荣降卒，大掠齐民，齐民复反。	
		二月	汉王立汉社稷，赐民爵。	项羽立田假为齐王	
		三月	汉大将韩信置章邯残敌于后，率众大出，渡临晋西魏王魏豹从 / 汉王南渡河至洛阳为义帝发丧，征兵诸侯，诸侯皆从 / 韩信东进，破楚龙且昌邑防线，直指彭城。	项羽陷于齐地连战不能下。/ 田横击走田假，田假走楚，羽杀之。	
		四月	彭城大战。汉王五十六万入彭城，日置酒高会。羽率三万精骑奔袭，大溃汉兵。/ 黥布坐观。		
		五月	汉王败退至下邑，与诸将谋破楚大计，张良献策，史称“下邑画策”/ 汉王至虞城，遣随何策反九江王黥布。	项羽追击汉王，虏汉王妻吕后，及汉王父太公。	
		六月	汉王入关灭章邯，立太子，赦罪人，深固根本。/ 萧何大发兵粮助汉王返荥阳。/ 韩信设伏破楚京索间，构筑成皋防线，楚汉转入相持。		楚汉成皋相持
		七月、八月	八月，汉王遣韩信、曹参、灌婴讨魏豹，开辟北方第二战场。	项王派项它入援魏豹。	
		九月	韩信破魏。		
		后九月	韩信破代，擒夏悦。		

续表

公元前205	汉三年	十月	韩信破赵。/ 彭越扰楚后方。	黥布反淮南，龙且击之。项羽南击布，北救赵，兵力分散。	楚汉成皋序战
		十一月	项羽急攻汉，郦食其献策立六国后以树党。汉王问张良，张良发八难以为不可，汉王立即销毁封王印。/ 十二月，黥布兵败归汉。		
		十二月			
公元前204 丁酉		一月	汉王被围荥阳，陈平行反间计以弱楚。	项羽中反间计不信范增、钟离昧等。范增怒，于四月乞骸骨回彭城，疽发背死。	汉三年一至九月成皋激战
		二月			
		三月			
		四月			
		五月	汉王荥阳突围，纪信替死。/ 汉王入关收兵，南下宛叶，与黥兵行收兵。/ 彭越、灌婴深入楚后下邳，破薛公军。	项羽无谋，破汉荥阳、成皋而未能乘胜西进，被汉王调动南下宛叶，东击彭越，脱离主战场。	
		六月	汉王北上夺回成皋。/ 项王击走彭越，复围成皋，下荥阳，杀周苛。/ 汉王出逃成皋，北渡河夺韩信军。/ 项王再下成皋，仍未乘胜西进，丧失战机。		
		七月	汉王令韩信击齐。		
		八月	汉王驻屯河北小修武，使刘贾助彭越渡河深入梁地，烧楚积聚，下外黄，睢阳，断楚粮道。项羽被迫回救，留曹咎守成皋，再度脱离主战场。		
		九月	广武对峙。汉王渡河破曹咎，复夺成皋，围钟离昧于荥阳东。	项羽破走彭越，回师荥阳，与汉对峙广武。	

续表

公元前204	汉四年	十月	韩信击破齐历下军。	楚龙且救齐。	汉四年楚汉广武对峙，韩彭观战，战场沉寂整一年
		十一月	韩信破齐楚联军，杀田广、龙且。	项羽震恐。	
		十二月	韩信请假王于齐。汉王怒，欲攻之，张良、陈平谏止。		
公元前203 戊戌		一月	韩信按兵不动，彭越亦观望，项羽得以喘息。		
		二月	汉王遣张良为特使，立韩信为齐王。		
		三月 四月 五月 六月	刘项对峙广武，汉兵盛食足，项羽兵疲乏食，楚汉强弱易位。项羽悍战，谋臣范增死，猛将龙且亡、黥布反，众叛亲离，处于弱势，无力进取。汉王虽众，却不能独立胜项羽。史称智力俱困。		
		七月	汉王封黥布为淮南王，入九江诱周殷。		
		八月	汉王用张良计，请和于楚。		
		九月	楚汉和约告成，以鸿沟为界，中分天下。太公归汉。		
	汉五年	十月	项羽引兵东归，汉王用张良、陈平计穷追项羽。诸侯之兵，失期不会，汉王兵败固陵。		垓下决战
		十一月	汉王纳张良建言，以实地封三雄，韩信、彭越等果然引兵会围项羽。楚汉相争进入决战。		
公元前202		十二月	垓下决战。项羽败死，楚亡汉兴。从彭城大战至此，历时 33 个月，2 年零 9 个月，楚汉战争结束。		
说明	本表由上至下为年轴线，备注栏简明显示历史过程形象而直观。由于《史记·秦楚之际月表》与《高祖本纪》系年多有误，本表系年事历依《汉书·高帝纪》校正。				

附录二　楚汉相争作战经过示意图书

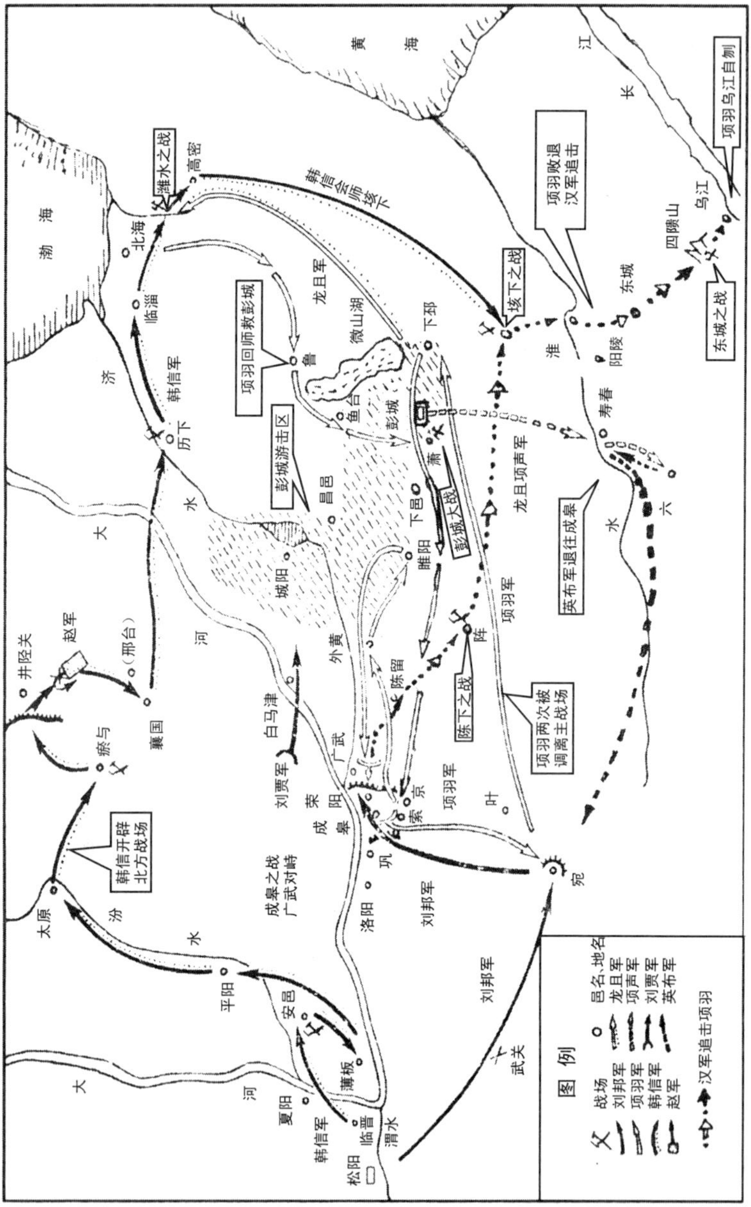

（本图为作者自绘）

第十讲　秦皇汉武　千秋评说

——司马迁笔下的雄主

秦汉大一统时代，产生了两位伟大的君主，秦始皇、汉武帝。在中国历史上，秦皇、汉武并提，因为两人都是秦汉大一统时代的骄子和标志性人物，他们共同创建了大一统中央集权制度，为中国历史的发展作出了重大贡献。本讲对秦皇汉武，作对比评析。

秦始皇，名嬴政，是统一六国大业的秦王，中国封建专制政体中央集权制度的建立者。秦始皇生于公元前 259 年，卒于公元前 210 年，享年 50 岁。秦始皇在公元前 246 年 13 岁时继承王位，执政 37 年。公元前 221 年，秦王嬴政统一六国，建号皇帝，称始皇帝。

汉武帝刘彻，汉景帝第十子。汉武帝生于公元前 156 年，卒于公元前 87 年，享年 70 岁。汉武帝在公元前 140 年即位，年 16 岁，在位 54 年，是中国历史上在位超过半个世纪屈指可数的帝王之一。汉武帝即位始创建年号，称建元元年。

秦始皇的最大功绩是统一六国，创立了大一统的中央集权制度，史称千古一帝。汉武帝的最大功绩是开拓疆土，创建了强大的西汉帝国，确立了汉族的历史地位，巩固了秦始皇创立的大一统中央集权制度，是中国历史上少有的雄主之一而与千古一帝秦始皇并称为秦皇、汉武。

一、传奇身世

按古代宗法制度，“立嫡不立庶，立长不立贤”的原则，秦皇、汉武都不当立。而鬼使神差，两人在宫闱斗争中胜出，得立为太子，背后都与几位奇异的女人有关，夸张地说，两位雄主，都是几位奇异女人栽培出来的。当然，这只是夸张，主宰权还在男性手中，不过几位奇异女人的干政，使两位雄主的身世都带了几分传奇。

1. 秦始皇生父之谜

秦始皇父是秦国自秦孝公以来第六位国君庄襄王。秦孝公变法，秦国迅速崛起，传了六世国君，秦始皇继位，所以贾谊《过秦论》称秦始皇“奋六世之余烈”即指此。庄襄王是安国君，即秦孝文王的庶子，名异人。异人的母亲称夏姬，不受安国君的宠幸，因此异人被作为人质，出使在赵国。安国君最宠幸的美姬称华阳夫人，立为正夫人。华阳夫人没有生育，古代母以子贵，华阳夫人无子，年老色衰，就要失宠，这是她的隐忧。

吕不韦是韩国阳翟大贾，往来于列国，了解了秦王室的这一切情况。吕不韦善于经商，不仅是大商人，而且善于从政，是一个大政治家。吕不韦看到了秦国统一的大势，他决定弃商从政，用经商之道来经营从政。他在赵国看到了秦质子异人穷困潦倒，因身份特殊，吕不韦看中为“奇货可居”①。吕不韦见异人在公元前260年初，当时正值秦赵长平之战，赵国几次要杀死异人，由于异人是安国君的庶子，秦王室也不管他的死活，所以异人的生活处境十分狼狈。吕不韦光临，处于绝境的异人自然高兴万分，两人谋划一桩政治交易，于是一拍即合。吕不韦送给异人千金，

① 《史记》卷八五《吕不韦列传》。

异人在外交场上立刻尊贵起来。吕不韦入秦，行贿华阳夫人的姐姐，托她游说华阳夫人收养异人为儿子，异人摇身一变成为嫡子。华阳夫人改异人之名为子楚，穿楚人服装，加重乡情。因华阳夫人是楚国人。子楚答应，当了国君，重用吕不韦，甚至分国之半来回报吕不韦。

为了从根本上夯实政治基础，吕不韦挑选了一个能歌善舞、姿色绝美而风流的邯郸豪家女赵姬为妾，当有了身孕，吕不韦宴请子楚，赵姬陪伴，子楚心动，当场向吕不韦祝酒，请求把赵姬送给他。于是赵姬成了子楚夫人，足月后果然生下一个儿子，因在公元前 259 年正月出生在赵国，于是取名赵政，后来回到秦国，改名嬴政，这就是秦始皇。

历史真是这样，秦始皇就是吕不韦的儿子。学术界对此历来有争议，认为司马迁采录了民间故事。秦始皇是否是吕不韦的儿子，姑置不论。吕不韦达到了光大子楚之门，而后光大自己之门的目的，从一个商人转变为政客，当了秦国丞相。吕不韦执掌秦政十余年，大量引纳东方人士入秦，其中就有李斯。秦始皇执政初期，大权旁落吕不韦之手。不过吕不韦专权，他却是致力于统一战争与统一的政治路线，为秦国的统一事业立下大功。在秦国发展史上，吕不韦是和李斯并驾齐驱的人物。秦始皇因吕不韦得立为秦王，这一铁的事实不能改变。秦始皇得益于生母赵姬，以及华阳夫人、华阳夫人姐姐的间接栽培，这也是铁的事实。司马迁如此不惜笔墨写下秦始皇的传奇身世，旨在说明雄主的不同凡响，出生就很奇特，血管里融入了奇特的基因。

2. 汉武夺嫡，其母曾梦日入怀

汉景帝有 5 位生皇子的夫人，给他生了 13 个儿子。汉武帝刘彻排行第十。景帝薄皇后是祖母薄太后指婚薄氏娘家人，景帝不喜欢，在宫中受冷落，没有生育。因此，景帝没有嫡长子，他在庶出中选立太子，产生了立贤的想法。古人认为嫡长子为太子的地位是上天认定的，是国本，不可动摇。如果更换太子，等于是一场宫廷政变，往往是流血的斗争。西汉开国皇帝刘邦，认为嫡子汉惠帝仁弱，不如戚夫人所生赵王刘如意贤能，要废太子立贤，遭到满朝文武的反对，汉高祖只好作罢，还给赵王母子带来杀身之祸，殷鉴不远，景帝废嫡立贤，不可不深思。

汉景帝四年（前153），立长子刘荣为太子，立诸子为王。十子刘彻立为胶东王，年仅4岁。当时汉景帝为了阻止窦太后逼迫传位弟弟梁王刘武，只好按宗法制度正常立嗣，册立景帝自己并不满意的长子刘荣为太子，因而景帝迟迟没有废除薄皇后，也就迟迟没有册立刘荣生母栗姬为皇后，于是留下变数。果然，三年之后，发生了惊天动地的变化。汉景帝七年（前150），废了太子刘荣，贬为临江王，两个月后改立刘彻为太子，这就是后来的汉武帝。

景帝更换太子，由宫闱斗争引发，波及宫外政治斗争。废太子刘荣两年后被逼杀，直接间接牵连的大臣有郅都、周亚夫、窦婴等三人，都被杀头。这三位大臣，都是西汉的名臣。郅都是审理刘荣修建王宫逾制案件的大臣，他秉承景帝之意逼死废太子，废太子祖母窦太后不依不饶，诛杀了郅都。前任丞相窦婴、现任丞相周亚夫两人都反对景帝废太子，周亚夫被景帝以他事下狱，绝食饿死。景帝为了新立太子顺利接班，预防废太子东山再起，刘荣、周亚夫不得不诛杀。退休丞相窦婴也因反对汉景帝废太子刘荣，在武帝即位后遭到汉武帝的母亲王太后报复被诛杀。刘荣、周亚夫、窦婴，他们都死于冤案。

围绕太子废立的宫闱斗争，有四个女人从不同侧面有意无意助成了刘彻笑到最后。

第一个女人是汉武帝母亲王娡，景帝的王皇后。她是有备而来，怀有夺嫡野心。

王皇后工于心计，贪于权势，性格泼辣，办事果决，敢于冒险，野心勃勃。王娡原本嫁给长陵人金王孙，一个平民家庭，生有一女。她听从母亲臧儿的煽动，说她和她的妹妹王儿姁都命相大贵，就坚决与金王孙离婚，抛夫弃子，自愿入宫侍奉太子汉景帝。前景未知，隐瞒婚史，冒天下之大不韪，敢于进宫，可以说是一场赌博。说来也巧，王娡姐妹都受到汉景帝的宠爱。景帝即位，册立王娡为美人。当年王美人给景帝生了一男就是汉武帝刘彻。王美人还给景帝生有三女。当王娡怀上刘彻的时候，她就向汉景帝编造了一个“梦日入怀”的神奇故事，示意自己怀有龙种，讨取景帝的欢心，并为将来的夺嫡奠定了基础。

第二人女人是汉景帝姐姐长公主刘嫖。她不安本分，常在宫中上蹿下跳。长公主逗得母亲窦太后喜欢，窦太后死时，遗命她的个人财物全部赐给长公主刘嫖。窦太后极有权势，长公主在宫中更为得势。长公主又示好汉景帝，时常给景帝选美，找新欢。这夺了栗姬的爱，姑嫂二人矛盾很深。当栗姬的儿子刘荣立为太子后，长公主立即改变态度，主动向栗姬示好，长公主的目的就是要把自己的女儿配给太子将来做皇后。栗姬脾气倔强，不识大体，她拒绝了长公主，还说了一些不三不四的话。长公主碰鼻，非常气愤，王娡看在心里，趁机迎上，两个女人勾结一起挤兑栗姬。长公主帮助推刘彻立为太子，王娡就答应要儿子刘彻娶长公主的女儿阿娇为妻，将来当了皇帝立为皇后。当时汉武帝才七岁，年龄可能比陈阿娇小得多，这些都顾不得了。汉武帝也十分聪明乖巧，他自己配合得体。《汉武故事》记载，长公主把汉武帝抱坐在自己的大腿上，指着100多个美女，让汉武帝挑一个媳妇，汉武帝全不中意。长公主指着自己的女儿问：“阿娇好不好?”汉武帝回答说：“表姐阿娇好，若得阿娇作妇，我用黄金盖一座房子给她住。”“金屋藏娇”的典故就从这里得来。

于是长公主成天在汉景帝面前说栗姬的坏话，称誉胶东王刘彻多么贤能。说多了景帝听在耳里，记在心里，他仔细观察刘彻，确实觉得刘彻在诸皇子中最聪明能干。

第三个女人是栗姬。她很不自重。有一次景帝生了病，很沉重，他觉得不行了，就找来栗姬，把诸皇子托付给栗姬，这表明景帝还没有废太子的意思。栗姬没有抓住这次机会表现自己，哪怕是说几句假心假意的话暖暖景帝的心也好。栗姬少心眼，既不理智，又很蠢，她把平日的不满和怨恨全使出来，“怒，不肯应，言不逊”①。《汉武故事》记载说，栗姬骂汉景帝是“老狗”，这可能有些夸张。可是栗姬的怒，栗姬的不答应，栗姬的出言不逊，

① 《史记》卷四九《外戚世家》。

让汉景帝凉透了心，司马迁记载："景帝恚，心嗛之而未发也。"景帝十分城府，他虽然恼怒，却没有发作。

汉景帝的沉默，已下定了废太子的决心，栗姬的大限也就快到了。

不久景帝病愈，王娡抓住时机，趁热打铁，暗中示意大行礼官上奏景帝，请册立栗姬为皇后。景帝正在气头上，大行礼官不知宫中深浅，贸然上奏，拱起了景帝的无名火，景帝误认为是栗姬在背后唆使，于是立即下诏废了太子。

王美人的这一计十分毒辣。可怜栗姬不知就里，忧心如焚，无可奈何，很快就死了。

第四个女人是窦太后，她是汉景帝的母亲，在关键时起很大的作用。窦太后见景帝结发夫人薄皇后没有生儿子，就极力主张汉景帝兄终弟及，把皇位传给弟弟，窦太后的小儿子梁王刘武。汉景帝为了宽母亲的心，在一次梁王入朝的皇宫家宴上顺口而出："母亲放心，我千秋之后传位梁王。"景帝自感失言，但话已出口，只好迟迟不立太子，给王美人王娡夺嫡皇后之位留下空间。窦太后又极宠爱长公主，王美人又善于逢迎拉拢，最后窦太后站到了王美人一边。

栗姬、太子刘荣都没有什么罪过，他们成了政治牺牲品，受到人们的同情。民间传说，刘荣死后，有几万只燕子在刘荣坟头上盘旋，叼泥叼草扔在刘荣的坟头上，一直把坟堆得很高很大。老百姓看到这奇景都忍不住落泪。司马迁这样写，是强烈地谴责王美人、长公主的恶毒，以及鞭笞汉景帝的残忍，他们丧失人性不如小燕子。司马迁这般描写，是对被害的太子和栗姬表示深切的同情。

政治就是这样的残酷与无情。而王美人和汉武帝在复杂的斗争中胜出，在政治上得到了锻炼与成熟，确实是能者贤者。

二、掌权之路

秦皇、汉武都年少即位，在亲政过程中经历了惊心动魄的斗争。秦始皇更是用武力夺回了权力。

1. 秦王粉碎嫪毐集团

公元前246年，秦庄襄王死，嬴政继位，这就是后来统一六国的秦始皇。秦王嬴政即位时年仅13岁，政权旁落在相国吕不韦和太后宠信的假宦官嫪毐手中。庄襄王即位后，兑现诺言，任用吕不韦为相，封十万户，号曰文信侯。庄襄王短命，即位三年就死了。因此秦王嬴政年少继位，国家大政掌握在吕不韦手中，秦王嬴政尊称其为“仲父”。秦王嬴政母，庄襄王后，还是一个30余岁的中年妇女，她以王太后身份频频召吕不韦入宫，重温旧梦。秦王嬴政一天天长大，吕不韦害怕事情败露，遭灭顶之灾，遂访得一个大阴人嫪毐，拔掉嫪毐的胡须，让其冒充宦官入秦王宫侍奉王太后。太后绝爱之，封嫪毐为长信侯，把太原郡赐给嫪毐为封国。宫室车马衣服苑囿，听凭嫪毐享用，事无大小也由嫪毐说了算。嫪毐养家僮死士数千人，成为一个新兴政治集团。嫪毐与吕不韦联手控制秦国政权，秦王嬴政只是一个傀儡。

秦王政九年，公元前238年，嬴政已经22岁，行加冠礼，正式亲政。古时男子20岁加冠，嬴政22岁加冠，已是迟来。吕不韦不愿交出政权，他支使嫪毐起兵作乱，假传太后诏令，还盗用秦王印玺，发动县卒、卫士、官军骑兵、宾客攻打秦王所住的蕲年宫。蕲年宫不在京师咸阳，在雍，今陕西凤翔。秦王早有准备，故意卖个破绽引蛇出洞。昌平君、昌文君做好平叛安排，秦王逼令吕不韦以相国名义平叛，在咸阳展开大战，嫪毐败下阵来。宫廷卫尉竭、京师市长内史肆等28人参加叛乱，全部斩首，嫪毐遭车裂。叛乱首领被灭族，参加叛变的随从，罪轻的判三年徒刑，重的遭流放有4000多家。局势安定以后，第二年秦王追究吕不韦的责任，先是免官，回到封国，随即下令流放吕不韦到蜀地，吕不韦不愿受辱，自杀而亡。

秦王政后发制人，干净利落平息叛乱，夺回政权，表现了他的雄才大略。

2. 汉武帝初即位，施行建元新政

公元前140年，汉景帝病逝，汉武帝即位，当年才16岁。

汉武帝即位当年，就立即着手政治革新。他在建元元年（前140）岁首十月，发布诏令举贤良对策，这是推行新政的一个切入点。

举贤良制度是汉文帝前元二年（前178）创立的，全称叫“举贤良方正能直言极谏者”。“贤良方正”是举士的名称，“能直言极谏”是入选条件。国家要推行新的大政方针，往往借日食、水旱等灾异出现下诏求言，由公卿大臣、郡国守相等二千石以上的高官按全国地区名额举荐贤良，到京师接受皇帝策问，这叫对策。对策内容是评议时政，建言新政措施，供皇帝采择，颇有点“议会制度”的风采。对策后，皇帝与大臣共同评定名次，授予职位，所以贤良对策又是求贤的选举制度。对策第一名称为举首。

建元元年举贤良对策的举首是董仲舒，西汉著名的大儒。汉武帝又特地给举首董仲舒下诏出了三题，董仲舒回答了三题，论证了天人关系，所以合称“天人三策”。董仲舒在对策中，提出黜刑名，崇儒术，明教化，兴太学，令郡国尽心求贤。同时宣扬《公羊春秋》大一统学说，在思想领域主张，凡“诸不在六艺之科、孔子之术者，皆绝其道，勿使并进”①。汉武帝系统地接受了董仲舒的治国思想，作为巩固政权的工具。这次所举贤良，只录用儒家，治申韩苏张之言的士人，一律不用，史称“罢黜百家”。嗣后，建元五年（前136）立太学，始置五经博士，史称“独尊儒术”。两个事件，合称“罢黜百家，独尊儒术”。这是汉武帝初即位实行新政的大手笔。元光元年（前134），初令郡国举孝廉各一人，皆用董仲舒之言。

举贤良之后，汉武帝调整班子，启用尊儒的一批人士为大臣。任命窦婴为丞相，田蚡为太尉，赵绾为御史大夫，王臧为郎中令。窦婴是窦太后的娘家侄儿，田蚡是王太后的同母异父弟。这样的安排，是汉武帝平衡他与两个太后之间的微妙关系，一箭双雕，显示了汉武帝的政治智慧。紧接着颁布了一系列新政，汉武帝发起了向窦太后夺权的举措，更化无为政治，转向以尊儒为

① 《汉书》卷五六《董仲舒传》。

旗帜的多欲政治。窦太后则在伺机反扑。

建元二年（前139）岁首十月，御史大夫赵绾、郎中令王臧联名上奏，要汉武帝亲政，不要再奏事东宫窦太后。窦太后大怒，借口赵绾、王臧没办好景帝的丧事，治两人的罪，皆下狱死。丞相窦婴、太尉田蚡被免官。窦太后任用坚持黄老之术的许昌为丞相，庄青翟为御史大夫。

窦太后扼杀了建元新政。但汉武帝初试锋芒就大手笔，生动地展示了他年少有为，以及雄才大略的气度。

三、晚景凄凉

秦始皇在位37年，汉武帝更长，在位54年。两位雄主的雄才大略，加上较长时期的执政，建立了卓越的功勋，创造了秦汉大一统的盛世。雄主志得意满，秦皇、汉武都多次巡行全国，秦始皇到处刻石颂功。两位雄主都上泰山封禅，祭告天地称成功。两位雄主又都挑战死神，迷信方士，寻求长生，做出了许多荒唐的事。大权独揽，为所欲为，到头来成了孤家寡人，两位雄主的晚景都十分凄凉。

1. 秦始皇病死沙丘

秦王亲政后任用李斯、尉缭、王翦等人，加紧进行统一战争。公元前230年首灭韩，次第灭魏、灭楚、灭赵、灭燕、灭齐，到前221年，十年之间兼并六国，建立了中国历史上第一个统一的中央集权封建国家，即秦王朝。秦王建号“皇帝”，自称“始皇帝”。秦始皇在咸阳筑宫室145处，藏美女万人以上。又在渭南上林苑造朝宫前殿，史称阿房宫，殿上可容万人。始皇帝还在骊山修皇陵，坟高50余丈，周5里余，掘地极深，灌入水银为百川江河大海。墓中宫殿及百官位次，珠玉珍宝，不计其数。

秦始皇大修宫室陵墓，显示无边无际的权力，仍掩饰不住内心的悲凉。他求长生，神仙不来，只好望洋兴叹，他无力征服大海，可以想见他内心是多么苦恼。秦始皇的长子扶苏，仁慈贤明，受到秦始皇的器重，扶苏更得到大臣们的拥护。扶苏看不惯秦始皇大兴土木，焚书坑儒，提出劝谏，秦始皇气愤扶苏与自己不一条心，不立为太子，还把扶苏放逐出京，发配北边去做蒙恬的监军。秦始皇晚年，全国人民不满秦朝的暴政，已从心中的诅咒，转为明显的反抗。秦始皇三十六年，东郡落下一块陨石，当地人民在陨石上刻上“始皇帝死而地分”七个大字。这年秋天，秦始皇的使者从关东归来，夜过华阴平舒道，有一个人自称神灵，手中拿一块玉璧拦住使者说：“替我送给滈池君。”接着又说：“今年祖龙死。”使者回朝献上玉璧，奏明原委，秦始皇惊出了一身冷汗，沉默了很久才说话。秦始皇说：“山鬼只知一年的事，哪有远见。”秦始皇退朝后却对左右的人说：“祖龙是人的祖先。”龙是皇帝的象征，“祖龙”即“始龙”，始龙就是始皇。“今年祖龙死”，就是“今年始皇死”。查验玉璧，竟然是二十八年东巡时沉入泗水中祭祀河神的那块玉璧，更加使秦始皇郁闷。秦始皇召来太卜占卦，解说卦象出巡吉利。当时盛传东南有天子气。秦始皇决定十月出巡东南，以皇帝之尊去镇压东南的天子气，又出巡避邪，真是一箭双雕。这次秦始皇出巡，由于心事重重，精神不振，过钱塘江，遭到项羽小儿的蔑视，说“彼可取而代也”。秦始皇最后一次出巡东南的目的遭到了彻底的失败。

秦始皇回京，在半道病逝沙丘宫，胡亥篡改秦始皇遗诏，赐死扶苏，胡亥夺了政权，二世亡国，更是非秦始皇始料所及。

2. 汉武帝晚年悲剧

汉武帝希求长生不死，身边一大群方士骗子替汉武帝炼丹制药，下海求仙。一个叫李少君的方士，自称活了几百岁，能炼丹沙成黄金，再把黄金制成饮食用具，就可延年益寿。又一个方士叫少翁，汉武帝封他为文成将军，声称可以请来神仙，最后骗术败露被杀了头。又一个方士栾大，牛皮吹得更大，说自己在海上见过安期、羡门等神仙，可以炼不死之药，汉武帝在一个月内连赐他四个将军印即五利将军、天士将军、地士将军、大通将军，又封为乐通侯，还把卫皇后所生长公主嫁给他，荒唐之极。

汉武帝重女色，皇后两人：陈皇后、卫皇后。宠妃有王美人、李夫人、尹夫人、邢夫人、钩弋夫人等。宫闱争宠，常用当时流行的巫术害人。把仇恨的人刻成木偶，埋在地下诅咒，可以害死所仇恨之人，这一巫术叫巫蛊。陈皇后就用巫蛊害卫子夫，结果反把自己害了。奸臣江充与太子刘据有嫌隙，就诬陷皇后、太子用巫蛊诅咒汉武帝，汉武帝信以为真，成立专案调查太子、皇后，任用江充治巫蛊。江充指使人诬告丞相公孙贺父子。公孙贺之子尚阳石公主，阳石公主是太子刘据的妹妹。公孙贺父子和阳石公主先被杀，接着江充诬告太子、皇后，并在太子宫中挖出了木偶。太子请求晋见汉武帝被拒绝，就诛杀了江充。江充同党告太子造反，汉武帝下诏丞相刘屈氂平叛。太子以皇后诏四处发兵，与丞相在长安城中大战。太子兵败逃出长安，被汉武帝派兵逼杀，皇后及大将军卫氏皆被诛灭。这一场京师城中的混战，死亡近十万，太子一党被诛杀的有上万人。汉武帝失了皇后，杀了太子，精神、声望都受到沉重打击。

后元元年，宫中又发生莽何罗谋刺汉武帝的宫廷事变。汉武帝再次受到沉重的打击。第二年就病死了。

四、功过是非

历来评议秦皇、汉武都是毁誉参半，总体上，评价秦始皇，否定多于肯定，评价汉武帝肯定多于否定。其实两人都是伟大的双重性人物，有大功亦有大过，不必去做三七开或四六分，功是功，过是过，如此评析，才能正确地吸取历史经验与教训。

1. 秦始皇的功过

秦王嬴政二十六年（前 221）统一中国，建立了统一的中央集权制国家。分全国为三十六郡，郡下设县。地方官由中央任免，结束了诸侯分封的政治。确定最高统治者的称号为皇帝，示意功盖五帝，地过三王，象征宏大的新气象，并与旧时代彻底决裂。国家一切重大事务由皇帝决裁，命为“制”，令为“诏”，自称曰“朕”，显示绝对权威。为了家天下的绝对巩固，嬴政自称始皇帝，以后继承人以数计，称“二世”皇帝、称“三世”皇帝，至于万世，传之无穷[①]。朝廷设三公、九卿辅佐皇帝执行政务。三公为丞相（掌丞天子助理万机）、太尉（掌军政）、御史大夫（副丞相，监察百官）。又设九卿分部治事。九卿为奉常（掌宗庙礼仪）、郎中令（掌禁卫军）、卫尉（掌宫门卫兵）、太仆（掌皇帝车马）、廷尉（掌刑狱）、典客（掌民族事务）、宗正（掌皇族事务）、治粟内史（掌民政及财赋）、少府（掌山海池泽之税供皇室费用）。此外，中尉（掌京师治安）、内史（首都市长）等为列卿。

秦始皇确立土地私有，统一法律、文字、货币和度量衡。收毁天下兵器，拆除战国时各国的城郭及设防工事。修筑通向全国的交通大道，称驰道。他在京师西北修建一条通往边地的直道，在西南筑五尺道连接今四川、云南、贵州，加强对地方的控制。北筑长城，防御匈奴，南戍五岭，抚定百越。秦始皇还在不断巡行全国各地中刻石颂功，宣扬大一统思想。

秦始皇所完成的统一和建立的中央集权制度，对中国历史的发展作出了很大的贡献，有着深远的影响。是他领导的统一战争，结束了春秋战国以来500多年诸侯割据混战的局面，给社会带来了一个安定的环境，当时天下黎民莫不虚心而仰上。是他建立的中央集权制度，完成了大统一，加强了各地区政治、经济、文化联系，为我国长期统一奠定了基础。尽管秦政暴虐，立国短暂，但他所创立的制度，在中国推行达2200年之久[②]。

秦始皇又是一个典型的双重性人物，他功大过亦大，历代以来受到人民的唾骂。秦始皇极其残暴，烧毁诗书图籍，严重破坏文化；他又活埋议政的方士及儒生460多人，钳制思想；严刑苛法，租役繁重；他大兴土木，建宫室，修坟墓；以及连年用兵，经常役使民力在200万左右，为当时全国总人口的10%。广大人民痛苦不堪，他去世的当年就爆发了大规模的农民起义，不久，

---

① 《史记》卷六《秦始皇本纪》。

② 秦始皇公元前221年统一六国，实施中央集权，到公元1911年辛亥革命推翻帝制，封建中央集权制度在中国推行了2201年。

秦王朝就灭亡了。

2. 汉武帝的功过

汉武帝最伟大的建树是巩固和发展了秦始皇建立的封建中央集权制度，把中华民族悠久的物质文明和精神文明推向了一个新的高峰，对历史产生了深远的影响。如果说中国曾经有过奴隶制社会，西周是它的高峰，那么西汉，特别是汉武帝时代，则踏上了封建社会第一个鼎盛时期，巩固和确立了新制度、新规范；如果说中国西周已进入封建领主制度，并创立了一个盛世，那么，汉武帝的建树则是完成了大一统的新世纪，他所造就的西汉盛世可以说有四个空前，即政治上空前统一，经济上空前繁荣，国力上空前强盛，文化上空前发展。可以说，汉武帝的文治武功，无论在当时还是对后世，都具有独特的历史意义。

汉武帝的文治。政治方面：元朔二年（前 127），颁“推恩令”，使诸侯王分封诸子为侯，以削弱割据势力，元鼎五年（前 111），酎金事件，一次削除 106 个列侯，把西周以来行用千余年的封建立藩制度，划了一个句号；元封五年（前 106），置十三部刺史，以加强对地方的控制；元封元年（前 110）封泰山；太初元年（前 104）改历，定官制，完善了国家制度。经济方面：采纳桑弘羊建议，把冶铁、煮盐、铸钱收归官营；设置平准官、均输官，由官府经营运输和贸易；元狩四年（前 119）初算缗钱，征收商人资产税；元鼎三年（前 114），杨可主持“告缗”，没收中产以上商贾资财，沉重地打击了商人。这一系列经济政策，在当时筹措了巨额战费，支持了对外用兵，长远的利益则是为集权政治制度创立了经济基础，影响深远。消极方面，汉武帝的经济垄断政策遏制了自由工商业的发展，影响历史亦至为深远。此外，汉武帝运用国家政权大兴水利，加固黄河堤，大造人工渠，推广“代田法”，移民西北屯田，推进了农业的发展。文化方面：建元元年罢黜百家，独尊儒术；建元三年（前 138），诏选天下文学才智之士，待以不次之位；元朔五年（前 124），免除太学生徭役赋税，在全国范围推广了文化教育事业；又定音律，置乐府，采集民间诗歌，这一切都具有开创性的意义。

汉武帝的武功。汉武帝一生的主要精力用于外伐四夷。西汉彻底地打垮了匈奴，保卫了先进农耕文化的持续发展，汉帝国的疆域向北推进到了今内蒙古的大部，向西开拓了河西走廊，随后进军到西域。断匈奴右臂，其势力达于西域葱岭之巅。汉武帝发动的这场汉匈决战，保障了古代亚洲大陆黄河流域先进农业经济文化区的发展，从而确立了中华民族之称为汉人的历史地位，意义极为深远。汉武帝曾两次派张骞通西域，开辟了沟通中西经济文化交流的“丝绸之路”。又派唐蒙等人开发西南夷地区，又并两越，拓境至南海。汉武帝大体奠定了中国今日之版图。

此外，汉武帝的人格魅力、智慧、胆略、才干，以及错误，都将带给人们深深的启迪。

汉武帝的大过有三：第一，推行了酷吏政治，人民蒙受深重灾难；第二，迷信方术，求长生不老，导致晚年巫蛊案，造成政治动乱，太子不保；第三，过度使用民力，外征内作以致“海内虚耗，户口减半”①。有幸的是，汉武帝晚年悔悟，下轮台罪己之诏，转轨政治，用富民侯田千秋，为昭宣中兴奠定基础，西汉也避了亡秦之辙。

五、千秋评说

秦始皇、汉武帝是中国历史上屈指可数的雄主，他们建立的盖世功勋有目共睹。但他们的过错也带给国人深重灾难。智者见智，仁者见仁，评说秦皇、汉武，是一个永无了期的话题。

秦皇、汉武建立和巩固的中央集权制度，保证举国一致完成事业，有利于建功。秦始皇统一六国，筑长城，修驰道，靠的是举国一致。汉武帝抗击匈奴，取得辉煌胜利，靠的是举国一致。但是，由于权力的过分集中，带来许多弊端。举国一致，容易形成暴风骤雨式的运动，全民族患寒热病，造成社会动乱。权力高

---

① 《汉书》卷七《昭帝纪》。

度集中，给使用集权的独裁者也带来许多弊端，雄主的晚年多是悲剧，就是集权弊端带来的结果。具体说，主要有三个方面：

其一、权力失衡。秦始皇过度集权，谁在皇帝身边，谁就能呼风唤雨。赵高在二世身边，他操控了宫廷政变，随意处置丞相李斯，到头来秦二世也受其害，秦朝之灭，毁于过度集权。汉初三公权重，制衡皇帝不至于过分骄纵，听得进劝谏。汉武帝一朝，前后12个丞相，6个被杀。汉武帝用内朝决策，控制外朝，丞相权轻，成了摆设。大将军卫青奏事，汉武帝可以随意召入厕所谈话。朝臣唯唯诺诺，汉武帝为所欲为，行政效率必然怠惰。汉武帝多欲，挥霍无度。汉武帝后期，财政枯竭。征和四年（前89），国家在西域轮台设置一个数千人的屯田点，国库无钱，需要加征每户四十文助边，由此可见衰竭程度。

其二、法制苛暴。秦法严酷，造成赭衣满道，囹圄不空。陈胜起义，就因秦法屯戍误期要斩首，于是揭竿而起。汉武帝实行酷吏专政，全国人民处于水深火热之中。司法官员丢开了法律条文，一心只看汉武帝脸色行事。汉武帝想宽大的人，即使罪大恶极，也不惩治。汉武帝厌恶的人，枉法惩治。有人质问杜周为何不按法律条文办事，杜周说："前任皇帝的旨意写在简上就是法律，新任皇帝说的话就是判决书，这就是法律。"地方酷吏，滥杀波及无辜，王温舒一天就杀人400，血流成河，汉武帝还赞许之为能。

其三、大权旁落。国家政务，千头万绪，皇帝过度集权，必然旁落于群小。宦官、外戚、权臣干政，在中国历史上层出不穷，就是皇帝权力旁落的表现形式。只要集权体制不改，宦官之祸、外戚之祸、权臣之祸就不可避免地要发生，皇帝也是人，他的七情六欲，因为集权而放大，往往成为宦官与小人弄权的突破口。汉武帝生性有两大弱点，一是迷信鬼神，希求长生；二是风流成性，迷恋女色。方术骗子、奸佞小人如江充，利用汉武帝的这两个弱点，擅权弄势，导致武帝晚年悲剧。

第十一讲　西汉盛世时期的三大冤案

——司马迁笔下的政治斗争

西汉文、景、武三代皇帝是西汉的盛世，在景帝和武帝初年又正当文景之治的鼎盛阶段，这时政治稳定，经济繁荣，社会一片升平，皇帝圣明，臣工守职，史称“人人自爱而重犯法，先行义而后绌耻辱焉”[①]。恰恰就在这一朗朗乾坤中，西汉有三大忠臣蒙冤，尽瘁国事而死于非命。这三大忠臣就是晁错、周亚夫、窦婴。晁错、周亚夫景帝朝蒙冤；窦婴枉死于武帝初年。三人且都不是当朝皇帝想要杀的人，而阴差阳错复杂激烈的斗争逼迫圣明皇帝做出违心之事而屠杀忠臣，发人深思。晁错，颍川人，西汉著名政论家。主张削减诸侯王封地，吴楚七国借机联兵反汉，晁错被诛杀弃市，满门抄斩。周亚夫是西汉开国功臣周勃之子，传见《绛侯周勃世家》。周亚夫平定吴楚七国之乱，再造西汉，因直言顶撞了汉景帝，被下狱活活饿死。窦婴是外戚，汉文帝窦皇后的堂侄。另一外戚田蚡是景帝王皇后的同母异父弟。窦婴和田蚡两人都是汉武帝的亲戚，窦婴是奶奶外家，田蚡是母亲外家。

---

① 《史记》卷三〇《平准书》。

武帝初即位，奶奶窦太皇太后和母亲王太后都健在，两姓外戚同时贵盛，窦婴为丞相，田蚡为太尉。一个年少气盛的皇帝，两个太后，两个国舅外戚，关系微妙。两宫皇太后干预朝政，表现在朝中就是窦田相争。起初权力平衡，窦婴与田蚡尚能和平相处，等到窦太皇太后死去，窦婴失势，田蚡贵盛，平衡权力被打破，窦田矛盾激化，窦婴联合失势的将军灌夫对抗田蚡。王太后庇护田蚡，膨胀自己的权势，汉武帝要抑制外戚田蚡势力，却不愿与母亲交恶，在母子妥协中窦婴与灌夫成了牺牲品。窦婴在景帝三年平吴楚之乱立有功勋，封魏其侯，田蚡全凭王太后的裙带关系封武安侯。司马迁以这两个外戚合传来揭露西汉盛世下的宫廷斗争，题名《魏其武安侯列传》。窦婴之死，是失势贵族在权力斗争中的牺牲品，最具典型意义的悲剧色彩。由上所述，晁错、周亚夫、窦婴三大忠臣蒙冤，通过他们的悲剧，司马迁深刻揭露了专制政体上层统治集团的互相倾轧和权力斗争，表现了作者敏锐的观察力和对专制政治的批判与谴责。三大忠臣的人生命运，动人心魄，司马迁写得精彩淋漓，三个人物的列传，也是《史记》中的名篇。

一、晁错削藩身弃市

晁错，生活于文帝、景帝时期，是对“文景之治”起过重要作用的历史人物。

1. 太子智囊

晁错，颍川（今河南禹县）人，自幼受到良好教育，师从于精通申商之学的张恢学习刑名之学，这为他日后从政打下了良好的基础。

晁错步入政界的第一任官职是以文学征为太常掌故，很快迁职为太子舍人，门大夫，家令。迁职如此之速，是因为晁错博闻强记，对《尚书》的复兴作出了贡献。汉文帝时，天下无人研究《尚书》，只有一个齐人秦博士伏生精通《尚书》，年九十余，手不能写，而记忆犹在，汉文帝诏太常派人往齐地抢救国宝，晁错接受任务，到伏生那里记录整理《尚书》，伏生口授，晁错用当时通行的汉隶记录，称《今文尚书》。晁错不仅记录，还能解说其文意。晁错出色地完成了任务，汉文帝很高兴，认为晁错是一个人才，故令其入东宫服侍太子，即后来的汉景帝刘启。

晁错进入东宫，发现太子读书很多，又有过人的骑射技术，但缺少心机，不懂得驾驭臣下的权术，晁错上书汉文帝用权术指导太子，汉文帝很高兴。为了把太子培养成能驭臣使民的君主，汉文帝拜晁错为太子家令，辅佐太子。太子十分器重晁错，言听计从，晁错成为了心腹。太子送给晁错一个雅号，称他为“智囊”①。

2. 献策治边

晁错热衷于政治改革，关心时事，在汉文帝时就不断上疏言事，与贾谊齐名，并称贾晁，是西汉著名的政论家。西汉文景之治，贾晁的政论，发挥了重要作用。

晁错献策治边，为文景时期备战匈奴，奠定了理论与政策的基础。晁错建言，有以下几个方面：

第一，选择良将。晁错认为匈奴之所以出入陇西如入无人之境，“非陇西之民有勇怯，乃将吏之制巧拙异也”。他引用兵法说“有必胜之将，无必胜之民”，因此“安边境，立功名，在于良将，不可不择也”②。

第二，扬我之长，击匈奴之短。晁错说，匈奴的长处有三：其一，匈奴马力善走，汉朝之马不敌；其二，匈奴之民，在马背上生活，能且骑且射，汉朝骑兵，难以抵敌；其三，匈奴游牧为业，逐水草而居，长期的流动生活，养成了匈奴之民不怕风雨，有能抗饥渴的体质，汉朝之民所不敌。但汉朝军队长处有五：其一，汉朝有战车，平原作战，车骑结合，既能构筑坚固的阵地，又可迅猛突击，冲乱匈奴的阵形。其二，汉朝兵器精良，强弓、

---

① 《史记》卷一〇一《袁盎晁错列传》。

② 《上言兵事疏》，载《汉书》卷四九《晁错传》。

长戟，射得宽，刺得远，匈奴的弓箭抵敌不了。其三，汉朝军队，训练有素，长短兵器配合，弓弩游动射击，军队列阵冲杀，匈奴军队抵挡不住。其四，汉朝军队步骑结合，万箭齐发，射向同一目标，匈奴的皮甲、木盾招架不住。其五，下马在地面搏斗，短兵相接，汉朝军队灵活，步履轻捷，匈奴之兵不如。匈奴之兵长技有三，利于马背山间作战，汉朝之兵长技有五，加之人数众多，利于平原作战。若以我之长，击敌之短，以数十万之众，对付数万匈奴之兵，以十击一，必胜无疑。

第三，全副武装归附的匈奴人，以汉朝之兵器，再加上边地的良马，以夷制夷，一旦遇到险阻，则用这支军队出战，抵消匈奴的长技，还加上汉军的配合，互为表里，此为万全之计。

第四，募民实边，储粮塞下，加固边防。

第五，大规模养马，充实战备。

匈奴扰边，西汉王朝统治集团内部主和与主战两派存在着激烈的斗争。汉初，主和派占上风，以和亲策略缓和匈奴的进攻。但匈奴百约百叛，汉朝随着国力的增强，主战派一天天抬头。晁错是文景时期主战派的杰出代表。晁错写了《言兵事疏》、《守边劝农疏》、《募民实塞疏》、《论贵粟疏》等一系列政论，从长远的战略高度，提出了守边备塞的方针政策和一整套完整的战胜匈奴的战略战术，为巩固边塞、备战反击匈奴奠定了军事理论基础，为西汉的胜强作出了重大贡献。

3. 建议削藩

景帝即位，任命晁错为内史，不久升任为御史大夫，把削藩的实际操作提上议事日程。晁错建议从削藩的支郡入手，压缩诸侯王势力。晁错又修改了法令，以便限制诸侯王的权力。削藩令出，诸侯哗然。吴王刘濞联合楚、赵、胶东、胶西、济南、淄川等六国，打出“请诛晁错，以清君侧”的口号，发动叛乱，史称七国之乱。事发于汉景帝三年，公元前154年。

晁错倡言削藩，在汉文帝时已经提出。汉文帝是一个沉稳的政治家，他认为削藩不应急于求成，没有采纳。但汉文帝非常欣赏晁错的才能和忠心，特地任晁错为太子家令，留给景帝来使用。晁错上疏汉文帝，谦称“狂夫之言，明主择焉”。汉文帝批示：“今则不然，言者不狂，而择者不明，国之大患，故在于此。”汉文帝以明君的心态，高度评价晁错的上疏，认为晁错言之有理，并明确表示言者无罪，对与错责在君主，“择者不明”则“错”，“择者有明”，即使言论错了，也不会导致错误发生。这段对话，载于《汉书·晁错传》，说明晁错生逢盛世，得遇明主，是何等的幸事。汉景帝没有汉文帝的雅量，性情急躁而刻薄寡恩。景帝采纳了晁错之策而削藩，七国兵起，景帝却借晁错的人头来平息叛乱。袁盎进言景帝：“方今计，独有斩错，发使赦吴、楚七国，复其故地，则兵可毋血刃而俱罢。”汉景帝沉默了一阵，说：“顾诚何如，吾不爱一人以谢天下。”[①] 汉景帝竟拜袁盎为太常，让袁盎秘密出京，劝说吴王罢兵。晁错未经审判，以皇帝宣召名义被召来，穿着上朝的衣服，被行刑队直接带到闹市上腰斩，晁错满门被诛杀，无论少长，一个不留。

4. 晁错之死的原因

晁错冤死，是一桩大惨案。景帝违心诛晁错。司马迁在《太史公自序》中高度评价晁错是“为国家树长画”。《晁错传》记载了晁错与父亲的一段对话，生动地表达了晁错的一片忠心。晁错父亲从老家颍川赶到京师对晁错说：“当今皇帝即位不久，信任你执掌大权，你为什么要去削弱诸侯，挑起皇室自家人的纷争，不少人说你的闲话，干吗这么做!”晁错说：“我早就料到了，不这么干，天子不尊贵，国家不安定。”晁错父亲说：“刘家天下安定了，而晁家却危险了。我要先走一步了。”晁错父亲服毒自杀，临死时说：“我不愿活着看到晁氏灾祸。”晁错父亲死了十多天后，晁错被诛。汉景帝和满朝文武都知道杀晁错是一桩冤案，但还是一定要杀，因为当时的君臣要借晁错的人头来揭露吴楚谋反“清君侧”的谎言，用以激励士气。用汉景帝的话说：“顾诚何如，吾不爱一人以谢天下。”意思是：“我顾不了那么多了，晁错这颗人头借定了。”晁错死后，谒者仆射邓公为校尉，从前线回

---

① 《史记》卷一〇六《吴王濞列传》。

朝奏事。汉景帝问邓公说：“晁错已被诛杀，吴楚罢兵了没有？”邓公说：“吴王反叛准备了几十年，诛晁错只是一个借口，臣担心，从今以后，天下的人都要闭起嘴巴不说话了。”汉景帝说：“为什么呢？”邓公说：“晁错削藩，是为了尊贵朝廷，国家的万世之利，计划刚刚实行，晁错遭了大祸，在内堵塞了忠臣的嘴巴，在外替诸侯报仇。臣认为皇上这件事做得并不好。”汉景帝又沉默了好一阵，说：“卿说得好，朕也很后悔。”于是任命邓公做城阳中尉。

晁错之死，不仅仅是政治斗争的牺牲品，也有许许多多自身的原因，主要有三：

其一，晁错急于求成，得意忘形，犯了众怒，乃取死之道。晁错为御史大夫，削藩政策立即推行，其他改革法令，短短一个多月，连续下了30多道。这种假借皇权雷厉风行的做法，犯专制政体之大忌，因为他犯了众怒，元老丞相申屠嘉为之气愤而死，像袁盎这样略带保守思想的朝臣与晁错水火不容。所以当吴楚七国反叛，打出“杀晁错，清君侧”的口号时，满朝文武一片声都说“晁错该杀”。丞相庄青翟、中尉嘉、廷尉张欧，即相当于现代的国务院总理、京都卫戍区司令、最高法院院长，联合报告，请诛晁错。袁盎上言请间，是大将军窦婴的引荐，所以袁盎建议诛晁错，不仅是言个人之私，也是代表朝中大臣和皇帝外戚的一致意见。晁错人缘如此之不好，并不只是政见的冲突，他个人的趾高气扬，目中无人，也不受大家欢迎。

其二，晁错虽然满腹经纶，但他仅仅是一个政论家，而不是政治家。恰如三国时的马谡，当参谋还可以，当将帅就要翻船。晁错急于削藩，他没有顾及后果，也没有想到后果，所以吴楚七国反叛，晁错拿不出应急预案，晁错建议景帝亲征，自己留守京师。闯了祸让皇帝去挡头阵，自己躲在后面，也亏晁错说得出口。也许晁错认为皇帝亲征可以激发士气，他没有想一想是谁闯的祸，由此可见晁错只是一介书生。晁错用权术去教导汉景帝，而自己对权术只是纸上谈兵，晁错对汉景帝推心置腹，他做梦都没有想到政治老道的汉景帝可以翻手为云，覆手为雨，自己稀里糊涂就上了刑场，临死还不知道是怎么一回事，晁错以权术教导汉景帝，到头来，自己成了弟子皇帝玩弄权术的牺牲品，确实可悲。

其三，晁错假公济私，要借吴楚反叛来诛袁盎，连御史府的人都反对，得不到执行，激起了袁盎的报复。司马迁在《晁错传》的赞语中鲜明地批评晁错说："诸侯发难，不急匡救，欲报私仇，反以亡躯。"

二、周亚夫平乱饿死狱中

1. 周亚夫军细柳

汉文帝后元六年，公元前158年，北方匈奴将大举入侵，直指长安。汉文帝加强京师戒备，调用三位将军驻军长安城郊。宗正刘礼驻军长安东南方霸上。祝兹侯徐厉驻军长安西北的棘门。河内太守周亚夫驻军长安西北的细柳。细柳在棘门西南。

汉文帝亲自劳军，鼓励士气。汉文帝到霸上与棘门两支军营的时候，都是营门大开，将军率领全营将士列队拜迎皇帝。汉文帝带领百官、侍从长驱直入军营。当汉文帝劳军细柳时，情况发生了变化。皇帝的"先驱"到达细柳，整座军营庄严肃穆，营门守卫全副武装，弓上弦，刀出鞘，仿佛处于戒严状态，毫无迎接皇帝的欢快气氛。"先驱"传达皇帝劳军的命令，守卫营门的都尉说："军中只闻将军令，不闻天子诏。"居然把"先驱"阻挡在营门之外，不一会，汉文帝驾到，他只好先下诏周亚夫，通知皇帝劳军。周亚夫传令卫士打开营门，并发出警告说："将军规定，军中不得驱驰。"于是汉文帝也遵命按辔徐行。到达中军正门，周亚夫才等在那里，也是全副武装，手持兵器，只是拱手行军礼说："军人甲胄在身，不能行叩拜大礼，只能行军礼。"汉文帝很受感动，也在车上做了一个敬礼的姿势表示回答。汉文帝传令："皇帝向将军致以亲切的问候。"劳军仪式结束，汉文帝率领百官出了军营，群臣侍从才从惊吓中回过神来。汉文帝评价说："啊，这才是真正的将军。霸上、棘门两座军营，像是做游戏，那里的将军，可以偷袭活捉。至于周亚夫，谁敢去进犯呢！”汉文帝升任周亚夫为中尉，即首都的城管司令，负责京师治安。汉文帝临终，慎重地向儿子汉景帝推荐周亚夫说：“将来国家出现紧急情况，周亚夫绝对是一个可用的人才。”①

2. 周亚夫平定吴楚七国之乱

汉景帝三年，公元前154年，吴楚七国叛乱，来势汹汹，吴楚联军是叛军的主力，他们由东向西进攻。吴王刘濞正月起兵，从广陵西渡淮水，与楚兵会合，受阻于梁。梁王刘武，汉景帝之弟，梁国都城睢阳，即今河南商丘。梁王拼死抵抗，既是捍卫自己，也是拱卫朝廷，吴楚军不得过。其他五个叛国，赵国被围困自保，另外四国胶东、胶西、淄川、济南，都在山东境内，四国联兵攻打齐国，还没攻下，朝廷征讨军到来，反叛的四国之王都自杀，因此这四个叛国之军根本就没跨出山东境。

汉景帝讨伐吴楚七国的军事部署，任用两位大将。一是升任中尉周亚夫为太尉，率领主力讨伐军，东击吴楚。二是任用赋闲在家的外戚窦婴为大将军，率领总预备队守在荥阳，监齐赵兵。派曲周侯郦寄击赵，将军栾布击齐。齐国原先反叛朝廷，中途变卦，吸引胶东、胶西、淄川、济南四个叛国的围攻。栾布击齐，实际是与齐国夹攻四个叛国，因此很快结束了战斗。

周亚夫会师荥阳，其时吴楚之兵受阻梁国，十分危急。周亚夫听取门客之计，不去救梁，而是北出屯兵于昌邑，派出奇兵深入吴楚后方，在淮河、泗水的汇合口一带骚扰，切断吴楚兵后方的粮道。周亚夫坚壁不出，以逸待劳，坐观梁王与吴楚兵死战。周亚夫用兵，是在贯彻汉景帝的意图，一箭双雕，既要灭吴楚，又要借吴楚之兵极大地削弱梁国。梁王上书向汉景帝告周亚夫的状，说他坐视不救梁国。汉景帝装模作样下诏周亚夫救梁，周亚夫以“将在外君命有所不受”为由，拒不奉诏。景帝再三催促，周亚夫才率军南下行军至梁国东边的下邑县又驻屯下来，仍坚壁

① 《史记》卷五七《绛侯周勃世家》。此为语译。

不出。到了二月中，吴楚军已疲惫不堪，粮草断绝，深恐后路被切断，吴王率领大军攻打下邑。周亚夫发起猛烈的反击，一举击败吴楚军。吴王刘濞弃军逃走，率领残兵到东越寻求避难。东越人倒戈，杀了吴王，首级传送官军。楚王刘戊兵败逃回楚国彭城，自杀身死。赵王刘遂坚持到最后，也自杀而亡。吴楚七国反叛，不到三个月就被平息。汉景帝下令官兵要“以深入多杀为功”，凡三百石以上的叛军小官吏统统杀死。这场西汉皇室贵族的内乱，无辜被裹挟的民众被剿杀的有十余万人之多，由此可见汉景帝的苛酷。论功行赏，窦婴被封为魏其侯，周亚夫已为条侯，深得景帝宠信，后升任为丞相，位在窦婴之上。

吴楚七国反叛，声势浩大，很快被平定，主要有以下几个原因：

第一，天下承平，诸侯反叛，不得人心。吴王为祸首，他与汉景帝有个人仇怨。汉景帝为太子时，吴王派儿子到京师朝见汉文帝，吴王儿子与尚为太子的汉景帝是堂兄弟，两人下棋争道，皇太子一怒之下，举起棋盘，砸死了吴王儿子。从此吴王不再入朝。诸吕事变，汉文帝登基，夺了长子齐王刘肥的宗子地位，汉文帝于是大封刘肥诸子为王，但众诸侯仍然心怀不满，景帝即位，推行削藩，于是众诸侯联合反叛。正因为这场叛乱是皇室贵族权利之争的内讧，汉文帝恩泽深入人心，反叛者的败亡是必然的。

第二，周亚夫用兵有方，策略得当，以梁委吴，以逸待劳，加速了胜利的进程。但从此，周亚夫结怨梁王，也为自己的前途埋下了隐忧。

第三，吴王刘濞平庸，不能用人，战略失计。吴王初起兵，吴臣大将军田禄伯建言分兵两路西进。吴王率主力指向洛阳入关中，田禄伯率五万之众循江淮西进，收淮南、长沙，入武关，会师京城，遭到吴王太子的反对而作罢。吴王少将桓将军提出吴王集中兵力迅速推进，绕过城邑，西据洛阳武库，夺取敖仓的粮食，依托险阻，可以占据半壁江山。如果吴楚屯兵在坚城之下，等到朝廷车骑之兵到来，吴楚的步兵不能抵挡，必然要失败。吴王也没有采纳。事态的发展，恰如吴王少将桓将军之言，很快失败了。

吴楚七国之乱的平定，是朝廷对地方割据势力的沉重打击，意义重大。其一，大大改变了朝廷与诸侯王力量的对比。原来，诸侯王的地盘占天下三分之二，朝廷直接控制的只有十几个郡。七国之乱平定后，改变了诸侯王国的建制，规格大为降低，地盘大大缩小，诸侯王之间连片的地方被朝廷分割，一个个诸侯王变成了孤岛，再也没有力量反叛了。其二，朝廷的权威大大增强，诸侯王对王国官员的任免权被朝廷收回，诸侯王从此只能享受一定数额的租税，成为贵族地主，不再是称霸一方的割据王国。汉景帝当政16年，最辉煌的事业莫过于平定七国之乱，作为平定七国之乱主将的周亚夫建立了盖世之功。

3. 周亚夫蒙冤，饿死狱中

周亚夫任河内太守时，一位面相师许负对周亚夫说："你有贵人之相，但不得善终。你三年后得封侯，封侯八年后出将入相，掌大权，达到尊贵的顶峰。为将相九年后，将会饿死。"周亚夫笑着说："我上有兄长，将代父为侯，嫡长子继承，我怎么能得侯呢？如果我真得侯，富贵已极，又怎么会饿死呢？请给我说清楚。"面相师许负端详了周亚夫的嘴，然后说："你嘴上的纹理有饿死相。"过了三年，汉文帝后元二年，公元前162年，周亚夫长兄周胜之有罪，汉文帝挑选周勃其他的儿子来继承侯位，众兄弟都推举周亚夫，汉文帝于是册封周亚夫为条侯。八年后，汉景帝三年，公元前154年，七国之乱，周亚夫为将，后入朝为相。周亚夫为将后第九年，汉景帝中元五年，公元前145年，周亚夫以谋反罪被捕下狱，绝食五日而饿死，一一应验了许负相面的预言。周亚夫之死，果真是命运的摆布吗？

汉景帝七年，公元前150年周亚夫拜相，他的人生辉煌达到了顶点。俗话说物极必反，周亚夫的耿直性格如同乃父周勃一样，不能做丞相。周亚夫为将，不救梁王，是策略的需要，客观上符合汉景帝的心意，受到皇帝宠信，同时也得罪了梁王，间接地得罪了窦太后。梁王和窦太后，恨不得置周亚夫于死地，经常在汉景帝面前说周亚夫的坏话，只是汉景帝不听罢了。周亚夫为相，与汉景帝直接发生了冲突，司马迁写了三件事。第一件，周亚夫反对汉景帝废太子刘荣，既得罪了汉景帝，又得罪了王皇后。汉景帝废太子刘荣，要改立王夫人的儿子刘彻为太子。王夫人母以子贵，刘彻立为太子，王夫人为皇后，于是怀恨而报复周亚夫。第二件，周亚夫反对汉景帝立王皇后的兄长王信为侯。这件事是窦太后向汉景帝提出的，目的是改善自己与儿媳王皇后之间的关系，周亚夫反对，引用高皇帝刘邦与大臣的约定，不是皇室子孙，外姓无功不得封侯，谁违背了这一规矩，天下共诛之。王信虽是王皇后兄长，无功也不得封侯。汉景帝沉默不语，容忍了周亚夫，王皇后与王信，可把周亚夫恨之入骨了。第三件，有五个匈奴贵族叛变投降汉朝，汉景帝要封他们为侯爵，用以鼓励其他匈奴贵族来投降。这是分化瓦解敌人的统战策略，无可非议。周亚夫认为，这是在奖励投降变节，违背了忠贞的节义，不同意封侯。汉景帝动了怒，斥责丞相的话不可用，强行给五个匈奴人封了侯。不久汉景帝以生病为由，罢了周亚夫丞相的官。

过了一年多，汉景帝试探周亚夫的态度。有一天汉景帝在宫中召见周亚夫，赐给饮食，给了一大块肉，既没刀子，也没筷子。周亚夫明知汉景帝是在故意刁难，他仍按不住性子，回头对礼仪官说："给我拿筷子。"汉景帝冷笑着说："一大块肉难道还不能让你满意吗?"周亚夫赶紧摘帽道歉，汉景帝起身离去，周亚夫也匆匆退出。汉景帝目送周亚夫的身影，想到了当年汉文帝劳军，周亚夫传令"军中只闻将军令，不闻天子诏"的话，恨恨地说："一个如此桀骜不驯的东西，不可留下他侍候日后的小皇帝!"① 汉景帝动了杀心。

不久，周亚夫的儿子背着父亲向工官尚方买了500套殉葬用的甲胄盾牌，被汉景帝抓住了把柄，周亚夫以谋反罪被逮捕下狱。廷尉王恬开秉承汉景帝旨意审问周亚夫，说："你购买兵器，是想造反吗?"周亚夫说："我买的是殉葬品，不是兵器。"王恬开说："你不活着在地上造反，死后也会在地下造反。"就这样，周亚夫谋反罪成立。清人查慎行评论说，周亚夫在地下造反，与

① 《史记》卷五七《绛侯周勃世家》。原文为："此怏怏者非少主臣也。"

宋高宗用“莫须有”罪害岳飞，有异曲同工之妙。“景帝之刻薄寡恩，隐然言外，史笔至此，出神入化矣。”①

司马迁在“太史公曰”中批评周亚夫“足己而不学，守节不逊”，意思是周亚夫有能力和军功，骄傲自满，只走正道，不懂得读书学习，吸取点历史教训。显然司马迁的批评是以贬为褒。近人李景星评论说：“绛侯两世有大功于汉，俱以下吏收场，此太史公最伤心处，故用全力写之。”司马迁穿插许负相面的宿命论色彩，不过是抒发一种无可奈何的愤慨与悲哀。许负说，周亚夫嘴唇上有饿死相，其实是暗示周亚夫因这张嘴遭了祸。伴君如伴虎，一个心直口快的人，免不了悲剧结局。宋人黄震评论说：“亚夫尤厚重守正，平吴楚有大功，其争废太子、争侯王信、争侯降匈奴徐卢等五人，又皆宰相职也，反以怏怏疑之，卒置死地，景帝尤少恩哉！”② 汉景帝不似汉文帝宽厚，刻薄寡恩，是导致功臣悲剧的一个因素，但这只是表面现象。专制体制铸造君王的绝对权威，才是功臣悲剧的根本原因。周亚夫的悲剧，活脱脱地再现了伴君如伴虎的生动形象，深刻地揭示了悲剧的根源，这是司马迁高于古代思想家的地方。

三、窦田相争，君子败小人胜

窦婴、田蚡两人都是汉武帝的舅舅。汉武帝初即位，年十六，两宫皇太后争相干预朝政，在宫内宫外形成了多头的矛盾。但窦田相争是各种矛盾的主线。司马迁围绕窦田相争这一矛盾主线，还写了一大群作背景的陪衬人物。两个不可一世的皇太后，一个权力至高无上的君主，一班保官自重的朝臣，一帮苟且蝇营的宾客，纷纷登场表演。一篇 3000 多字的《魏其武安侯列传》，写了 27 个人物，矛盾复杂多端，可以说是一部长篇小说结构，

① 《史记评林》引清人查慎行语。

② 《黄氏日钞》。

在《史记》中是唯一的篇章。司马迁把错综复杂的各种矛盾巧妙地组织起来，用他犀利的笔锋展示了统治集团上层各色人物的内心世界，勾画出一幅绝妙的群丑图，使《魏其武安侯列传》成为两千年前的"官场现形记"实录。

1. 时移势转，小人得志

在外戚中，窦婴是一个有所作为的"贤者"。孝景三年，吴楚七国反叛，"上察宗室诸窦毋如窦婴贤"，于是"拜婴为大将军，赐金千斤"。窦婴接受重任后，荐"袁盎、栾布诸名将贤士在家者进之"，又将所赐千金"陈之廊庑下，军吏过，辄令财取为用，金无入家者"①。由于他如此公忠体国，荐贤爱士，不贪财利，又有荥阳监军平吴楚的战功，因而获得了很高的声望，封魏其侯，"诸游士宾客争归魏其侯"。在朝仪中，魏其侯与条侯周亚夫等列，而"诸列侯莫敢与亢礼"，可以说人臣之贵已极。但是，窦婴之贵，在很大程度上仍靠的是裙带关系，这一点和田蚡并无区别。所以"太史公曰"，劈头一句就说："魏其武安皆以外戚重。"因此窦太后一死，窦婴权势立即一落千丈。"魏其失窦太后，益疏不用，无势"。但是魏其侯不知时变，他结纳"无术而不逊"的灌夫，两人相翼，终至酿成祸乱。

田蚡是一个典型的势利小人。他贪得无厌，阴险狡诈，专横跋扈，仗势害人，集中了市井无赖与贵族官僚骄奢淫逸的一切劣根性，合二者于一身。田蚡原本是长陵一市井小民，极善逢迎。他形陋貌丑，身材矮小，从外形到灵魂都十分丑恶，实在是一个上不了桌面的人物。他的发迹完全是靠王太后。当其姐王太后未贵之时，田蚡"往来侍酒魏其，跪起如子姓"，不择手段地钻营。此等势利小人，一旦得势，就要反噬他曾经卑躬屈膝侍奉过的主人，雪洗他当年的耻辱。明茅坤说："'往来侍酒魏其'一句，专伏魏其所以轻武安而相起衅。"② 果然，景帝后三年，田蚡被封为武安侯后，他的眼睛就立即瞄向了丞相宝座。他故作姿态，卑下

① 《史记》卷一〇七《魏其武安侯列传》。

② 《史记评林》引。

宾客，而目的则在于“欲以倾魏其诸将相”。天下吏士多趋炎附势之徒。“皆去魏其归武安。武安日益横”。窦太后一死，田蚡果然上升为丞相，不仅势夺魏其，甚至“权移主上”，日益骄恣。田蚡仗着王太后撑腰，贪污受贿，敢在汉武帝面前指手画脚，说某人该升官，某人有才要任用。汉武帝生气地说：“你田蚡封官许愿，有没有完？留几个职位，朕也想任命几个官。”由此可见，田蚡小人得志的骄横嘴脸。

2. 不甘寂寞，窦灌结盟

卷入窦田之争的灌夫不是外戚，他出身低下，在矛盾主线上是一个陪衬人物。灌夫的父亲张孟只不过是颍阴侯灌婴门下的舍人，忠实奴仆，因卖姓投靠灌氏而发迹起来，本质上是田蚡一流人物。但灌氏父子与田蚡又有所区别。田蚡是典型的市井小民，完全靠拍马术和裙带关系飞黄腾达。灌氏父子是一介武夫，以军功作进身的资本。在平定吴楚七国之乱中，灌夫父亲战死军中，灌夫为父报仇，勇夺吴军战旗，身受数十创，扬名天下。灌夫有耿直的一面。他倔强，在统治阶级上层凌强不欺弱，有游侠之风，所以仕途不得意。但灌夫同时又是一个恶霸，他结交豪侠大猾，宗室宾客横恣颍川。颍川人民深受其害，恨透了灌夫，颍川儿歌曰：“颍水清，灌氏宁；颍水浊，灌氏族。”如此一个灌夫，他历官中郎将、代国相、淮阳太守，干不了几天就触犯法律，丢了官。失势的灌夫，却不甘寂寞，混迹于京师贵族之间。窦婴失势，两人同病相怜，成为莫逆之交，联手与田蚡相抗。

起初，窦婴与灌夫，虽然内心窝着火，面子上仍然是巴结丞相田蚡。灌夫有服，为姐守丧。有一天遇上田蚡。田蚡戏耍灌夫，假意说：“我想和仲孺一起去看望魏其侯，恰好你正在守丧。”灌夫受宠若惊，说：“将军肯去看望魏其侯，我灌夫敢不陪同。请让我去转告魏其侯，让他做东备办酒席，将军明天早早光临。”田蚡答应了。魏其侯得到信息，亲自与夫人打酒买肉，连夜洒扫，第二天早早办好酒席，恭敬地等待田蚡光临。到了中午，丞相田蚡还没有来。灌夫很不高兴，驾车去请田蚡，到了田府，田蚡还在睡懒觉。灌夫登门，田蚡道歉说：“我昨天喝多了酒，真是对不起。”却又慢吞吞地漱洗。灌夫一肚子不高兴。在饮酒时，灌夫装疯卖傻，用话语讥刺田蚡，两人干起了仗。魏其侯扶起灌夫，向田蚡赔礼道歉，高兴地饮酒到半夜。事后，田蚡得寸进尺，竟然向魏其侯要他的一处城南良田。魏其侯不给，灌夫大骂田蚡，从此交恶。

汉武帝元光四年，公元前 129 年春，丞相田蚡借口灌夫在颍川欺压百姓，要办他的罪。灌夫抓了田蚡的把柄，结交淮南王，称赞淮南王应当为太子，这可是灭族的罪。宾客居间调停，双方和好私了。

这年夏天，丞相田蚡结婚，王太后有诏，列侯宗室都要去向丞相贺喜。魏其侯邀请灌夫一起去贺喜。灌夫说：“我得罪了丞相，去了不方便。”魏其侯说：“已经和解了，借这次机会，拉近关系。”灌夫本是牛脾气，强作欢颜控制不住情绪，又一次使酒骂坐，田蚡抓住机会无限上纲，以“大不敬”的罪名逮捕了灌夫，并借口灌夫横恣颍川，侵害百姓，问了个灭族的罪。田蚡借此机会杀人灭口，手握田蚡把柄的灌夫，这回死定了。

3. 东朝廷辩，是非错位

田蚡娶妇，窦婴强拉着灌夫去庆贺，本意是为了逢迎丞相，到头来，灌夫要被灭族。窦婴十分惭愧，拿出家产与田蚡和解，田蚡不买账。灌夫被送进牢房，田蚡欺君的把柄没人知道。魏其侯决定挺身而出救灌夫，上奏汉武帝为灌夫辩护。窦婴夫人对窦婴说：“灌将军得罪丞相，与太后家忤，宁可救邪?”当然窦婴也明白这一层利害关系，但他认为田蚡的权势与王太后连体相依，汉武帝不直田蚡，因背景是一场帝后斗争。窦婴又低估了王太后的手段与田蚡的无赖和狠毒，窦婴没想到要杀头，输了官司顶多失去侯位。窦婴对夫人说：“侯自我得之，自我捐之，我不后悔。总不能让灌夫一个人去死，我窦婴一个人得生。”窦婴背着夫人，上书汉武帝，立即得到召见。汉武帝下诏，三公九卿在东朝会议，让窦婴与田蚡在东朝廷辩。

东朝廷辩既是窦田矛盾的高潮，更是宫内外权势斗争的一场精彩表演。太后、皇帝、外戚、朝臣俱会朝廷，各方势力，明争暗斗，人人自谋，审时度势，见风使舵，司马迁把其间的细意委曲写得神采飞扬。

廷辩开始，首先是窦婴和田蚡辩论。窦婴“盛推”灌夫之善，田蚡“盛毁”灌夫之恶。两个“盛”字极状争辩之激烈。“蚡辩有口”，鼻子眉眼都会说话，巧言善对，耿直的窦婴不是他的对手。窦婴无可奈何，他仗恃武帝撑腰，话锋一转，“因言丞相短”。这一下闯下了大祸，把本来可以妥协解决的窦田矛盾一下激化了。他“因言丞相短”，实质把帝后矛盾的面纱揭开了，但窦婴又有些迂阔，他没有揭发田蚡私与淮南王交通的阴事，无非是指责田蚡受贿舞弊、生活奢侈之类，留有余地，不失君子风度。阴险毒辣的田蚡则善于窥伺人主心病，他信口开河，诬陷窦婴结纳灌夫谋反。田蚡之所以敢于当着满朝文武撒下弥天大谎，逼使群臣在权势面前表态，不仅因为有王太后作后台，而且也利用了汉武帝的忌疑之心。司马迁在另一外戚传，《卫将军骠骑列传》的“太史公曰”中对此作了交代。苏建指责大将军卫青不荐贤招士，卫青说：“自魏其武安之厚宾客，天子常切齿。彼亲附士大夫，招贤绌不肖者，人主之柄也。人臣奉法遵职而已，何与招士!”正由于此，田蚡的陷害造谣终于得逞。集权者多疑，这就是封建社会愈是卑劣无耻之徒，在斗争中愈能占上风的重要原因。

在家天下伴君的朝臣，大都谨小慎微。疏不间亲，这是一条做官的秘诀。东朝廷辩，论理应是魏其，论势则党田蚡。朝臣于此人人自危，手足无措。御史大夫韩安国最善全身，他此亦一是非，彼亦一是非，请求“唯明主裁之”，本来汉武帝不直田蚡，就是要借朝臣舆论来抑制王太后，韩安国却巧妙地把矛盾又交还汉武帝。戆直不阿的主爵都尉汲黯以魏其言为是，内史郑当时“是魏其”，但又“不敢坚对”。其余大臣，噤若寒蝉，“皆莫敢对”，汉武帝大怒，他冲着内史郑当时说：“公平生数言魏其、武安长短，今日廷论，局趣效辕下驹，吾并斩若属矣。”武帝不欢罢朝。王太后早已伺察虚实，以“不食”逼迫汉武帝让步。汉武帝不得已，谢太后。就这样，窦灌两人的命运在帝后妥协的饭桌上决定了。此后的调查和法律程序都不过是掩人耳目的把戏。在这里，司马迁把封建社会温情脉脉的伦理面纱撕开了，显露出专制政治争权夺利、营私舞弊的黑暗内幕。

4. 窦婴弃市，田蚡短命

窦婴下狱，他依照景帝遗诏便宜上书申辩，田蚡说他伪造诏书，又进一步打成死罪。为了在季冬之末杀害窦婴，田蚡制造流言，说窦婴在牢里咒骂汉武帝。通过这一次又一次的陷害，硬是把窦婴杀了。

窦灌蒙冤，还有一种人在背后做了手脚，那就是八面玲珑的石建这号人物。《万石张叔列传》载："建为郎中令，事有可言，屏人恣言，极切；至廷见，如不能言者。"他在东朝廷辩时察言观色，背后顺风转舵，向汉武帝"分别言两人事"。他到底说了些什么，传中未作具体交代。但司马迁用互见法在石建本传中刻画了他的为人，这是一个以驯良谄媚为能事的官僚，专爱在背后打小报告。他之不得罪王太后，趋附武安，迎合武帝，是不言而喻的。茅坤曰："石建所分别，不载其详，大略右武安者。"[1] 不能说是毫无根据的判断。石建这种人，表面是善人，骨子里阴险奸诈，专在背后揭人之私，拍马逢迎，添油加醋打小报告，无朝无代不有，现实中也比比皆是，仿佛就在你身边。司马迁观察生活细致，塑造的人物艺术典型是何等的有生命力。

田蚡违逆汉武帝的心意，害死窦婴，事后感到后怕，提心吊胆打发日子，得了精神分裂症，自我惊吓而死，也没有好下场。

四、风云诡谲，世态炎凉

晁错、周亚夫、窦婴是西汉盛世时期的三大忠臣，他们蒙冤，着实使人可悯，发人深思。政治昏暗，主上昏庸或暴戾，忠臣蒙冤，容易理解；而政治清明，皇上圣明，忠臣蒙冤，似乎不正常，难以理解。大手笔司马迁，恰恰捕捉了这几个典型人物，

① 《史记评林》引。

在实录中塑造了生动的形象，蕴蓄了使后人深思的哲理，具有很高的文学艺术价值，因而成为历代传颂的名篇。这里重提三大忠臣的传记，为《袁盎晁错列传》、《绛侯周勃世家》、《魏其武安侯列传》。

封建专制政治，有着不可救药的两大病根，一是用人唯亲，二是争权夺利。司马迁“稽其成败兴坏之理”，把这两大病根，用寓论断于叙事的手法，含蓄地显于笔端。分析西汉盛世时期的三大冤案，关键在此。

先说用人唯亲。用人唯亲，其目的是为了保住自己的权势。一旦权势有损，则六亲不认。这可说是宫廷斗争以及贵族之间互相倾轧的一条规律。窦婴、田蚡二人的沉浮与斗争，所折射的用人唯亲最为突出。

窦太后是庇护窦婴的，目的是使窦婴成为自己的支持者。当窦婴的行事一旦不遂自己的心意，甚或触犯了自己的权势，窦太后就立即表示憎恶，并褫夺其官职，毫不手软。窦太后疼爱少子梁王，景帝为了讨母亲的欢心，在梁王进朝的家宴上随便说了句“千秋之后传梁王”，窦婴一本正经地谏说景帝失言：皇帝只能父子相传，不能兄终弟及。这就触犯了窦太后，窦婴不仅被罢了官，而且还被削除了门籍，连亲戚都不认了。窦太后信奉黄老，推行“无为”政治，汉武帝推尊儒术，要改弦更张。窦婴和田蚡支持武帝，推重儒术，危及窦太后的权势。于是窦太后大怒，罢了窦婴的丞相。这一次窦婴被罢相，背后却是帝后斗争。

窦田矛盾公开，王太后护短田蚡，汉武帝同情窦婴，这种隔代的甥舅关系，怎敌母子亲情，因此只要汉武帝与母亲妥协，窦婴就死定了，先帝遗诏不仅护不了身，反而成了杀身的把柄，一个伪造遗诏罪，问了个窦婴弃市。司法程序成了冤假错案的合法护身，专制政体的特色只论亲疏，不问是非的本质显露无遗。

再说权利斗争。晁错蒙冤，最为典型。尽管晁错为国家树长画，但他擅权，目空一切，利用皇帝对自己的宠信，目无尊长。他做内史，擅权越过了丞相申屠嘉，气得老丞相呕血而死。晁错削藩，不顾满朝文武的反对，不听父亲的规劝，不讲策略，以副丞相身份主持一切朝政，急于求成，连下改革政令三十余道，擅权居心，昭然若揭。吴楚已反，晁错不与公卿大臣共商国难，还要假公济私，除掉政敌，连一个被罢了官的袁盎还不放过，滥用权力如此，这也是取死之道。附带再说一下与晁错合传的袁盎，他“仁心为质，引义慷慨”，曾谏阻景帝立弟梁王为嗣，守节慷慨。但袁盎报复晁错，枉杀忠臣使自己也丢了乌纱帽，梁王才得到机会下手暗杀他。假如袁盎顾全大局，释嫌私怨，保全了晁错，也成全了自己的贤名，也许袁盎、晁错两人的悲剧就不会发生了。但在专制政体下，这是不可能的。一沾权利，必然是你死我活，悲剧就不可避免了。

周亚夫功高震主，直言敢谏，只不过是坚持原则，做到了一个丞相分内应做的事，不合皇上心意，就立刻遭来“莫须有”的罪名，这是绝对君权所赐，最能发人深思。

此外，对封建社会的世态炎凉与专制政体下的小人得势，司马迁也作了深刻的揭露。请看围绕窦田之争的那些游士宾客、郡吏诸侯的势利嘴脸就够了。窦婴贵时，“诸游士宾客争归魏其侯”；无势，“诸客稍稍自引而怠傲”；田蚡得王太后亲幸，“天下吏士趋势利者，皆去魏其归武安”；田蚡升丞相，“天下士郡诸侯愈益附武安”。司马迁以游士宾客、郡吏诸侯的势利行为映衬权势者的兴衰，是寓有深意的。这是一种普遍的社会现象，它正是专制政治腐败黑暗的必然产物。在这种社会环境下，品行愈是卑鄙无耻，愈能在斗争中占上风，这就是在封建社会中常见的君子败而小人胜。窦婴、田蚡两人提供了生动的历史见证。

第十二讲　能屈能伸大丈夫

——司马迁笔下的雪耻故事

雪耻，就是洗掉耻辱。一般是指受害方采用报复手段，讨回公道，平复伤害，称为雪耻。在法制社会，正当的方法是通过诉讼，讨回公道。如果无法通过诉讼，或者通过诉讼达不到讨回公道的目的，受害方采用非法手段，报仇雪恨，这就是常见的雪耻方式。如果是暴君压迫臣民，或者是政治迫害，国与国之间的斗争，受害方雪耻，往往要经过多年的蓄聚力量，甚至几代人的努力才能达到雪耻的目的。这样的雪耻行为，基本是暴力对暴力。一个真正的男子汉，大丈夫，他顶天立地立于人世间，既能伟岸特立，又能委曲求全，留得青山在不怕没柴烧。俗话说，君子报仇，十年不晚，讲的是韬晦忍辱。一个人在受到伤害的时候经受得起，能够低下身份忍辱负重蓄聚力量，此特称为屈。当有了足够的力量，看准时机，敢于果断地爆发，一举击败敌人，报复成功，此特称为伸。能屈能伸才是大丈夫。只屈不能伸是奴才，只伸不能屈是逞匹夫之勇。这两种人都没有出息，是凡庸之辈。只有既能屈又能伸的人才是大丈夫。其实雪耻的完成，就是一个能屈能伸的过程。因此，能雪耻的人，必然是大丈夫。《史记》中的雪耻故事，就是歌颂能屈能伸的大丈夫。本讲选取了四则[①]。赵氏孤儿兴家灭仇，写的是春秋时晋国六卿之一赵氏遭受政治迫害，也可称为赵氏在政治斗争中失败，因保存了一个孤儿，得以兴家灭仇。勾践卧薪尝胆报国仇，写的是国与国之间的斗争，失败的一方复国的故事。范雎雪耻，须贾马食，写的是蒙冤报仇的故事。伍子胥掘墓鞭尸，在当时人看来是一种倒行逆施的报仇行为，因为是以臣犯君。司马迁为什么要写这样一个典型故事，他要给人以什么样的启迪，本讲在故事完结时，再作评析。

一、赵氏孤儿兴家灭仇

赵氏孤儿即赵武，他是将军赵朔之子，晋卿赵盾的孙子。赵武兴家灭仇，是发生在春秋中期晋国史上的一次大政变。赵氏衰而复兴，成为晋六卿中最显赫的家族。100 余年后，三家分晋，赵为谋首。在赵孤事件中，韩厥帮助赵氏，韩赵二氏从此携手。因此赵孤事件影响及于三家分晋。

赵氏在晋国的兴起，始于赵衰辅佐晋文公，始为晋卿。赵衰之子赵盾仕晋襄公、晋灵公、晋成公、晋景公四朝，权势显赫，为晋正卿。赵盾廉直，晋灵公暴虐，赵盾强谏，晋灵公欲诛杀赵盾，赵盾出逃，其族弟赵穿弑灵公，立成公。赵盾子赵朔娶成公姊为夫人，巩固与王室的同盟。

政治斗争是残酷的。赵盾巩固与王室的同盟，仍不能免祸。赵穿弑灵公的阴影仍笼罩在公室与赵氏政敌的头上，他们处心积虑要抹去这道阴影，念念不忘为晋灵公报仇，诛杀赵氏。成公死后，其子姬据继位，是为晋景公。晋景公重用屠岸贾为司寇，掌管司法。屠岸贾是晋灵公宠幸的大臣，对赵氏怀恨最深，他要寻

---

① 本专题所评析的四则雪耻故事，赵氏孤儿兴家灭仇，见《史记》卷四三《赵世家》；勾践卧薪尝胆报国仇，见《史记》卷四一《越王勾践世家》；范雎雪耻，须贾马食，见《史记》卷七九《范雎蔡泽列传》；伍子胥掘墓鞭尸，见《史记》卷七九《伍子胥列传》。

找机会灭赵氏。

晋景公三年，楚攻郑。晋景公命赵朔为下军主将，率师救郑。赵朔领兵外出，屠岸贾认为时机已到。屠岸贾祭起旧案，追究弑灵公的责任。屠岸贾通告诸将说："赵盾是弑灵公的后台，就是贼首。臣子弑君，子孙在朝，这是放纵罪人。为严肃法纪，请晋景公诛灭赵氏。"将军韩厥反对说："事情过了许多年，先君就没有惩治赵盾，现在反而追究他的后代，不是先君的意志。再说，这事也要请示当朝国君晋景公。不请示是看不起国君。"屠岸贾不听。韩厥就传递消息给赵朔，让他逃亡，不要回来。赵朔一派正气凛然，他对韩厥说："只要你保护我的后代，我死而无恨，父债子还，我就为过去的事，偿了这条命吧。"赵朔没有逃走，他平静地对待屠岸贾发起的变乱。

屠岸贾包藏祸心，他借机会肆意扩大打击面，排挤政敌，对赵氏各族，不分长幼，全部诛灭，掀起了大案，诛杀了许多无辜。

赵朔妻子是晋景公的姑姑，她有遗腹，为了避难，躲进了公宫。不久生了孩子，是个男婴。屠岸贾搜查公宫，要杀害这个婴儿。赵夫人情急生智，把婴儿藏在裤裆里，躲过了搜查。赵夫人为了保护这根独苗，就把婴儿偷送出宫，交给赵朔的友人程婴。程婴与赵朔的门客公孙杵臼商量，赵氏孤儿留给程婴，由公孙杵臼取了一个别人的婴儿带着逃入山中，然后由程婴出来告发公孙杵臼，屠岸贾派人杀死了公孙杵臼和婴儿，造成赵孤已灭的错觉。程婴终于把赵氏孤儿养大了。民间的传说，公孙杵臼带的婴儿，就是程婴的婴儿。程婴掉包，保全赵孤，牺牲自己的骨肉，更是义动于天。15 年以后，赵氏孤儿长大，取名赵武，意思让他发扬武德，消灭仇敌，重振赵氏门风。

有一天，晋景公生了病，韩厥等人借机制造舆论，说是赵氏的冤魂在作祟，要求晋景公为赵氏平反。晋景公问："赵氏还有后吗?"韩厥把实情告诉了晋景公，晋景公命韩厥与诸将合力支持赵武发难，族灭了屠岸贾，恢复了赵氏的爵邑。

又过了几年，赵武过了 20 岁生日，行了加冠礼，独掌门户。程婴向赵武告辞说："我程婴活下来是为了救赵孤，所以让公孙杵臼和那个替死的孩子先走了一步，现在你成人了，我该去追随公孙杵臼，向他报告你的成长。”赵武哭泣不肯。程婴不听，于是自杀。赵武以人子之礼敬孝三年，以后年年祭祀，如同生父。

人们把程婴、公孙杵臼和那个替死孩子三人埋在一起，称三义冢，在今陕西韩城市芝川镇。人称程婴等人为三义士。

二、勾践卧薪尝胆报国仇

春秋末期，当中原各国的争霸接近尾声之时，东南的吴越两国之间的杀伐拉开了序幕！

公元前494年，夫差为报国耻家仇，起大军攻打越国，两军相遇于夫椒（今太湖椒山）。越军大败，夫差率军乘胜追击，攻下越国的都城。勾践只得率领残军5000人退守会稽山上。夫差父亲吴王阖庐是在与越王勾践作战中受伤而死，这一战是夫差报仇。

面临灭国之危的勾践，不得不紧急地向诸将士谋求退吴之计，甚至宣布：“谁能助我退吴者，我将与他共享越国之政。”这时从楚国来越的大夫文种提出了“卑辞厚礼”向吴请和臣服的建议。无奈之中的勾践接受了这一建议，立即派遣文种带厚礼到吴军中去卑辞求和。文种来到吴军帐中，向吴王允诺说：“只要大王赦免了越国，勾践愿臣服请罪，并送金银玉器、珠宝和美女慰劳您的军队。越国所有的宝器全献给大王，让夫人、女儿为大王奴妾。”

这时吴国大臣伍子胥立即上前力谏说：“大王千万不可，杀敌须斩草除根，纵虎归山必然祸患无穷。昔夏少康忍受屈辱最终灭掉政敌寒浞就是前例。三江之地，地盘狭窄，吴越不可并存，有吴则无越，有越则无吴。此乃千载难逢的机会，望大王千万不可失去。”夫差一听，颇觉有理，顿时犹豫起来。

正当吴国君臣争议未决之际，文种又向勾践献计，贿赂贪财好色的执掌吴王内外事务、权力极大的太宰伯嚭（读否）。于是文种便装饰美女八人和一些金银财宝送给伯嚭，请他说服吴王讲和。并声称：“只要你能说服吴王赦免了越国，又将有大批美女金银进献。”接着又进一步说：“如果越国得不到吴王的宽恕，勾践将会烧焚宗庙、杀死妻子儿女、销毁金银宝器，带领五千甲士奋起抗争。到时吴王就算征服了越国，也会损失惨重，一无所获。”

伯嚭接受了贿赂，就立即对夫差劝道：“臣听说，一国攻打他国，无非是使他国臣服而已，现在大王父仇已报，越国请降，愿纳贡称臣，我们还有什么要求呢？”并将文种的话转告给夫差。已经开始骄奢自满的夫差认为很有道理，对兵败的越国不屑一顾，就答应了越国的求和。大臣伍子胥流泪感叹道：“这是养虎遗患啊！二十年后，吴国就会像今天的越国一样！”

屈辱求和的勾践，为了不忘国耻，他没去吃上好的饭食，没去睡舒适的床铺，而是苦其心志，劳其筋骨，饿其体肤。他将猪苦胆吊在座位前，每日坐卧都能仰见；每顿饭食之前都要尝尝胆汁。甚至将苦胆吊在门口处，每次出入也要尝尝。尝胆之时，都要反问自己：“勾践，你忘了会稽山上的亡国之耻吗？”此外勾践每天还亲自与百姓一起耕种，其妻子亲自纺纱织布；每顿饭食从不吃肉，从不穿华丽的衣服。而且冬天也用冷水洗脚，每晚睡在稻草上，不断反省自己。这就是著名的“卧薪尝胆”。

为了早日报国仇，勾践对内采取了一系列复国建设措施：

安抚人民，获取民心。一回国勾践就向越国百姓道歉，亲自葬死问伤，吊忧贺喜，送往迎来，废旧立新，深得百姓拥护。

繁殖人口，发展生产。宣布男女适龄婚嫁，壮年男子不得娶老年妇女，老年男子不得娶年轻女子，奖励多生多育。要求广大君臣百姓亲自耕种，非自己种的粮食不吃，非自己夫人织的衣不穿。越国十年不向百姓多征收赋税，百姓皆贮藏有三年的粮食。

礼贤下士，唯才是用。不但重用文种、范蠡等一班良臣，而且对贤士折节躬请，厚遇宾客。安排他们在越国住最好的房子，穿华丽的衣服，吃美味的饭食。并因才用人，如让文种治内政，范蠡治军事、外交等。

扩充军队，巩固国防。勾践在全国悄悄征集兵源，凡青年男子都应征入伍。暗地铸造强弓利剑，并分水陆两军，日夜操练。在训练中，勾践积极灌输复仇思想，要求士兵为报国耻家仇而苦苦训练，用重赏严惩来教育士兵勇于听命，乐于立功，做到“进则思赏，退则思刑”。

对吴外交上，积极消耗吴国的民力、财力。

为结吴王欢心，勾践经常赠送玉帛、珍玩；从越国伐取大木，运到吴国姑苏为吴王增修姑苏台，吴王立即派大量人力投入修建，历时很长。一座金碧辉煌的姑苏台落成后，夫差十分高兴，对勾践更加放心。接着勾践又派范蠡在全国选美女送给吴王。经过精心的查访挑选，在浣溪选到了绝代佳人西施。西施不但生得绝美无伦，而且琴棋书画样样精通，万种风情集于一身。西施一到吴国，立即博得夫差的宠爱。夫差终日守着西施，不理朝政，使吴国政治更加腐败。

为了消耗吴国的财力，勾践假装越国饥荒，向吴借贷粮食，使其国库空虚，第二年又把偿还的粮食煮熟，让吴国用作种子，造成当年吴国颗粒不收。当吴国北上伐齐时，勾践又亲率君臣去朝贺，怂恿夫差北上争霸，目的是使吴国军队筋疲力尽而乘虚灭吴。

10 年的准备，使越国具备了复仇的条件。

公元前 482 年，趁夫差北上争霸，会晋于黄池时，勾践便小试牛刀，兵分三路进攻吴国。很快越军便攻占了吴都姑苏，夺取了吴国的许多船只。夫差也只得草草结束会盟，撤兵回救，同越国讲和。

公元前 478 年，吴国大闹饥荒，都城无粮，国库空虚，百姓四处逃生。更加上几年来的北上伐齐抗晋等争霸战役，使吴军疲惫不堪。勾践认为灭吴的大好时机已到，便兴起三路大军向吴国发起了全面进攻。勾践亲率中军，迅速攻进吴国腹地，所到之处，吴军纷纷投降，越军直逼姑苏城下。经过几年的长期围困，至公元前 473 年，吴国终因粮尽援绝，城门被攻破。无力回天的夫差想效仿 20 多年前的勾践“卑辞求和”，可是却没得到勾践的赦免，只好流涕自刎而死。夫差一死，剩余的吴军全部投降，勾践拥有整个吴越三江之地。

经过 22 年的苦心经营，勾践终于灭吴雪了昔日会稽之耻！伍子胥的话在 20 年后也得到了历史的回音。勾践为报国仇而

“卧薪尝胆”，也成了千古佳话！

三、范雎雪耻，须贾马食

范雎原是魏国人，在魏国丞相魏齐府里当宾客。有一年范雎陪同大夫须贾出使齐国。范雎一表人才，谈吐不凡，受到齐王的重赏。须贾怀疑范雎出卖了情报，向魏齐打了小报告。魏齐审判范雎，打断了范雎的肋骨，把范雎丢弃在厕所中。范雎哀求看守救他。看守谎称范雎死了，将尸首丢出去，救了范雎，改名换姓叫张禄。秦国大使王稽早听说范雎之名，认为是个人才，在王稽的帮助下，范雎逃到秦国，又在秦人郑安平的推荐下，范雎游说秦昭王，终于当上秦相，排挤逐了魏冉，执掌了秦国政权，仍然叫张禄，人称张禄丞相。

范雎仍用假名，他要出其不意报复须贾和魏齐。先放出话来，扬言伐魏，魏国恐慌起来。听说张禄丞相是魏国人，魏昭王于是主动派出使者入秦打探虚实，联络感情。须贾是魏国的外交使臣。范雎等的就是他。

须贾到了秦都咸阳，住进了客馆。范雎打扮成一个佣工，衣衫单薄，求见须贾。须贾见了范雎，大吃一惊，说：“范叔在秦国好吗，怎么在这里相见？”范雎说：“那次我没被打死，好不容易逃出来，在秦国一户大姓人家做佣工。”须贾见范雎穿得单薄，送了他一件绨袍，又招待了一顿饭。须贾对范雎的处境不免心酸，因此动了恻隐之心。饭后须贾对范雎说：“你在秦日久，人又聪明，了解秦国的张禄丞相吗？来了几天也轮不到见上。”范雎假装说：“我家主人与张禄丞相恰好是好朋友，这个忙我还帮得上，可以给你带路。”须贾非常高兴。他又对范雎说：“我的马这两天有病，我是魏国大使，必须坐高车驷马，你能帮忙吗？”范雎说：“这好办，我向主人家借。”

范雎赶来高车驷马，亲自执鞭，载着须贾赶到了丞相府。车未到府门，丞相府的人赶紧避向两旁，须贾感到很奇怪。他正纳问，车到丞相府门。范雎对须贾说："大夫在门外等着，我进门去通报丞相。"须贾等了半天，左等不见范雎，右等不见范雎，怎么范雎进了丞相府不出来了。须贾等急了，向守门人打问，"先前进到丞相府的范叔，老半天怎么不出来？"守门人回答："这里没有范叔，先前进门的人就是张禄丞相。"须贾一听，吓得灵魂出窍，他这才知道上了范雎的当，受了愚弄。

须贾肉袒负荆，托看门人带他进丞相府谢罪。但见范雎高高在上，陪侍的人很多。须贾跪地谢罪，口称万死。范雎对须贾说："你有三大罪：诬我有外心于齐，罪一；魏齐辱我于厕中，不劝止，罪二；用尿来浇我，罪三。念你赠我绨袍，有故人之恋，现在我免你死罪。"说完喝令须贾退下。

过了几天，须贾辞行，范雎宴请六国使者，广聚宾客，在堂上会餐，而令须贾独坐堂下，放置马料，派两个力士左右挟持，强令须贾吞食。范雎对须贾说："回到魏国替我转告魏王，赶快把魏齐的人头送来，不然我要发兵攻破大梁。"

须贾回国向魏齐报告了出使秦国的情况，吓得魏齐丢了相印逃到赵国躲到平原君家。范雎得知，请平原君入秦访问，然后把平原君拘留，派人出使赵国，告知赵王用魏齐的人头换平原君。赵相虞卿丢了相印，保护魏齐逃出赵国，回到魏国去投靠信陵君。信陵君见事关重大，没敢收留。魏齐走投无路，自杀身死。赵王取了魏齐的人头，派人送给了范雎，平原君才回到了赵国。

范雎相秦，有仇必报，有恩必赏。他不忘郑安平和王稽的搭救、推荐之恩，向秦昭王推荐二人，王稽从一个外交小官升为河东太守，郑安平做了将军。

四、伍子胥掘墓鞭尸

伍子胥，名员，楚大夫伍奢之次子，春秋时著名的政治家。他辅佐吴王阖庐、夫差称霸，后被奸臣伯嚭陷害而死，是一个悲剧人物。伍子胥由楚仕吴，为的是替父报君仇，这在古代是骇人听闻之举。伍子胥是中国历史上文献记载的第一个不信命运，不信天，敢于反压迫，为自身人权而斗争的勇士。夏商周三代，虽然是上古时期，而天命历史观已经占了统治地位，国君是天子，臣民要无条件服从国君，后世有所谓“君让臣死，臣不得不死”，“君要臣三更死，臣不得五更亡”，这种伦常关系，三代已经奠定了基础。春秋时代，周天子权威扫地，诸侯相互征伐，楚国、吴国、越国等国君都称王。臣弑君、子弑父的事件也屡有发生。尽管如此，君臣关系，绝对服从，这一伦理观念，基本没有动摇。伍子胥的父亲伍奢和哥哥伍尚，都是在顺从君权的淫威下屈死的。伍子胥发誓要向这一传统的伦常观念挑战，他要替父报仇，诛杀楚王，颠覆楚国。他历经磨难，实践了誓言，借吴兵攻破楚国。这时杀害伍子胥父兄的楚平王已死，伍子胥就掘墓鞭尸。当时人认为这是大逆不道，司马迁却称赞伍子胥是一个真正的男子汉，因此替伍子胥写了一篇精彩绝伦的大传。

故事从头说起。

楚平王的太子名建。伍奢为太傅，费无忌为少傅。伍奢为人正派，有才学，受到太子建的尊敬。费无忌为人奸诈，他不满处于太子少傅这副手的地位，嫉妒伍奢的才干。楚平王为太子建娶秦国之女为妇，派费无忌迎亲。秦女很美丽，楚平王好色。费无忌打起了主意，他认为排挤伍奢、离间太子的机会已到。他擅离迎亲岗位，飞马赶在前头报告楚平王，眉飞色舞地述说秦女漂亮，劝楚平王自娶，另给太子建娶妇。如此荒唐主意，竟然被楚平王采纳。费无忌奸计得逞，从此以后，太子建和伍奢的命运就可想而知了。

费无忌害怕太子建掌权，天天进谗言。太子建害怕了，逃到了宋国。费无忌劝楚平王诛杀伍奢，以及伍奢的两个儿子，伍尚、伍员，伍员就是伍子胥。

楚平王逮捕了伍奢，对伍奢说：“你写信召两个儿子来就释放你，不然就杀死你。”伍奢说：“我两个儿子，老大伍尚柔顺，有孝心，知道我受难，他一定不辞死来看我；但老二伍员，一向桀骜不驯，他不会听话来送死。你们斩草除根的算盘要落空。”

伍奢写了信。

楚平王派公差带着伍奢的信去召伍尚、伍员。伍员对哥哥说："楚王召我们，是要斩草除根，我们赶快逃走，替父报仇才是正经大事，不要去送死。"伍尚对弟弟说："父亲受难，儿子逃走，这是不孝，会留下骂名。我去陪同父亲一块死，尽儿子的孝，你有本领报仇，赶快逃走。"就这样，伍尚跟着公差走了，伍员逃出了楚国。

楚平王杀害了伍奢、伍尚，通缉伍员。

伍员到了宋国找到太子建，又赶上宋国内乱，伍员与太子建就逃到郑国。太子建在郑国受到很好的接待，但他却替晋国当间谍，被郑国发觉，处了死刑。伍员就带着太子建的儿子名胜逃到吴国。伍员在路途九死一生，终于到了吴国。

伍员在吴国，看到了吴国政局不稳。公子光是吴王僚的堂兄，吴王诸樊的儿子。诸樊是吴王寿梦的长子。吴王寿梦有四个儿子，依次为诸樊、馀祭、馀眛、季札。寿梦认为少子季札最贤，要传位给季札。季札不肯，他坚持宗法制度，要哥哥诸樊继位。寿梦临死遗嘱，兄终弟及，依次传位到季札。于是诸樊死传位馀祭，馀祭死传位馀眛，馀眛死传位季札，季札不接受，逃离国都。吴国大臣拥立馀眛的儿子姬僚继位。公子光反对，他认为季札让位，吴王位应回到宗子继承，应当是自己继位，他处心积虑要杀害吴王僚夺取政权。伍员认为公子光有魄力，可以实现自己报仇雪恨的计划，就大力支持公子光。伍员替公子光出谋划策刺杀了吴王僚，公子光夺得了政权，这就是吴王阖庐。

伍员推荐当时最负盛名的军事家孙武做了吴国的将军。

吴王阖庐为了答谢伍员，经过长期准备。大举进攻楚国。公元前506年，孙武、伍员率领3万精锐吴兵，避开楚国正面防御，从淮北长途迂回奔袭楚国，出其不意连败楚军五次，吴兵五战五胜，破敌20余万，行军2000余里攻破楚都郢，即今湖北江陵市。这时楚平王已死。继位的楚昭王就是楚平王与秦女所生的儿子。楚昭王出逃，伍子胥就挖开楚平王墓，暴露楚平王的尸体，打了300鞭子。

秦兵救楚，吴国后方又发生了内乱，吴王阖庐撤兵，楚昭王复位。吴国是个小国，当时吞不掉楚国，但吴兵却攻破了楚国，创造了古代以少胜多、以弱克强、长途奔袭的光辉战例，孙武大军事家的地位从此确立，《孙子兵法》从此扬名。这些都源于伍子胥报仇雪恨。伍员的复仇心态与执著，发挥了人的最大主观能动性，演出了两国交兵小国胜大国的奇迹。司马迁评论说："办事不要太刻毒，不要结仇恨，楚王结仇一个臣子，楚国就遭了如此大难，教训深刻啊！"伍员克服重重险阻的雪耻精神是古代反暴精神的发扬，带有民主意识与人权抗争精神，更受到了进步史家的高度赞扬。

中国古代，报仇雪恨，使用暴力，在伦理上有它的依据。春秋时齐襄公灭了纪国，《春秋》书为"纪侯大去其国"。大去，就是一去不复返，指纪国灭亡。谁灭亡了纪国，齐襄公灭了纪国。为什么不写齐襄公灭了纪国，因为齐襄公是复仇。是什么样的仇呢？原来齐襄公九世祖齐哀公，被纪侯的远祖在周天子面前说坏话，被周天子杀了。难道九世之仇还要报吗？《公羊传》说："虽百世可也。"[①] 汉武帝太初四年（前 104），贰师将军远征大宛得胜，汉朝威震外国，断了匈奴右臂。汉武帝发布诏令表彰汉军的丰功伟绩，说："高皇帝遗朕平城之忧，高后时单于书绝悖逆。昔齐襄公复九世之仇，《春秋》大之。"[②]《礼记·曲礼》说得更为明确："父之仇，弗与共戴天。"疏曰："父者，子之天。杀己之天，与共戴天非孝子也。行，求杀之乃止。"意思是说：父亲是当儿子的天，杀父亲的人就是杀了自己的天，与这个人不能共戴一个天，容忍仇人就是不孝。雪耻的办法就是把仇人找到杀死，追到天涯海角也要做到，这才是孝子。也就是说，只要是报父之仇，即使杀人也是天经地义的。赵氏孤儿赵武灭屠岸贾，报杀父之仇，没得说的。伍子胥雪耻，引纳敌国之兵乱父母之国，以臣

① 《公羊传》庄公四年。

② 汉武帝发布复仇诏，见《史记》卷一〇七《匈奴列传》。

犯君，在君臣伦理上是倒行逆施，因为君是臣之天，天是不可犯的。吴军破郢，楚昭王逃难，到了云中宿于郧公斗辛之家。斗辛的弟弟斗怀说："楚平王杀了我们的父亲，如今我杀楚平王的儿子，可以报仇雪恨了。"斗辛不同意，说："君讨臣，谁敢仇之？君命，天也。若死天命，将谁仇？"① 郧公斗辛保护了楚昭王。司马迁赞同伍子胥的行为，称赞他是一个真正的男子汉。因为，一个臣民反抗一个国君，冒多大的风险，有多大的成算？伍子胥九死一生，曲线报仇，达到了目的，这一大无畏的精神，受到司马迁的高度赞扬。伍子胥的行为对不对呢？司马迁有一个理论，他在《太史公自序》中说："贬天子，退诸侯，讨大夫。"班固写《司马迁传》改为"贬诸侯，讨大夫"。班固认为天子是不可贬的。司马迁继承了儒家孟子的开明思想。孟子曾说："民为贵，社稷次之，君为轻。"齐宣王说"汤放桀，武王伐纣"，是"臣弑君"。孟子批驳说："贼仁者谓之'贼'，贼义者谓之'残'。残贼之人谓之'一夫'。闻诛一夫纣矣，未闻弑君也。"② 意思是说："破坏仁爱的人叫做'贼'，破坏道义的人叫做'残'。这样的人应叫做'独夫'，我只听说周武王诛了一个独夫殷纣，没听说什么以臣弑君。"司马迁称汤武的行为是"革命"，即革天命，不合理的天命是可以改变的。所以司马迁把陈涉起义与汤武并提。伍子胥所逆的是乱命之天的楚平王，是反暴精神的极致，带有民主意识与人权抗争的精神。司马迁还写了豫让因智伯待以国士之恩而誓死为之报仇，所捍卫的包含了自尊精神的发扬。司马迁所写的雪耻故事，不是颂扬以暴易暴，而是颂扬人权尊严的精神，得到人们的认可。

① 郧公斗辛保护楚昭王事，见《史记》卷四〇《楚世家》。
② 《孟子》卷二《梁惠王下》第八章。

第十三讲　桃之夭夭，灼灼其华

——司马迁笔下的妇女形象

司马迁在《史记》中描述了众多的妇女形象，《史记》全书写到的妇女有172人，往往是三言两语，或一个片断，就能描绘出生动的形象。司马迁笔下的妇女，上至后妃公主，下及庶民女性，她们的情采英姿，不减须眉。白寿彝先生在《史记新论》中指出："在写妇女历史方面，司马迁的贡献是不能抹杀的。"①

一、巾帼不让须眉

女性是占总人口半数的群体，她们在创造人类文明中发挥了重要的作用。司马迁全方位反映了社会中的妇女群体，就是正视妇女的作用。妇女参政是表现女性创造活力的最高形式。《史记》所载重要女性人物，过半数是参政妇女，皇后、皇太后是最高的代表。古代社会，女性依附于男性，但杰出女性仍然在政治生活中发挥重要作用。司马迁笔下的优秀女性政治家，她们的智慧才

① 《史记新论》，求实出版社1981年版。

干与权谋手腕，一点也不减须眉。西汉时期的两个皇太后，即汉高祖皇后吕氏、汉文帝皇后窦氏，她们在汉高祖和汉文帝死后，分别为吕太后、窦太后。两位太后临朝称制，掌控国家展示的政治才能，为妇女半边天的作用提供了典型的范例。

1. 吕太后佐高祖打天下

吕太后就是汉高祖刘邦皇后，原名吕雉。吕雉是单父县人，其父人称吕公。吕公有两男两女：长子吕泽，次子吕释之，长女吕雉，次女吕媭。吕公是一个有头脸的人物，是沛县县令的朋友。吕公因躲避仇家逃到沛县投靠县令，寄人篱下。沛县令看到吕雉貌美，想娶她为妻，吕公没有答应。沛县主管人事的功曹掾萧何抓住时机，借沛令替吕公举办接风酒会之机，导演了吕公嫁女刘邦一场政治联姻的大戏。秦始皇晚年，社会动荡，人心思乱。沛县以泗水亭长刘邦为核心，萧何为谋士，形成了一个萧刘社团，中坚人物除刘邦、萧何外，主要成员有典狱掾曹参，狱吏任敖，司御夏侯婴，泗水郡卒史周昌、周苛兄弟。刘邦还有一帮哥儿们周勃、卢绾、周緤、雍齿、樊哙等人。吕公举家到沛县，就是寻找靠山。吕公以看相为名嫁女刘邦，融入了地方势力集团，如同诸葛亮寓居隆中，娶汉上名士黄承彦之女为妻一样，反客为主，首先要去掉客居的身份，成为地方的一员，联姻是最可靠最便捷的手段。刘邦攀上吕公这门亲事，在地方上也身价倍增，更加有头有脸。这桩政治联姻巩固了萧刘联盟的沛县反秦社团。

吕雉不仅有姿色，而且很有心计，有天生的政治才能。吕刘联姻，大约在公元前 214 年，刘邦时年 34 岁，吕雉约 20 许。她听从父亲不嫁沛县令，而嫁一个亭长，吕雉的妹妹又被父亲嫁给刘邦的心腹好友，沛县狗屠樊哙，一个赳赳武夫，为的都是同一个政治目的，反秦打天下。吕后以她女性的特有身份，宣传刘邦神异，许多故事就从吕雉口中吐出，不胫而走。例如吕雉在田间劳作，遇一老叟路过乞饮相面，说吕后两子即后来的惠帝刘盈、惠帝妹鲁元公主当大贵。老叟离去，适逢刘邦赶来，追上老叟给自己相面，老叟说“君相贵不可言”。所谓“贵不可言”，就是“贵为天子”。刘邦反秦后隐于芒砀山中，吕雉宣扬说，刘邦所居山中位置，天空上有五彩祥云，这样的祥云只有吕雉识得，她观望天气，就能找到刘邦。吕雉懂得蛊惑人心，才具不凡。吕雉不仅是刘邦的结发妻子，而且是刘邦的起事伙伴，又生有贵子，所以后来刘邦要更易太子，终于忍不下心来，这是有渊源的。

楚汉相争，吕雉在项羽军中当了几年俘虏，随时都有生命危险。铁马金戈的生活锤炼吕后政治更加成熟，扮演白脸协助刘邦屠杀功臣，显示了铁腕人物的手段。吕雉打破刘邦异姓不封王的规矩，封诸吕为王，诛杀刘氏子弟，表现了果断与残忍的一面，哪一方面都不让须眉。惠帝即位，只是个傀儡，而后又在惠帝死后实际执政八年，坚持了无为政治，维护了全国的政治稳定。所以司马迁为吕太后立本纪，认为“惠帝垂拱，高后女主称制，政不出房户，天下晏然”，还评价吕太后“为人刚毅，佐高祖定天下，所杀大臣多吕后力”①。“刚毅”二字，在男性帝王中，司马迁只用于对秦始皇的评价，由此可见，司马迁不仅视吕太后为实际上的帝王，而且视为一个铁腕人物，在定天下中立有大功，故为之立本纪，这是对妇女杰出才能的充分肯定，表现了作者实录精神的一贯性。实录，就是按历史的原本面貌记事论人，不论男性还是女性，要一视同仁，只有司马迁能做到。

2. 左右朝政的强势太后窦氏

汉景帝之母，汉文帝皇后窦氏，出身平民，史失其名，入宫后称为窦姬。文帝即位，立为皇后。景帝即位，尊为太后，汉武帝即位，尊为太皇太后。汉景帝并非平庸之君，汉武帝更是一位雄主。但窦太后在世时，掌控朝政，把握政治方向，是西汉一朝第二个强势太后，可与吕太后相提并论的政治人物。

窦姬是赵国观津县（今河北武邑县）人，平常农家女，被选为宫女做吕太后的使女。吕太后发配宫女给刘氏诸王，每位五个宫女。窦姬家在清河，她送礼买通主管分配的宦官，要求把自己分配给赵王，没想到这个主事宦官偏偏搞错了，把窦姬分给了代王，窦姬一百二十个不愿意，但没有办法，只好哭哭啼啼的到了

① 《史记》卷九《吕太后本纪》。

代国。代王就是刘恒，代国王都在今山西省平遥。

代王的王后给刘恒生了四个儿子，鬼使神差，王后和四个儿子先后都死了。窦姬受到宠爱，生了两男一女，两男即汉景帝刘启、梁王刘武，女儿即长公主嫖。诸吕事变，汉大臣拥立代王即皇帝位，这就是有名的汉文帝。随着这一命运的变化，窦姬和她生的两男一女都走上了政治舞台，对汉朝历史产生了不小的影响。

窦姬从代王后，立为皇后。窦皇后有一个哥哥叫窦长君，弟弟叫窦广国。窦广国小时被人贩子掠走，转卖了十几家，最后到了宜阳县替主人烧炭。有一天，烧炭工人 100 多人睡在伐木场的山脚下，当夜山崩，100 多人都被埋在泥石中压死，只有窦广国一个人活着。俗话说："大难不死，必有后福。"窦广国找了一个算命先生占了一卦，说他命中注定要封侯。窦广国于是和他的主人来到长安，听说新立皇后姓窦，是赵国观津人。窦广国被拐时年纪小，但知道自己是观津人，他的姐姐被选为宫女，自己还送了一程，莫非当今皇后就是自己的姐姐么？窦广国记得有一天跟着姐姐采桑叶，姐姐从树上掉下来。窦广国就用这些事情做凭据，上书朝廷要见他的姐姐。

窦皇后听了非常激动，要汉文帝召见窦广国，当朝认弟。窦皇后让窦广国说了一遍家常，与自己记忆一点不差。窦皇后又问："你讲一个只有我们两人知道的事。"窦广国说："姐姐离家到长安做宫女，我送姐姐到观津县的传舍里，姐姐要了一盆水给我洗脸洗手，又要了一碗饭给我吃，然后离别。"说到这里，窦皇后再也控制不住了，与弟弟窦广国抱头痛哭，侍候身边的宫女都趴在地上，陪着皇后一同悲哀①。司马迁描写的这一个场景，说明了窦皇后出身贫困农家生活的艰辛以及略带神秘色彩的幸运。姐弟抱头痛哭，生活气息十分浓厚，人情世故朴实真诚。这时候的窦皇后还是一个平民妇女的形象，对手足姐弟充满了亲情。但十多年以后，窦皇后在宫廷权利角逐中成长为一个成熟的政治家，她做了皇太后，在关键时刻干预朝政，牢牢地把握文景

① 窦太后当朝认弟的故事，见《史记》卷四九《外戚世家》。

时代无为的政治方向，是文景政治路线的捍卫者。

窦太后控制朝政，影响政局的有三大事件，功过是非，随人评说。

第一件，窦太后溺爱小儿子梁王，她逼迫汉景帝传位梁王，搅得汉朝上层政治动荡了好些年。梁孝王在窦太后的庇护下，梁国封土面积达四个郡，王都睢阳，在今河南商丘，城墙周长达 70 里，梁王所修的猎场苑囿“兔园”周广 400 里，生活上骄奢淫逸，出入警跸敢用天子排场，政治上招降纳叛，图谋不轨，公然派刺客暗杀朝中大臣袁盎等 10 余人。景帝没有治罪梁孝王，但逼迫梁孝王交出凶手，梁孝王恐惧，抑郁而死。

第二件，汉初无为，制度多缺，特别是匈奴侵边，诸侯王坐大，贾谊在汉文帝时就大声疾呼改革，景帝倾向改革，提倡儒术取代黄老。窦太后维护无为政治，反对儒学，反对改革。黄老学说博士黄生与儒学博士辕固生辩论汤武革命，窦太后逼迫辕固生去与野猪决斗，汉景帝赐给辕固生一把刀，才保住了性命。但这场辩论以窦太后的蛮横取胜，扼杀了景帝的政治革新。

第三件，汉武帝即位，新皇帝想有一番作为，与母亲王太后，两个舅舅，一个是王太后之弟田蚡，一个是窦太后的侄儿窦婴，他们联合起来向窦太后夺权。汉武帝罢了丞相卫绾的官，任命窦婴为丞相，田蚡为太尉。任用窦婴为丞相，一是组成联合阵线，田蚡让步，以窦婴为丞相，二是麻痹窦太后。田蚡和窦婴都喜欢儒术。汉武帝又任用尊儒的赵绾做御史大夫，王臧做郎中令。丞相、太尉、御史大夫是三公，郎中令是九卿之一，管理宫廷事务。接着汉武帝下诏举贤良，只举儒生为贤良，罢黜申商百家之学，史称罢黜百家。又征召鲁国大儒申公进京，议立明堂。大张旗鼓开展尊儒活动。到此，窦太后的组织路线、思想路线完全被汉武帝改变过来。这时汉武帝还年轻，核心人物是王太后和田蚡。窦太后冷静观察，她在寻找反击的时机。

过了一年，汉武帝建元二年，汉武帝认为阵线已固，试探性地向窦太后发起了夺权的进攻。由御史大夫出面向汉武帝建议，要汉武帝亲政，朝廷大政不要向窦太后请示。窦太后勃然大怒，她一道命令，罢了窦婴和田蚡两人的官，又找一个借口说御史大夫赵绾、郎中令王臧办理汉文帝丧事没有尽责，将两人打入监狱，逼令自杀。同时任命自己的亲党柏至侯许昌为丞相，武强侯庄青翟为御史大夫。汉武帝的政治改革又被压了下来。直到建元六年，窦太后病死，汉武帝把窦太后任命的丞相许昌、御史大夫庄青翟等人赶下台，发动了第二次尊儒活动，设立太学，立五经博士，史称独尊儒术。

窦太后晚年瞎了眼睛。但她在景帝一朝能够挟制汉景帝及大臣顺着她的意志执政，汉武帝即位经过一年多的苦心经营，窦太后一道命令就把革新派打翻在地，由此可见，一个由农家女成长起来的政治家窦太后的权势和手腕。

窦太后为何有如此之大的权势，主要有三个原因：其一，汉文帝的光环照耀窦太后；其二，汉景帝尽孝，不愿违逆母亲；其三，窦太后有智慧有才干，她行事谨慎无大过，反击得体，抓好了时机。客观情势，黄老无为的学说和政治，还为社会大多数人所依恋，改革的条件还没有成熟。所以，不能简单地批评窦太后是保守势力的总代表。

二、识大体明大义的女性

一些品德高尚，识大体，明大义的女性，无论地位高低，司马迁都给予了热情的讴歌和高度的赞美。像忠君爱国不护犊子的赵括母，为弟扬名的侠女聂荣，深明大义的王陵母，顾全大局的陈婴母，施恩不图报的漂母，勇于救父的缇萦等等杰出女性[①]，她们的鲜活形象，闪耀着思想的光芒。

1. 赵括母

公元前270年，秦赵阏与之战，赵将赵奢大破秦军，赵王封

① 本节所写赵括母，见《史记》卷八一《廉颇蔺相如列传》；王陵母，见《史记》卷五六《陈丞相世家》；陈婴母，见《史记》卷七《项羽本纪》；漂母饭信，见《史记》卷九二《淮阴侯列传》；缇萦救父，见《史记》卷一〇五《扁鹊仓公列传》。

赵奢为马服君。此战，赵国名将廉颇、乐乘都不敢为帅，赵奢一战成名。赵奢的儿子赵括好读兵书，又好骑马射箭，又擅长夸夸其谈，认为天下善于用兵的人都不如他。赵括与其父赵奢辩论兵法、战略，赵奢都说不过他。但赵奢评论赵括是纸上谈兵，断言赵括为将必败赵军。但赵括的名声远扬国外，称为“马服子”。

公元前261年，秦赵长平之战，双方动员总兵力百万以上，是关系两国存亡的一场大决战。从四月到七月，双方激战，赵军不利，老将廉颇采用坚壁不战、避敌锋芒的办法拖垮秦军。因秦军远道进攻，持久不利。秦相范雎展开外交攻势，他派出大量间谍到赵都邯郸，散布流言，说秦军最害怕“马服子”为将。秦间又用千金行贿赵王左右及用事大臣，说廉颇的坏话，要赵王任用赵括为将。赵王中计，下令召回廉颇，任用赵括为全军主帅。

临阵换将，犯兵家大忌。赵括代廉颇，将意味着改变廉颇战略，改坚壁为进攻，赵军野战，骑兵不如秦兵，双方对攻，赵军是以短击长。蔺相如看到了这一点，他上书赵王说：“赵括徒有虚名，只会读兵书，不懂得临阵变化，打仗按书本，好比弹琴，用胶把柱子粘牢，只能弹出一个声音，哪能成乐曲。”[①] 比喻赵括打仗，只知进攻、蛮干，必然失败。赵王不听。

这时赵括的母亲出来上奏说：“赵括没有大将之才，不能任用。”赵王问什么原因，赵括母亲说：“赵括从小就读兵书，喜欢谈论打仗，他的父亲赵奢说不过他。但是他父亲说：我这儿子只会夸夸其谈，根本不懂得打仗。我问赵括的父亲：你怎么知道儿子不会打仗？赵奢说：‘打仗十分艰苦危险，关系国家大事，官兵的生死，国家的存亡，必须认真对待，审慎行事，我这儿子把战争看成是游戏，所以根本不懂得打仗。如果有一天赵国用他为将，兵败国亡的祸就要发生。’”这是赵奢对赵括的观察和评价。赵括母还向赵王说了一番她的观察。赵括母说：“赵括父亲赵奢为将，部属中被赵奢奉为师长的人有几十个；当成亲密朋友看待

① 引文见《史记·廉颇蔺相如列传》，原文为：“王以名使括，若胶柱而鼓瑟耳。”

的有几百人，大王赏赐奖励的财物，全部分给全军，接受了国君命令要出征，就不再回家，日日夜夜和士兵在一起，操心的全是军事。现在赵括被任命为大将，一下子高抬起头颅，不正眼看部属，接见部属他坐在上位，部属们都不敢正眼看他。大王赏赐给他的财物，他全部带回家，一门心思买房子、买地、放高利贷。同样当将军，父子两人完全不同，大王想想，哪个将军能干呢。”

赵括的母亲从一个人的作风派头与对金钱的态度看到了赵括没有将才，他不与士卒部属同心，怎么能打胜仗呢？可是赵王听不进去，认为生活态度与打仗没关系。赵王说：“老太太不要说了，我已下定决心，用赵括为大将。”赵括母说：“大王，我尽到心了，话也说完了，如果赵括不称职，我不要受牵连。”赵王说：“好吧，这事与你无干。”后来赵括打了败仗，赵王没有株连赵括母。这是后话不提。

2. 王陵母

西汉开国功臣王陵，官至丞相，一身正气，敢直言。王陵反对吕太后封诸吕为王，顶撞吕太后，批评陈平、周勃耍滑头，不敢坚持原则。可是王陵在楚汉战争初期，看不清楚时局，他拉了一支队伍在河南自立山头，既不帮助刘邦，也不依附项羽。项羽想任用王陵为将，他派人把王陵母接到楚国都彭城软禁起来，好吃好喝，待为贵宾。项羽要王陵母劝王陵投奔项羽。王陵母对着王陵的使者说：“请你回去告知王陵，他要是孝顺老娘，就赶快去投奔汉王，项王残暴不仁，决不能归顺。”说完用剑自杀而死。王陵母预知汉胜楚败，她用生命来激励王陵，赶快选择明主。王陵原是刘邦的老乡，长于刘邦，看不惯刘邦的无赖相，坚决不赴汉。王陵是个大孝子，他听从了母亲的遗愿投归汉王，终成为汉名臣。

3. 陈婴母

公元前208年，项梁起兵渡江北上。这时淮南东阳县（今安徽天长县）青年杀了秦县令，大家推举县吏陈婴为王，起兵反秦。一时间聚集了两万多人。头裹青巾，称为苍头军。战国时，魏国的一支精锐部队，号苍头军。这里用苍头为号，表示为勇猛无敌之军。陈婴的母亲对陈婴说："我嫁到陈家，从没听说陈家祖上出过大人物，今天你突然称王，不是好兆头。最好从属一个人领导，起义成功可以封侯，失败了也好逃亡，不要拉山头。"陈婴认为母亲说得有理。陈婴对部众说："项氏世世为楚将，天下闻名。今天我们要干大事，没有项梁来领导成不了事。我们这支队伍投靠项梁，一定能灭亡秦国。"大家一致赞成。陈婴带着两万多人投靠了项梁，带动黥布、蒲将军等多支农民起义军自动接受项梁领导。项梁、项羽起兵于吴中，今江苏苏州，率领江东八千子弟渡江，得到陈婴等人的拥护，很快发展到六七万人，成为反秦的主力军。陈婴母顾全大局，劝儿子陈婴以众附寡，使各支分散的起义军团结起来，具有超凡的识力。

4. 漂母饭信

古代著名军事家、西汉开国功臣韩信，青年时家贫，无以为业，经常饿肚子。韩信是淮阴人，他有一个朋友是南昌亭的亭长，韩信经常到他家去蹭饭。有一天早上，到了吃饭的时候，韩信又到了亭长家。亭长的老婆厌恶韩信，提前吃了早饭，韩信走了一趟空，很不高兴，从此再不到亭长家蹭饭。韩信来到淮水河边钓鱼，有一群在河边漂洗丝絮的妇女。其中一位老大娘，可怜韩信饿着肚子钓鱼，就把自己带的午饭分给韩信吃。韩信也不客气。这位大娘每天多带一份饭，整整一个夏天，韩信靠漂母的施舍过活。临别，韩信高兴地对漂母说："我发财了一定重重回报大娘。"漂母发怒说："一个男子汉没得饭吃，你年纪轻轻要努力。我同情你有急难，送饭给你吃，难道是为了你的厚报吗!"漂母善意的鼓励，韩信称谢而去。韩信当了楚王，回到淮阴，衣锦还乡，召来南昌亭长和漂母。韩信当众送给漂母一千金，报答当年送饭的恩情。只给了南昌亭长一百钱，韩信数落亭长说："你目光短浅，只是一个小人，做好事有头无尾，给你一百钱，还你当年的饭钱。"

事情无独有偶。战国时，苏秦游说六国，有许多人资助了他。苏秦拜六国相印后，一一回报当时的恩人。有一个人借给苏秦一百钱，苏秦给了一百金，加利一千倍。有一个人对苏秦说：

“我一直陪伴你，怎么把我忘记了?”苏秦说：“我没有忘。当你和我到燕国的时候，到了易水边，你不肯过河，离开了我。当时最艰难，你抛弃了友情，恨死你了。不过还是要报偿你的，只是把你放到最后。”为德不终的人，图的是厚报，这一个“贪”字就是渗入眼里的沙子，未免目光短浅。漂母施恩不图报，品德高尚反而得厚报。漂母事迹，流传千古，淮阴人民至今怀念她。漂母故里，人们垒起巨大的漂母坟冢，供人凭吊。

5. 缇萦救父

古代刑法死刑之外，最残酷的就是肉刑，脸上刺字叫黥刑，割掉鼻子叫劓刑，砍断一只脚叫刖刑，割除生殖器叫宫刑。

公元前 167 年，齐王太仓令淳于意擅长医术，他因为不愿意为贵族做家庭医生，他要为广大民众治病，被权势之家诬陷判罪，要被送往京城服刑。淳于意有五个女儿，没有男孩，因为冤枉判罪，心情抑郁愤怒，丧失理智对女儿们骂了一句：“生子不生男，缓急没有人照顾。”淳于意的小女儿淳于缇萦听了十分伤心，她只有 13 岁，决心挺身而出救父。她随父亲到了长安，向汉文帝上书，称说父亲为官清正廉直，不慎犯了刑律，一旦受肉刑致残，便终身不能恢复。缇萦请求汉文帝让她自己做官奴婢来赎父不受肉刑，给犯过的人一条自新之路。汉文帝被小缇萦的真诚感动，特别下诏令废除了肉刑。这是中国刑法史上的一项改革，推动力来自一个平凡少女缇萦。司马迁记录了这则故事，成为千古流传的佳话。

四、颂扬才智与刚烈的女性

颂扬妇女的才智，是肯定女性的创造活力；褒扬刚烈的女性，是肯定女性维护自尊的权利。这方面，司马迁给我们留下了许多生动的故事。

1. 晏平仲御妻

本则故事载《史记·管晏列传》。这是一个贤内助激励丈夫成才的故事，非常有趣而又深沉。春秋时齐景公国相晏子，名婴，字平仲，个子矮小而很有才干。晏子的车夫是一个高大的伟男子。两人一起出行，一个高大，一个矮小，而高个子伺候矮个子，直观的视觉很不是味。但身份、地位与权力不能改变，高个子是车夫，矮个子是国相，那地位没法比。车夫就要恭恭敬敬地伺候长官，这是没得商量的。

晏平仲为人平易近人，他不以国相之尊而骄人，表现出谦虚的神情。高个子车夫自认为给相国赶车，仗势骄人，反而得意洋洋，使原已不协调的视觉更加趣味横生。这位车夫的妻子，即晏平仲御妻看不下去了，她提出来要与这位不长进、少见识的丈夫离婚。晏平仲御妻的离婚要求，不是因为嫌弃丈夫为车夫，而是因为丈夫志得意满，不思进取。这位车夫也识趣改过，晏平仲知道后推荐他做了大夫。

这个短小的故事，写得曲折跌宕，饶有趣味，包涵了好几个对比，衬托了三个人物的光彩。车夫进取，晏子爱才，形象鲜明。而御者妻子更是一个见识深远的不平凡女子，她连名字都没留下来，但她的品德、思想、聪慧，通过帮助丈夫的进步而流传下来，值得后人学习、敬仰。

2. 张负慧眼识陈平

本则故事载《史记·陈丞相世家》。这是一个妇女识英才，通过婚姻造就一代伟人的传奇故事，读来饶有兴味。

西汉开国功臣之一，谋略家陈平，少时却受人冷眼。陈平出身贫寒，虽然长得高大魁伟，相貌堂堂，却找不到媳妇。家乡人看不起陈平，时常在背后议论他。陈平嫂子也挖苦陈平，说他“只不过吃糠咽菜，却长得肥头大耳”。言下之意，说陈平游手好闲，就像一头猪，吃啥都长肉。陈平的哥哥知道了，害怕弟弟受委屈，就把妻子赶走了。于是又有人说闲话，说陈平“盗嫂”，与嫂子私通，哥哥才休了嫂子。人穷受冷眼，什么故事都可编排出来。

无巧不成书。话说陈平家乡户牖乡有一个富人叫张负。“负”字，是对老年妇女的敬称。张负，就是张老大娘。可就是这个连名字都没留下来的张老大娘，她却有一双慧眼，她要给自己才貌双全的孙女寻一个好丈夫。张负孙女连嫁五个丈夫，不幸一个接一个死了，世俗迷信，说张负孙女克夫，没人敢娶了。陈平不相信命运，他看上了张负的孙女，但由于家贫，没敢托人求亲。张负了解后，她亲自调查研究，看到陈平替人操办丧事显示出组织才干，又看到陈平的蓬门寒舍却留下头面人物拜访的车印。张负对儿子张仲说："难道像陈平这样仪表堂堂的人会贫贱一生吗?"在张负主持下，陈平遂了心愿，结下美满姻缘。陈平在贤妻与岳母家的资助下，交游日广，声誉日隆。

唐代文学家韩愈有言"世有伯乐，然后有千里马。千里马常有，而伯乐不常有"①。千里马尚待有伯乐而后显，人才难得，其因在识人者难得。识人的伯乐，比识千里马的伯乐要复杂得多。有伯乐之心而无伯乐之才者，不能识人；有伯乐之才而无伯乐之心者，不愿识人。更有甚者，互相倾轧，窝里斗，司空见惯，人才毁于内耗，怎能脱颖而出？张负慧眼识英雄，张负孙女嫁陈平，乡间妇女出伯乐，世间罕有，祖孙两个妇女共同栽培了一代名相，成为千古佳话。

3. 聂荣以死扬弟之名

本则故事载《史记·刺客列传》。聂荣，战国时魏国轵县（今河南济源县）人。弟弟聂政替韩国严仲子刺杀韩相侠累后，自己用刀子割烂脸面，挖出眼睛，然后自杀，剖腹而死。韩国将聂政暴尸于市，悬赏千金追查他的姓名，没有人知道。聂荣闻讯，赶往韩国相认，伏尸大哭，极其悲哀，并公然宣称被暴尸的刺客叫聂政，是魏国轵县深井里的人。韩人告诉聂荣，官府暴尸就是要查出刺客姓名，捉拿他的家人，你怎么自投罗网呢？聂荣说："我弟弟聂政替严仲子报仇杀人，自己挖眼刺脸，为的是保护他的姐姐我才自残的。我怎么能贪生怕死，埋没弟弟的英名呢?"聂荣说完，大喊三声"天啊"，悲痛地死在聂政身旁。当时各诸侯国的人都传颂这个故事，称聂政是一个重义的人，聂荣是一个刚烈女子。

① 《韩昌黎集·杂说四》。

4. 赵襄子姐摩笄自杀

本则故事载《史记·赵世家》。赵襄子名姬无恤，是晋卿赵简子的儿子。赵简子立志要吞并代国，就把赵襄子的姐姐嫁给了代王。赵襄子巡视地方，在北边登上夏屋山，请代王来相会，在宴会席上用盛菜的铜勺击杀了代王，随即兴兵灭了代国。赵襄子的姐姐听到后，痛哭呼天，就用头上的笄簪磨尖自刺身亡。赵襄子灭代，是实现父亲的遗愿，是扩大赵的土地与实力，可以理解。但手段十分卑鄙残忍，作为代王的妻子绝不能容忍弟弟的不义行为，但她没有力量报复，夫死国灭，于是以身殉夫，以身殉国，用生命表达了愤怒，表示了抗争。代人怀念，把赵襄子姐死亡的地方称为摩笄之山。

四、《史记》中的爱情故事

在司马迁塑造的妇女形象中，最光彩照人的是爱情故事。对于封建礼教给予妇女的种种束缚，司马迁予以尖锐的批评和有力的抨击。这种抨击是通过塑造妇女抗争形象来完成的。司马迁寓论断于叙事之中，他歌颂纯真的爱情，主张自主婚姻，夫妻美满以情爱为基础。这些思想与理念，在以下所选的几个故事中有着生动的体现。在司马迁时代，这些思想和理念是超前的，可以说具有现代意识，就让我们来欣赏吧！

1. 重耳两贤妻

本则故事载《史记·晋世家》。重耳，就是春秋五霸之一的晋文公。他是晋献公的庶子，本来不当立为晋君，由于晋乱，他流亡国外 19 年，经过狄国、卫国、齐国、曹国、宋国、郑国、楚国、秦国，备尝艰难险阻，最后在秦国的援助下，借秦兵回国定乱立为国君。晋文公励精图治，使晋国称霸。

晋文公重耳，从小聪明能干，成人后宽仁待众，又爱才如命，因此在他身边经常有晋国的贤士大夫相随。重耳的成功，就受益于他得到了一大批贤士的辅佐，也得到了两位贤妻的辅佐。

一位贤妻是狄女季隗，另一位贤妻是齐女姜氏。两位夫人都是重耳在流亡时所娶。重耳在狄国居住了 12 年，生有二子，在齐国住了 5 年。重耳流亡，娶了贤妻，把狄国和齐国这两个国家当成了第二故乡，夫妻恩爱，已经心满意足。

由于晋惠公的追杀，重耳在狄国住不下去，迫不得已离开。临行，重耳对季隗说："等我二十五年，我不回来，你就嫁人。"季隗风趣地说："等你二十五年，我坟头上的柏树都长大了。虽然这样，我还是要等你回来。"此后，重耳在漫长的逃亡岁月中，其妻季隗辛勤持家，抚养重耳的两个儿子。重耳立为晋君后，感念其妻的坚贞与贤惠，马上派人接回，并立她为夫人。

重耳的齐妻姜氏，因是齐桓公宗室之女，美貌富有，重耳更是坠入了温柔之乡，不思回国了。为了重耳的事业，姜氏杀婢，并与咎犯等人合谋，用计灌醉重耳，劫持他上车离开齐国，重新踏上征程。古人云："食色，性也。"如果重耳客居齐国，他的夫人也沉湎于夫妻相悦、男欢女爱的小天地之中，那样一来，晋文公称霸的历史就要改写了。

本来重耳所娶狄女与齐姜氏，都是政治联姻，但他们在共同的患难生活中产生了真正的爱情，两位深明大义的贤妻在紧要时刻起到了别人无法起的作用。历史非常垂青于重耳，让他自己在传奇般的坎坷生活中，既得忠臣，又遇贤妻。于是重耳的经历又印证了一句古话：妻贤夫祸少，国难识忠臣。同时也印证了当代一句时髦的话：一个成功的男人，背后有一个贤惠的妻子。晋文公重耳背后有两贤妻。

2. 太史嬓女自择婿

本则故事载《史记·田敬仲完世家》。太史嬓女，就是战国时齐襄王后，史称君王后。君王后有两大事迹值得评说。一是她自主婚姻，恋爱结婚，在古代是一件了不起的大事；二是她长期执掌国政，与秦连横，奉行和平保境的外交国策，使齐国半个多世纪没有战争，并为秦国和平统一齐国奠定政治基础。一件是个人终生的幸福大事，一件是维系一国安危的政治大事。这两件大事均出于同一个女性之手，说明君王后是一个不平凡的奇女子。

古代男女婚姻，由父母之命，媒妁之言。君王后自主婚姻，而且还是自由恋爱，看上了替自家灌园的小伙子，父亲太史嬓感到羞辱，与君王后断绝了父女情，不承认这门亲事。但君王后十分孝顺，她做了王后仍然尽人子之孝，时间久了，恢复了父女关系，传为佳话。

君王后不助五国攻秦，给儿子齐王建制定了和平统一的国策，受到国人的批评。君王后这样做，是她看清了天下大势，避免人民受战祸，司马迁肯定了她，评之为“君王后贤”。君王后没有留下姓名。她的父亲名嬓，齐国人，居于莒，史称太史嬓。君王后，太史嬓之女，省称为“太史女”，做了齐襄王后，才称君王后。她的名字不显，因为她自主婚姻与不助五国攻秦，有违世俗，身前不被人称道。司马迁独具慧眼，特地记载，才流传了下来。

3. 张耳妻再适得贤夫

本则故事载《史记·张耳陈馀列传》。这是一个患难相知的爱情故事，也是一个奇女子反抗礼教追求自主婚姻的故事。

张耳是西汉的开国功臣之一，位为诸侯王。他少年时就是一个豪侠之士，因事犯罪被通缉，却在亡命之中得遇贤妻，并在贤妻的财力资助下，脱了罪名，广交朋友，还做了魏国外黄县令，为后来的发迹奠定了基础。张耳妻，更是一个奇女子，她不满父母包办的婚姻，敢于抗争，离家、投客、离婚、改嫁，一连串的惊人之举，颇显豪侠女的气质。张耳妻前夫，当是一个“门当户对”的富豪纨绔子弟，粗蠢像个庸奴；张耳一表人才，却是一个逃亡犯。张耳妻要在这两者中作出选择，“乃卒为请决”，坚决与前夫离婚，要由自己来决定终身大事。何等的勇敢，何等的胆识。这一句话是点睛之笔，活脱脱刻画了一个豪侠奇女子的形象，真是神来之笔。司马迁写人物，情节故事化，总带几分传奇色彩，张耳妻的故事具有典型意义。

4. 卓文君夜奔

本则故事载《史记·司马相如列传》。这是一个炽热的爱情故事，也是一个传颂了两千多年仍被人们津津乐道的才子佳人故事。

卓文君，富商之女，才貌双绝。司马相如，一代文豪，名贯天下；但家贫落魄，无以为衣食。临邛令王吉，是司马相如的好友，他设局安排，让这一对有情人近距离交流。司马相如以琴音为媒，用心抚琴，挑逗卓文君，诉说相思之意，在稠人广众之中展示才华，“雍容闲雅甚都”。卓文君隔户窥视如痴如醉，“心悦而好之”，全身心沉醉在爱情的执著追求之中。她鼓起勇气，毅然背叛了家庭，背离了礼教，放弃锦衣玉食的生活，选择了令封建卫道士最为头疼的“私奔”方式，月夜投入情人的怀抱。卓文君跟着所爱的人，吃苦受累，颠沛流离，其间饱尝生活的艰辛，体味人情的冷暖，但痴心不改。她还以超凡的心智、刚毅不屈的精神，低下尊贵的身躯，当街开店做老板娘，用以羞辱固执而又势利的父亲。她终于争得了自己的权利，得到了应得的一份家财，不仅摆脱了贫困，而且令私奔的婚姻得到了体面的结局，折服了父亲。卓文君既慧眼识人，又胆量过人。在她身上浓缩了封建社会千千万万追求幸福女性的特点。卓文君夜奔，以及对爱情的专一与执著，具有一定的进步意义，赢得了后世人们的敬慕。

五、司马迁进步的女性观

中国古代文明，以父系宗法制度为核心，男女有别、男尊女卑的原则在夏商周三代就确立了。圣人孔子就说过：“唯女子与小人难养也，近之则不孙（逊），远之则怨。”① 周武王说，他有十个治国能臣，孔子说：“有妇人焉，九人而已。”② 儒家的纲常伦理，不允许女性与男性平起平坐。西汉正是推行董仲舒三纲五常伦理的时代，司马迁又师事董仲舒，对圣人孔子十分敬仰，在《孔子世家》中称为“至圣”，又说“自天子王侯，中国言六艺者折中于夫子”。但司马迁并不盲从，在许多方面不与圣人同是非，

---

① 《论语》第一七《阳货》。

② 《论语》第八《泰伯》。

特别是对于妇女的识见，更是奏出了时代的异响。司马迁进步的女性观，可概括为三个方面。其一，司马迁为女性政治家立本纪，立世家，视杰出女性为帝为王，展示了男女平等权利的思想。其二，司马迁写妇女，与写男性一样，按历史的本来面目记事论人，惩恶扬善。女性的才智、聪明、善良、仁慈与勇于开拓的传统美德，热情歌颂，树立为榜样。司马迁不以成败论英雄，他对妇女的描写也不以地位高低论善恶，一些身居高位、灵魂龌龊的贵妇人，他予以深刻的揭露和无情的嘲讽。如秦始皇母庄襄王后，不保名节而导致嫪毐乱政，楚怀王宠妃郑袖因嫉妒而乱楚外交，晋献公宠妃郦姬施毒计害太子，导致晋国政局动乱。司马迁的鞭挞不遗余力。对于地位低下而品德高尚的中下层女性，司马迁给予热情的讴歌和高度的赞美，点点滴滴都加以记载，本文摘载的故事就是生动的例证。其三，司马迁颂扬忠贞的爱情，主张情爱是婚姻的基础，赞扬女性有自由追求幸福的权利，这不仅是反潮流的进步思想，而且是超前的意识，即使在今天，仍然闪耀着思想的光芒。

第十四讲　司马迁的进步思想

司马迁作史，并不是历史资料的汇抄和事实的堆积，而是要自成“一家之言”，阐明自己的思想和理想，拿出独到的见解来回答历史是怎样变化发展的。司马迁在《太史公自序》中曾借用孔子的话说：“我欲载之空言，不如见之于行事之深切著明也。”因此，司马迁的思想是熔铸在所叙人物史事中。由于《史记》是一部百科全书式的通史，体大思精，因而熔铸在其中的思想体系，也是宏阔而博大的，智者见智，仁者见仁，无论从哪一个方面都可以展开论述，如历史观、文学观、美学观、义利观、人才观、荣辱观、生死观等等。本讲集中条列司马迁思想的几个主要方面：道德观、政治观、战争观、经济观、民族观等五个方面。

一、进步的道德理念

所谓道德就是人生立世适宜的言与行，以及人际关系的行为准则。儒家主张“道德至上”，它比生命还重要，孔子说“杀身成仁”，孟子说“舍生取义”就是其核心。司马迁认为道德的意义应当存在于生命意义之中，强调道德与生命是一体的，无生命的道德，无道德的生命是无意义的。《史记·礼书》云：

> 礼由人起。人生有欲，欲而不得则不能无忿，忿而无度量则争，争则乱。先王恶其乱，故制礼义以养人之欲，给人之求，使欲不穷于物，物不屈于欲，二者相等而长，是礼之所起也。故礼者养也。

礼是道德的规范形式，是人制定的，但它的基础是人的生命需求和物质条件的平衡。道德的意义和作用就是反映这种平衡和维持这种平衡。人的生命需求是一个无限的衡量，而物质条件却是一个不断发展的变量，所以，随着物质生活条件的发展，“礼”也是不断发展的，由此夏商周三代之礼才有不断的“损益”。孔子对此是有所认识的，后来的儒家，包括孟子，对此认识不足。例如义与利，儒家把两者对立起来，君子言义不言利。司马迁认为义与利是统一的。“礼生于有而废于无”，“有”就是衣食住行。管子说：“仓廪实而知礼节，衣食足而知荣辱。”人要生存就要有物质需求，需求就是欲望，欲是生命的需要，所以是天生的，叫“人生而有欲”。但“欲而不得则不能无忿，忿而无度量则争，争则乱”。为了避免争和乱，人的欲就要有一个限度，规定这个限度的就叫礼。它是人的生存、延续、发展的一种需求，所以说“礼由人起”。

司马迁把“礼”，人的道德规范放到社会实际生活中、实际的人际关系中、人的生命过程中来考察，提出了许多先进的思想，如讲礼让、述货殖、序游侠、写妇女，不与圣人同是非，在今天看来也是先进的。

——讲礼让，一是为公，二是让贤。《史记》五体的始篇，突出“让”德精神，但不是儒家“道德至上”的中庸精神，而是与时势进程相融合的社会精神。儒家《尚书》称尧舜，在于天下为公，在于选贤任能，在于宽仁的“让”德，司马迁在《五帝本纪》中也引用过来了，但在此之前，司马迁强调黄帝“修德振兵，治五气，艺五种，抚万民，度四方”，强调在政治、经济、军事诸方面达到自强，然后伸张正义，以德临天下，丰富了“帝德”的内涵。黄帝

“修德振兵”，强调了正义暴力包含在“让”德中，即当仁不让。因为，没有暴力，黄帝不能统一天下。黄帝统一乱世，这是本篇居于全书之首的又一意义。《吴太伯世家》是歌颂“让”德的，太伯让位季历，后及文王姬昌，西周随即崛起，太伯居吴，吴亦得到发展。太伯之让是让贤，社会得益。而后来季札的谦让，只是个人名节修养，后果却令人感叹，不但没有出现贤君，振兴吴国，反而刺激了乱臣贼子的野心，以至国灭家亡。所以司马迁在《太史公自序》中，没有提到季札之让，只是谴责阖庐、夫差横霸作风，论赞中感叹季札“慕义无穷”、“闳览博物”却不能避免国家的灭亡，实在意味深长。《伯夷列传》从表面来看也是赞扬“让”德，实际上寓有更深的感叹。孔子说，伯夷“求仁得仁，又何怨乎”？司马迁从伯夷叔齐的歌词听出了怨愤之意；有人说，“天道无亲，常与善人”。司马迁根据伯夷叔齐的遭遇发出了对天道的质疑。由上所述，司马迁笔下的“让”德内涵，显然超越了儒家思想的规范。

——述货殖，为商人立传。秦商鞅变法，重本抑末，政治上压制工商末业。秦朝征发兵役，商人与赘婿首当其冲，本人不是商人要追查三代，父亲、祖父曾经经商的也要打入另册。西汉建立，不准商人做官，衣丝乘车，人头税加倍征收。司马迁却为商人立传，说：“布衣匹夫之人，不害于政，不妨百姓，取与以时而息财富，智者有采焉。”孔子称赞君子完人为“智、仁、勇”，司马迁说：商人是最聪明的人，为“智、仁、勇、强”，借用白圭的话说：“吾治生产，犹伊尹、吕尚之谋，孙吴用兵，商鞅行法是也。是故其智不足与权变，勇不足以决断，仁不能以取予，强不能有所守，虽欲学吾术，终不告之矣。”①

司马迁述货殖，为商人立传，是肯定商人促进生产发展，对社会经济繁荣所作的贡献。但它违背了传统的义利之辨，班固批评为“述货殖则崇势利而羞贫贱”，金代王若虚甚至发出“迁之罪不容诛矣”的感叹。

——序游侠，高扬仗义勇为，扶危济困的精神。班固批评司

① 《史记》卷一二九《货殖列传》。

马迁“序游侠则退处士而进奸雄”。司马迁说：“今游侠，其行虽不轨于正义，然其言必信，其行必果，已诺必诚，不爱其躯，赴士之厄困，既已存亡死生矣，而不矜其能，羞伐其德，盖亦有足多者焉。”① 司马迁认为，游侠的行为虽然和礼法的正统观念不和，然而他们说话守信用，行事果敢决断，牺牲自己的生命，去救济别人的艰难困苦，而又不夸耀自己的才能，耻于表彰自己的德义，是值得赞颂的。司马迁特别认为人的缓急是人生所难免的，所谓“天有不测风云，人有旦夕祸福”。古代圣贤如虞舜、伊尹、傅说、吕尚、管仲、百里奚、孔子都遭受过厄难，何况一般的人呢！国家的政府，是道德法律的代表，如果政府不能替人民伸张正义，人间又多有不平事，他们到哪里去呼喊呢？其实游侠在今天来看多是黑社会性质。司马迁注意到了这种情况，所以他把恶霸行为的游侠称为“盗跖居民间耳”，欺压人民的黑社会分子是强盗，不是游侠。真正的游侠是助民、爱民的。政府法制瓦解，是游侠生存的基础。司马迁颂游侠是站在人民的立场，对开明政治的一种向往与呼唤。

——写妇女。司马迁是中国历史上第一个热情颂扬妇女，真正把妇女写成半边天的人，不与圣人同是非。另作专题讲座，兹从略。

二、开明的政治思想

司马迁的政治思想，基本倾向是倡导儒家的“仁政”为本，辅以道家的“无为”为表的统一体，同时对于阴阳、名、法、墨各家也兼收其长，扬弃其短。这在《六家要指》中有着明晰的阐述。司马迁的政治思想的形成，不仅仅是融合儒、道及诸子百家的思想资料，而且更主要的是总结历史经验“自古志镜”提出的。所以，司马迁的政治思想属于经世致用型，而不是思辨理论

① 《史记》卷一二四《游侠列传》。

型，他既不是儒家，又不是道家，而是升华历史经验自成一家。主要内容有以下三个方面。

1. 崇尚德治，反对暴政

在司马迁笔下，“德治”与“暴政”两相对立，作者的褒贬倾向极为鲜明。《太史公自序》对古圣先贤禹、汤、文、武称颂为德治之君，说夏禹“德流苗裔”，周文王“德盛西伯”；对夏桀、殷纣、周幽王、周厉王，以及秦始皇、秦二世这些昏暴之君，贬抑为“暴”。司马迁用这一政治观念模式总结历史经验。在《夏本纪》中，他说：“帝桀之时，自孔甲以来而诸侯多叛夏，桀不务德而武伤百姓，百姓弗堪，……汤修德，诸侯皆归汤，汤遂率兵以伐夏桀。”在《殷本纪》中说：纣王“好酒淫乐，嬖于妇人，……百姓怨望而诸侯有叛者，于是纣乃重刑辟，有炮格之法”。而周文王“修德行善，诸侯多叛纣而往归西伯”。古代“虞夏之兴”，“汤武之王”，因修仁行义，“德洽百姓”①，而桀、纣之亡，则是因暴虐不仁。中古春秋时期，“弑君三十六，亡国五十二，诸侯奔走不得保其社稷者不可胜数”，而“察其所以，皆失其本已”②。这里所说的本，就是仁义之本。近世楚亡汉兴，也因“子羽暴虐，汉行功德”③。汉兴百年之间，“诸侯或骄奢，忕邪臣计谋为淫乱，大者叛逆，小者不轨于法，以危其命，殒身亡国”④。所以司马迁更明确地宣称，他写作《汉兴以来诸侯王年表》的目的，就是“臣迁谨记高祖以来至太初诸侯，谱其下益损之时，令后世得览。形势虽强，要之以仁义为本”⑤。

“德治”是儒家政治的根本。“德治”即“仁政”，出发点虽然是为了巩固封建统治，具体内容却是轻徭薄赋，主张节制对人民的剥削，缓和阶级矛盾。这一政治的理论基础是“民惟邦本，本固邦宁”。司马迁用古今的历史事实来说明“得民心者得天下，失民心者失天下”这一民本思想，可以说贯穿《史记》全书。但司马迁并没有到此止步。他不仅认识到了人民力量对历史的演进

① 《史记》卷一六《秦楚之际月表序》。

②③ 《史记》卷一三〇《太史公自序》。

④⑤ 《史记》卷二二《汉兴以来诸侯王年表序》。

起最后的决定作用，而且肯定人民的反暴斗争，大声赞美革命行动。

所谓“革命”，即变革天命，有道伐无道。“革命”词源有两个出处。一是《逸周书·克殷解》，记载武王克商的告天之词，曰：“膺受大命，革殷，受天明命。”一是《周易》卷五孔子所述《革卦·彖辞》曰：“天地革而四时成，汤武革命，顺乎天而应乎人，革之时义大矣哉。”战国时孟子更发展成为民贵君轻说，盛赞武王革命诛“一夫纣”[①]。汉代景帝时还发生了儒学博士辕固生与道家博士黄生展开的一场汤伐桀、武王伐纣是不是革命的辩论。黄生认为汤、武之举是“臣弑君”，大逆不道。辕固生认为汤、武革命是“汤、武与天下之心而诛桀纣”[②]。可见“革命”是先秦至汉初儒家的一个进步观点。但是，到汉武帝时，罢黜百家，独尊儒术，加强了大一统的思想控制，这时的儒家学说是以董仲舒的三纲五常为基准，原始儒家的民贵君轻说，已被束之高阁。在这样的背景下，司马迁不仅继承了原始儒家民主性的精华，并发扬汤、武革命的观点，又向前推进了一步，提出了反暴政的思想。司马迁为陈涉作世家，把他与汤、武并论：“桀、纣失其道而汤、武作，周失其道而《春秋》作，秦失其政而陈涉发迹。诸侯作难，风起云蒸，卒亡秦族。天下之端，自涉发难。”[③]项羽灭秦，司马迁热情地歌颂了他，为之立本纪；而项羽暴虐，同样受到司马迁无情的批判。《刺客列传》和《游侠列传》，大旨都是颂扬反暴的精神。所不同的是，《刺客列传》反映的是政治斗争，宣扬扶弱锄强的正义精神。至于游侠，可以说是颂扬绿林义气，宣扬下层人民扶弱救困的“仁义”道德。游侠的出现，是封建社会法制瓦解，匹夫抗愤的一种形式。游侠为受压迫、受冤屈的下层人民伸张正义，而不惜牲牺性命，司马迁歌颂他们，表现了他同情广大人民的反暴愿望，这已经超出了传统的儒家思想，受到正统史家的非难。但这正是司马迁思想闪光的精华之一。

---

① 《孟子》卷二《梁惠王下》第八章及卷一四《尽心下》第十四章。
② 《史记》卷一二一《儒林列传》。
③ 《史记》卷一三〇《太史公自序》。

2. 主张顺民之俗，颂扬无为政治

无为政治在理论上是“因循为用”，与“多欲滋事”正相反对。纵观《史记》，司马迁所歌颂的圣君贤相，皆“因循为用”；所抨击的暴君污吏皆“多欲滋事”。五帝三王与汉初君臣都是“因循为用”的；三代末主与秦皇、汉武都是“多欲滋事”的。前者兴盛，无为而无不为；后者衰败，为所欲为而国破家亡。

司马迁所讲的“因循为用”，采自道家的思想资料，但却与老庄之道有本质的区别。老子的“无为”，主张绝圣弃智，灭去人欲，要把历史拉回到古朴的原始社会中去。《老子》第三章：“不尚贤，使民不争，……常使民无知无欲，使夫智者不敢为也，为无为，则无不治。”第十九章：“绝圣弃智，民利百倍。”第八十章：“小国寡民，使民有什伯之器而不用，使民重死而不远徙，……鸡犬之声相闻，民至老死不相往来。”老子的这些政治主张，司马迁在《货殖列传》中提出了严厉的批判。司马迁所讲的“因循”却是顺民之俗，给人之欲。他在《货殖列传》里明确地提出了欲望是历史发展的动力的观点，主张施政要随从民俗。他说：“故善者因之，其次利导之，其次教诲之，其次整齐之，最下者与之争。”因此，《货殖列传》一开篇就把老子的小国寡民主张作为批判的靶子引用。其实《老子》五千言中连一个“因”字也没有。司马迁从“无为”学说中引出“因循”是一种创新和发展。“因循”不是消极的率由旧章，无所作为；恰恰相反，而是“因势利导”之“因”，积极地与时迁移；循是循民之俗，顺民之欲，为民谋利。《六家要指》说“与时迁移，应物变化，立俗施事，无所不宜”，是用道家的语言，表达了法家的进化论思想。司马迁把老庄申韩合传，是发人深思的。韩非说：“是以圣人不期修古，不法常可，论世之事，因为之备。”又说“世异则事异”，“事异则备变”①。司马迁还说：“秦取天下多暴，然世异变，成功大。传曰：‘法后王’何也？以其近己而俗变相类，议卑而易行也。”“法后王”出自《荀子·非相篇》。司马迁所讲的

① 《韩非子·五蠹》。

“因循”，其治政内容与韩非的随俗施事和荀子的法后王是一脉相承的。

“因循为用”的政治实践是汉初的无为政治，受到司马迁的称赞；“多欲滋事”的政治是武帝的文治武功，因其过度使用民力而受到司马迁的批判。汉初无为在指导思想上是“国家无事”，“君臣无言”；具体措施，则是约法省禁，与民休息。无为治国的原则，高帝在世时已经贯彻，如除秦苛法，开关梁，弛山泽之禁，十五税一等等。汉高祖起自匹夫而得“天统”，原因就是他顺民之俗，“承敝易变，使人不倦”。吕太后无为，“民务稼穑，衣食滋殖”。汉文帝“能不扰乱，故百姓遂安”，司马迁许之为“德至圣”的仁君。萧何为相，“因民之疾秦法，顺流与之更始”。曹参因循，“天下俱称其美”。文景之世的社会，在司马迁笔下，被描绘成理想的社会。《律书》云：“太史公曰：文帝时，会天下新去汤火，人民乐业，因其欲然，能不扰乱，故百姓遂安。自年六七十翁未尝至市井，游敖嬉戏如小儿状。孔子所称有德君子者邪!”

3. 反对分裂割据，主张大一统

秦朝是中国封建社会的第一个统一国家，但很快走向灭亡。对此，汉代诸儒完全否定秦朝的存在。司马迁批评秦取天下多暴，但肯定秦统一之功，在《六国年表序》中有鲜明论述。韩兆琦在评《六国年表序》时说：“汉代学者拘于偏鄙之见，诋毁秦朝是‘余朝闰位’，说什么汉是‘上继周统’，这种不顾事实的狂悖之言，深为太史公所不取。司马迁厌恶秦朝的严刑酷法，深责其焚书杀士的倒行逆施；而对其‘法后王’，对其通权达变的规模方略，有其心悦诚服处。故而在此序中力排众议，揭出而表彰之。”① 司马迁说“秦取天下多暴，然世异变，成功大”，这对秦在中国历史上的功绩给予了大胆的肯定。由此，我们也不难看出司马迁主张大一统的进步的政治思想。同时，司马迁之为汉承秦制造舆论的用意也是十分鲜明的。

司马迁主张强干弱枝，反对分裂割据，颂扬大一统的政治观

① 《史记选注汇评》，中州古籍出版社1990年版，第81页。

是符合历史的发展进程的。司马迁在《货殖列传》中说："汉兴，海内为一，开关梁，弛山泽之禁，是以富商大贾周流天下，交易之物莫不通，得其所欲。"国家的统一，政治的稳定，这是社会经济文化发展的前提。所以司马迁对汉政权的统一和强盛，是倍加赞颂的。《史记》以昂扬的情调反映西汉盛世，颂扬伟大的时代，历史观和政治观都是进步的。

综上所述，司马迁崇尚德治，反对暴政；主张施政要顺民之俗，颂扬无为政治；主张强干弱枝，反对分裂割据，维护大一统。这些构成了司马迁开明政治思想的内容。司马迁萌芽了三权分立的思想，他当然没有这个概念，但他认为司法要独立，臣下建言无罪，皇上不能以个人喜好代替法制，这些思想在《孝文本纪》与《张释之冯唐列传》相互映衬中鲜明地表示出来。

三、司马迁的战争观

《史记》四分之一的篇幅叙述了古代500多次战役，大战役180次，特大战役58次，构成了上古完整的战争史内容。先秦儒墨两家反对战争，墨子主张"非攻"、"兼爱"，儒家主张销毁兵器，孟子说"善战者服上刑"。兵家主张以暴制暴，研究战争，但为什么要打仗，目的不明确。《孙子兵法》作者，孙武给战争的定义是"掠乡分众，廓地分利"。战争就是抢劫，夺人之地，夺人之财，这和游牧民族的侵扰有什么区别。司马迁第一个给战争下了符合政治要求的定义，叫做"讨强暴，平乱世，夷险阻，救危殆"。司马迁认为战争，养兵施暴，如同虎豹的爪牙、父亲教子的鞭子，不可缺少。按司马迁的定义，战争有正义与非正义之分，司马迁叫做"顺逆"。顺天而行的是正义战争，人民要支持，逆天而行的是非正义战争，才要反对。司马迁说"非兵不强，非德不昌"，国家既要有暴力，也要有文治。司马迁延伸《史记》到黄帝，就是因为黄帝用战争灭了炎帝、蚩尤，平了乱世，然后又施文治。

司马迁还说，战争有“巧拙”，要兴建功业，必须慎选良将，认真研究用兵作战的方略，与孟子的观点恰相反对。于是《史记》为21个兵家人物立专传，总结他们的战争经验，颂扬他们对历史作出的贡献。

司马迁的兵学成就和战争观，在今天看来也是进步的。

四、富国利民的经济思想

司马迁写《平准书》和《货殖列传》，首创经济史传，并重农工商虞。司马迁具有宏观产业结构的眼光，认为农工商虞四业富国利民，缺一不可，反对传统的重农抑商。更为超前的思想，是司马迁反对国家垄断工商，他叫做“与民争利”，是最下等的经济政策，而主张自由竞争的市场经济，司马迁称为“善者因之”。国家可以作宏观调控，引导市场经济向有利的方向发展，对不规范的行为作一些限制。司马迁说：“善者因之，其次利导之，其次教诲之，其次整齐之，最下者与之争。”

司马迁还讲了宏观的区域经济发展模式。他把当时全国经济分为关中区、山东区、长城以北区、大江以南区四大经济区。大区下又分为小区，小区又以中心城市带动。简直具有现代意识。

司马迁对微观经济着重总结了市场经济的营运规律。主要有四个方面：其一，知时。计然“旱则资舟，水则资车”；范蠡“与时逐”；白圭“乐观时变”。这都说的是掌握商业行情，调查市场需求，“逐时而居货”，利用供求规律，牟取大利。其二，知物。“积著之理，务完物”，“腐败而食之物勿留，无敢居贵”。这是研究商品学，提高商品竞争能力。其三，无息币。即加速资金流转，使“财币其行如流水”。为此，必须研究物价涨落规律，懂得“贵上极则反贱，贱下极则反贵”，而敢于“趋时若猛兽鸷鸟之发”，“贵出如粪土，贱取如珠玉”。其四，择地择人。范蠡居陶，因陶为天下之中，“诸侯四通，货物所交易也”。司马迁注意人才的重要。刁间用“桀黠奴”，使他们“逐渔盐之利”，“终得其力，起富数千万”。

司马迁的经济学成就，两千年来成为绝响。可以说中国人是从 1978 年改革开放以后才上续了司马迁的经济思想。

五、民族一统思想

中华民族是以汉族为主体的多民族大家庭，因此，如何处理好主体民族与周边少数民族的关系，这不仅是历代统治阶级需要认真、慎重考虑和解决的问题，而且也是历来史学家们需要认真考虑和不可回避的问题。在《史记》之前的众多的中国古代典籍中，虽然也不乏对少数民族的记载，然而，一方面这些记述都只不过是片鳞只羽，凤毛麟角，缺乏系统性、完整性；另一方面，这些典籍和儒家代表人物，都宣扬“夷夏之辨”，孔子修《春秋》“内诸夏而外夷狄”，司马迁第一个以其卓越的史识、前所未有的胸怀和宽广的眼界，站在历史和时代的高度，系统地记载了中国境内各民族的历史，首创民族史传，系统记载我国古代周边民族的历史，有《匈奴列传》、《东越列传》、《南越列传》、《朝鲜列传》等篇，在中国古代史上闪耀着夺目的光辉，这是值得认真总结的宝贵文化遗产。

司马迁民族一统思想的基本内容，主要有以下五个方面。

1. 民族同祖同源意识

司马迁认为，中国境内各民族皆为黄帝子孙，都是兄弟，是一家人，他们的根是相同的。他在《五帝本纪》、《夏本纪》、《殷本纪》、《周本纪》中记载了五帝三王都是黄帝的苗裔，并在《三代世表》中谱列了五帝三王的承传世系。

不唯如此，司马迁甚至还认为春秋战国各诸侯国以及春秋战国时期被认为是少数民族而予以蔑视的匈奴、东越、闽越也都是黄帝的子孙，与黄帝是一家人。他在《秦本纪》中说：“秦之先，帝颛顼之苗裔。”在《楚世家》中说：“楚之先祖出自帝颛顼高阳。”在《越世家》中说：“越王勾践，其先禹之苗裔，而夏后帝少康之庶子也。”在《吴太伯世家》中说：“余读《春秋》古文，乃知中国之虞与荆蛮句吴兄弟也。”在《匈奴列传》中说：“匈奴，其先祖夏后氏之苗裔也，曰淳维。”在《东越列传》中说：“闽越王无诸及东越王摇者，其先皆越王勾践之后也。”等等。

其实，我国历史上很早就有夏周西来和殷自东来，出自夷、羌、戎等少数民族的说法。如《孟子·离娄下》说：“舜生于诸冯，迁于负夏，卒于鸣条，东夷之人也。文王生于岐周，卒于毕郢，西夷之人也。”又陆贾《新语·术事篇》则说：“文王生于岐夷，大禹出自西羌。”至于殷周，其先祖最初可能属于东夷民族集团的一支。而司马迁说匈奴、秦、楚、吴、闽越都是黄帝的子孙，这就更不可靠了。因为中国境内这许许多多的民族，根本不可能出于同一个祖先。司马迁各民族皆为黄帝子孙的说法虽然是不科学的，但它反映了春秋战国以来各诸侯国在互相兼并、相互融合中所形成的那种逐渐统一的民族大一统的政治趋势。是出于对天下一统格局形成的歌颂，也是在建立民族一统人文的一种文化观念，是值得肯定的。

2. 民族等列思想

所谓民族等列思想，并非今天所说的各民族不分大小、强弱，均处于平等的地位并享有平等的权利的民族平等观。在“内诸夏而外夷狄”的传统思想作用下，司马迁只可能站在时代的前列，而不可能超越历史时代打破封建伦常秩序而形成所谓的民族平等观念。他进步的民族观在于：他第一次打破了“种别域殊”的内外界限，破除了唯我独尊的以华夏为中心的大汉族主义，而视中国境内的各民族为一个统一的密切联系的整体。在《史记》中，他记述了华夏之外的各民族，如匈奴、南越、闽越、西南夷，以及朝鲜等。他把这些少数民族都看做是中华民族的重要组成部分，都是置于民族一统大范围之内。认为东南西北各少数民族，都是天子臣民，他们是一统天下的成员，他们的历史是走向统一的。司马迁认为各民族都有自己的优秀传统和文化，对中华民族都有自己的不可忽视的特殊贡献。而各民族的风俗习惯，自有其形成的种种经济的、地理的、历史的原因，自有其存在的合理性，无论哪一个民族，即使是先进的民族，也不应以自己的风俗习惯为标准，去衡量、要求别人，不能轻易地把人家视为落后、愚昧而加以鄙薄与歧视。各民族的经济发展、繁荣与物产交流，对促进汉帝国的繁荣昌盛，对中华民族一统经济的发展都具有重要的作用。

3. 承认周边各民族有同等的“革命”权利

这里所谓“革命”，是指革故鼎新，变革天命，不同于今天的革命观念。这一词源出自《逸周书·克殷解》，《周本纪》作了摘引。司马迁说：“膺更大命，革殷，受天明命。”革命，就是推翻失去天命的暴君，拥戴获得天命的仁德之君主登极，改朝换代。武王伐纣，陈涉首难，司马迁都称之为“革命”。秦亡后，楚汉相争，项羽暴虐，汉王仁德，结果楚灭汉兴。南方越族参加了秦汉之际人民反暴政的斗争，司马迁作了肯定的记载。《东越列传》说：

> 诸侯畔秦，无诸（闽越王）、摇（越东海王）率越归鄱阳令吴芮，所谓鄱君者也，从诸侯灭秦。当是之时，项籍主命，弗王，以故不附楚。汉击项籍，无诸、摇率越人佐汉。

东越反秦佐汉，参与中原的政治斗争，司马迁特别加以记载。表现了他承认周边各民族有同等的“革命”权利的思想，这在当时是了不起的进步思想。

4. 坚持民族统一，反对民族分裂

坚持民族统一，反对民族分裂是司马迁民族一统思想的主要内容之一，它贯穿于《史记》的始终，特别是在100多年的西汉历史记述中尤为突出。秦统治时期，中国已基本上形成了一个统一的多民族国家。西汉立国后，随着中央集权制的加强，以汉族为主体的各民族之间的联系有了进一步的加强，统一的趋势日益发展。但是，刚刚建立起来的西汉王朝面临着两个问题：一是封国林立；二是“四夷”未宾，构成对西汉王朝的严重威胁。因此打击封国割据势力，安定“四夷”，是巩固西汉中央集权、维护其一统天下的首要任务。汉初几十年中，统治者采取了削弱诸侯王势力和限制其权利的种种措施，“强本干弱枝叶”，即消灭或削弱诸侯势力，加强中央集权，巩固大一统。司马迁称赞“削藩”政策所取得的成果，表现了他坚持民族统一、反对民族分裂的民族大一统思想。

5. 对民族融合与统一的赞颂

周边各民族与华夏族的关系始终是密切相连的。他们之间的政治、经济、文化交流始终是非常频繁的。秦汉之后，随着民族大一统局面的出现、统一的多民族国家的形成和汉族为主体的各民族共同体的发展，各民族之间的经济文化交流则更为频繁。司马迁在《史记》各篇民族列传以及《刘敬叔孙通列传》、《韩信卢绾列传》、《卫将军骠骑列传》、《司马相如列传》、《货殖列传》、《平准书》等许多传记中，详细记载了各民族之间的相互融合与友好往来，详细记述了各民族之间的频繁的经济、文化交流，并对这种民族间的政治、经济、文化交流和民族融合，予以热情的歌颂。认为这对促进民族关系、加强民族了解与融合，增强民族凝聚力，对统一的多民族国家的巩固与发展，都具有重大的作用。这也是司马迁民族一统思想的一个重要方面。

司马迁民族一统思想的形成有着当时的历史条件以及自身的经历，绝不是偶然的音韵天成，主客观条件有三个方面：第一，各民族人民之间的经济、文化交流走向民族一统。第二，汉武帝向周边民族地区推广郡县制度，造成了促进民族一统的政治形势。第三，司马迁奉使西南夷设郡置吏，对民族历史积累了实地的考察经验。

第十五讲　司马迁

——大一统时代的文化巨人

本讲略述司马迁其人，揭示《史记》产生的历史原因。前人论说史学大家，必须才、学、识、德四长兼备，司马迁正是这样的一个人。古人认为，这样的人几百年才能产生一个，司马谈认为完成《史记》的人就是继孔子之后数百年产生的伟大人才。这个人落在了司马迁的身上。

司马迁是秦汉大一统时代的文化巨人。

一、秦汉大一统盛世呼唤巨人出世

时势造英雄，《史记》也是时势所造，这是它产生的客观条件。有五个方面：

1. 大一统理论的总结

秦汉大一统，这是一个新时代。历经春秋战国500多年的战乱，秦国从秦孝公变法起，经过六代人的努力才完成了统一。秦始皇认为战乱是诸侯造成的，废分封，行郡县，要传之万世，结果二世亡国。历经几百年的创业，十几年就完蛋了，难道是上天不要人间安定而要战乱吗？上天是惩恶佑善，而现实却不是。西汉统一虽然只经过五年，可是死了几百万上千万的人，血流成河，人民付出的代价太沉重。西汉能长治久安吗？怎样才能长治久安？这是统治者要解决、要思考的问题，也是全国老百姓要思考并期盼的问题，更是先进思想家要思考要解决的问题。

高祖即位，陆贾写了一部《新语》，顾名思义，是一部崭新的书，共写了12篇，讲的是秦是怎么亡的，汉是怎么兴的。还说，马背上得天下，不能在马背上治理。意思是，打天下用暴力，治理国家不能用暴力，对待老百姓，不是像对待敌人。秦朝之所以亡，就是因为举措暴众而用刑太急。汉朝要长治久安，必须徭役不烦，刑法不滋，兵马少设，无为而治。群臣高呼万岁。

其后，淮南王刘安著《淮南子》就提出了“究天人之际，通古今之变”，要总结历史经验，找到长治久安的办法。

要有一部书来为新王朝的长治久安，也为满足天下苍生谋福祉的愿望，提供理论根据。这是时代的呼唤，需要完成这一任务的巨人出世。

2. 西汉的文化发展提供了修史条件

秦汉时图书传播，主要靠简策书写，得书十分困难。秦始皇焚书坑儒，不准民间读书、藏书，以愚黔首，制造了人为的困难。西汉废除了挟书律，提倡读书、藏书，汉武帝更是独尊儒术，兴办学校。班固说：“汉兴，改秦之败，大收篇籍，广开献书之路”，“于是建藏书之策，置写书之官，下及诸子传说，皆充秘府”[①]。宫内有延阁、广内、秘室之府，外朝有太常、太史、博士之藏。司马迁说：“细史记石室金匮之书。”太史令掌管图书。西汉收罗天下之书，太史令有职务之便，所以司马氏父子相继为太史令，就是充分运用国家藏书。

3. 雄才大略的汉武帝，加强了中央集权统治，创造了宏阔昂扬的时代精神，是《史记》创作的背景

4. 文景时代开明政治的流风余韵，为司马迁的创作提供了宽松的环境

5. 时代变迁，新思维的吸收

秦汉之际的社会大变革，西汉政治开创了布衣将相之局，刘

① 《汉书》卷三十《艺文志》。

邦和许多开国功臣都是出身低贱的农民。刘邦父兄都是种地的农民。周勃为吹鼓手，搞藤编。樊哙是狗屠，萧何是刀笔吏。这些人登上了治国舞台。人们看到了人的自身力量，原来人世间是人创造的。陈胜就呼喊："王侯将相宁有种乎！"这是《史记》以人为中心述史的社会背景，是新时代的新思维。

万事俱备，只欠巨人出世。司马迁适逢其会，自觉地担起了修史重任。

二、司马迁多彩的人生

1. 家学渊源

司马迁在《太史公自序》中追述司马氏世系，源远流长，始祖为唐虞之际的重黎氏，历唐虞夏商，世典天官，至周世典周史，这是司马谈自认最为光荣的家世，即史官世家。修史，是司马氏义不容辞的天职。司马谈言此，是表明他以修史为己任，是一个自觉的历史家，并以此教育司马迁。

春秋战国及秦汉之际的大变革，司马氏家族适应时代变迁，从事政治、军事、剑客、经济的活动，在各个领域都产生了司马氏家族的显赫人物。西周程伯休甫、秦国司马错都是名将。司马错为秦国开拓了巴蜀大片领土，又东伐败楚，与秦名将白起比肩。司马昌、司马无泽两代分别任秦国的大铁官和西汉长安市工商总局局长。这些是司马迁继承兵学、经济学的家学渊源。

给予司马迁影响最大的是其父司马谈。

司马谈不仅发凡起例《史记》，而且着重培养司马迁，让司马迁的少年时代留在乡间耕牧河山之阳，接受勤劳和体魄的锻炼。司马迁年少聪明，年 10 岁就能诵古文。司马谈又为司马迁聘请了名师，使司马迁受到了良好的教育，师承大师。

2. 司马迁的师承与交谊

汉武帝时代，有几位影响历史深远的大学问家。一位是今文学大师董仲舒，一位是古文学大师孔安国，还有一位天文学大师唐都，均因司马谈的关系，使得司马迁有幸拜他们为老师。司马谈《论六家要指》，把先秦诸子百家学说归并为儒、墨、名、法、阴阳、道六家，认为六家学说皆有益于治。表明司马谈不墨守门户，他有博大胸怀，海纳百川，所以让司马迁既学古文，又学今文。司马迁出仕为郎，又与大文学家严安、庄助、枚乘、上大夫壶遂等为友，享受其熏陶。司马迁师承大师，与时贤为友，所得良师益友之助，古代没有第二个人。

3. 二十壮游

汉武帝元朔三年（前 126），司马迁 20 岁，正当盛壮之年，怀抱着凌云壮志，奉父命漫游全国，“网罗天下放失旧闻”，首创走出书斋读无字之书，向社会作调查。后人总结为“读万卷书，行万里路”，是大学问家不可或缺的修养。司马迁此行了解和搜求了古代与现当代的历史传说故事与各种史料，获得了许多闻所未闻的知识，经历了许多磨难，曾经在山东薛地遭遇厄困。司马迁在《史记》中留下了生动的记载。

司马迁壮游的范围重点在南方，故自述为“二十而南游江、淮”。司马迁从京师长安出发东南行，出武关至宛。南下襄樊到江陵。渡江，溯沅水至湘西，然后折向东南到九疑。窥九疑后北上长沙，到汨罗屈原沉渊处凭吊，越洞庭，出长江，顺流东下。登庐山，观禹疏九江，辗转到钱塘。上会稽，探禹穴。还吴游观春申君宫室。上姑苏，望五湖之后，北上渡江，过淮阴，至临淄、曲阜，考察了齐鲁地区的文化，观孔子留下的遗风。然后沿着秦汉之际风起云涌的历史人物的故乡，楚汉相争的战场，经彭城，历沛、丰、砀、睢阳至梁（今开封），回到长安。

二十壮游是司马迁一生中的一件大事，他不满足于“天下遗文古事，靡不毕集太史公”的书本知识，有目的有计划地到全国各地去作实地考察，接触伟大祖国壮丽的河山和勤劳的人民。司马迁“浮于沅、湘”，追寻屈原的足迹，思考古往今来的历史变迁，想着屈原的为人，禁不住悲伤流涕。司马迁在长沙还凭吊了贾谊的遗迹，感到他的遭遇和屈原有些相似，后来写了《屈原贾生列传》，创造了把不同时代人物合传的形式，这是历史比较法的雏形。《史记》中的类传则是历史比较法的集中表现。这种方法使《史记》别开生面，大约就是司马迁在壮游过程中受到民间传说的启发而孕育成的。司马迁“上会稽，探禹穴，窥九疑”，搜集了关于五帝三代的古史传说，为他后来写《五帝本纪》和《夏本纪》作了准备。最值得称赞的是，司马迁在淮北对近现代史作了深入细致的寻访调查，比如陈涉少为庸耕有鸿鹄之志的慨叹，樊哙屠狗，曹参为狱掾，萧何为主吏，张良亡下邳，陈平为社宰，周勃织薄曲，韩信贫居葬母高敞地，刘邦好酒及色，等等，都是书本上没有的知识。两千年前的司马迁具有这样的实践精神，真是难能可贵。

司马迁的游历考察，兼有历史家和文学家的兴趣。对于历史事件，大至秦始皇的破魏战争，小至战国时的一个城门名字，他都要力求掌握第一手的资料。除历史事件外，有关人物遗事、生动的民间歌谣俚语，无不广泛地作了记载。至于山川地理、古今战场更是了如胸中。顾炎武评论说：“秦楚之际，兵所出入之途，曲折变化，唯太史公序之如指掌。山川郡国不易明，故曰东曰西曰南曰北，一言之下，而形势了然……盖自古史书兵事地形之详，未有过此者。太史公胸中固有一天下大势，非后代书生之所能几也。”① 这是司马迁在史事方面所得游历之助。苏辙云：“太史公行天下，周览四海名山大川，与燕赵间豪俊交游，故其文疏荡，颇有奇气。岂尝执笔学为如此之文哉？其气充乎其中而溢乎其貌，动乎其言，见乎其文，而不自知也。”② 这是司马迁在文章辞采风格方面所得游历之助。总之，司马迁二十壮游，不仅使他获得了广博的社会知识，搜求了遗文古事；而且开阔了视野，扩展了胸怀，增长了他的识见和才干。这是《史记》成功的条件之一，在今天也是值得我们借鉴的。

4. 入仕郎中

郎中是最低级的郎官，皇帝的贴身卫队，其职责是“掌守门

---

① 《日知录》卷二六《史记通鉴知兵事》。

② 《栾城集》卷二三《上枢密韩太尉书》。

户，出充车骑”。掌守门户，指在宫中是为皇帝看门的卫队；出充车骑，指皇帝出行，郎官是前呼后拥的仪仗队。

郎官有四个等级：议郎、中郎、侍郎、郎中；议郎、中郎，秩比六百石，相当于正处级；侍郎秩比四百石，相当于副处级；郎中秩比三百石，相当于正科级。

中郎的长官称中郎将，二千石，正部级；郎中的长官叫郎中将，千石，司局级。

郎官又是国家的官吏储备系统，没有定员，多至上千人。积资有年，郎官外出，到地方任县长，副县长；到朝中各部，任令丞，即司局级。

郎官由高官子弟充任，一般是二千石高官，即正部级副部级的子弟充任，一部分来自地方推荐上来的富人子弟。郎官制度称为恩荫。靠近皇帝的中级官员，子弟也可以得到恩荫。司马迁父亲司马谈为太史令，六百石，只是正处级，但太史令观天象，列席朝廷议政，起草礼仪制度，靠近皇帝，因此司马迁得到恩荫，为最低一级的郎官。

司马迁才能卓著，善于写文章，作赋，汉武帝能文能武，也是写文章的高手，能作赋作歌，汉武帝把全国青年文学高手吸收入郎官卫队中，正由于此，司马迁很受汉武帝信任，元鼎六年(前 111)，司马迁 35 岁，被汉武帝任命为郎中将，为出使云南、贵州的钦差大臣，到西南夷地方去设郡置吏。司马迁从郎中，正科级直升为郎中将，司局级的钦差大臣。

5. 奉使西征

奉使西征巴蜀以南，这是司马迁青年出任郎中后所做的第一件大事。元鼎六年（前 111）武帝发兵征西南夷，派司马迁以郎中将的职衔去监军，并设郡置吏，也就是当钦差大臣。西南夷，当今云贵两省及四川西部地区。司马迁在这一地区生活和工作了半年时间，设置了武都、牂柯、越嶲、沈黎、文山等郡。由于使命是安抚新区少数民族，司马迁提出了“以故俗治”的办法，开创了尊重少数民族风俗习惯的施政大纲，承认少数民族的自治权利，是了不起的先进思想。三国时诸葛亮平定南中，治理办法就是司马迁的“以故俗治”。《史记》首创民族史传，等列少数民族为天子臣民，与司马迁奉使西征的这一生活体验是分不开的。

6. 扈从武帝

司马迁一生与汉武帝相终始，两个同是西汉大一统时代的英雄。汉武帝有经天纬地之才，雄才大略，创造了许多威武雄壮的历史活剧与生活。司马迁满腹经纶，用如椽大笔，生龙活虎地描绘了这个大时代。汉武帝好动，不断四出巡行郡县，走遍大江南北与长城内外，司马迁随从，也走遍祖国大地，是为扈从之游。汉武帝好文学，能诗能赋，建立乐府，采集歌谣，以观民风。汉武帝还在身边集合了东方朔、枚皋、严助、吾丘寿王、司马相如等一大批文人学士，君臣唱和，充满了浪漫主义激情与豪放气派。司马迁年少，是后生晚辈置身其间，才华横溢，深得汉武帝亲信而为文学侍从。此时司马迁得意非凡，在《报任安书》中说：“仆以为戴盆何以望天，故绝宾客之知，忘室家之业，日夜思竭其不肖之材力，务壹心营职，以求亲媚于主上。”这说明，扈从生活，司马迁非常珍惜。

扈从武帝，使司马迁跻身于封建中央王朝的神经中枢，了解大量机密，像“入寿官侍祠神语”，这类触及武帝隐私与心理的活动。“其事秘，世莫知”，司马迁也得以参与。这些生活经历，是司马迁写《今上本纪》（即《孝武本纪》）和《封禅书》等篇的基础。元鼎四年，汉武帝首次大规模出巡，周游河洛，观省民风，十分排场。元鼎五年，汉武帝西登空桐，北出萧关，带数万骑打猎于新秦中，场面十分雄伟壮观。扈从汉武帝的司马迁，在观赏这盛大场面之后，必将激发起无限的豪情。司马迁在《史记》中擅长大场面的描写，是和他几十年扈从武帝的豪放巡游分不开的。司马迁扈从武帝，使他深深地呼吸着大一统时代的新鲜气息。

三、《史记》是怎样产生的

《史记》的产生，是司马谈、司马迁父子两代人的结晶。

1. 司马谈发凡起例

司马谈在建元元年（前 140）举贤良入仕，就发愿继承孔子圣人的事业，完成一代大典，提出了创作《史记》的任务。司马谈正式写作在元狩元年（前 122）。司马谈之死在元封元年（前 110）。司马谈修史准备已达 18 年，正式写作 12 年，耗尽了他的一生。《史记》规模体制，以人为中心，通史原则，均已确定。今人考证，《史记》五体均留有司马谈痕迹。研究《史记》不讲司马谈，是不完整的。司马谈发凡起例的创造，无论怎么评价都不为过，司马谈是一位伟大的历史学家。但《史记》最终完成是在司马迁之手，司马谈之作，司马迁加以重新厘正，所以完整的《史记》不容分割，《史记》的思想体系只能用司马迁一人为代表，这也是确定无疑的。元封三年（前 108）司马迁继为太史令，至武帝之末的后元二年（前 87），司马迁又进行了 22 年的写作，父子两代前后写作了近 40 年。《史记》是司马氏父子两代人的心血结晶。

2. 司马迁受宫刑而发愤著书

司马谈发凡起例，上起尧舜，下迄武帝元狩元年，本始主题是颂扬秦汉大一统。司马谈临终遗命说："今汉兴，海内一统，明主贤君忠臣死义之士，余为太史而弗论载，废天下之史文，余甚惧焉，汝其念哉。"司马迁随着汉武帝的事业发展，与时俱进，升华主题，修订《史记》断限，上起黄帝，下讫汉武帝太初，突显了大一统历史观，形成为一种民族凝聚的理论。中华民族皆黄帝子孙，就是司马迁构建的大一统历史观。

《史记》主题发生质变的升华，内涵人民性的成分，则是司马迁受李陵之祸而发愤著书。

李陵是名将李广的孙子，少为建章监，骑射技术有祖父李广之风，谦虚下士，甚得战士心，与司马迁是相好的朋友。天汉二年，汉武帝派贰师将军李广利率 3 万骑出酒泉，击匈奴右贤王于天山。李陵率 5000 步兵出居延，北行 30 天，直达浚稽山（约在今图拉河与鄂尔浑河间），吸引单于的注意力，保证贰师将军的出击。李陵遭遇了匈奴主力 8 万骑兵的包围，全军覆没，李陵投降了匈奴。司马迁为李陵辩护，受株连下狱，被判死罪。汉武帝惜才，减死一等，可以交50万罚金免罪。司马迁无钱，受腐刑代死，这就是所谓的遭李陵之祸。

腐刑就是宫刑。儒家的忠孝观念，身体发肤，受之父母，不敢毁伤，何况是宫刑。司马迁称之为“大质已亏”，为人所不齿。刑余之人死后也不能入祖坟。只有做宦官的人才受宫刑。司马迁因受宫刑，出狱后被汉武帝用为中书令，即贴身的秘书长，被朝官目为尊宠任职，司马迁却认为是奇耻大辱，痛不欲生，“肠一日而九回”，多次想到自杀。司马迁在生与死的沉痛思考中做严酷的抉择。他悟出了人生的真正价值，提出了震撼千古的至理名言：“人固有一死，或重于泰山，或轻于鸿毛，用之所趋异也。”人的一生，若不能对社会作出贡献待后人评说，而仅仅以一死来对黑暗进行抗争，岂不是“若九牛亡一毛，与蝼蚁何异”！司马迁在《孔子世家》和《伯夷列传》中引孔子之言说：“君子疾没世而名不称焉。”他在《太史公自序》中记载了父亲司马谈的临终遗言：“且夫孝，始于事亲，中于事君，终于立身，扬名于后世，以显父母，此孝之大者也。”立身扬名、光宗耀祖为最大的孝道。司马迁进而发扬为立德、立功、立言的修身观念，史称三立精神。刑余之人不能立德、立功，唯有立言，写好《史记》供后人评说。司马迁拍案而起，他决定忍辱负重，以更加激扬奋发的精神投身于《史记》。司马迁在《史记》中写了许多不甘屈辱、为保持名节而死的义士。齐国布衣王蠋在齐国沦丧濒于灭亡之时，仍“义不北面于燕，自尽身亡”；田横耻于降汉，自刎而死，他的五百宾客闻田横死，“亦皆自杀”；李广不堪“复对刀笔之吏”而自杀；项羽兵败愧对江东父老而自杀；侯嬴为激励信陵君而死；田光为激励荆轲而死；聂荣为给兄弟扬名而死；栾布为尽臣子之义，“哭彭越，趣汤如归”。司马迁称赞这些慕义而死的人，具有“高节”，“岂非至贤”，“虽往古烈士，何以加哉!”像屈原那样“死而不容自疏”的高洁之志，“虽与日月争光可也”。然而，在逆境中奋发，忍辱负重的志士，更加难能可贵。勾践卧薪尝胆，坚韧顽强，发愤雪耻，终灭强吴而称霸王，司马迁不仅许之以“贤”，还赞其“盖有禹之遗烈焉”。伍子胥弃小义，雪大耻，名重后世，司马迁赞其为“烈丈夫”。季布以勇显于楚，“身履典军搴旗者数矣，可谓壮士”，但是，当他被刘邦捉拿，为人奴而不死，受辱而不羞，“终为汉名将”，司马迁赞其为“贤者诚重其死”。这后一种忍辱负重的志士，司马迁认为更是值得敬仰的男子汉，“烈丈夫”。这一观点，不仅与世俗相违，而且颇谬于圣人的是非。一般世俗观点，认为忍辱负重是“贪生怕死”，若被刑戮，“中材以上且羞其行”。孔孟遗教是“杀身成仁”，“舍生取义”。而司马迁却说：“勇者不必死节，怯夫慕义，何处不勉焉。”又说：“夫婢妾贱人感慨而自杀者，非能勇也，其计画无复之耳。”那些一遇侮辱就轻生自杀的人，在司马迁看来只不过是无可奈何的表现，并不是真正的勇士。

慕义而死，保持名节；忍辱负重，自奋立名，怎样处理好这二者的界限是很难的。前已述及，司马迁提出了一个“人死或重于泰山，或轻于鸿毛”的标准。人生最宝贵的生命不是不可牺牲，而是要让它闪光，要死得有价值。司马迁在忍辱与生死的痛苦抉择中懂得了人生的意义，他从沉痛中奋起，坚强地活下来，决心以最大的毅力来完成《史记》。他引古人自况，认为只有那些能够经受得起艰难环境磨炼的人才能做出一番事业来。西伯拘羑里演《周易》，孔子厄陈蔡作《春秋》，屈原放逐赋《离骚》，左丘失明著《国语》，孙子膑脚论《兵法》，不韦迁蜀传《吕览》，韩非囚秦有《说难》、《孤愤》，《诗》三百篇，大都是圣贤发泄愤懑的作品。这些人都是因为心里有所郁结，又得不到通达，所以才叙述往事，寄情后人。这就是司马迁提出的发愤著书说。所谓“发愤”，就是指一个人身处逆境而其志不屈，更加激扬奋发而有所作为。司马迁发愤著书有两个方面的内容。第一，忍辱发奋，从沉痛中奋起，用更加坚忍的毅力来完成旷世之作。第二，揭露和抨击统治者的荒淫横暴，同情社会的下层人民，歌颂敢于反抗、敢于斗争的历史人物，把个人的不平和愤懑，宣泄在对历史人物的褒贬上，述往事，思来者，升华了主题。司马迁宣称，《史记》记事实录，“贬天子，退诸侯，讨大夫”，也就是王公贵族，包括帝王本人，都可以批评，不为尊者讳，不与圣人同是非，这只能是司马迁受宫刑以后才能产生的叛逆新思维。

3.《史记》成书留给我们的启示

西汉盛世为司马迁著作一部通史提出了时代的要求，也提供了物质条件，这是《史记》成书的历史背景。司马迁所受教育、修养及其经历是《史记》成书的著述内因。历史背景是客观条件，著述内因是主观条件。《史记》之所以成为一部不朽的名著，乃是主客观条件的统一，历史的必然与偶然错综交织所产生的效应。西汉的大一统和文化高涨，汉初的无为政治与言论开放，汉武帝的雄才大略及其宏伟事业，这是大一统社会形成后的历史必然。《史记》中波澜壮阔的历史图景就是对这一历史必然的描述。司马氏世为史官绝而复兴，司马谈、司马迁父子相继纂其业，司马迁之游历与受祸发愤，这是历史的偶然。偶然寓于必然之中。假若没有西汉的统一和学术复兴，司马氏父子就不可能具有渊博的知识，更没有司马迁的“宦学”壮游。所谓偶然，是指各种主观条件很难集于一身。唐刘知几论良史必须具备才、学、识三长，清章学诚又加之以德。这才、学、识、德四大要素，司马迁可谓兼备一身。司马迁聪颖勤奋，10岁诵古文，养育了他的才；得天独厚的家学渊源和师承，培植了他的学；壮游与受祸锤炼了他的识；史官世家的传统和气质，司马谈尽忠尽孝的教育，临终遗言的震响，涵育了司马迁的德。这些主观条件是《史记》成为不朽著作的根本原因。

四、司马迁在中国文化思想史上的地位和影响

司马迁是秦汉大一统时代的文化巨人，在中国文化思想史上有着崇高的地位和重大影响。

1. 伟大的历史学家

作为一个历史学家，司马迁在两千年前就写出了一部具有世界史性质的通史，纪传体《史记》，不仅奠定了中国历史学的独

立地位，而且开创了历史学发展的新时代。纪传史被历代王朝颁令为正史，居于独尊地位，受到人们的高度重视。历代史家踵其遗轨修成蝉联而下的列朝正史，从《史记》至《清史稿》积数有26种之多，4042卷，洋洋近5000万言，按各史的朝代序列完整无缺地保存下来，故学术界有中华民族全史之称。记事起黄帝讫大清，中华民族五千年悠久文化发展的规模体制，载述毕于此编，司马迁首创之功，可与日月并垂悬。

2. 杰出的文学家

作为文学家，司马迁开创了散文叙事的传记文学，《史记》遗泽后世，成为历代文学大家和以千万计的读者学习、借鉴的典范。《史记》对后世传记文学、散文、小说、戏曲都产生了深远的影响。

《史记》对后世文学的影响，最直接的是散文。司马迁的散文成就，不仅代表了汉代文学的高峰，而且在散文发展史上，也起了承先启后的作用。在文学发展史上，文学家司马迁应和大诗人屈原并列在一起。屈原赋代表了先秦文学的最高峰，司马迁史传散文代表了汉代文学最高峰，两人前后辉映，各自成为一个时代的代表人物。屈原和司马迁两人，不仅身世遭遇有共同之处，而且两人的作品强烈地反映现实生活，鞭笞腐朽和黑暗，同情被压迫人民，同时具有浪漫主义的情怀，歌颂理想，抒写人生。所以鲁迅称《史记》为“无韵之《离骚》”，是极为中肯的。

唐宋八大家是我国古典散文的杰出代表，他们反对六朝骈体文，提倡古文，把《左传》、《史记》作为旗帜。唐宋八大家提倡的古文运动，主要是学习、效法《史记》，追步司马迁，把《史记》当作古文典范来借鉴。唐宋八大家之后的明清评点家，尤其是清代的桐城派古文家，更是把《史记》奉为古文正宗。这说明唐宋以后，《史记》对散文的发展，仍有巨大的影响。

3. 卓越的思想家

作为一个思想家，司马迁最可贵的精神品德和崇高人格表现在以下三个方面：一是忍辱负重，发愤著书，实现了一家之言的理想；二是勇于不断地探索和创新，创造了划时代的纪传体通史；三是严肃地忠实于信实可靠的历史，不与圣人同是非。这三点精神是一致的，归结为一点就是坚持实录的写作精神。

司马迁能够超越其他封建史家的成就，核心之点正是他坚持了“实录”。坚持“实录”是司马迁的理想。因为他研究历史，要“究天人之际，通古今之变，成一家之言”，拿出自己独到的见解来回答历史是怎样变化发展的。所以他突破了官方哲学的框架，不与圣人同是非。司马迁不同于圣人是非的异端思想，集中地表现在赞扬道家以及为商人游侠立传这几个方面。班固说：

> 是非颇缪于圣人，论大道则先黄老而后六经，序游侠则退处士而进奸雄，述货殖则崇势利而羞贱贫，此其所蔽也。

班固所批评的司马迁之“蔽”，恰恰是司马迁思想中光彩夺目之“长”。司马迁“论大道则先黄老而后六经”，是肯定文景之治的升平而否定汉武帝的多欲所造成的衰败；司马迁述货殖为商人立传，是肯定商人促进生产发展，对社会经济的繁荣所作的贡献；司马迁颂游侠，是肯定这一类人能够牺牲自己救人之急的真正道德。实际上，司马迁是通过颂黄老、商人、游侠来表达他对开明政治的向往，对人民求利和反强暴的肯定。司马迁的这些异端思想表现了《史记》的人民性思想，他褒贬人物和历史事件的尺度不是受统治阶级正统思想的约束，而是在一定程度上从被压迫人民的利益来立论，这无疑的是那个时代最进步的思想。

最后，人们要问，司马迁的思想究竟是哪一个阶级的呢？有人说他是“人民歌手”对不对呢？我们说，司马迁的思想仍是封建地主阶级的，他还是一个封建历史家，他的《史记》主要是宣扬汉家一统的威德，为巩固封建统治服务的。说司马迁是“人民歌手”是不对的。基于这样的认识，对于《史记》之被颁令为正史也就不难理解了。但是司马迁和正统派的封建史家不同，他突破了愚忠思想的束缚，敢于发挥揭示客观真理的异端思想。他肯定秦始皇汉武帝的统一事业，但反对封建帝王的暴政。司马迁同情人民的苦难，要求减轻剥削，改善政治，歌颂明君贤臣，这是进步的思想。司马迁并不反对封建制度，但反对严刑峻法的压迫，无情地揭露和鞭挞暴君污吏的丑恶。以上这些就是《史记》的人民性成分。当时封建制度还在上升时期，中央集权是新生事物，司马迁歌颂大一统是与历史进程相吻合的，所以这也是值得肯定的。

司马迁的鲜血和生命化成了《史记》，给炎黄子孙留下了宝贵的文化遗产，他将永远值得人们祭奠！

专题讲座

【说明】这一组专题讲座从第十六讲至第二十讲五题，均是继"系列讲座"之后的余响，是作者应邀讲座的命题作文。专论一题：《中国古代一部开明的治国宪法——〈尚书·洪范〉解读》，系参加2011年3月台湾大学举办"经学与文学国际学术研讨会"论文。《洪范》为《史记·宋世家》全文引载，是司马迁第一个发现的治国宝典，故收入本集《史记》专题讲座中为专题论文。

第十六讲　司马迁写俶傥英杰

《太史公自序》云："扶义俶傥，不令己失时，立功名于天下，作七十列传。"司马迁说，他手中的笔，要为那些仗义而行，倜傥不羁，不使自己失却时机，在天下树立功名的人作传。俗话说："人过留名，雁过留声。"人生在世，要体现自身价值，莫过于青史留名。《史记》七十列传，个个都是中华英杰，俶傥风流人物。本讲选取春秋战国秦汉间几个俶傥英杰人物淳于髡、吕不韦、张良、陈平为代表，用以体察司马迁不拘一格，独具慧眼品评人物的思维见解和艺术魅力。淳于髡俳优小丑、吕不韦商人、张良贵族公子、陈平乡野智士，他们在不同的环境中把握人生机遇，发挥自己之长，让生命闪光，对历史作出巨大贡献，是激励人们奋发有为，增强自信的榜样。

一、淳于髡讽谏齐威王（附优孟、优旃）

《史记·滑稽列传》写的是艺术小丑，这些市井小人物，服务于宫廷，利用他们的一技之长，插科打诨，擅长诙谐幽默的说词，讽谏人主，也可以办大事。司马迁说："天道广大无边，真是宏大啊，谈笑之间，含蓄微妙地说中至理，也是可以排难解纷的。”司马迁不仅给这些小人物立传，还把他们的艺术语言与六经相提并论，提到了治国的高度。淳于髡、优孟、优旃是这类人物的一个代表者。淳于髡讽谏齐威王最为典型。下面把《史记》原文语译过来，精彩绝伦。

淳于髡是齐国一个上门女婿。身高不到七尺，诙谐善辩，多次出使诸侯，没有辱没使命。齐威王在位时，喜欢说谜语，爱好荒淫作乐，通宵宴饮，沉迷于酒，不问政事，把政事委托给卿大夫。文武百官放荡荒淫，诸侯国都来侵犯，国家危险，早晚就要灭亡，身边近臣没人敢劝谏。淳于髡用谜语去讽谏齐威王，说：“都城里有一只大鸟，停落在王宫院里，三年不飞不鸣，大王知道这是什么原因吗？”齐威王说：“这只鸟不飞罢了，一飞冲天，不鸣叫罢了，一鸣惊人。”于是马上接见县令县长72人，奖励一人，杀了一人，整顿军队迎击来犯的敌人。诸侯各国大为吃惊，都退还了侵占的齐国土地。齐国的声威维护了36年。

齐威王八年，楚国出动大军攻打齐国。齐威王派淳于髡出使赵国求救兵，让他携带礼物黄金一百斤，驷马拉的车子十辆。淳于髡仰天大笑，连系帽子的带子都笑断了。齐威王说：“先生嫌礼物少吗？”淳于髡说：“哪敢嫌少。”齐威王说：“为什么笑得死去活来，难道有说法吗？”淳于髡说：“今天我从东面来的时候，看见路旁有一个向田神祷告的人，拿着一个猪蹄，一杯酒，祷告说：‘田神保佑，高地的收获满篓，低地的收获满车，五谷丰登，多多的粮食满屋满仓。’我见他拿着那么一点点东西，而要求却那么高，所以禁不住要笑。”于是齐威王把礼物增加到黄斤一千镒，白璧十双，驷马拉的车出动一百辆。淳于髡告辞起行，到了赵国，赵王发动了十万精兵，战车千辆，楚国听到消息，连夜退兵而去。

齐威王非常高兴，在后宫设宴，召见淳于髡，赐给他酒食。齐威王问：“先生能饮多少酒才醉？”淳于髡回答说：“我喝一斗酒也能醉，喝一石酒也能醉。”齐威王说：“先生喝一斗酒就醉了，哪能喝一石酒呢？这道理能说出来听听吗？”淳于髡说：“在大王面前承蒙赏酒，执法司礼官就在旁边，记事御史还在身后，我胆战心惊，趴在地上喝酒，不过一斗就醉了。如果父亲有贵客来家，我卷起衣袖，躬身跪着，在席上陪客，不时赏我喝酒，我得举杯敬酒，连连起身应酬，唱酒不过二斗就醉了。若是与朋友交游，好久没有会面，忽然相见，高兴地述说往事，倾吐衷肠，大约能喝五六斗才醉。至于乡里聚会，男女混坐，慢慢地相互敬酒，玩博棋，赛投壶，呼朋唤友，三五成群，握手说笑也不受处罚，傻着眼看人也没忌讳，前面地上有落下的耳环，后面地上有失掉的发簪，我内心里喜欢这样，喝上八斗差不多只有二分醉。天黑了，酒残了，把剩下的酒盛在一起，大家促膝而坐，男女同席，鞋子木屐错乱了，杯子盘子乱糟糟，堂屋里的蜡烛又已熄灭，主人单独留下我，送走了其他的客人，女人的绫短袄解开了衣襟，隐约闻到香气。这时我心中最快乐，能喝一石酒。所以说，酒喝多了容易出乱子，欢乐到极点就会有悲哀。万事都是这个道理。这就是说，一切事情都不可过分，过分了就要衰败。”淳于髡婉转地劝谏齐威王。齐威王说：“说得好!”就停止了通宵的宴饮。任命淳于髡做接待外宾的司礼官。齐王宗室饮酒宴会，淳于髡也经常在坐。

在淳于髡之前二百多年，楚国有个优孟；在淳于髡二百多年后，秦国有个优旃。优孟、优旃也是两个滑稽艺人，擅长说笑话，总是蕴含大道理。优孟在说笑中讽谏楚庄王，优旃能在谈笑之中让秦始皇帝和秦二世两个皇帝做了一些好事，两人事迹可与淳于髡媲美。

先说优孟。优孟，原来是楚国的艺人名叫孟。身高八尺，富有辩才，经常用诙谐的谈笑进行劝谏。楚庄王在位时，有一匹极喜欢的马，给这匹马穿上锦缎衣，安置在雕梁画栋的大屋子里，还配备了没有帷帐的卧床，用蜜渍的枣脯喂养。这匹马反而患肥胖病死了，楚庄王下令君臣为死马办丧，想用葬大夫的规格葬马，有内棺外椁。亲近大臣苦苦劝谏，认为不能这样办。楚庄王下令说：“还有对葬马说三道四的，就处以死刑。”优孟听说以后，进入宫殿大门，仰天大哭。楚庄王吃惊地问是什么缘故。优孟说："这匹马是大王极喜欢的，凭着堂堂的大楚国，有什么办不到的，仅仅按大夫礼来葬马，太菲薄了，我请求按最高的国君葬礼来葬马。"楚庄王说："那是什么样的规格呢?"优孟说："我建议用雕花的美玉做棺材，昂贵漂亮的梓木做外椁，用梗、枫、豫樟各色上等木料做护棺的题凑，派遣士兵挖掘墓穴，老人和孩子背土垒坟，齐赵等国的使者在前面陪祭，韩魏等国的使者在后面护卫，还要给马建祠庙，用猪、牛、羊三牲齐备的太牢礼来祭祀，并且安置一万户的大邑来守坟供奉。诸侯各国听了这消息，都知道大王把马看得比人还贵重，一定能达到这个效果。"楚庄王说："我的过错竟到了这一步，该怎么挽回呢?"优孟说："我替大王出个主意，按普通的六畜礼来安葬。用土灶做外椁，用铜锅做棺材，放点姜枣做调味品，再加些木兰，用稻米做祭品，火光做衣服，把它安葬在人的肚子里。"于是楚庄王就派人把马交给主管膳食的太官，不要让天下的人长久地传扬这件事。

优孟还讽谏楚庄王抚恤功臣之后。楚国宰相孙叔敖知道优孟是一个贤人，对他非常友善。孙叔敖病重临死的时候，嘱咐自己的儿子说："我死了以后，你一定会贫困。你就去找优孟，说'我是孙叔敖的儿子'。"过了几年，孙叔敖的儿子贫困得靠打柴过日子，遇见了优孟，对他说："我是孙叔敖的儿子。父亲临终时嘱咐我贫困了来找你。"优孟说："你不要走远了。"随后，优孟制作穿上了孙叔敖生前的衣帽，学着孙叔敖行动举止和说话。一年多后，优孟活像孙叔敖，楚庄王和他的左右大臣们都分辨不出来。庄王举行酒宴，优孟上前敬酒，庄王大吃一惊，以为孙叔敖复活了，要任命他为宰相。优孟说："请允许我回家与妻子商量看她怎么说，三天以后来就任宰相。"庄王同意了。三天后，优孟又来了。庄王说："你妻子说了些什么?"优孟说："我妻子说千万不可做宰相，尤其不能做楚国的宰相。像孙叔敖做了楚国的宰相，竭尽忠诚和廉洁来治理楚国，使楚王称霸。如今孙叔敖死了，他的儿子没有立身之地，贫困到靠打柴为生。如果一定要像孙叔敖那样，还不如自杀。"接着优孟唱起了歌。歌词说："居住山野耕田苦，起早摸黑难温饱。奋起做官，贪赃卑鄙大把捞钱，不顾脸面没廉耻。为了死后妻儿富，贪赃枉法触刑律，一旦败露身家灭。哦哦哦，贪官污吏不可做。前思后想做清官，尽职终身不为非。做个清官怎么样，楚相孙叔是榜样。可怜死后妻儿穷，打柴为生真凄凉。哦哦哦，清官也不值得做。”于是楚庄王向优孟表示了歉意，召见了孙叔敖的儿子，把寝丘四百户封给他，用以供奉孙叔敖。后来传了十几代没有断绝。优孟的智慧，可以说善于抓时机。

优旃是一个侏儒，秦始皇的弄臣。秦始皇在位时，有一次举行酒宴而天下着大雨，殿阶下的执盾卫士一个个淋雨受冻。优旃见了很同情，就对他们说：“你们想休息吗?”殿阶下的执盾卫士异口同声回答说：“那太好了。”优旃说：“我如果喊你们，你们要立即回答说‘有’。”过了一会，宫殿上的人们向秦始皇敬酒祝寿，高呼万岁。优旃这时走到栏杆边，大声喊道：“殿阶下的卫士们在哪?”卫士们回答说：“有。”优旃调侃着说：“你们虽然身材高大，有什么好处，便宜你们雨中立。我虽然生得矮，倒有福气在殿上休息。”于是秦始皇让卫士减半值班，轮番替换。

秦始皇曾经想要扩大皇家林园，东边划界到函谷关，西边划界到雍县和陈仓。优旃说：“好。多养些禽兽在那里，东方的盗寇来侵犯，就让麋鹿用角去顶撞盗寇就足够了。”秦始皇因而中止了扩苑计划。

秦二世即位，想用漆来涂饰城墙。优旃说：“好得很。皇上即使不说出，我也要建议这么做。漆城墙虽然耗费大给老百姓带来一点愁苦，可是很漂亮。城墙漆得光光亮，盗寇来了爬不上。若要做成这件事，漆城倒是很容易，只是遮阴城墙的大房子不好造。”秦二世皇帝笑了起来，打消漆城的计划。没过多久，秦二世被杀死，优旃归顺了汉朝，几年以后他死了。

二、吕不韦从政，奇货可居

吕不韦是韩国阳翟（今河南禹县）人，战国后期大商人。他在赵国结识秦国质子异人，进行政治投机，当上了秦的相国，历仕秦庄襄王、秦始皇两朝，效法战国四公子养士，有食客三千人。吕不韦下令门客撰写《吕氏春秋》，为秦统一六国做舆论准备。在统一事业中，吕不韦是有贡献的。

1. 投机政治，奇货可居

世间每一种行业都有自己的规则，大贾人吕不韦遵循着“贩贱卖贵”的规则而致“家累千金”。也许是多年的商贾买卖训练出吕不韦一种特殊的直觉，也许是多年的商贾生涯使吕不韦目光所及皆为可以生利之物，对利益的权衡形成了自己的独特见识。《战国策·秦策》就有一段记载：“吕不韦……贾于邯郸，见秦质子异人。归而谓父曰：‘耕田之利几倍？’曰：‘十倍。’‘珠玉之赢几倍？’曰：‘百倍。’‘立国家之主赢几倍？’曰：‘无数’。”总之，当吕不韦在邯郸闹市一眼瞥见秦国的落魄公子，“车乘进用不饶，居处困，不得意”的子楚，他作出的第一反应就非常契合一个商人的思维逻辑：“此奇货可居。”其实是吕不韦看到了天下大势，秦并六国，商人没有地位，转而从政，这正是吕不韦的伟大之处。事实证明，吕不韦不仅是一个善于经营的大商人，而且还是一个识时务的大政治家。

异人，庶出，他是秦昭王次子安国君的中男，母曰夏姬，色衰爱弛，在安国君诸夫人中没有地位。异人就被秦昭王作为质子出使在赵国。由于秦国多次出兵攻打赵国，赵人不礼遇异人，吕不韦见到异人时，正值秦赵长平之战，异人时有生命危险，其生活困迫情况可知。异人之父安国君有宠姬名叫华阳夫人，被立为正夫人，但华阳夫人不能生育，没有儿子。又由于秦昭王太子早死，安国君依次成为嫡子，秦昭王死后将成为秦王。吕不韦了解了这些情报后，认为秦质子异人是“奇货可居”，决定在政治上作一次赌博。由于华阳夫人是楚人，喜欢楚服。吕不韦就游说异人穿楚服，更名为子楚，以此讨好华阳夫人。吕不韦给子楚提供金钱车马，在赵国广交诸侯朋友，又顾一批人吹捧子楚，大造子楚贤能的名声。然后，吕不韦带了大宗珍宝到秦国，打通关节见到华阳夫人，劝说华阳夫人收养子楚为儿子，母以子贵，给自己留后路。这样，子楚成了安国君的嗣子。

吕不韦在赵国娶了一位天姿国色出身豪门的邯郸歌女为妾，怀了身孕，在一次宴请子楚的酒席上，这位歌女为招待，她的美色逗得子楚神魂颠倒。子楚向吕不韦讨要，吕不韦就把歌女送给了子楚。这是公元前 260 年的事。子楚十分宠爱这位赵国歌女，赐名赵姬，公元前 259 年正月，赵姬在赵国邯郸生子，因正月生于赵国。所以取名赵政，回秦国后，才叫嬴政。

公元前 250 年，秦昭王死，安国君继位，只做了三天秦王就死了，于是子楚继位，这就是秦庄襄王。

秦庄襄王当政，十分感激吕不韦，就用他做了秦国的相国。庄襄王做了三年秦王就死了，把秦王政托给吕不韦，这样吕不韦做了首席辅政大臣，大权独揽。

吕不韦的政治投机成功了。作为商人登上中国最高的政治舞台，掌管全国政权，吕不韦是第一人，也是整个中国封建社会的最后一人。也就是说，吕不韦以商人逐利趋特的眼光洞察历史大势将一统于秦，转换经营，由经商转为入仕，并取得了空前绝后的成功，吕不韦确实是一个奇人。

2. 荐嫪毐，乱王宫，把持国政

庄襄王英年早逝，嬴政年幼，十三岁即王位，政事落入吕不韦之手。嬴政母庄襄王太后还非常年轻，她是歌女出身，哪能空守宫房，在寂寞难忍之时，就召吕不韦进宫，两人私通。原来他们就是老相好，自然亲密无比。吕不韦看着嬴政一天天长大，害怕丑事暴露，就多方寻找代理人。后来找到一个阴茎粗大而有力的人，名叫嫪毐，把他冒充阉人入宫，日夜与太后淫乱，天长日久，生了两个儿子。太后把这两个私生子藏在咸阳西边二百公里远的雍地蕲年宫，这是秦国早期的京都。庄襄王太后与嫪毐也长年居住在这里。

由于裙带关系，庄襄王太后、吕不韦、嫪毐勾结成为一个政治集团，吕不韦控制外朝，嫪毐控制内朝。吕不韦封文信侯，嫪毐封长信侯。这样满朝文武都倒在相国一边。人人都知的事情，只把一个秦王蒙在鼓里。

3. 秦王亲政，斩除奸凶

秦王嬴政雄才大略，他岂能容忍吕不韦、嫪毐集团长期把持政权。但秦王十分聪明，他知道吕嫪联盟，在宫内宫外盘根错节，不是轻而易举能够斩除的。他冥思苦想，决定分步打击，先收拾嫪毐，然后顺藤摸瓜除掉吕不韦。按封建宗法制度，男子年二十行加冠礼，还可以提早在十八岁进行。可是秦王过了二十岁也没有举行加冠礼。加冠就意味着秦王成人，吕不韦要还政于秦王。吕不韦当然不乐意，千方百计推迟秦王的加冠礼，加紧扶植嫪毐势力的发展来分权，竟至于大小事皆决于毐。嫪毐有家僮千人，宾客求宦为嫪毐舍人的也有一千人。嫪毐甚至公开扬言是秦王的“假父”。这一下纸包不住火了，秦王知道了太后的私生活，以及嫪毐、吕不韦政治集团的底细，但不动声色。表面上，秦王更加尊敬相国吕不韦，称他为“仲父”，即“叔父”。

双方都在紧锣密鼓地准备着，秦王决定后发制人。公元前238年，秦王政九年，秦王已经二十二岁，再不实行加冠礼已经说不过去了。太后指令吕不韦给秦王举办加冠礼，计划发动一场政变。庄襄王太后的算盘是：行完加冠礼，还政于秦王，自己住在雍县蕲年宫，秦王加冠后必然到雍县蕲年宫晋见太后。这时嫪毐发兵攻击，在蕲年宫杀死秦王，夺取政权，由太后与嫪毐所生子来做秦王，由于私生子还是小孩，这样太后、嫪毐、吕不韦集团又可大权独揽了。长信侯嫪毐假传秦王命令，又传下太后命令，发动雍县县兵、蕲年宫卫士、官骑以及舍人数千人戒严，只等秦王到来。

秦王已有戒备，知道嫪毐的行动。他暗中令副相昌平君、昌文君调集精锐部队，做好攻击准备。嫪毐在咸阳的府第被监视起来。嫪毐作为宫廷总管，他要在咸阳亲临加冠礼，然后陪同秦王到蕲年宫。秦王的部署做得很机密，嫪毐与吕不韦事前一点也不知道。嫪毐等骄狂自大，没把秦王看在眼里，疏于防范，这一点正好被秦王利用了。

公元前238年，秦王政九年四月己酉日，这是中国历史上一个不平凡的日子。秦国向何处去，历史要在这一天作裁决。双方磨刀霍霍，决战在这一天进行。

清晨，风和日丽，是一个好日子。双方紧张的心提到嗓子眼，但表面一切平静。秦王似乎自认为稳操胜券，步履行动十分安详。嫪毐心怀鬼胎，忐忑不安。吕不韦心事重重，表面平和，显然不像平日颐指气使的模样，今日秦王行加冠礼，他要交还政权，一定要显示出雍容大度来。不知将要发生事变的群臣百官，熙熙攘攘，这是难得的庆典，自然兴高采烈。在礼官导演下，庄重肃穆地举行完加冠礼并礼拜完了太庙祖宗，秦王俨然是一国之君了，全体百官都要听从秦王的诏令。这时嫪毐上前，恭请秦王前去雍县蕲年宫晋见太后。秦王一改常态，庄严地发出命令，回宫先上朝理政事，改日上雍县晋见太后。

嫪毐请不动秦王，警觉事情有变，他自然不肯上朝，托故回府。秦王冷笑一声，允许嫪毐回府。秦王知道嫪毐回府发动叛乱，有意让他先动手。嫪毐一走，秦王立刻下令咸阳戒严，四门紧闭，不得放走任何一人出城。

秦王在殿上召集群臣会议，公布嫪毐的罪行，有意不提吕不韦一个字，秦王还要利用吕不韦的声望，用吕不韦之手铲除嫪毐集团，然后顺藤摸瓜牵连吕不韦进行打击。秦王发布讨伐嫪毐的宫廷诏令，由吕不韦挂帅征讨。昌平君、昌文君已经做好了攻击准备，吕不韦已经是赤手空拳，不能不听命秦王。吕不韦挂帅只是空名。

秦王军队包围长信侯府第，长信侯嫪毐一伙已经动员起来，两军在咸阳发生大战。秦王发布命令说："无论士兵还是宦臣，都有讨灭叛臣的义务，只要杀叛兵一人，拜爵一级，任何人，只要活捉嫪毐，赏钱一百万，杀死嫪毐，赏钱五十万！"好一阵厮杀，只觉得天昏地暗，血流成河。最后秦王的军队取得胜利。

嫪毐兵败咸阳，被乱兵杀死。重要成员卫尉竭、内史肆、佐弋竭、中大夫令齐等二十余人都被活捉。卫尉竭是宫廷警卫长、内史肆是京都首长名肆。他们成为叛乱集团的骨干，这说明嫪毐集团卷得多么深，这场宫廷政变是多么的惊心动魄。由于嫪毐被杀，蕲年宫的叛乱没发动起来就被扑灭了。

4. 不韦迁蜀，世传《吕览》

秦王政十年（前 237 年）十月，吕不韦因嫪毐事株连被免相国，回到封国河南。又过了一年，诸侯使者交通吕不韦，络绎不绝。秦王害怕吕不韦造反，于是赐书曰："君何功于秦，秦封君河南，食十万户。君何亲于秦，号称仲父。其与家属徙处蜀。"吕不韦看出，秦王害怕自己的影响，已动了杀机，不愿受诛，于是饮鸩自杀。一个执掌十三年秦国政权的一代名相，就这样心有不甘地离开了人世。

吕不韦是一个很有政治才干的人。他执政期间，为秦国的统一作出了贡献。秦王政初年的军事行动，都是吕不韦指挥的。史载：

元年：全部攻占韩的上党郡。蒙骜平定晋阳，重建太原郡。蒙骜是吕不韦重用的秦国大将。

二年：再度攻取魏的卷。

三年：攻魏有诡。

四年：拔取魏有诡。

五年：攻取魏的酸枣、燕、虚、桃人等二十城，建立东郡。

六年：攻取魏的朝歌。迁卫君角于野王，作为秦的附庸。

七年：攻取赵的龙、孤、庆都。攻取魏的汲。

八年：长安君（盛桥）攻赵，在屯留叛降赵国。

九年：攻取魏的长垣、蒲、衍氏。

吕不韦能识人用人，完成秦朝统一的开国丞相李斯就是吕不韦发现并推荐给秦王的。为完成统一，吕不韦还做了集思想大成的工作，就是前文提到的《吕氏春秋》，又称《吕览》。据说这部书完成以后，吕不韦用重金悬赏，有客人能增删一字者赏千金，由此可以看到吕不韦的自信。这部统一百家思想的书，至今流传于世。

在秦并六国，建立统一的中央集权制事业中，吕不韦作出了重大贡献，是可以和李斯并称的两位秦国大臣。

三、张良智计

司马迁在《史记》中写了许多智囊人物，擅长运筹帷幄。辅佐刘邦打天下的就有张良、陈平、随何、郦食其、陆贾等人。张良、陈平最为特出，两人齐名，史称良平。

张良（？—前186年），字子房，相传是城父（今河南禹县东南）人。汉高祖刘邦的首席谋臣，汉初“三杰”之一，中国西汉初年著名的政治家、军事家，以智慧闻名于世。汉高祖刘邦尊重张良以师礼，不呼其名，在满朝文武大臣中，独享此殊荣。张良有“帝王之师”、“明哲风高”、“机谏得宜”、“智勇深沉”的美誉。

张良是历史上一位极具传奇色彩的人物，他原本姬姓，韩国公族，先人五世相韩。张良从小过着锦衣玉食的生活，对韩国的感情较为深厚。公元前230年韩国灭亡，当时张良约22岁，血气方刚，他怀抱国仇家恨开始了浪迹天涯、伺机复仇的生活。他先到楚国，在淮阳学习礼仪，随后又东行到齐国，拜访仓海君，在仓海君的帮助下寻求到一名大力士，专门铸造了一把一百二十斤重的大铁椎，乘秦始皇东游之机，与刺客在博浪沙（今河南原阳东南）狙击秦始皇。当始皇车驾驰过时，大力士急起身，猛地将铁椎砸向始皇御辇，但铁椎却擦着始皇的座车飞过，砸中副车。巡行队伍顿时大乱，张良和刺客急忙逃走，事后得知刺杀秦始皇未遂。始皇大为震怒，下令在全国大肆搜捕刺客。张良为逃避追捕，更名换姓，自称张良，逃匿到下邳（今江苏睢宁西北）。

张良椎刺秦始皇，发生在公元前218年，秦始皇第二次东巡之时。在十年前，公元前227年，韩国灭亡的第四年，燕太子丹派荆轲刺秦王，刺杀失败，演成悲剧，成为一般人们的谈说资料，叹惜话题，而张良却别具只眼，看到了复仇的希望。可是张良十年的努力付之东流。事实证明，效法荆轲的匹夫之勇，“而逞于一击之间”的刺杀行动，这是一种无补于事的冒险行为，张良得以遁逃纯属侥倖。即使刺杀成功，也只是丧了秦始皇的命，而不能结束秦朝的暴政。以暴制暴，用暴力推翻秦王朝，不能只是个人的孤立行为，而是要如同项羽那样学“万人敌”，像陈涉那样为天下唱，动员人民大众参与，才能使暴君独夫陷入灭顶之灾，结束一代暴政。张良年少任侠，一心只想报仇，当然不会有这个认识境界。但张良并没有气馁，而是痛定思痛，在下邳圯桥黄石老人的指导下，又经历了十年藏匿，十年修炼，动心忍性，脱胎换骨，从一个任侠成长为一个智士的谋略人物。在楚汉相争，以及巩固西汉政权中，出谋十大智计。

1. 计破峣关

公元前206年九月，沛公刘邦从武关入秦，破峣关及兰田秦军，用张良策，智取峣关，不战降秦兰田军。峣关守将是商贾出身，贪钱财。刘邦有兵二万，少于秦军，强攻不能取胜。张良声言做五万人的饭菜，在野外大张旗帜为疑兵，造成汉军强大的假像。同时派使者进关游说秦将背叛，投降刘邦，并兵西向咸阳。秦军守将同意投降，放松戒备，张良劝刘邦趁机攻关，秦军大败，乘胜向前，兰田不战而降。

2. 鸿门斗智

沛公破咸阳，入居秦宫室，又派兵把守函谷关，阻止项羽入关。当时项羽为诸侯盟主，称上将军，有兵四十万，刘邦只有十万兵，显然不敌项羽。刘邦深居咸阳秦宫，张良劝说刘邦："秦皇帝暴虐无道，所以沛公才有今天，如果刚刚取胜就效法秦皇帝深居宫中享乐，好比助纣为虐，即将有大祸。"刘邦警醒，立即退出秦宫，封藏府库，还把军队撤出长安，驻扎在咸阳东郊霸上。一个多月后，项羽果然领兵打破函谷关要击杀刘邦。张良拉拢项羽叔父项伯与刘邦约为兄弟和儿女亲家，由项伯向项羽说情，称刘邦有大功，先入关破秦，封藏府库，等待项羽，派兵守函谷关，是防止别人入秦，小人挑拨闹了一场误会。张良还教导刘邦及樊哙等人，到鸿门赴宴，谦恭低调，吹捧项羽，坐席在下首，称项羽为大王，以臣礼相见。其时项羽尚未称王。张良设谋刘邦低调奉承的方法，解除了杀身之祸，以貌似之理使强势的项羽在鸿门宴上败下阵来。

3. 火烧栈道

范增设谋，封王刘邦于巴蜀，刘邦欲与项羽拼命。张良运动项伯，刘邦得封于汉中，又劝刘邦就国时明烧栈道，为后来韩信暗渡陈仓奠定基础。刘邦还定三秦，张良致书项羽，说山东诸齐乃项王大患，刘邦只不过是如楚怀王之约得关中而止，为刘邦东出，直捣彭城，赢得时间。

4. 下邑画策

下邑画策，是汉二年（前 205）四月汉王兵败彭城之后，张良为楚汉战争规划的战略构想。彭城大战，诸侯附从，汉兵五十六万，败于项羽三万，而且大溃，几至全军覆没。彭城溃逃的惨败，引起了汉王与张良的深思，意识到楚汉相争将是一场持久的较量，如何夺取胜利，需要认真总结失败原因，分析整个战局形势，筹划全盘战略方案，要一步一步周密地规划作战，再不能犯骄傲、被动作战的错误。

彭城之战的覆辙不能再蹈，这是汉王和张良的共同心声。汉王到达下邑，刚刚摆脱了险境，他还来不及休息，就急切地问计于张良，张良于是规划了楚汉持久的战争方略，这就是“下邑画策”。《史记·留侯世家》记载了下邑画策的具体内容。汉王刘邦想要捐出关东之地重赏英雄，消灭项羽。汉王问张良谁能担当此重任。张良回答说：“九江王黥布，楚枭将，与项王有隙，彭越与齐王田荣反梁地，此两人可急使。而汉之将独韩信可属大事，当一面。即欲捐之，捐之此三人，则楚可破也。”

这就是张良下邑画策的总体方略，其核心是调动韩信、彭越、黥布三方力量与汉王自率的汉兵形成四方配合作战，打一场持久战来蚕食项羽，最后消灭项羽。这一战略包括了对敌、我、友三方的历史与现实格局的分析，还动用了间敌与统战的策略。

刘邦坚决执行，三年间楚亡汉兴。

5. 阻封六王

刘邦与项羽在成皋相持的紧要关头，郦食其献计刘邦封六国之后，多树项羽之敌，张良与陈平得知立即阻止刘邦分封。张良说：“谁替大王出此下策？如果封王六国，那么大事就完了。”这是步项羽分封之后辙，张良列举了八条理由点醒了刘邦，刘邦立即销毁了封王印章。

6. 分土韩彭，会兵垓下

公元前 203 年，韩信破齐欲自立为王，刘邦大怒，张良劝汉王忍耐，顺水推舟封王韩信，以收其力。接着刘邦与项羽订立中分天下和约，诱使项王东归，刘邦趁势追击。韩信、彭越不派兵与会。张良劝说刘邦实授齐王韩信、梁王彭越土地，韩彭两人果然会兵垓下，一战灭项羽，结束了楚汉相争。

7. 封侯雍齿，平息争功

汉朝建立，刘邦大封功臣，诸将争功，萧何与曹参都产生了裂痕，有众叛亲离之势。张良劝刘邦尽快封其仇雍齿，平息了诸将争功，稳定了政治局势。

8. 迁都关中

张良助刘敬说服刘邦迁都关中，奠定了汉家稳固的基业。

9. 计安太子

刘邦欲废太子，即后来的惠帝刘盈，诸大臣强谏，刘邦不听。张良献计太子结交商山四皓，得以保全太子位，稳固了国本。

10. 深固根本

张良荐萧何为相国，镇守关中，深固根本。司马迁说，张良在高帝身边，有充分的条件时常讨论天下大事，所献奇计非常之多，不能一一记载，只择要地记载关系天下兴亡的大事粗略记载下来。上述十大奇计，条条都是关系汉朝建立和国家安危的大事。

四、陈平奇计

陈平，阳武户牖乡（今河南原阳县东南）人。陈平是汉高帝刘邦的重要谋臣。地位仅次于张良，两人齐名，史称良平。在楚汉相争时，他屡出奇计，为刘邦夺取天下立下大功。吕后执政时，他机智地与之周旋，和诸大臣协力消灭了诸吕，重建刘氏的基业。这里是讲陈平少立壮志，离楚归汉，施计离间楚国君臣，用项羽之手，逐走范增，使楚军失去了灵魂，由强变弱，以至于灭亡的故事。

陈平少年时家境不是太好，以务农为生业，与哥嫂同居。陈平其人长大漂亮，一表人材，喜好读书不事农业，多次引起嫂子的不满。成人后，到了娶亲年龄，富者攀不上，穷者又看不上。正好有当地大富张负的孙女，连嫁五夫，连丧五夫，无人敢娶。陈平便显示自己的才能，引得张负将孙女嫁于陈平，并拿出钱财资助陈平四处交游，名声渐起。

起初，陈平在乡下，主持里社的祭祀活动。每当活动完毕陈平又操刀分配祭祀用过的牺牲，且分肉十分平均，乡里父老称赞曰："善，陈孺子之为宰！"陈平回答说："嗟乎，使平得宰天下，亦如是肉矣！"①

后来，陈平果然为惠帝、文帝两朝丞相，主宰天下。

秦二世元年（前209）陈胜在大泽乡举起反秦大旗，天下响应。陈平也是一个热血青年，投奔魏王魏咎帐下，后因受人谗言，便离去归服项羽。陈平归项羽后一直在其身边，他随项羽破秦入关中，被封爵而不治事，任都尉之职，相当于侍卫长。在一般人的眼中，都尉之职很荣耀，对于陈平是大材小用。鸿门宴中陈平的具体任务是看住刘邦，不让其逃走。但是陈平通过刘邦在鸿门宴上的上乘表现，认定是必成大业的人物，于是随着项羽态度的转变，放走了刘邦，未归汉时便立下大功一件。

陈平随项羽，得知其为人。项羽喜听亲信之言，所用非诸项则为妻之昆弟，虽有奇士而不能用。项羽敬礼陈平而不重用，陈平抑郁不平。汉二年三月汉王东出，陈平归汉。陈平通过刘邦部属魏无知的引荐晋谒刘邦。汉王问："子居楚何官？"平曰："为都尉。"汉王即日拜陈平为都尉，使参乘，典护军。参乘，即警卫副官。典护军，职掌诸将督察，颇有权力。成皋对峙初期，汉王拜陈平为亚将，与韩王信驻广武。

陈平得到刘邦的宠信，地位迅速上升，引起周勃、灌婴等人的不满，向刘邦进谗言说："平虽美丈夫，如冠如玉，其中未必有也。闻平居家时盗其嫂；事魏王不容，亡而归楚；归楚不中，又亡归汉。今大王尊官之，令护军。臣闻平使诸将，金多者得善处，金少者得恶处。平反覆乱臣也，愿王察之。"

① 《史记》卷五六《陈丞相世家》。下引本篇不再注。

刘邦听了周勃、灌婴等人的谗言，有所怀疑，便召来魏无知责问。魏无知深信陈平有真才实学，就辩解说："我推荐的是才能，大王您问的是德行。假如现有古代尾生、孝己那种德行而对战争胜负无作用的人。大王您愿意用吗?"刘邦听了魏无知的回答，心中疑惑已解开大半，便召问陈平说："你先事魏后事楚，今又事我，难道这是一个忠诚之士的作为吗?"陈平坦然回答说："臣事魏王，魏王不能用臣计，故去事项王。项王不能信人，平乃去楚。闻汉王之能用人，故归大王。臣裸身来，不受金无以为资。诚臣计画有可采者，愿大王用之；使无可用者，金具在，请封输官，得请骸骨。"刘邦听后，认识到陈平是个难得的人才，于是"乃谢，厚赐，拜为护军中尉，尽护诸将，诸将乃不敢复言"。刘邦不愧是刘邦，显示出创业帝王的大度，当他分清事非曲直后立即改正过失，升迁陈平为中护军，留在身边参决谋议，诸将不敢再进谗言。

1. 离间楚君臣

离间，又称反间，就是派出间谍，或收买敌方人员，在对方阵营散布流言，制造混乱，刺探情报，挖人墙角，做策反工作。离间之计，由来已久。《孙子兵法》中就有专章《用间》详加论述。

作为克敌制胜的手段之一，反间、离间可以起到千军万马所起不到的独特效果。楚汉之际，运用反间计最为成功者，就是陈平。

公元前 204 年，楚王项羽截断汉军粮道，困汉王于荥阳（今河南荥阳）。刘邦在兵弱粮乏情况下，愿割荥阳以东求和。项王主要谋士范增老谋深算，竭力主张项羽拒绝和约，急攻荥阳。刘邦得知十分着急。陈平曾任楚军都尉，熟悉项王只有范增等少数几个忠臣，而项王用人最爱猜疑，就献计说："大王如能给我数万斤金离间其君臣，使其内部不和，那时再兴兵攻之，必能败楚。"刘邦深以为然，马上拨出黄金四万斤任陈平支配。

陈平即刻收买人在楚军中散布谣言，说钟离眛、范增等为项王屡立战功，至今未得厚报，他们正拟归汉，希望封王得地。项羽闻此大疑，便不很信任范增、钟离眛等，特派使臣去汉军营探听虚实。刘邦按陈平计，先备下丰盛酒菜，待使臣入内后佯惊说：“我以为是亚父的人，原来是项王使者。”立即下令撤换，改以粗食相待。使臣返营后，将一切报告项王，项王大怒，真的怀疑范增有二心。范增知项王中了反间计，一气之下，自请归家养老，竟病死途中。钟离眜也被项王削弱了兵权。陈平略施小计，就使项羽自毁长城。

陈平的反间计并不高明。《通鉴辑览》说：“陈平此计，乃欺三尺童子未可保其必信者，史乃以为奇，而世传之，可发一笑。”明李卓吾评曰：“此计易识。”① 尽管此计是只可作为笑料的雕虫小计，而陈平用之，项羽信之，何也？这正是陈平深知项羽为人，信用庸劣群小，喜听亲信之言的原因。项羽派出的使者，多是庸劣奴才，又为项羽所信，故陈平之计得伸。项羽之失，可悲也夫！

范增出走，是楚军的一大损失。项羽逼走范增，替刘邦消除了心头大患。项羽失了范增，没了谋士，从此被动挨打，楚军士气低落，一天天削弱。所以刘邦说：“项羽有一范增而不用，此其所以为我擒也。”

2. 解困刘邦

汉三年，公元前 204 年五月，项羽猛攻荥阳，城破危在旦夕。陈平施李代桃僵之计，让纪信扮演刘邦，把荥阳城中二千女子假扮成汉兵，在一天夜里，开了东城门杀出。可怜两千女兵，霎时被楚军消灭。这时由纪信扮演的汉王刘邦乘着插有牦牛尾装饰大旗的“黄屋左纛”汉王车辆，在随从簇拥下驶出东门。黄屋是指汉王所乘用黄丝绸装饰的专车。左右的人大喊：“食尽，汉王降楚。”楚兵大出意外，高呼“太平万岁”，争先恐后围上来一睹汉王风采。这时真汉王刘邦却从西门逃走。

替死鬼纪信何许人，史籍有多种记载。一说是四川西充县人，一说是山西霍县人，一说是甘肃成纪，今天水市人，一说是陕西华县人。纪信死后，人们怀念，在甘肃天水市和兰州市两地百姓奉纪信为城隍神，世世代代享受人间香火祭祀。陈平此计，

① 《史纲评要》卷五。

保了刘邦，两千女子却死于非命，全都成了替死鬼。

3. 计安韩信

即前文所说汉四年，公元前203年韩信自立齐王事件，此计陈平本谋，张良助成，刘邦感悟。陈平劝刘邦优厚地招待韩信使者，麻痹了韩信。

4. 献策高祖伪游云梦擒韩信

汉六年，公元前201年十二月，有人上书告楚王韩信谋反，其实是莫须有的人为策划，是刘邦消灭异姓王的组成部分。诸将争相带兵出击，刘邦咨询陈平。陈平向刘邦连提四个问题：

第一，陈平问："韩信谋反，除告状人外，还有人知道吗?"刘邦说："没有别人知道。"

第二，陈平再问："韩信本人知道有人告发吗?"刘邦说："韩信本人不知道。"

第三，陈平又问："陛下之兵与韩信之兵相比，哪一支兵战斗力强。"刘邦说："韩信之兵战斗力强。"

第四，陈平最后问道："陛下之将，能力有超过韩信的没有?"刘邦说："朝廷将官没有人赶得上韩信。"

于是陈平总结说："陛下之兵不如楚精，陛下之将才能不及韩信，发兵征讨，有什么胜算！这不过是逼迫韩信造反罢了。"陈平委婉地戳穿刘邦的阴谋，就是要逼反韩信要诛杀他。战火引燃，人民遭殃。陈平警告说："这样下棋十分危险。"言下之意，韩信不反而被逼上梁山，韩信将士一定会死命反击。刘邦问陈平："那该怎么办呢?"陈平说："古代天子巡察四方，召会诸侯。陛下出巡云梦，在陈县，今河南淮阳召会诸侯，既然韩信不知情，他一定会来朝拜皇上。那时用一个警察就把韩信抓获了，哪里用得着打仗。"刘邦依计，果然用了一个力士就把韩信逮捕了。

5. 白登脱险

汉六年，公元前201年匈奴冒顿单于大举侵边，刘邦亲率32万大军征讨，在平城白登山被匈奴四十万骑兵包围。冒顿单于兵分四面；东面纯用青駹马，即白青色之马；南面纯用骍马，即红黄色马；西面纯用白色马；北面纯用乌骊马，即黑色马。四面分别用纯一色的马，便于识别，阵形整齐不乱，冒顿单于志在一举全歼汉军。汉军被围困七天七夜，内外不通，粮食断绝，危在旦夕。汉兵突围根本不可能。陈平施计，派出汉朝使者，暗中与匈奴阏氏联系，送厚重的礼物，诡称汉家皇帝送一批美女给冒顿和解，挑起阏氏之妒意，教阏氏说辞，称汉皇神异，匈奴得地不能居，不如与汉和解，放汉皇一条生路。适逢天降大雾，冒顿解围一角，留一个通道让汉军逃出。这一计比较下作，走匈奴王后妇女的后门，有失大雅，刘邦回朝封锁消息，只说用了祕计。《史记》记载说是厚赂阏氏。东汉学者谭桓和应劭推度陈平所用诡计，称汉朝皇帝献美女诱使阏氏上当，汉军才得以突围成功。

陈平用计，多是阴招，陈平也自称是阴谋家。不过政治斗争，用兵打仗，都是诡道，目的是夺取胜利。陈平辅助的是汉王刘邦，其后与周勃合谋诛杀诸吕，再造汉室，使新兴王朝得以建立和巩固，陈平奇计，应予肯定。

（本讲节自2010年10—11月作客中国国际广播电台《孔子学堂》主讲“史记品读”系列的部分内容，标题为入集时所加。）

第十七讲　司马迁笔下的明君贤臣与开明政治思想

本讲讨论中国古代思想家对治国理民历史经验的总结与开明政治思想。司马迁所写《史记》总结了近三千年的历史，提供了较为完备的资料，分为三个节目来谈。

一、司马迁笔下的明君

1. 帝王无私，要天下为公

《五帝本纪》写尧舜禹禅让，揭示上古帝王无私的伟大精神。尧年老，他的儿子朱丹不成才，尧要找一个人接班，众臣推荐了舜。舜继承帝位，天下的人得利，而朱丹一人不得利；朱丹继承帝位，朱丹一人得利，天下的人都要受害。两相权衡，尧说："不以天下之病而利一人"，即"不能让全天下的人受害而使一人得利。"这个人即使是自己的儿子也不行。

2. 帝王成事，要任贤使能

贤才决定事业成败。《匈奴列传赞》说："尧虽贤，兴事业不成，得禹而九州宁，且欲兴圣统，唯在择任将相哉！唯在择任将相哉！”《高祖本纪》载刘邦以弱胜强，他自己总结楚亡汉兴的原因说：“夫运筹策帷帐之中，决胜于千里之外，吾不如子房。镇国家，抚百姓，给馈饷，不绝粮道，吾不如萧何。连百万之军，战必胜，攻必取，吾不如韩信。此三者，皆人杰也，吾能用之，此吾所以取天下也。项羽有一范增而不能用，此其所以为我擒也。”① 治平天下需要众多的贤才。《刘敬叔孙通列传赞》引谚语说：“千金之裘，非一狐之腋也，台榭之榱，非一木之枝也；三代之际，非一士之智也。”周文王、武王之有天下，因为有太颠、闳夭、散宜生、鬻子、辛甲之徒佐文王，有周公、召公、毕公、尚父之伦辅武王。秦并天下，楚灭汉兴，都是因为有一大批贤相良将在建功。贤才如此重要，大道理人人都懂，凝聚人才的办法也很多，如重金招聘，伯乐推荐，毛遂自荐，积资升迁，等等，但都不是要害。帝王任贤，最核心之点是要有容人之量，也就是帝王气度。刘邦以一介布衣登天子之堂，成功的秘诀就是他有帝王气度，能够役使高于自己的命世大才，所以他取得了成功。刘邦的过人之处，就是他能识人、用人。刘邦有一句口头禅，叫“为之奈何”，这件事怎么办？降下身份，不耻下问，承认山外有山，这就是刘邦识人的秘诀。识人就要用人。刘邦拜将，任用从敌人营垒中逃过来的韩信。任人不疑，让韩信独当一面，人尽其才，施知遇之恩，必得死力回报。再是帝王知错能改，更能服贤者之心。三国时袁曹官渡之战，袁绍失败，杀了提出正确意见的田丰，袁氏的灭亡，不可救药。刘邦平城受困，杀了阿谀奉承说匈奴可击的佞人，赦免忠诚直言反对击匈奴的娄敬，封为列侯。赐姓刘，于是娄敬成了与帝王同姓的刘敬。袁绍与刘邦，两相对照，刘邦用人的帝王器度，袁绍不可同日而语。

3. 帝王善断，有御人之术

帝王办事果决，乾纲独断，这是驾御能人的基本素质。御人之术，分寸把握得好，以德服人，就是明主、雄主；把握不好，只能以力服人，以诈欺人，就是奸雄。曹操有奸雄之称，刘邦有

① 《史记》卷八《高祖本纪》。

贤能之名。刘邦的御人之术，我们举两例以观其能。一是收降黥布，二是驾御韩信，刘邦采用了不同的策略。黥布一介武夫，能征惯战，做到了项羽的九江王。刘邦派说客挖项羽的墙角，说降了黥布。当黥布来投，刘邦接见时先杀其气，故意冷落黥布在客馆，派人对黥布说："汉王今夜有事不见，九江王一定要见，只能到汉王卧室里去见。"黥布到了汉王卧室，见刘邦在洗脚，左右各一个美人双双伺候刘邦。刘邦抱住两个美人亲亲耍耍，这对客人是多么不礼貌。如此场面，让黥布十分难堪，恨不得有一条地缝钻进去。黥布告辞刘邦出来想自杀。等到黥布到达他安息的地方，一看卧室的布置与汉王刘邦一模一样，也有两个美人在等候，是王者的规格。这一下黥布又高兴起来[①]。黥布心想，汉王是真心待我，给我王者的礼遇，只是做事有点流氓习气，是不见外我，不计较小节，我黥布要死心塌地跟汉王。

韩信足智多谋，有盖世奇才，投刘邦时还是一个无名之辈。刘邦是看萧何的面子拜韩信为大将。韩信拜将后一席对话让刘邦心服。刘邦放手让韩信独当一面，开辟北方战场，派了三个人监视韩信。一个监军张耳，一个步兵头领曹参，一个骑兵头领灌婴，三人分了韩信之权。当韩信灭齐要称假王之时，刘邦受此要挟大骂韩信说："老子受困，你小子按兵不动，还想称王。"随即改口骂道："大丈夫在世要堂堂正正做真王，你小子怎么要假王。"[②] 刘邦派出高规格使者张良到齐国去立韩信为齐王，但却没有正式的委任状和划界地图。韩信自然也不满意，消极怠工，按兵不动。这事拖了一年，刘邦才正式下委任状和封疆地图给韩信，韩信这才发兵会围项王于垓下。项王被灭，刘邦立即改封韩信为楚王，美其名曰："衣锦还乡。"其实是夺韩信之军，让他赤手空拳回家乡去做楚王。后来韩信被擒，心有不甘，对刘邦说："陛下带兵不过十万，臣带兵多多益善。"刘邦笑着说："多多益善，何为为我擒。"韩信无奈地说："陛下不能将兵，而善将将，此

---

① 《史记》卷九一《黥布列传》，原文曰："布又大喜过望。"

② 《史记》卷九二《淮阴侯列传》。此为语译。

乃信之所以为陛下擒也。且陛下所谓天授，非人力也。”[1] 善将将的御人之术，当然不是天生，是政治成熟的最高境界，只有非常之人，才能在后天的实践中修成正果。

4. 帝王兼听，要察纳雅言

圣明君主亲信贤人，远离奸佞，能够倾听不同意见择善而从。如果择非而从，那就不叫纳谏，不是圣明之君；喜欢阿谀奉承，那就是昏暴之君。司马迁批评殷纣王拒谏，“智足以拒谏”，纣王的小聪明只用在拒谏上，甚至剖心杀了忠臣比干，最后的结果是破家亡国。司马迁称许汉文帝为仁君，他真诚纳谏，有两个举措为后世君主树立了榜样。一是下诏求言，创立了举贤良制度。二是明确宣布言者无罪，言事者无论对与错都不承担责任。汉文帝认为，纳谏的后果由君主承担责任，“国之大患”是“择者不明”。[2] 汉文帝开明的流风余韵，一直影响到昭宣中兴。

5. 帝王勤政，要关爱民生

凡雄略之主，都有勤政的精神。秦始皇办公，课以日程，批阅公文，每天定量批阅简牍一百二十斤，不完不休息。司马迁批评秦始皇“贪于权势如此”[3]。司马迁所讲的勤政，指勤于关心民生，而不是具体的政务。恰恰相反，帝王不要去干预臣工的政务。明君之明，是明于国家大体，把握方向，创建制度，要了解民情，要像黄帝、尧舜那样，一年四季巡视百姓，“未尝宁居”，没有睡过一天安身觉。舜死于苍梧之野，大禹崩于会稽山上，他们死在关爱民生的工作岗位上。如此勤政的帝王，似乎只能是一个理想。

6. 帝王节俭，要珍惜民财

汉文帝没有惊天动地的伟业，但他十分珍惜民财，非常节俭。他所宠幸的慎夫人，只穿超短裙，帷帐不准绣花。

汉文帝还解除了很多禁令，让天下平民有更好的生产环境。减轻农业税一半，汉初十五税一，汉文帝减为三十税一，后来又

---

① 《史记》卷九二《淮阴侯列传》。
② 《汉书》卷四九《晁错传》。
③ 《史记》卷七《秦始皇本纪》。

全部免除农业税。所以司马迁称许汉文帝为“仁”。《史记》只写了一个“仁”君，这个仁君就是汉文帝。也就是说仁君的典型就要像汉文帝一样，心中装有人民，并能给黎民百姓带来幸福生活。

二、司马迁笔下的贤臣

1. 居官理民，要为民办事

西汉萧何“因民之疾秦法，顺流与之更始”，想民之所想，疾民之所疾，司马迁称许说“何之勋烂焉”。万石君一门贵盛，碌碌无为，一生谨慎，只仰承天子鼻息，但能“为百姓言”①。是否与民办事，是贤臣的最高标准，在当时是了不起的先进思想。查遍二十四史，只有《史记》写有“为百姓言”几个字。

2. 张释之为廷尉，天下无冤民

在古代断狱判案是国家施政的重中之重。刑措不用，是太平盛世的标牌。在古代行政干预司法，尤其是君主干预司法，往往使国家陷于深重灾难。张释之，字季，南阳堵阳（在今河南方城东）人。西汉著名贤臣，汉文帝时廷尉，执法公正，认为法律是天下人的法律，不是皇帝个人的意志。张释之劝谏汉文帝带头按法律办事为天下人的表率。

3. 为官要清廉，不与民争利

公仪休是春秋时鲁国国相，他为官清廉，公私分明，一尘不染的高风亮节，给为官的人树立了一面高悬的明镜。公仪休喜欢吃鱼，有人投其所好，专程送来了几条鱼，公仪休坚辞不受。他对送鱼的人说：“我正因为喜欢吃鱼，一份微薄的俸禄还吃得起鱼。如果我收了你的鱼，丢了俸禄，那时谁来送鱼呢?”② 一席话说得送鱼人哑然失笑，公仪休的话既拒腐，又委婉，一针见血揭

---

① 《史记》卷一〇三《万石张叔列传》，写万石君石奋少子石庆“为齐相，不言而齐国大治”，石庆为丞相，“然无他大略，为百姓言。”

② 《史记》卷一一九《循吏列传》。

穿了送鱼人请托的目的。公仪休的夫人勤劳贤淑，亲自种菜织布，公仪休劝说不听，休了夫人，说她争夺了士农工商的口食。公仪休防微杜渐，制止当官的亲属与民争利，这种精神无比崇高，但休妻之举，未免过分和迂腐。

4. 救民水火，甘冒斧钺

汉武帝时，河内郡发生火灾，烧了一千多家。汉武帝派汲黯去巡察。汲黯路过河南，那里发生了大旱灾，接着是水灾，颗粒不收，地方对此瞒报。汲黯见此，自作主张打开粮仓救灾，这是要冒杀头危险的。汲黯的行为，急民之所急，不顾个人安危，汉武帝赦免了他的罪过，还称赞汲黯是“社稷之臣”。[1]

5. 当官要自律，职位是责任

春秋晋文公时，晋国最高司法长官李离，办案五年没有出过差错。公元前632年，李离的部属错判了一件死刑案，李离自责，向晋文公请求死刑。李离说：“我是最高司法长官，俸禄最高，职位高，俸禄多就要担负最高责任。臣不能平时享受高位高禄，有了过错推给下属。”[2] 李离不接受晋文公的赦免，自杀而死，承担责任。

6. 治理积弊，要有智慧，启迪民智

如何处理尖锐复杂的矛盾，而又积重难返的社会问题，作为一个手握权力的长官，是用暴力推行善政，还是用智慧让恶人现身说法，教育人民群众觉醒，两种办法，两种效果。褚少孙所补战国时西门豹治邺，提供了一个以人为本，运用智慧办事的典型。西门豹也用暴力，一是有限度，二是只用于惩办首恶。

邺城是魏国的领地，在今天河北临漳县一带，经常闹水灾。那里的官绅与巫婆结成一伙坑害民众。他们每年要为河伯，即河神娶媳妇。家家都要出钱，搜刮上百万，官绅与巫婆把大部分钱财瓜分，只用少量的钱娶妇。民间长得漂亮的小姑娘及其

① 《史记》卷一二〇《汲黯列传》。
② 《史记》卷一一九《循吏列传》。

家庭遭受侵害。有钱的出钱免灾，无钱的就要倒霉，有的带着女儿逃匿流浪，但每年总有一个家庭，一个女孩遭殃。西门豹到任，了解情况后，决心革除陋俗，动员民众修水利。但在强大黑暗社会势力笼罩下尚未觉醒的民众，强力推行很难奏效。西门豹不动声色，他也声称要参加为河伯娶妇的典礼，并以县令之尊做主持人。西门豹以虔敬的心情顺民之俗。当娶妇典礼正式开始时，西门豹声称揭掉女子盖头，要察看是否漂亮。然后要巫婆去向河伯报信，问河伯是否满意，说时迟，那时快，没等西门豹话音落地，上来两个吏卒，不容分说把巫婆投入河中随水漂去。西门豹装出一副严肃认真的样子，站立等待，纹丝不动，等待回音。成千上万的群众鸦雀无声。过了一阵，西门豹说，巫婆为何久久不回，再派她的弟子去催促她。于是投一女弟子河中。过了一阵，又投河一个弟子，一连投了三个弟子。她们都没有回来。西门豹说：巫婆和她的弟子都是女子，不会办事，现在要男子去向河伯汇报，于是把地方官三老投到河中。地方豪绅和县里官吏个个惊恐。这时西门豹又发话了，说："三老官职小，也回不来，现在请地方豪绅长老、县衙高官去见河伯吧。"西门豹想把这群恶棍一个一个都投入河中。这些人连忙一个个叩头，真是叩头如捣蒜，自己出来拆穿西洋镜，揭穿骗局，退出赃款，西门豹饶他们不死，全体百姓也受了教育。西门豹趁热打铁，组织全县百姓挖沟修渠，共修通了十二条渠，彻底免除了水害。西门豹的智慧和工作方法，不是很值得借鉴吗？

西门豹治邺，是西汉褚少孙所补，符合司马迁的思想，与商鞅变法用暴力和诡诈之术相较，适成鲜明对比。司马迁自己所写赵武灵王胡服骑射，也与商鞅变法形成鲜明对比。那些治申商刑名之学的能臣，高高在上，视人民群众为愚民，只可共享其成，不可与之虑始，往往主观蛮干，与民对立。司马迁称商鞅"天资刻薄"，不赞成对人民施暴力。由此可见，贤臣不仅能办事，更要有一颗赤子之心，与民共休戚。

三、司马迁开明的政治理想

司马迁的政治思想是为秦汉大一统政治服务，他拥护皇帝集权制度，但主张皇帝权力要为人民办事，要有制度约束，统称为开明的政治思想。古代的开明，与今天的民主有很大的差别。开明是自律透明，民主是制度透明。但两者有一个共通点，以国家服务于民生为最高原则，所以司马迁讲的古代历史，是可以"志古自镜"的。

司马迁开明的政治思想，主要有以下三个方面。

1. 主张大一统，反对分裂割据，颂扬秦始皇汉武帝之功

《秦始皇本纪赞》云："自缪公以来，稍蚕食诸侯，竟成始皇。"《六国年表序》称赞秦取天下多暴，"然世异变，成功大"。《太史公自序》肯定汉武帝的功业，说："汉兴五世，隆在建元，外攘夷狄，内修法度，封禅，改正朔，易服色。"西汉人不承认秦王朝，说它充其量只是一个闰统，司马迁批评这些人是"耳食之儒"①。秦朝国运短祚是亡于暴政，而不是秦始皇所建立的制度。司马迁不遗余力宣扬大一统，塑造了一个人文始祖黄帝，中华民族有一个共同的祖先，从而构建了民族共同的心理的历史哲学。

2. 主张顺民之俗，颂扬无为政治

如高祖、吕太后、孝文帝诸本纪赞，律书序，萧、曹世家赞等篇。汉高祖刘邦，起自匹夫而得"天统"，是因为他顺民之俗，"承敝易变，使人不倦"。吕太后无为，"民务稼穑，衣食滋殖"。汉文帝"能不扰乱，故百姓遂安"，司马迁许之为"德至圣"的"仁"君。治国的最高原则是"顺民之俗"，要办老百姓希望办的事。怎样才能做到，西汉初的无为政治就是顺民之俗。当时民无盖藏，急需休养生息，国家施政以修养生息为要务，因此无为不

① 《史记》卷一五《六国年表序》。

是不做事，而是量力而行。具体说，有两条最基本的国策：第一，君臣无为，不举措暴众，不搞政治折腾，不滥用民力。该办的事，能办则办，不能办等到条件成熟再办。第二，民众则是有为，士农工商全面发展。“无为”是道家的语言，老子主张“绝圣去智”，灭去人欲。恰恰相反，司马迁主张一个人要积极用世，提倡立德、立功、立言的三立精神，人生的追求是“不令已失时，立功名于天下”。司马迁不认为人欲是洪水猛兽，而是发展生产力的动力，鼓励人人发财致富。国家施政，不是阻遏人欲，而是“善者因之”，即最好的办法是因势利导，让人民富裕，构建和谐社会。国家怎样施政才能达到这一境界呢？那就是君明、臣贤。明君的榜样是汉文帝，带头执法不干预臣职。贤臣的榜样是张释之和冯唐。张释之依法审案，冯唐直言切谏。《孝文本纪》与《张释之冯唐列传》，两传共同构建了一幅开明施政的蓝图。

3. 崇尚德治，反对暴政

在司马迁笔下，“德治”与“暴政”两相对立，褒贬倾向极为鲜明。《太史公自序》对古圣先贤禹、汤、文、武称颂为德治之君。对夏桀、殷纣、周幽王、周厉王，以及秦始皇、秦二世这些昏暴之君，贬抑为“暴”。司马迁用这一政治观念模式总结历史经验，指出暴力不可恃。司马迁用古今的历史事实来说明“得民心者得天下，失民心者失天下”这一民本思想，可以说是贯穿《史记》全书。但司马迁没有到此为止。他不仅认识到了人民力量对历史的演进起最后的决定作用，而且肯定人民的反暴斗争，大声赞美革命行动，颂扬汤武诛暴，为项羽立本纪。司马迁写《刺客列传》和《游侠列传》，大旨都是颂扬反暴的精神。司马迁歌颂他们，表现了他同情广大人民的反暴愿望，这已经超出了传统的儒家思想，受到正统史家的非难。但这正是司马迁思想的精华之一。

我们必须指出：崇尚德治，反对暴政；主张施政要顺民之俗，颂扬无为政治；主张强干弱枝，反对分裂割据，维护大一统，这些只是构成了司马迁开明政治思想的主要内容，司马迁并未在此止步。在司马迁的政治理念中已经萌芽了三权分立的思想，他当然没有这个概念，但他认为司法要独立，臣下建言无罪，皇上不能以个人喜好代替法制，这些思想在《孝文本纪》与《张释之冯唐列传》相互映衬中鲜明地表示出来。司马迁通过张释之的口对汉文帝说“法者，天子所与天下公共也”，这是说，法高于一切，高于个人意志，法律面前，人人平等，皇帝也不能干预司法。而“廷尉，天下之平也”，司法要独立判案才能保证公平。汉文帝经过长时间认真思考后，称赞了张释之说：“廷尉当是也。”指张释之依法判案是公平的，正确的。司马迁又通过冯唐犯颜直谏，汉文帝没有加罪，提出了臣下建言无罪的思想。

综上所述，司马迁塑造明君贤臣的榜样，用以构建他理想的开明政治蓝图，核心思想是两个方面：第一，贤者在位；第二，言路畅通。落实在帝王身上就是“用贤”与“纳谏”。无论是古代的“文景之治”、“贞观之治”，还是近世的“康乾盛世”，历史学家总结经验，不出这两条，比如范文澜的《中国通史简编》，也大体如此。“用贤”与“纳谏”放之四海而皆准，大道理不难懂，关键是国家施政怎样才能落实“用贤”与“纳谏”，司马迁升华为“贤者在位”与“言路畅通”，构思制度建设，不仅是超越了前人，而且是超前以至于今，司马迁的开明政治思想在今天仍然光芒四射。再申说之如次。

其一，贤者在位。司马迁讲的“贤者在位”，有三个突破：第一，“贤者在位”，不是单纯的用贤，而是包括君主在位，也要贤者，明君、贤臣，缺一不可；第二，治平天下，需要众多贤才，“三代之际，非一士之智也”；第三，智不可专，民间有贤才。

其二，言路畅通。司马迁讲的“言路畅通”，也不是单纯的“纳谏”与“兼听”，而提出“言者无罪”，帝王要像汉文帝那样下诏求言，听取民间意见。

司马迁不只是思想境界的突破，他进一步提出怎样才能保证“贤者在位”与“言路畅通”的方法，提出了贤者要集体推荐，试用考察，民心拥护，君臣在位都要遵守制度约束、司法公正等等先进思想，至今仍有借鉴价值。

（本文系2011年2月26日在国家图书馆举办的“部级领导干部历史文化讲座”上的演讲）

第十八讲　中华传统文化的精髓

本讲的研讨，分四个层次来谈。一是中华文化的内容；二是中华文化的特征；三是中华文化的传统；四是中华文化的功能。

一、中华文化的内容

1. 中华传统文化的界说

“文化”一词的内涵及内容，学术界的界定有上百种，但基本定义，也是较为明确的。在中国传统的国学中，“文化”之义，是指文治教化，“文”与“武”相对。《易·贲》卦《象》辞曰：“关乎天文，以察时变；关乎人文，以化成天下。”意思是说，通过了解人类社会的各种现象，用教育感化的方法来治理天下。汉代刘向《说苑·指武》篇云：“凡武之兴，为不服也，文化不改，然后加诛。”这里“文化”，指文教治理，与军事手段“武功”相对应。唐代孔颖达在《周易正义》中对前引《贲》卦那段话的解释说：“圣人观察人文，则诗书礼乐之谓。”即文化为文学艺术与礼仪风俗。刘向、孔颖达等人的认识，自汉唐以来一直影响到清代，例如明末清初的大思想家顾炎武在《日知录》中就说：“自身而至于家国天下，制之为度数，发之为音容，莫非文也。”这代表中国古代人们对“文化”最通常的认识。核心意思，“文化”就是文治教化。马克思主义认为，文化是一个国家或一个民族生活方式的总和，由民族语言、民族传统等构成民族化的特征。由于文化内涵十分丰富，所以讨论时总是加以一定范围的界定。从普及意义说，一般可把文化结构分为三个层次：精神文化、制度文化和物质支化。

（1）精神文化。这里所说的精神文化，主要指一个民族文化的意识形态，包括政治、法律、道德、教育、文学、艺术、美学、哲学、宗教、社会心理、风俗习惯等等，它是一定社会政治和经济的反映，在阶级社会中具有阶级性，随着民族的形成和发展，具有民族性，并通过民族形式的发展形成民族传统。

（2）制度文化。是指一个民族在历史发展过程中形成的各种制度，如宗法制度、姓氏制度、婚姻制度、教育制度、科举制度、官制、兵制等等。

（3）物质文化。指体现一个民族一定生活方式的具体物质形态，如园林、住宅、服饰、器具等等。

三个方面的文化，观念文化是深层次的哲学心理文化，器物文化是直观的表层文化，制度文化介于二者之间是中层文化。

上述文化内涵包括了人的全部活动，以及人的活动所创造的物质产品和精神产品，是广义的文化定义。狭义的文化定义是指精神文化，即文化的精神财富，意识形态。本讲研讨以狭义文化为限。

中华文化，是指中华民族在形成、发展的历史过程中所创造的民族文化的总和，包括中国古代文化、近代文化和当代文化。各个时代的文化，具有强烈的时代内容，中国古代文化与当代的社会主义文化其时代性就更为鲜明。但作为民族传统，它有一脉相承的民族精神和民族特色。各个时代，既有继承性，又有创造性，既有共性，又有个性，这就是文化发展的连续性。一般说中华民族传统文化，特指中国古代文化，但随着时间的推移，近代文化、当代文化也将汇入民族传统文化中。

中国有五千年的悠久历史，中华文化博大精深，源远流长，兼容并蓄，丰富多彩。在漫漫五千年的历史长河里，有春秋战国时代百家争鸣的诸子哲学，有汉魏各家的传经事业，有姹紫嫣红的唐诗宋词，有绮丽清新的元曲小令，有气象万千的明清小说，有老庄孔墨的道德，有韩柳欧苏的文章，有左班司马的史学，有程朱陆王的义理，有屈原、杜甫的忧叹，有岳飞、文天祥的报国丹心，有秦皇汉武、唐宗宋祖的文治武功，有令世人骄傲的四大发明，有五彩缤纷的琴棋书画，有使人神往的茶酒饮食文化，这一切共同交融激荡，缤纷灿烂地造就了中国。中华民族传统文化，弥漫着诱人的魅力，具有无限的凝聚力，是中华民族的骄傲。

2. 中华民族形成及其文化发展

中华民族自称炎黄子孙和龙的传人。各民族共认一个共同祖先。这个祖先就是传说的三皇五帝。三皇五帝有多种说法，这正是多元民族融合的反映。一般说，三皇指伏羲、女娲、神农。神农即炎帝。五帝指黄帝、颛顼、帝喾、唐尧、虞舜。三皇、五帝以伏羲、炎帝、黄帝为代表，最尊为黄帝。伏羲是龙图腾的部落首领，传说其形人首蛇身，兄妹结合繁衍了中华民族，被称为人祖，所以中华民族又称为龙的传人。黄帝统一中原各部族，草创国家，炎帝教民务农。所以华夏农耕民族都奉黄帝、炎帝为共同祖先，自称“炎黄子孙”。

从春秋战国至秦汉大统一，是中华民族的第一次大融合，产生了中华文化的第一个高峰，百家争鸣，儒家文化精细而先进，发展迅速。秦汉大统一，车同轨，书同文，汉族共同体形成，汉文化成了中华文化的主体文化。

从魏晋南北朝至唐宋，中华民族历经第二次大融合并产生隋唐盛世，文化上是各民族文化交融与儒道佛三教合流。中华文化吸收各民族文化与外来佛教文化，更加博大精深。儒道佛合流，产生宋代理学，可以说是儒学的新生与高峰。元明清时代，蒙族、满族入主中原，中华民族形成更加巩固的多民族大家庭。这一时期西方文化东传，东西方文化发生碰撞，产生了“五四”新文化运动，民主与科学在中华大地传播。

近代中国遭受列强入侵，中华民族传统文化的凝聚力始终维系着各民族的团结，并在反帝反封建的斗争中形成中华民族新的大家庭。新中国成立后，特别是20世纪80年代以来我国的改革开放，使社会主义现代化建设取得了巨大成就，文化建设有了较大发展，开创了振兴中华文化的新纪元。

3. 影响中华民族及文化发展的主要因素

(1) 地理因素。中华民族的生存空间中华大地，在亚洲东部，现今国土960万平方公里，形如雄鸡，在秦汉大一统时已基本确立。其特点是西北高东南低，形成落差显著的三级阶梯复杂地形，高原、盆地、平原、大山大川，构成许多独立的地理单元，形成中华文化的多元发展，具有吸纳性和开放性。从总体看，中华大地又是一个巨大的封闭的地理单元，三级台地，形如一把躺椅。中华民族这一东方巨龙安详地在这躺椅上休憩五千年，依山带水，面对海洋而内向大陆，闭关锁国，产生的中国古代文化是农业文化而不是海洋工商文化。其特点是强调天人合一，物我一体，而不是强调征服自然和改造自然，走向大洋。这是中华民族传统文化具有保守性的原因。

(2) 经济因素。中华大陆东西跨经度60度以上，南北跨纬度30度以上，加上地形复杂，形成多样气侯，产生不同的经济圈。从南北来看，长城以北为游牧经济区，长城以南淮河以北的黄河流域中原地区为干旱农业区，食粮以粟、黍、麦为主；淮河以南长江、珠江流域基本为温润的水稻农业区。不同的经济区与多元的地理单元，形成民族的多元文化发展。从东西来看，从黑龙江漠河向云南腾冲划一条斜线，基本是气候与古代农牧经济的分界线，西部是高寒干旱的牧区，土地承载人口有限，东部是低平湿润的农业区，经济发达，人口繁衍。西部面积60%以上，人口只有7～8%，东部面积不到40%，人口在90%以上，这一比例自秦汉以来至今基本没有变化。所以在东部中原形成的汉族，向四方发展，四方民族汇于中原融合，因此汉族独大，人口占90%以上，在中华民族大家庭中起凝聚主体作用，这就是汉文化成为中华民族主体文化的重要原因。

(3) 语言文字因素。中华民族大家庭使用多种文字，汉、藏、蒙、维等。因主体文化为汉文化，所以汉语汉字为民族文化代表，现在我国境内多数少数民族均通用汉字，有的直接使用汉语汉字。汉字以象形字为基础，具有形音义三要素，使用中规范化为方块形状，所以称为方块字。楚辞汉赋，唐诗宋词，只产生于汉字语言中，书法艺术是汉字的形体艺术。字义训诂产生训诂学。围绕汉字汉语，产生文字学、音韵学、训诂学，这是中华民族传统文化的基础内容。中国人的思维定式与汉语汉字均有极大的关系。

二、中华文化的特征

1. 源远流长

中华文化有五千年的悠久历史，是世界上四大最古老的文明之一。中华民族是世界上最早跨入文明时代的民族，从公元前的数世纪直到 16 世纪，中国一直是世界经济最发达、文化最先进的国家。悠久而厚重的中华民族传统文化，有强大的生命力和凝聚力。现代 13 亿中国人共 56 个民族，共认一个祖先。中华儿女都是炎黄子孙，龙的传人，只要提起伏羲、炎帝、黄帝，就能唤起全体中华儿女的激情，追念先祖，认同文化，产生民族自豪感和爱国心。

2. 博大精深

中华民族多元一体格局，决定了中华文化在发展过程中的开放性和吸纳性。中华文化博大精深、兼容并蓄、丰富多彩。正是由于中华文化吸收多民族文化和外来文化，不断创造新的文化，在中国历史上产生了汉唐盛世。自明清以来，由于采取了闭关锁国的政策，曾一度遏制了中华文化的开放性和吸纳性，所以中华民族近代落伍了。进入 20 世纪 80 年代以来，我国实行改革开放的政策，善于和乐于吸收外来文化丰富自己，善于博采众长，吸取有益的营养，创造更加美好的中华文化。中华文化的复兴是历史发展的必然。中华文化既有光辉的过去，必有光辉的未来，中华文化曾经丰富了人类文化宝库，今后仍将带着自己的特色和光芒，为人类的未来作出更大的贡献。

3. 儒学为主体

中华文化在历史发展的进程中，儒、道、名、法、墨、阴阳等百家学说融合，并吸收了佛学以及各民族文化与外来文化，但主体是儒家文化。儒学的创始人孔子是春秋末期的大思想家。儒家文化由孔子创立，孟子和荀子加以发扬光大，经董仲舒和朱熹等人的不断扩展充实，被汉代以后的历代统治者奉为正宗的一派，并尊孔子为“至圣先师”。儒学为中华民族提供了丰富的人生智慧，凝结了中华民族特有的心理素质，形成了以儒学为主的中国传统文化。儒学的核心是“仁”，主张“克己复礼为仁”，“仁者爱人”，并以“恭、宽、信、敏、惠”作为“仁”的内容，主张“见利思义”，宣扬均富博爱，提倡开明政治，反对暴政等。

儒学思想在历史上延绵2000多年，虽然里面包含了封建糟粕，但更蕴藏数不尽的思想珍宝，它已成为中国人民宝贵的精神财富。孔子也是一位伟大的世界文化名人，儒学思想对世界文化也产生着重要影响，美国前总统里根也认为，“孔子高贵的行谊与伟大的伦理道德思想，不仅影响他的国人，也影响了全人类”。

1988年1月，75位诺贝尔奖获得者在巴黎发表联合宣言，向全世界呼吁：21世纪人类要生存，就必须吸取2000年前孔子的智慧，必须重新认识东亚文明。这在一定程度上也说明了中国传统文化具有强大的生命力。最近十年来，随着中国国力的增强，中华文化向全世界辐射，孔子学堂遍及五大洲，一百多个国家和地区。我们深信，在新的历史条件下，中国灿烂的文明和优秀文化，必将成为社会主义现代化建设的强大的内在动力和精神资源。

4. 国学是中华传统文化的精髓

以图书典籍为载体积淀的中华传统文化就是国学。我国最大的国学宝典就是成书于康乾盛世的《四库全书》。四库，指经、史、子、集四大部类图书。

（1）经部典籍。中国传统文化的主体是儒家的经学。儒家经学的基本典籍就是十三经。自从汉武帝“罢黜百家，独尊儒术”之后，孔子逐步成了圣人，儒家五经逐步扩展为十三经，儒家思想成为中国封建社会的正统思想。历代统治者大力提倡儒学，通经致仕成为正途，朝廷诏令及群臣奏议皆援引经义以为依据。经学对于中国封建社会的政治思想、文化学术和社会意识都产生过深远的影响。单从文化学术方面看，经学与中国的史学、哲学、语言文字学、文献学、考据学都有密切的关系。所以十三经在今天，仍是文史工作者时常备查的书。

十三经按典籍内容分，可归入文、史、哲三类。《诗经》是文学总集，可入集部；《春秋》、《左传》是系统的编年史，《尚书》是档案汇编，《仪礼》、《周礼》述典章制度，这五种皆为史学类，可入史部；《易经》、《礼记》、《论语》、《孟子》、《孝经》等五种言性理为哲学类，可入子部；《尔雅》是百科词典。在十三经中，孔子的《春秋》与三传紧密相配，称“春秋左氏传”，“春秋公羊传”，“春秋谷梁传”，合称春秋三传。

（2）史部典籍。梁启超在《中国历史研究法》中说：“中国于各种学问中，惟史学为最发达；史学在世界各国中，惟中国为最发达。”这段话充分肯定了史学在中国传统文化中的地位。四部目录经、史、子、集，史籍部居第二位，就说明了这一问题。中国古代史学大家，一般都具有恢宏的历史视野，学兼天人，会通古今，并以高度自觉的精神肩负修史使命，视史学有补于人伦道德与治政借鉴，强调以古为镜，经世致用，实录史事，这些都是中国史学的优良传统。

（3）子部典籍。春秋战国时代，由于社会政治经济和文化发生急剧变化，从而在学术思想领域形成百家争鸣的局面。许多思想家四方游说，著书立说，逐渐形成了不同的学术思想流派。后世将这些思想流派的代表人物称为“子”，其书称为“子书”，这就是子部书的起源，古典书目泛称诸子。

子部中的诸子书今谓之哲学类著作。但中国古典目录四部分类的子部典籍，远远超出诸子哲学论著，十分庞杂，宗教、科技、类书、杂著皆列于子部。大抵随时代变迁，范围不断扩大。司马谈《论六家要指》，分先秦诸子为六家，即儒、墨、名、法、阴阳、道德。刘歆《七略》和班固《汉志》以此为基础，又加上纵横、杂家、农家和小说家，共为十家。《七略》诸子总叙说："诸子十家，其可观者九家而已。"九家未计小说家。因之学术界有"九流十家"之说。东汉时佛教传入中国，后来儒、佛、道并称"三教"。道佛文献，《隋志》附于四部之后，《唐志》列入子部，后世因之。所谓"三教九流"，皆入子部。天文历算，医药种树、鱼虫鸟兽，凡不宜入经、史、集者皆入于子部，于是子部典籍不断扩大而十分庞杂了。《四库全书总目》分为十四类：儒家、兵家、法家、农家、医家、天文历法、术数、艺术、谱录、杂家、类书、小说、释家、道家。《四库全书总目》著录的子部，大体反映了清中叶以前我国子书的全貌。

(4) 集部典籍。《随书·经籍志》集部分为三类：楚辞、别集、总集；《四库全书总目》又增诗文评、词曲二类，共为五类。

楚辞实质是一部战国后期以屈原作品为主的楚国文学总集，包括屈原、宋玉、唐勒、景差等人的作品，以屈原作品最著名。他的《离骚》是千古传颂的名篇。该诗深刻地反映了七雄纷争的局面，记叙了楚国统治阶级内部尖锐的激烈斗争，表达了诗人忧国忧民的情怀。《天问》是屈原所写的一首哲理诗，记录了战国时代流行于楚国的许多神话传说，对宇宙结构提出了疑问和探索，保存了不少古代材料。屈原的其他诗歌描写了战国末楚地流行的风俗习尚。

别集是指一人的诗文集，起于汉魏。历代政治家、思想家、文学家都有自己的文章。这类文集举不胜举，时代愈后愈多，明清时代有四、五千种。

总集是汇录多人的诗文作品。现存总集以梁萧统的《文选》为最早。萧统为昭明太子在东宫时召集文人共同编订，所以又称《昭明文选》。入选诗文 700 余篇，共 30 卷，分为 38 类。本书是一部选集前人文学著作的总集，自先秦至齐梁，略古详今，多收南朝作品。所收诗文，由于文学性强，分类得体，阅读方便，成为历代文人学士必读书，甚而有“《文选》烂，秀才半”的谚语。

总集一代诗文，有《全唐文》、《全唐诗》。《全唐文》一千卷，清董浩、曹振镛等编，收唐和五代文 18488 篇，作家 3400 余人，附有作者小传。《全唐诗》九百卷，清彭定求等编，收唐和五代诗 48900 多首，作者 2200 余人。全宋文、全宋诗等，当今学术界已完成了编纂出版。中国集部文献，卷帙浩博，内容丰富。历代文集，散失的很多，而存世的数量仍然惊人。唐以前大都散失，所存无几，唐以来历代文集存世的大约不下 8000 余种，这是中华民族一笔珍贵的文化遗产。

时下，国学热在全国兴起，各地都有国学讲座班。大众媒体，中央电视台“百家讲坛”就是传播国学的一个平台。“国学大师”之名，不时见诸报端，而往往是把专才大家称为“国学大师”，极不严肃。所谓“国学大师”，必须具有三个条件，缺一不可。第一，经、史、子、集四部皆通。第二，在经、史、子、集四部中精通某一领域，处于同时代人的研究前沿，创造出引领该领域先锋的论著。第三，桃李满天下。这第三条，如果说你没有直接师授的弟子，也必须有人继承或弘扬你做出了创造性领域的学术。套用一句时髦的话，你拥有一群有学术造诣的粉丝。前两年有一位“红学大师”，以“国学大师”之名频频亮相于报刊，涉足秦汉史，写了一篇考证来修正司马迁和班固的所谓“错误”，还说发展了王国维的二重证据法。事实上这篇考证文章，无一字之考，无一字之证，甚至出现常识性的历史错误。因为这位“红学大师”不懂史籍，不熟悉秦汉史，写了一篇他不熟悉领域的文章，导致身败名裂，也就不可避免了。

三、中华文化的传统

所谓传统，就是基本精神。中华文化以人为根本，重伦理情感，不重视信仰，所以中华民族的宗教信仰淡泊。宗教神学思想在中国始终没有成为意识形态的主流，中国古代从来没有过教权高于王权的时候。佛教传入中国，必须世俗化，和尚必须向帝王行跪拜礼，必须遵从儒学的伦理，倡导忠孝节义，礼义廉耻，才能在中华大地站稳脚跟。《尚书·泰誓》说："民之所欲，天必从之。"中国人尊崇的天，也要顺从人民的意志。因此，中华文化的传统，无论是内在动力或外在表现，中华文化的内核和精髓是以人文主义为根本。下面就其主要精神概括为八个方面：天人合一、大一统思想、民惟邦本、重义轻利、和贵中庸、舍生取义、自强不息、爱国精神。

1. 天人合一

中华文化根植于黄土高原，农耕生产很大程度上靠天吃饭，所以中华先民很早产生敬天、畏天思想。殷人敬鬼神，把祖宗神与天神合而为一，认为天具有人格神的含义，敬畏上帝、天帝。但周人从夏商的覆灭中看到天命靡常，并不永远保佑某一朝代。秦汉之际的演变，开创布衣将相之局，人格神的上帝进一步淡去。董仲舒提出了"天人相与"的学说，司马写《天官书》修正"天人相与"，提出"究天人之际"，说天人既相与，又相分。"际"，是指两墙相合之缝。"究天人之际"，图示如次：

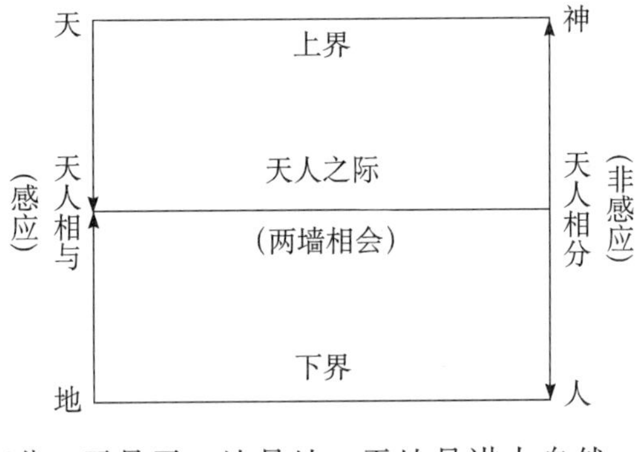

天人相分，天是天，地是地，天地是讲大自然。天人相与，即天人感应。天上的神上帝与地上的人主帝王相通。人主受命于天，天人之间靠帝王用"道"来与天神联结，帝王要依照天意行事。天道是佑善惩恶。帝王行善爱民，政治上轨道，天就降下"符瑞"，以资奖励；反之，帝王昏暴虐民，政治陵迟，天就降下灾异，以示谴责。每逢日食、月食、山崩地震、火山爆发、水旱之灾发生，帝王就要自省改过，改善政治。“天瑞”“天谴”的感应作用，目的是要帝王自律，不可滥用绝对君权。在实际操作中，明圣之君，如汉文帝，“天谴”发生就下诏求言，改善政治与民生。昏暴之君，就把“天谴”委过于执政大臣，让三公宰相来顶罪，说成是帝王断手足，放逐甚至杀戮大臣。

天人合一，在政治上是为君权制政权提供理论依据。《史记·天官书》把天上的星宫分布，按人间的政治结构来附会，环周天的星宫，分为五大星区。中心区叫中宫，是帝廷，天命的住所。东西南北四大星区，分别叫东宫、南宫、西宫、北宫。东宫为议政的明堂。南宫是天帝的别宫，后妃的住所。西宫是天帝的车库。北宫是天帝羽林军的营地。五宫星官体系是一个大一统的世界，秩序井然，等级森严。天人感应，按一一对应关系来解读。

实际上，天上的秩序，是把地上大一统的模式搬到天上，反过来说，地上大一统的中央集权是符合天道的。秦汉大一统是新兴的制度，古代天文学对天人感应的建构为现存的政治制度服务，是一种信仰与哲学理念，在当时是具有进步意义的。

天人合一，在人伦道德上，要求民众守道，尊崇上下尊卑，维护社会秩序和谐。除夕之夜，普天同庆，家家团聚，放爆竹除旧迎新，守岁等待这一时刻交替。吃年饭之前有祭祀活动，祭献年饭给天地君亲师。百姓家的堂屋正中供的牌位就是“天帝君亲师位”。中国人重视除夕团聚的习俗，表明天人合一观念深入人心，是民族魂民族血液的组成部分。

天人合一思想，实质是维护社会秩序平衡的理论建构，上自帝王，下至黎民，都要敬天，畏天，自我约束，遵守和谐秩序。人生于天地之间，大自然提供了人们的衣食住行，敬畏天地，不去破坏生态平衡，也是中华民族感恩天地的一种形式。天人合一作为一种哲学理念，代替宗教信仰，起到了宗教凝聚人心的作用，有积极意义。其中君权神授之说，应当扬弃。

2. 大一统思想

中华文化“大一统”的思想，就是重视和推崇国家统一，反对民族分裂。中华民族自古就有维护统一，反对分裂的传统。春秋战国时代，面对群雄争霸，诸侯割据的社会动乱，以孔子为代表的先秦诸子就高扬起“大一统”的旗帜。孔子一生为之奔走呼号的就是建立一个“大一统”的国家，实现其“四海之内皆兄弟”的社会。先秦诸子尽管他们对社会的改革方案不尽一致，但却有一个共同的目标：建立一个统一的多民族的国家。

西汉董仲舒宣扬《公羊春秋》，强化大一统学说。司马迁写《史记》从黄帝统一到秦皇汉武帝的大一统，象征着历史发展的方向，象征着帝王德业的兴盛。中华民族不断壮大，各民族相互融合，贯穿在《史记》全书中。夏、商、周三代之君，秦汉帝王，春秋以来列国诸侯，四方民族，无不为黄帝子孙。中华民族皆黄帝子孙，这一民族统一观念就奠基于《史记》。匈奴是夏桀之后，勾吴与中国之虞为兄弟，越王勾践禹之后，楚是颛顼之后，其苗裔为滇王。

3. 民惟邦本

民惟邦本，即民本主义，是中华传统文化最有价值的内核，有着深远的历史渊源。“民惟邦本，本固邦宁”，语源出自《尚书·五子之歌》。孔子提出“为政以德”，修身的最高境界是“仁”，其核心思想就是“爱民”。孟子提出“民为贵”的理念，把民本主义推向一个高峰。孟子谴责暴君是“独夫民贼”，赞扬汤武的革命行动。孟子回答齐宣王问：“汤放桀，武王伐纣，臣弑其君，可乎？”说：“闻诛一夫纣矣，未闻弑其君也。”（《孟子·梁惠王下》）儒家从爱民观点出发，主张施政要得民心。孟子说：“失其民者，失其心也”，“得其民，斯得天下矣”。（《孟子·离娄上》）主张性恶论的儒者荀子说得更形象：“水则载舟，水亦覆舟。”（《荀子·王制》）司马迁在《史记》中更具体地提出帝王施政、改革都要“顺民之俗”，称汉初政治是“天下顺流与之更始”。流，就是全民所向的历史大势，如同水之下流，不可阻挡。

4. 重义轻利

“义”者，宜也。宜就是应该做的事，用今天的话说，就是体现社会公利的道德标准，利则指个人所得利益，个人欲望的满足。孔子说："不义而富且贵，于我就如浮云。"（《论语·述而》）儒家主张"慎独"，在没有任何人监督之下，约束个人私利，勇于奉献公益，儒家称之为"君子"；对追逐私利的人，儒家称之为"小人"。孔子说："君子喻于义，小人喻于利。"（《论语·里仁》）又说："君子忧道不忧贫。"（《论语·卫灵公》）

5. 和贵中庸

和贵中庸，即贵和执中。贵和，就是崇尚"和谐"、"人和"。执中，就是以中为用，史称中庸。"和"为宗旨，是理念；"中"为用，是执行的功效。孔子的学生有子说："礼之用，和为贵"。（《论语·学而》）在人际交往和人际关系中，"和为贵"，达到和谐、中和的境界是儒家的基本精神，也是中华传统文化的基本特征之一。

孔子说："过犹不及。"（《论语·先进》）这是对中庸思想的阐释，办事不要过，也不要不及，把握平衡，即是中庸。中庸思想的产生有悠久的历史。《论语·尧曰》载：尧曰："咨，尔舜，天之历数在尔躬，允执其中，四海穷困，天禄永终。"尧禅位于舜，教四字之诀"允执其中"，意即以"中道"为政教的准则。舜受尧命，唯中是用。孔子大加称赞。至文、武、周公，仍以中和为准。传至孔子，加以弘扬，中庸观念已不仅是道德行为的准则，而且成为思想方法，处事的法则，称为"执中"。"执中"的准则有两层含义：一是"过犹不及"，二是以礼为节。"中庸"实质就是"中礼"。

有子说："知和而和，不以礼节之，亦不可行也。"（《论语·学而》）《礼记》载孔子的话说："敬而不中礼，谓之野；恭而不中礼，谓之给；勇而不中礼，谓之逆，……礼乎礼，夫礼所以制中也。""礼"以"制中"为用，所以有子称"礼之用，和为贵"。

"中庸"说由孔子创立，战国中、后期，孔门弟子大加发挥，遂有《中庸》一书。此书借孔子之言全面阐发了儒家的中和、中庸思想。不要走极端，持守中和观念。中庸、中和观念流行甚广、甚深，对中国的伦理道德、思想方法、行为方式都产生了极大的影响。

“和为贵”还包括“和而不同”的理念。“和而不同”，强调了事物的多样性，都有其合理性与合法性。“和而不同”语出《论语·子路》。孔子说：“君子和而不同，小人同而不和。”和，指和睦。同，指苟同。和睦相处，但不苟同。君子之道尊重差异，崇尚和谐。小人处世，只是苟同、附和，而实质同床异梦，或沆瀣一气。

总之，“和贵执中”，在中华传统文化中是人生处世的一个普遍原则。用于自然，天人合一，认识大自然的一部分，大自然是人类赖以生存的基础；用于人际关系，注重和睦相处，人们之间应当相互尊重，相互关心，形成平等、友爱、团结、互助；用于团体、民族、国与国之间，主张“求大同，存小异”，和平解决争端。邓小平提出的“一国两制、和平统一”祖国的思想，充分体现了中华民族传统文化“和为贵”的思想。

6. 舍生取义

舍生取义，让生命闪光，这是儒家达于“仁”的最高道德境界。孔子曰：“志士仁人，无求生以害仁，有杀身以成仁。”（《论语·卫灵公》）孟子曰：“生亦我所欲也，义亦我所欲也；二者不可得兼，舍生而取义者也。”（《孟子·告子上》）“杀身成仁，舍生取义”，这是孔孟之道的生命价值观。当“义”与“生命”发生不可并存的情况下，宁可舍生取义，当然这个义应是民族大义。这一生命价值取向，在中国历史上产生了深远的影响，它对于中华民族重气节、尚情操的修养起了重要的作用。抗金英雄岳飞，义不臣元的文天祥，民族英雄于谦、郑成功，抗日烈士戴安澜等就是用这一价值观取向谱了“成仁取义”的正气歌。

孔孟的“舍生取义”，在司马迁笔下化为悲剧情怀。《史记》人物是一道悲剧英雄的画廊。司马迁更进一步体悟到生命的价值最重要的环节是怎样对待“死”，他提出了震撼千古的至理名言：“人固有一死，死有重于泰山，或轻于鸿毛，用之所趋异也。”（《报任安书》）生命的价值，不在长短，看你怎么度过。人要保持晚节，是对生命的最高运用。司马迁推重勇于死节的人，写了许多悲歌慷慨的仁人志士，如荆轲之死、项羽之死、李广之死等等。但在特定的环境，死是怯懦，活下来才是勇者，从而提出了忍辱负重的荣辱观。例如勾践降吴，卧薪尝胆而灭吴；伍子胥历尽艰辛投吴，终于破楚入郢，鞭楚平王之尸报了父兄冤死之仇，司马迁称赞他"弃小义，雪大耻"。司马迁自己蒙受宫刑活下来发愤著书，是因为一个史官的职责。他肩负历史的重托，要为人民呐喊，生命高于个人的荣辱。

7. 自强不息

自强不息，也是中华文化最重要的基本精神之一。孔子称自己"学而不厌"，"其为人也，发愤忘食，乐以忘忧，不知老之将至"。孟子说："天降大任于斯人也，必先苦其心志，劳其筋骨，饿其体肤，空乏其身。"这种努力进取、坚持不懈的精神，成为中华民族坚强毅力的重要传统。《易传》说："天行健，君子以自强不息。"这是说，日月星辰的天体永远在运动，永不停息，有作为的人应效法它的"刚健"，努力向上，绝不停止。中华文化延续了几千年，从来没有中断，靠的就是这种自强不息的精神；中华民族延续了几千年而不可征服，靠的也是这种自强不息的精神。唯有不断的自强，才能永远自立，中华民族才能永远屹立在世界东方。

8. 爱国精神

爱国主义是世界上普遍推崇的思想感情，而中国历史上的爱国主义，作为一种精神文化价值，是几千年来中华民族文明史的核心。中华民族的爱国精神以其忧国忧民的忧患意识和团结御侮的不屈精神为特征。作为中华文化主流的儒家学说，其强烈的忧患意识就是以对国家、民族及社会发展前途的关注为内容，高扬以天下为己任的爱国主义情感。孔子说："君子忧道不忧贫。"孟子说："生于忧患，死于安乐。"陆游在诗中写道："位卑未敢忘忧国"，"王师北定中原日，家祭无忘告乃翁。"这些都表达了忧国忧民的精神。范仲淹在《岳阳楼记》中表达的"先天下之忧而忧，后天下之乐而乐"的思想，将中华文化中的忧患意识升华到更高的境界，影响、激励着一代又一代仁人志士，当大敌当前，民族危难之时，全体中国人都高举"天下兴亡，匹夫有责"的爱国主义旗帜，英勇不屈，奋起抵抗，抛头颅，洒热血，赶走外来侵略者，捍卫了祖国的统一。这种强烈的爱国主义精神，鼓舞着历代中华儿女。

博大精深的中国文化，还有许多优秀传统，如韬光养晦、正道直行、克己复礼、诚实守信、厚德载物、礼让荐贤与当仁不让等等，限于篇幅，不一一备述。

四、中华文化的功能

中华文化影响于民族最主要的功能有四：行为规范；爱国主义的思想源泉；民族凝聚的纽带；海峡两岸和平统一的基础。

1. 行为规范

中华文化是伦理道德型的文化，儒家的礼教文化占主流，儒学倡导的礼仪制度、宗法制度、伦理道德成为约束民族行为的方式。孔子修《春秋》，在字里行间蕴含很多义理，以此评价历史和现实，“使乱臣贼子惧”。司马迁作《史记》，效法《春秋》，从道理评判出发，树立社会楷模，善善恶恶，整齐社会秩序。司马迁认为，惩恶劝善的道德伦理比法律更为重要。人们不读《春秋》，将是“君不君，臣不臣，父不父，子不子”。读了《春秋》，则将是君明、臣贤、父慈、子孝，社会和谐。礼仪伦理是社会、国家、群体、家族维持统一、和谐的道德行为规范。在日常生活中，是个人修养、待人接物的准则。忠义、孝悌、慈爱、诚信等道德传统，须臾不可离身。人人做到了，公德自然发扬，恶行自然克服，和谐祥和的社会秩序自然显现。

2. 爱国主义的思想源泉

爱国主义是千百年来逐渐形成的对自己祖国的一种深厚情感。这种情感集中地表现为民族自尊心和自信心；表现为人们为争取自己祖国的独立、富强而英勇献身的高度责任感。中华民族传统文化是爱国主义的思想源泉。中华民族深厚的爱国主义孕育于中华传统文化中。中华文化的大一统精神、共认一个祖先、重义轻利、舍生取义，无不激发民族成员的爱国热情。尤其是中华民族共认一个祖先，人人都是炎黄子孙，这一大一统历史观把爱国主义根植于家国一体中，最能唤起同血缘、同地域、同文化的民族亲情。所以，“炎黄子孙”至今仍是激发中华儿女爱国主义热情最响亮的口号，这正是中华文化的特色。

3. 中华文化始终是维系全体中国人的精神纽带

一种民族文化，在其发展历史长河中形成的价值观念、伦理道德和风俗习惯等文化心理，深深地溶进了民族的血管里，陶铸着民族的心灵，对民族的凝聚力起着永恒的作用。中华民族强大的凝聚力就是在共同的民族文化心理机制作用下形成的。文化共根和文化认同，是民族凝聚的基础，也是维系民族的精神纽带。

中华文化根植于古代宗法社会，宗法社会以家庭为本位，以宗法血缘关系为基础，以儒学为代表，经统治阶级长期的倡导、完善，给中国古代伦理关系赋予浓厚的宗法色彩。统治阶级内部按宗室血缘的亲疏关系来确定其内部的等级秩序，成为其维系内部团结的纽带。由于建立在宗法制度基础上的伦理观念的强大力量，形成了具有社会意义的民族忠诚感、民族责任感和民族义务感，并在一定程度上维持了社会的和谐。伦理中心原则也培育了一大批为本民族利益而效忠的封建时代的民族英雄。由家庭到国家，达到政治与伦理的统一。这种古代中华民族共同的社会心理和文化心理，升华为中华民族骨肉同胞相爱的爱国主义情感，也就成为一种维系着民族内部聚而不散的精神支柱。

爱国主义是民族凝聚力的灵魂和基础。中华民族是多元一体。现今有56个民族，一体，就是大一统的中国。中华各族人民，在长期的实践中深深认识到，各民族需要祖国，离不开祖国；祖国需要各民族，离不开各民族。中华民族的爱国主义，不仅表现为各族人民对祖国的山川风物的爱恋，不仅表现为对祖先以辛勤的劳动创造的文明的热爱和自豪，而且还表现在对国家的利益和命运的强烈关注和对祖国美好未来执着追求以及为维护祖国的统一与尊严勇于献身的精神。中华民族爱国主义精神，饱含着中华民族的历史优良传统和品格，“国家兴亡，匹夫有责”、“杀身成仁，舍身取义”以及“先天下之忧而忧，后天下之乐而乐”等精神，都是根植于中华民族传统文化的内涵，它使得中华民族的爱国主义不是简单的口号，而是一种民族精神、民族准则，无论海内外，在凡是有炎黄子孙的华人地方都能产生共鸣而形成凝聚的精神，因而能够形成巨大的力量。近代中国，每当国难当头或民族危机时刻，不仅举国上下全民族奋起，而且海外华侨踊跃支持，捐钱献物以至回国参加实际斗争，就是这种爱国主义精神的召唤。江泽民同志说过：“在我国历史上，爱国主义从来就是动员和鼓舞人民团结奋斗的一面旗帜，是各族人民共同的精神支柱，在维护祖国统一和民族团结、抵御外来侵略和推动社会进步中，发挥了重大作用。在爱国主义精神的激励下，我们的国家和民族自强不息，具有伟大的凝聚力和生命力。”今天，这种爱国主义精神正在吸引着一切关心祖国繁荣和发展的海外华人为祖国的四化贡献力量。

4. 统一祖国，振兴中华，要求继承和发扬中华文化优秀传统

江泽民同志指出：“中华各族儿女共同创造的五千年灿烂文化，始终是维系全体中国人的精神纽带，也是实现和平统一的一个重要基础。两岸同胞要共同继承和发扬中华文化的优秀传统。”这一讲话精辟地阐述了弘扬中华民族传统文化的现实意义，对深入开展海外统一战线工作，推进祖国和平统一，指明了方向。中国是文明古国，中华文化博大精深，源远流长，虽历经劫难，却经久不衰，一直延续到今天，显示了强大的生命力、创造力和凝聚力。台湾文化、香港文化、澳门文化，都是中华文化的一部分，它们根在祖国大陆。祖国大陆与海外同胞是同种、同文，语言相同，习俗相近。中华文化根植于所有中国人的血液中，根植于所有中国人的精神生活和物质生活中。在近代史上，台湾文化、香港文化、澳门文化，都曾受到了西方文化的强烈冲击，但是它的根底依然如泰山般的坚定，它的主流依然如黄河、长江那样充满民族风采，海外同胞始终保持了中华民族的尊严和中华文化的特征。中华儿女无论走到哪里，天之涯，海之角，都不会忘记自己是炎黄子孙，龙的传人。散居于世界各地的华人，有的已经在国外定居了许多年代，有的已加入了当地的国籍，可他们执意认定自己是华人，就是由于中华文化的认同，他们的根在中国，中华文化具有比血缘更强的凝聚力。因此，开展祖国大陆同台湾、香港、澳门的文化交流，开展同世界各地华人的文化交流，共同继承和发扬中华文化的优良传统，光大和繁荣中华文化，就是抓住了民族之魂，就可以大大加强祖国大陆同胞同台湾同胞、港澳同胞、海外侨胞以及一切中华儿女的民族感情和爱国精神，对推进祖国和平统一，促进中华复兴，将发挥重要作用。

（2011 年 3 月 20 日在中华文化学院港区省级政协委员第十六期国情研修班上的演讲）

第十九讲　中华传统文化中的治国理政思想

司马迁所写《史记》，贯通上古三千年历史，历经夏商周三代至秦汉大一统，是中国政治史的源头，中华文化的源头。本讲疏理司马迁在《史记》中总结的治国理政思想，可以代表中华传统文化的治国理政思想予以评说。下分四层次来谈：诸子百家的治国理念；战国时代富国强兵的两种改革模式；黄老无为与文景之治；余论。

一、诸子百家的治国理念

中国西周盛世实行封土建国，诸侯林立，拥立一个天下共主来协调和维护平衡，称为封建社会。周天子是最大最高的封建主，即天下共主，称王。天下土地都归国王所有。《诗经·小雅·北山》："溥天之下，莫非王土。率土之滨，莫非王臣。"周天子把土地按公、卿、大夫、士的等级层层分封，成为大大小小的诸侯国。受封土地的公卿大夫，由家臣来管理生产的农奴。这一封建制度适应当时生产力低下的农奴制社会。因为生产力低下，社会不能蓄积强大的财力建立强大的国家体制。层层分封，以占有土地的大小确立等级制度，用礼来维系。周公制礼作乐，以礼仪制度来管理国家政务。

西周封建制度行用了几百年，到了春秋战国时期，人口繁衍，需要发展生产来支撑。而铁工具的出现，大大提高了生产力。各诸侯国都积聚起一定的财力组建军队，增强国力。为了提高劳动者的积极性，解放农奴成为自由民。于是封建制的基础被破坏，诸侯大吞小，强并弱，周天子的权威坠地，礼坏乐崩。社会战乱不休，出现了“争地以战，杀人盈野。争城以战，杀人盈城”① 的局面。先进的思想家思考，有理性的人类，为什么出现这样你争我夺的乱世？能不能制止乱世，实现永久和平？思想家们设计了各种方案，于是产生了诸子百家学说。《易·大传》说：“天下一致而百虑，同归而殊涂。”各家学说都是一种治国理念，目的都是要止乱世，而致太平。

西汉历史家司马谈，总结诸子百家归并为六家：阴阳、儒、墨、名、法、道德。司马谈认为六家各自提出的治国理念，都有可供采用的好的一面，也有应该扬弃不好的一面。司马谈的观点为司马迁所继承。司马迁写《史记》，总结了古代三千年的历史，考察了诸子百家学说对治世的影响，总结了实际发生的各种治国方案，成为我们今天评说的丰富历史资料。下面分说阴阳、儒、墨、名、法、道各家的治国理念。

阴阳家提出五德终始循环论的历史观，认为天命不佑一姓。天道惩恶佑善，得天下者要得天道，遵循五德才能得天下。阴阳家中的历家，规范的四时秩序是不可违抗的，但过多的禁忌是不可取的。

儒家提倡君臣有礼，长幼有序，夫妇有别，维护社会等级与和谐的礼是不可缺失的，但过于繁琐不适用，要加以简约。儒家提倡“仁者爱人”、“为政以德”，实施“仁政”。孟子还构建了一幅恢复井田制，每家有百亩耕地，一家老小三代衣食无忧的和乐

① 《孟子》卷七《离娄上》。

景象。孔子、孟子都周游列国，宣传儒家治国方案。而操作方法，孔子要克己复礼，孟子要恢复井田，脱离实际，孔孟都受到列国国君的敬礼，但不用以施政。

儒家施政理论重民生，提出“民惟邦本”的民本主义是中华传统文化最有价值的内核。

墨家提倡非攻、兼爱，主张强本节用是不可废弃的，但强调事事躬亲，自食其力，违背社会发展规律，生活像苦行僧，是做不到的。

法家提倡君尊臣卑，高度集权办事可以举国一致，力量集中国强君尊，强兵强国，立竿见影，这是有利的一面。但君主威严而少慈爱，不得民心，是其负面。

名家正名实，原则性强，是法家的延伸。但正名过于矫情，不可取。

道家学派创始人老子，主张“无为而治”，一切顺应自然，清静无为。提出“绝圣弃知，无知寡欲”的命题。老子反对贫富不均、苛捐杂税、兼并战争。他的理想社会是“小国寡民，使有什伯之器而不用，使民重死而不远徙”，“邻国相望，鸡犬之声相闻，民至老死不相往来。”① 小国寡民的主张是让历史回到生产不发达的古朴时代，这一套是没有人听从的。

司马谈主张最好的治国理念，是融合百家之长，扬弃百家之短。他在《论六家要指》中说：“道家为术也，因阴阳之大顺，采儒墨之善，撮名法之要，与时迁移，应物变化，立俗施事，无所不宜。”② 司马谈的主张是各家学说兼收并蓄，扬其所长，弃其所短。历史家的责任是：“述往事，思来者”，即知古鉴今。司马谈提出施政要“与时迁移，应物变化”这两句话，完全符合我们今天说的“与时俱进，改革创新”。司马谈又提出“立俗施事，无所不宜”。“俗”就是民俗，民心，顺着民俗民心施政，没有一件是不宜的。

① 《老子》第八〇章。

② 《史记》卷一三〇《太史公自序》。

我们看，司马迁继承父志，是怎样总结历史实例的呢？

二、战国时代富国强兵的两种改革模式

春秋时期，五霸更迭，经过了近三百年的兼并战争，百国诸侯，合并为七。即秦、韩、赵、魏、楚、燕、齐七个大国，历史进入了战国时代。七雄争战，拼的是实力，尤其是韩、赵、魏三国，地处中原，四围都是强国。严峻的形势，富国强兵是当务之急。七国都先后实施改革，强国强兵，兵法两家占了主导地位。魏文侯在魏国率先实施改革，主政大臣李悝是法家，嗣后魏武侯时有兵法家吴起。吴起后来又到楚国实施改革。魏文侯兼用儒家，师事卜子夏、田子方、段干木，此三人皆儒者。嗣后，赵武灵王胡服骑射改革，主政大臣肥义，有儒者风度。最成动的是秦孝公任用商鞅变法改革，申不害主持韩国改革，两人均是法家。乐毅在燕，兵家。邹衍在齐，阴阳家。田单复齐，田单亦兵家。

兵法家在战国时代处主流地位，形势使然。下面着重谈赵武灵王胡服骑射改革与商鞅变法两大模式。前者渐进，后者急进。

（一）赵武灵王胡服骑射

1. 年少即位

赵处在四战之地，七雄中赵为二等强国。秦、齐，一等强国，楚、魏亦二等强国，韩、燕为三等强国。武灵王时，尚有宋、卫、中山，四等小国。赵夹在齐、秦两大国之中，秦国在商鞅变法后，更是一跃而为超级大国，雄视东方。赵国北边的游牧楼烦、中山亦是劲敌。赵国如不奋发图强，有被列强分割之虞。

更为紧要的是，赵国内部，长期不稳。敬侯、成侯、肃侯连续三代国君，初立时都发生兄弟争位的内乱。敬侯立，有公子朝作乱；成侯立有公子胜争位，肃侯立有公子緤争位。公子緤失败，避难于韩。

赵武灵王，赵肃侯赵语之子，名雍。战国时赵国第六代国君。公元前 325 年至前 299 年在位，享国 27 年。

赵武灵王生于公元前 340 年，年十六，于公元前 325 年少年即位。即位之第八年，前 318 年，赵、魏、楚、宋、中山五国相王。赵雍，史称武灵王。公元前 299 年，让位给次子赵惠文王赵何，自称主父。五年后，于前 295 年死于内乱沙丘之祸，享年仅 46 岁。

赵武灵王年少即位，大权被叔父奉阳君公子成把握，不能亲政，被禁锢在高高的宫墙之内。奉阳君还在赵武灵王身边安插亲信，“置博闻师三人，左、右司过三人”。博闻师为国君顾问，左、右司过纠正国君过失。实际上这六个人都是奉阳君的耳目，他们包围赵武灵王，监视他的一举一动。这一切赵武灵王心知肚明，沉着应对。他盘算着要夺回权力，以柔克刚，步骤如下。

（1）韬晦自保，稳定政局。赵武灵王在奉阳君的监视之下深居王宫，佯装没事一样，自然大方地与博闻师、左右司过周旋，韬晦示柔不多言，十分敬礼叔父奉阳君，使奉阳君放松了提防。

（2）尊礼重臣。尊礼国老三人，每月赠送酒礼。三老，是尊礼贵重老臣，国君待以为师，以示谦逊，增强与众大臣的亲和力。

（3）扩大统一战线。武灵王五年，公元前 321 年，加冠，娶韩女为夫人。赦免叔父公子緤从韩国回国，以此分公子成之权。

（4）不失时机亲政。武灵王借奉阳君公子成居妇丧之机，“得与士民相亲”，名正言顺亲政，从而和平接权，避免了连续几代赵国权力交接的血腥政治。

武灵王的和平接权，表现了他的政治谋略高人一筹。

武灵王善于示弱麻痹对手，搞好人际关系，看准时机，以堂皇正大之名接权。这表明武灵王处事，不蛮干，不靠暴力，以理服人，以搞好人际关系取胜。

2. 胡服骑射

改革是非暴力的革命，弄不好就会流血。武灵王即位二十年，亲政十五年后才积蓄了相当势能正式进行改革，由此可见他的深思熟虑。

华夏习俗多礼仪，穿衣长袍肥腰，宽领大摆，这种长袍大褂，平时便居显得温文尔雅，绅士派头十足，但战斗时非常不便，更不适于骑射。夏商周三代，直到春秋中期，均是车战为主，甲士立在车上战斗，而且很讲究礼仪。古时车战，就像骑士决斗，所以宋襄公泓水之战，不打半渡之敌，不击未成阵之敌，不擒二毛。战国时期已经不适宜了。赵国西当秦国，北临楼烦、中山，这些国家，骑射为主，赵国不改不行。武灵王要富国强兵，吞并中山、楼烦，以扩大赵国领土，所以必须进行军事改革。

胡服，是文化观念和礼俗的改革，又是军事制度以及作战方式的大变革，非同小可。赵武灵王是如何推进的呢?

(1) 长期蓄势。夏商周三代历经 1700 年，以车战为主，徒兵为辅。殷代车战编制，每辆战车有甲士 3 人：车左、御者、车右，车下徒兵（步兵）10 人，称为一什，两伍，即 5 人为伍。周代车战，每辆有甲士 10 人，称为一什，车上 3 人，车下甲士 7 人，另有奴隶出身的步兵 15 人，分为三伍，合计一辆战车五伍，共 25 人，因是一辆战车故称为一辆（两），即五伍为两，四两为卒，一卒百人，立一卒长，也称百夫长。五卒为旅，500 人；五旅为师，一师 2 500 人；五师为军，一军有 12 500 人，拥有战车 500 辆。千乘的大国就有两军，才 25 000 人。周王室三军，37 500 人。春秋时，每辆战车的徒兵扩大为 75 人，三军之重也不过 10 万人左右。所以古代车战规模不大，一日之间就决出胜负。晋楚城濮之战，也就半天时间。

战国演变为步骑大战。秦赵长平之战，赵国一方就 45 万，双方动员 100 余万，战斗历经数年，长平主力决战长达半年。这一历史大变化，当然是生产力发展和政治改革的结果。

武灵王经过 19 年长期准备，蓄积国力与人事调整、理论准备，到公元前 307 年，正式提上改革的议事日程。

(2) 周密策划。武灵王平时闲居，把心腹大臣肥义等人召进宫中，秘密商议。武灵王说：“作为一个贤明的国君，平时要教导百姓，要制定好的政令，打仗要超越古代，建立功业。我要开拓赵国疆土，灭中山，并胡狄，用力小而收效大，这就需要建立一支骑兵，要学习胡服骑射，这必然要遭到流俗的议论和庸人的反对，怎么办?”

肥义说：“做事犹豫不决就不会成功，行动瞻前顾后就没有成果。大王要下定决心，准备承受世俗的批评和议论!”

武灵王说：“我不是没有决心和果断，我担心阻力太大。如果有你们大臣的支持，即使全社会的人都来笑我，我也要坚决干下去。”

武灵王在得到肥义等大臣的支持后，正式下令全国，改革服装，实行胡服。

（3）以理服人，统一思想。赵武灵王下达改革令之前，与朝臣展开了大讨论。十九年春正月，即公元前307年，利用春节大臣庆贺的欢快气氛展开讨论。武灵王把朝臣召到信宫，即离开国都在行宫讨论，一来可以集中精力，二来离开保守势力强大的首都，便于统一思想。反对力量主要来自公子成为首的宗室。在信都讨论，宗室力量处于绝对劣势。一连讨论了五天，可见激烈程度。一场大辩论、大讨论，肥义等外姓大臣都统一了思想，君臣一致认识到只有改革才是赵国的出路。会后，赵武灵王率领轻装队伍奔临中山国的边境，经过房（今河北赵州县）、代国，北临大漠，又登临黄河岸边的黄华山，对边塞形势和民情进行了实地考察，赵武灵王更加坚定了改革的决心。他返回国都后，向全朝文武宣布了改革服装的决定。不仅军队官兵脱掉长袍重靠，改穿短衣；而且朝中文武大臣也要身穿短衣，腰束皮带，身穿胡服，表示政治上的革新。史称赵武灵王的这场改革为胡服骑射。

（4）细致工作，以情动人。但是宗室大臣仍然反对。会后公子成称病不上朝，宗室赵造、赵文支持公子成。武灵王知道宗室大臣的主心骨是公子成。武灵王派叔父公子緤，以兄弟之谊去劝公子成，传达国君的旨意。公子緤向公子成转告武灵王的话说：“改穿胡服，希望叔父认同。作为子民，在家听从父母，作为人臣，要听从国君，这是做人的道理。我穿胡服，不是图新奇，而是要建功立业，对国家有利。国君的政令要推行，宗室贵戚要做榜样。如果叔父不穿胡服，天下的人就会反对，这改革大计如何能推行呢?”公子成说：“中原是礼义之邦，读诗书，行礼乐，那些不讲文明落后野俗的国家，由我们去教化他们，怎么能去学习他们的落后文化呢? 转告大王，我不穿胡服，我不上朝，在家养病。”

公子緤回报了武灵王。武灵王也不生气，平缓地说，看来要我亲自去请他了。武灵王亲自到公子成家慰问说：“穿衣是为了使用方便，礼制是为了办事顺利。圣人根据不同情况，因地制宜，都是要有利于国家。吴越地方的人剪短头发，纹身，额上刺花，衣襟左掩，这是他们的民俗，目的仍然是为了方便，有利国家。其实中国的礼俗，各地也有差异，城市和穷乡僻址就不一致。所以看问题不要千篇一律，不要与自己的想法不同就加以非议。今天叔父讲的是遵守风俗的问题，胡服骑射是改革风俗的问题，角度不同，目标是一致的。赵国频繁遭到中山国、楼烦的侵扰，若果不胡服骑射，我们拿什么来保卫国家。赵国先人简子、襄子长期与胡狄斗争，中山国曾毁我鄗邑，此仇不报，如何对得起先人?”

武灵王以理服人，以情动人，给足了公子成的面子，公子成不敢再闹下去了，于是向武灵王两次叩头说：“臣太愚蠢，没明白大王的高瞻远瞩，竟然去附和俗人的意见反对改革。明天我就穿胡服上朝。”

宗室赵文、赵造、赵俊等人仍然反对，与武灵王辩论。

赵文说：“衣服有常，礼之制也。”

武灵王说：“势与俗化，而礼与变俱，圣人之道也。”

赵造反对说：“圣人不易民而教，智者不变俗而动。”

武灵王说：“古今不同俗，何古之法? 帝王不相袭，何礼之循。”又说：“理世不必一其道，便国不必法古。”①

武灵王用说理的方法，终于排除了异议。公子成等宗室大臣

① 《战国策·赵策二》。

都穿上了胡服。国君和满朝文武都穿了胡服，这才下达全国胡服的改革令，上行下效，雷厉风行，一年后，赵国的军力大大增强。因为其他改革，骑兵的训练，走在了胡服的前面，胡服这一关键点，只是一个着装问题，所以改革就显得立竿见影。

3. 胡服骑射改革的意义

武灵王的胡服骑射改革有三大意义：

第一，达到了富国强兵的预期目的。胡服改革的第二年，武灵王巡视中山边境，到达宁葭，西行巡视胡人地区，到达榆中，林胡人献马。武灵王巡边作实践考察。接着派楼缓使秦，仇液使韩，王贲使楚，富丁使魏，赵舜使齐，做好大战前的外交工作，赵国以强国的地位现身列强。

赵武灵王二十一年，即改革的第三年，公元前305年大规模出征。武灵王亲任统帅，兵伐中山，周袑为右军将，许钧为左军将，公子章为中军将。赵希统胡代两地骑兵。经过五年战争，灭中山，逐楼烦，扩张土地北至燕代，西达云中、九原，赵国土地增大一倍。国力达于颠峰，成为一等强国，几乎称霸。

第二，武灵王的骑射改革在中国军事史上产生深远影响。由于胡服骑射，不仅仅是服装的改变，而是以改变服装为契机进行全面的移风易俗改革。胡服骑射，改变了兵种，宣布车战的结束，步骑战的大规模兴起，从而导致整个军制的改革，并且引发政治的革新。这场革新最直接的影响是战争史的一场大变革。骑兵的推广，不仅改变了作战方式，而且引起了军队编制的改革。可以肯定，这不仅是赵国兵制的一场大变革，而且是一个划时代的大变革。骑兵团投入战斗，战斗更加异彩纷呈。秦国继武灵王之后，组建大规模的骑兵团，得西北地利，收游牧之效，直接后果加速了秦国的统一。秦汉时期，华夏民族与匈奴、西羌的斗争，最后的决战是以骑兵大规模投入来决定的。可见赵武灵王胡服骑射，影响至为深远。

第三，创立了渐进改革成功的模式。中国古代变法，秦国商鞅用暴力手段强制推行，史称刻暴寡恩，虽然成功，最后自身遭车裂。商鞅用暴力，开了一个恶例，后来的王莽改革、王安石变法、戊戌变法，都急于求成而兼用暴力，这是失败的原因之一。武灵王改革，长期蓄势，充分统一思想，逐个做好关键人物的工作，看准时机，雷厉风行，树立了良好的榜样。

（二）商鞅变法

1. 秦孝公求贤

秦孝公是秦献公的儿子。公元前 361 年，秦献公去世，秦孝公袭爵。时年 21 岁，这正是人生中身强力壮、精力充沛的黄金时代。

当时，偏处雍州一角的秦国，较之东方诸侯大国，仍处于劣势，河西之地还在魏国的占领下。秦国照旧被他国轻视，当作夷狄，连会盟都不让参加。这种情况对于一个刚刚即位而又想振兴国家的君主秦孝公来说，当然是“丑莫大焉”。他追思先君霸主穆公“东平晋乱，以河为界。西霸戎狄，广地千里。天子致伯，诸侯毕贺”的光辉业绩，怀念献公“且欲东伐，复穆公之故地，修穆公之政令”[①] 的未竟事业，感慨万端，“常痛于心”。于是决心继承并发展秦献公的社会改革事业，振兴秦国，收复丧失的河西之地。公元前 360 年，秦孝公下求贤令，说：“宾客群臣有能出奇计强秦者，吾且尊官，与之分土。”[②]

2. 商鞅入秦游说秦孝公

商鞅，我国先秦法家杰出的代表人物，战国中期卫国公室诸公子，名鞅，因称公孙鞅或卫鞅，入秦变法有功，封为商君，史称商鞅。

商鞅在魏国是魏相公叔座的家族主管，公叔座病危向魏王推荐商鞅为相，魏王不用。商鞅得知秦孝公求贤，就在公元前 359 年入秦，重金贿赂秦孝公宠信的宦官景监，托他引荐，入秦宫游说秦孝公。

---

① 《史记》卷六八《商君列传》。

② 《史记》卷六《秦本纪》。

商鞅第一次晋见秦孝公，大谈尧、舜帝道，滔滔不绝，秦孝公心不在焉，听着听着却睡着了。事后秦孝公狠狠责备了景监，说："你的客人是个狂人，尽胡说八道。"景监转告了商鞅，埋怨商鞅没按自己的嘱咐，不会说话。商鞅说："我第一次没经验，请你再引荐一次吧。"过了五天，秦孝公第二次召见商鞅，商鞅说周文王、武王的王道，这次秦孝公听进了一半，没有睡觉。事后，秦孝公对景监说："你的客人没多大的能耐，但还可以交谈，过几天再让他进宫来。"景监转告了商鞅，商鞅对景监说："秦王是个贤能的国君，但他听不进帝道和王道，他一心要富国强兵，想在当世就见效，我知道他求贤的用意了，我将在秦国推行霸道。"商鞅第三次晋见秦孝公，说以霸道，秦孝公听得入神，不知不觉移动座位贴近了商鞅。秦孝公留商鞅在宫中连讲数日，一点也不知道疲倦。事后，秦孝公大大奖赏了景监。

商鞅本来学的是"刑名之学"，也就是法家的霸道。秦国传统也一贯鄙视儒家的尧、舜之道，所以孔子周游列国，西行不入秦。商鞅游说秦孝公，却故意先说帝道、王道，用以摸清秦孝公的脉搏，然后有针对性地和盘托出富国强兵的改革方案。商鞅三说秦孝公，巧计用心赢得了秦孝公的信任。

3. 大辩论为变法造舆论

公元前359年，商鞅受命于秦孝公，正式推行变法。秦孝公担心大臣不服，商鞅出主意先开辩论会。甘龙、杜挚是当时秦国的执政大臣，代表保守势力反对变法，于是这场辩论就在商鞅与甘龙、杜挚之间猛烈展开。商鞅深知，变法能否推行，在理论上能否驳倒甘龙、杜挚是第一道难关。甘龙、杜挚说："沿袭古礼旧制，人民安定，官吏熟悉，不用费力，国家安定团结。"表面看，十分有理。商鞅说："甘龙说的只是平常人的见识。只有非常之人，才能行非常之事，愚笨的人，事情成功后仍昏昧不知；聪明的人，却能预见未发生的事情。行事的开始，不可与百姓商议；行事成功，便可与他们共享快乐。谈论最高道德的人，不与世俗合流；成就伟大功业的人，不与众人共谋。因此，圣人只要可以使国家富强，就不必效法旧制，只要可以使百姓获利，就不必遵循古礼。”孝公听了，大声称赞说：“好。”

甘龙再次反对，他说：“不对！圣人是不改变民俗来施行教化的，智者是不改变旧制来治理国家的。顺民而施教化，可不费力气就能取得成功，依旧法而制国，官吏熟习，百姓安适。”

商鞅反驳说：“甘龙之言，乃是一般人的浅见。三代以不同的礼教而称王天下，五霸以不同的法规而称霸诸侯。从古至今，都是智者制定法规、变更礼教，让愚者来守法遵礼。”

甘龙、杜挚仍不服气，又说：“新法获利不能超过旧法一百倍，就不用变，效法旧制，遵循古制，遵循古礼，不会有错。”

商鞅说：“治理国家怎能用一成不变的方法，富国不必效法古制。所以商汤王、周武王不遵循古制而称天下，夏桀、殷纣不革新礼教而遭灭亡。违背古制不应该非议，而遵循礼制不应该称赞。”

最后孝公拍板，他说：“卫鞅说得好！”于是任命商鞅为左庶长，开始制定新法。

4. 立木取信，以势压人

商鞅拟好新法，他运用兵家的诡道，想出了一个立木取信的办法，造成耸动的气势。商鞅派人在国都南门立了一根三丈高的木桩，下令：“谁能把这根木桩搬到北门，赏十金。”民众奔走相告，布告前涌满了人，但人们都很纳闷：这个人人都能干的事，赏十金，哪有这样的便宜事呢？结果人头攒动，却没有人敢试。商鞅又宣布：“谁能把这根木桩移至北门，赏五十金！”一个小伙子犹豫了半天，壮着胆子说：“我试试看。”就把木桩搬到北门。商鞅当众赏了小伙子五十两黄金。这一下，变法消息，不胫而走，人人议论，政府信誉，令出必行。一传十，十传百，很快传遍全国。商鞅立木取信，威名大震，各地官员推行新法，不敢怠慢。一日贵族感到恐慌，联合起来以太子驷的师傅公子虔和公孙贾为首唆使太子犯法，破坏新法的威信。由于太子是一国的储君，不能用法。为了维护法纪尊严，商鞅就严惩太子师傅公子虔和公孙贾。公子虔的鼻子被割了，称为劓刑。老百姓犯令的，更为严厉，商鞅“刑弃灰于道”，把垃圾倒弃在路上为刑事犯罪。

有人赞扬新法好，商鞅说："这帮人无事生非，是扰乱教化的刁民，统统严惩。"于是把这些人全都放逐到边疆。又一次，他在渭水河边判决罪犯，杀了许多的人，使渭水都变成了红色。商鞅不容忍任何人议论新法，违犯新法。因此，史称"商鞅相秦，用法严酷"，得罪了不少的人。

5. 商鞅变法的内容

公元前 359 年和公元前 350 年，商鞅两次颁布新法，主要内容有六项：

（1）废世禄，奖军功。废除世卿世禄制度，实行依军功分配田宅爵位的办法。宗室贵族，没有军功，不得列入宗室的属籍，不得享受国家俸禄。出身平民，只要立了军功，可以得到爵位荣华，凡斩敌一人，赐爵一级，田一顷，宅九亩。杀敌越多，功劳越大，地位就越高。

（2）军事化的户籍管理。合并乡、邑聚为县，实行户籍制，五家为"一伍"，二伍为"一什"，互相监督连坐。军事化的户籍制，把农民钉死在土地上，人际交往要有通行证。

（3）重农抑商，奖励农业生产。新法禁止父子兄弟同室共产，凡成年男子都要分家而居，以杜绝游手好闲。对垦荒多，打粮多的人进行奖励，对因懒惰而贫困的人进行惩罚，连同妻儿罚为奴隶。

（4）土地私有。废井田，开阡陌，承认土地私有，可以买卖，以利耕织。

（5）统一度量衡。

（6）焚《诗》《书》。烧毁《诗》、《书》，禁止儒生游学讲读。

此外，迁都咸阳，完善宫室。在宫门前建造冀阙，颁布法律。

通过改革，秦民勇于公战，却于私斗，国殷民富，一跃而为强国。公元前 352 年，商鞅领兵攻打魏国安邑，获得胜利。公元前 340 年，商鞅再次领兵伐魏，俘获了魏将公子卬，魏国受到打击，把黄河以西的大片领土割让给秦国，秦国东边疆界达到黄河岸边。魏国为了避开秦国的锋芒，把国都从安邑迁到大梁，这时魏王深深后悔没听公叔座的话，要么重用商鞅，要么杀掉商鞅。

公元前 338 年，秦孝公死，太子即位，这就是秦惠王。太子的老师公子虔等人反扑过来，他们捏造罪名，告商鞅谋反，秦惠王竟把商鞅杀死，还把他的尸体车裂示众。商鞅全家也受株连被杀。

三、黄老无为与文景之治

西汉建立，接秦之弊，生产破坏，民无盖藏，天子不能具醇驷。黎民极待休养生息。黄老无为政治应运而生。

西汉无为政治，由汉高祖与执政大臣萧何等制定，高后、惠帝与曹参遵守勿失，至文帝、景帝达于隆盛，史称“文景之治”，汉文帝被奉为“仁君”。

西汉无为政治的治国理念却是陆贾首先提出来的。陆贾为汉高祖总结秦之所以亡，汉之所以兴的原因，共 12 篇，称《新语》。陆贾提出的治国理念概括为两句话，八个字，叫“逆取顺守，恃力而亡”。“逆取”，指在马背上用武力夺人之天下；“顺守”，指在马下用文教顺民之俗治天下。秦朝“恃力而亡”，欲长治久安，必须轻徭薄赋，与民休息，无为而治，兵马少没，不举措暴众。具体说，汉初无为政治主要内容有以下五项：

第一，君臣无为。所谓君臣无为，着重点是指国君无为。不举措暴众，不搞政治折腾，不滥用民力。该办的事，能力则办，不能办，等到条件成熟再办。例如汉惠帝筑长安城，每年只在农闲进行，筑城 30 天就停工，到第二年农闲时再接着筑。隋炀帝建东都，征发 200 万民工，一年筑成，死了几十万人，这就叫举措暴众。汉文帝时，匈奴大举入寇，汉文帝只是加强战备，条件不成熟，不出兵境外的作战。文帝、景帝和亲匈奴，不是屈辱，而是赢得时间，积极备战。输粟塞下，大规模养马，为汉武帝时的反击，创造条件。

第二，国君不干预臣职事务。特别是汉文帝，不干预司法，廷尉张释之执法独立办案，依法量刑，天下无冤民。汉文帝纳谏，明确宣布“言者无罪”，又下诏求言，广泛听取民间言论，创立举贤良文学制度，破格录用贤才。

第三，量入为出，量力而行。

第四，顺民之俗，依照黎民百姓的意愿施政。有两个方面的内容：一是政治上约法省禁，轻徭薄赋。汉文帝废除了肉刑，开通关梁，人们来往京城不用通行证。减轻赋役，农业税减半，一度免除了农业税。二是经济上实施自由放任的方针，司马迁称之为“善因论”。在这一政策下，文景时期，商品经济十分发达，全国兴起了几十个带动经济的城市。

第五，节俭爱民。汉文帝没有惊天动地的伟业，但他十分珍惜民财，非常节俭。他所宠幸的慎夫人，只穿短裙，帏帐不准绣花。汉文帝要修一个观景台，一说是观天文的高台，需要一百金，相当于十户中产人家的收入，汉文帝停建。汉文帝临终下诏，臣下守灵，只在早晚各哭十五声，臣民要节哀。十五天解除丧期，全天下的吏民，只须三天。按礼要守三年之丧。下葬器具不用金银，只用瓦器。汉文帝心中装有一个“民”字，司马迁许之为“仁”。文景时代，人民安居乐业，六七十岁的老翁，整天与小儿嬉戏，都返老还童了。

长期的无为政治，带来负面影响。文景时期，社会暴露出三大问题：一是匈奴侵边；二是诸侯王长大，地方不听令中央；三是国家制度不完善，地方豪强势力滋长。政治革新提上议事日程。文景之后，汉武帝更化，罢黜百家，独尊儒术，强化中央集权，从此，中国古代政治走上霸王道杂治的皇权独尊时代，这就是大一统的中央集权政治。王道，指儒家学说；霸道，指法家学说。秦汉以后，中央集权的不断加强，国家暴力系统日趋完善和严厉，是法家政治。提倡三纲五常、礼义廉耻，忠孝守信，科举取士，理念上重文轻武，这是儒家政治。霸王道杂治，其实秦朝吕不韦为相时就融合百家学说的《吕氏春秋》，已经在探索用百家智慧施政的理念。只是还没来得及施行，吕不韦就倒台了。

四、余论

司马迁写《史记》，总结历史，总结百家学说，提出“究天人之际，通古今之变，成一家之言”的理念，更是明确地阐释要吸收以往的全部历史知识作为借鉴，司马迁称之为“网罗天下放失旧闻”。“通古今之变”，就是要用不断发展变化的眼光看待人类社会的历史。司马迁认为“变”是历史进步的永恒法则，“物盛而衰，固其变也”。国家施政要不断地变革调整，这是避免革命发生的途径。《史记》写了许多变革事例，供人采择。

改革是剧烈政治斗争的一种形式，实质是新旧两种势力的斗争，也是社会利益的再分配。当统治者还能掌握局面，新旧两种势力达成妥协，改革成功。新旧两种势力不能妥协，水火不容，或旧势力过于顽固，或新势力过于急进，必将导致旧政权不是分崩离析，就是一场革命爆发，都是社会的大动乱。战国时赵武灵王的胡服骑射和秦国商鞅变法，是两种改革成功的范例。赵武灵王十九年推行了胡服骑射，移风易俗，赵国近于称霸。商鞅变法，革除了秦国旧制度，使落后的秦国一跃而成为超级强国，十年大见功效，但改革者商鞅却落得家破人亡。这说明，一场社会改革步履多么艰难，阻力之大，付出的代价之高。改革成功，十分不易，只有非常之人才能行非常之事。改革家是引领时代的英雄。话又说回来，改革方式不同，付出代价的成本不一样，历史后果也不一样。赵武灵王改革具有人性化，带儒家色彩，时间要长，是渐进式改革，可以做到不流血。商鞅用兵法手段改革，是急近的改革，如同暴风骤雨，板起面孔不近人情。因为法家主张人性恶，迷信暴力推行，把群众当作愚民。法家的取信，是以诈欺人，以势压人，压制舆论，甚至烧诗书。改革成功快，见效大，但负面影响也大。秦国政治自商鞅变法起，严厉再严厉，以至于秦国统一，二世而亡，留给人们深刻反思。

司马迁在《天官书》中提出历史变革周期，说："夫天运，三十岁一小变，百年中变，五百载大变。"人们常说"三十年河东，三十年河西"，讲的就是三十年一小变。三十年，是一个人精力饱满的工作时段，也就是一代人的生命贡献。三十年一小变，即一代人的变化，具有周期的变化，有一定道理。

（2001年3月25日在中华文化学院港区工会代表研修班上的演讲）

第二十讲　寻找司马相如

司马相如不仅是西汉一代辞宗，伟大的文学家，而且是卓越的政治活动家，性情潇洒，品格直率，为史学大家司马迁所宗仰，在《史记》中特为之立大传，收载他的文学作品，给予崇高评价。但司马迁之后，历来对司马相如的评价偏离正轨，毁多誉少。以最典型的扬雄为例，扬雄原本是司马相如的粉丝，扬雄的赋作均模仿司马相如赋而作，他称赞“长卿赋不似从人间来，其神化所至耶”。[①] 此指司马相如赋的艺术价值很高，为世所公认。说到思想内容，时人多认为司马相如赋“虚辞滥说”，扬雄则称为“劝百讽一”，似乎也成定论，这已偏离了司马迁的评论。说到人品，历来正统思想家眼中的司马相如是一个阿世取容的人。近年来，更说他司马相如劫色劫财。果真如此吗？中央电视台科教频道《探索·发现》栏目，策划以《寻找司马相如》为题，用影视艺术重塑司马相如形象，还原其历史的本来面目，极有意义，“寻找”二字，耐人寻味。笔者忝列该片顾问，回答栏目组提出的一系列问题，今整理成文，以供讨论，下分四个问题来谈。

① 《答桓谭书》，载《古文苑》卷一〇。

一、司马相如的传奇人生

司马相如的人生充满传奇。本讲着重研讨司马相如在景武之世三进皇宫，青年游梁，设局取妇几个传奇故事，相关探讨司马相如的生卒年、少年立志与出生地等问题。

1. 先说司马相如的生卒年

司马相如的生年，《史》《汉》两书都没有记载，这要依据相关资料来推论。学术界一般认为司马相如生于汉文帝前元元年，公元前 179 年，卒于汉武帝元狩六年，公元前 117 年，享年 62 岁。姜亮夫的《历代名人年里碑传总表》就是这样记载的，有关司马相如的论著，以及《辞海》均采其说。此说的推论，是假定景帝前元元年，司马相如年 23 岁后为郎，以实岁计年，上推 24 年，即司马相如生于汉文帝前元元年，公元前 179 年。

推论要由已知来推未知。如何推论司马相如的生年呢？

司马相如在汉景帝时"以赀为郎"，辞官游梁"数岁"后回归故里，"家居徒四壁立"，这些事历，提供了推断生年的线索。首先，确定司马相如的游梁时间。《史记》、《汉书》两书记载，景帝朝，梁孝王入朝前后五次，头两次在景帝前元元年、二年，第三次、第四次在景帝前元七年，第五次在景帝中元六年，即在公元前 156、前 155、前 150、前 144 年。第三次、第四次均在前 150 年。是年冬十月梁孝王第三次入朝，停留京师数月。其时，景帝废栗太子，梁孝王留京谋太子之位。汉景帝外亲内疏，为了做样子给窦太后看，景帝与梁王出入同车，梁王的随从可以像宦官一样随意出入宫中，于是司马相如得以与梁王及梁王宾客邹阳、枚乘、庄忌夫子等交游。梁王谋太子之位遭到袁盎等大臣反对，未果，返国后竟派刺客暗杀袁盎等，犯下叛逆大罪。碍于太后，景帝没有追究梁王。同年七八月间，梁王第四次入朝谢罪，了结此案。从此，景帝公然冷遇梁王。公元前 144 年，梁王第五次入朝，景帝不许逗留京师。梁王返国郁郁不乐，当年夏天，打猎中暑而死。司马相如游梁“数岁”，必在公元前150年到公元前144年之间，前后七年。公元前144年，司马相如回到故里成都。

司马相如在景帝朝“以赀为郎”，又升任武骑常侍，则在公元前150年之前，亦当有数年之久。既“以赀为郎”，而回归故里，“家贫，无以自业”，说明家财不丰。司马相如轻辞警卫皇上的武骑常侍，又孑然一身，不像一个成年人之所为，说明司马相如还是一个青年，激情用事。综合这些因素，我们有理由可以假定司马相如在汉景帝前元二年，年20“以赀为郎”。汉景帝后元二年，特发诏令，降低标准为赀四万[①]，以使普通家产的优秀子弟有机会入仕为郎。景帝降低以訾为郎的标准，后元二年始成法令，之前试点中或已实际降低。景帝前元二年，（前155）诏令“傅籍”，即成年男子登记，相当于今天的公民权资格，也是正常入仕的最低年龄，由23岁降低为20岁[②]。司马相如是景帝降低入仕年龄优惠政策的首批受益者，由景帝前元二年上推20年，是汉文帝前元六年，公元前174年。

依上所考，司马相如约生于汉文帝前元六年，公元前174年。汉景帝前元二年，公元前155年，司马相如年20出仕。汉景帝前元七年，公元前150年，司马相如年25，辞官游梁。汉景帝中元六年，公元前144年，司马相如31岁，由梁回归故里。

司马相如的卒年，传文资料有明确记载，相如死后八年汉武帝封禅。汉武帝封禅在元封元年，公元前110年，上推八年，通常按虚数纪年，则死于汉武帝元狩六年，公元前117年。《史记集解》引徐广说，司马相如死于元狩五年，这是对虚数纪年惯例的纠正，即要按实数纪年，司马相如在死之后的第八年封禅，也就是司马相如的卒年应从徐广说，在元狩五年，公元前118年。

司马相如生于公元前174年，卒于公元前118年，享年57岁。

---

① 《汉书·景帝纪》后元二年五月诏：“今訾算十以上及得宦，廉士算不必众……联甚愍之。訾算四得宦，亡令廉士久失职，贪夫长利。”

② 《汉书·景帝纪》前元二年冬十二月：“令天下男子年二十始傅。”颜师古注：“旧法二十三，今此二十，更为异制也。”

2. 何人推荐司马相如为郎？

郎官是皇帝的警卫队，职责是“掌守门户，出充车骑”，没有定额，可多至数千人。郎官不是随便可以担任的，它是行政官僚的一个后备队，积资外放，在朝廷充当九卿下属，到地方则任县令、县长，皇帝看中，可以破格直升将相。所以，郎官是青年才俊想往的仕进阶梯，只有二千石高官子弟，或皇帝身边的近臣子弟才有资格直接为郎。地方才俊，由郡守推荐按地区分配的名额入选为郎。边郡青年才俊多以骑射为郎，如飞将军李广就以骑射为郎，内地则“以赀为郎”。司马相如是蜀郡才俊，由蜀郡太守文翁推荐入郎。文翁，庐江舒人，少好学，通《春秋》，汉文帝末为蜀郡守，在蜀郡大力推行教化①。文翁选派张叔等 18 位青年才士到京师从博士受业七经，回到蜀郡教授，兴立学校。文翁是中国历史上第一个开办地方官学的人，时在景帝之初，比汉武帝建元五年置博士弟子，开办京师太学早 20 年。文翁重视教育，不仅使蜀文化腾飞，而且影响及于巴郡、汉中郡，受到景帝嘉奖，至汉武帝则在全国推行地方郡学。《三国志·秦宓传》秦宓曰：“蜀本无学士，文翁遣相如东受七径，还教吏民，于是蜀学比于齐鲁。故《地理志》曰：文翁倡其教，相如为之师。”由是可知，司马相如是文帝末蜀郡太守文翁栽培的俊秀，司马相如为郎，当是文翁的推荐。《汉书·循吏传》记载文翁在“景帝末为蜀郡太守”。果真如此，则司马相如与文翁两人事迹不相涉及。既然文翁在景帝末才为蜀郡太守，那么蜀文化的兴起不可能在景帝之世已见成效。《华阳国志》记载文翁在“文帝末”为蜀守，可以肯定《汉书》记载的“景帝末”，“景”字为“文”字之讹，一字之差，使活跃的历史淹入迷雾混沌之中。《华阳国志》还原了历史的真实，司马相如的事迹生动起来。

3. 司马相如少小立志与出生地

传文说，司马相如“少时好读书，学击剑，故其亲名之曰犬子。相如既学，慕蔺相如之为人，更名相如”。

---

① 《华阳国志》卷三。

这段记载，是说司马相如少年时代的学习、天赋和立志。

西周时，学在官府，所以那时，只有“士”才有资格学文化，保家卫国只有“士”才有资格作甲士，农奴只能当徒兵。“士”是能文能武的。孔子教学的“六艺”，包括礼、乐、射、御、书、数。所以，读书、击剑、弹琴，是战国时士人的普遍技艺。景帝时博士辕固生被窦太后处罚与野猪格斗，景帝赐以刀，辕固生结果了野猪的性命，保存了自己的生命，说明辕固生能文能武。司马相如读书、击剑，能文能武是一个合格的士人，父亲特别喜爱，取了一个溺爱的名字叫“犬子”，用今语就叫“狗儿”，这是乡村普遍的现象。所以三家注《索隐》引孟康云：“爱而字之也。”在出土的长沙走马楼吴简中，用动物、家禽、贱字为名的现象十分普遍。这种由父母随口叫的爱称，称乳名，或丑名。司马迁特别记载这一笔，用以衬托司马相如的少小立壮志。他读书有了知识，仰慕蔺相如的大智大勇，引以为榜样，自己取名相如，表达他的心胸和抱负。司马相如少立壮志，《华阳国志》卷三《蜀志》有生动记载。成都城北十里有升仙桥，桥旁有送客观，在今成都驷马桥附近，送客观为楼台之类建筑。“司马相如初入长安，题其门曰：‘不乘赤车驷马，不过汝下’也。”初入长安，指文翁在文帝末选派18位士子东赴京师从博士受业七经之事，司马相如是18士子之一，当时年18岁。

有人认为，“犬子”二字不是爱称，是父亲寓有厚望的特别意义，引《国语·越语》勾践灭吴故事中“生男子，二壶酒，一犬”句下韦诏注“犬，阳畜，知择人”，说司马相如之父用犬来鼓励司马相如成人后知择主而事。这种求之过深的解释，颠倒了司马相如少小立志动因的主体，不符司马迁记载的原意。司马相如少小立志，不是来自“犬子”之名的激励，恰恰相反，司马相如不满这种乡野气息的俗称，是自己从知识中获得了伟人的激励，自奋立名，“不令己失时，立功名于天下”①，这才是司马迁为奇人立传的标准。

① 《史记》卷一三〇《太史公自序》

"犬子"这一乡野气息的俗称，似乎透露出一个消息，司马相如生地何在，他是蜀郡治所成都人吗？

司马相如的出生地，《司马相如列传》明确记载："蜀郡成都人也。"司马相如游梁，回归故里亦在成都。司马相如到临邛聚卓文君，"归成都，为富人"。蜀郡人杨得意向汉武帝推荐司马相如，称为"臣邑人"。司马相如是蜀郡成都人，不仅司马迁言之凿凿，《汉书》、《华阳国志》也是这样记载的。但是今四川蓬安县在历史上曾设置过相如县。蓬安县的锦屏镇，是司马相如原籍出生地，那里有地名相如坪，有司马相如故宅二，有琴台。这不仅仅是民间传说，正史《地理志》有记载。《旧唐书·地理四》记载："相如，汉安汉县地，梁置梓潼郡。周省郡。立相如县，以县城南二十里，有相如故宅二。相如坪，有琴台。"宋人乐史《太平寰宇记》载，梁武帝萧衍天监六年，公元507年，分安汉县置相如县。梁武帝好文学，雅爱相如赋，特置相如县以资记念。相如县在明洪武年间裁省并入蓬州，即今蓬安县。相如县在中国历史上存在了九百年，故明清以来，不断有学者考证，认为司马相如出生地在今四川蓬安县。明人曹学佺在《蜀中广记》中说："梁天监中置相如县，长卿桑梓也。"清人王培荀在《听雨楼随笔》卷七中说："人皆以相如为成都人，实今之蓬州人，后迁成都，又居临邛，三处皆有琴台。"据此，我们可以推断，司马相如生于蓬安，后移居成都，成名于成都，蜀郡又是文化发达之乡，所以司马迁写为"蜀郡成都人也"是成立的。《华阳国志》卷一《巴志》载："巴有将，蜀有相。"巴人强悍劲勇，蜀人阔达多智。蓬安，古属巴郡。司马相如由巴入蜀，禀赋巴文化与蜀文化，文武双绝，渊源在此吧。

4. 佳人配才子，卓文君夜奔相如

司马相如与卓文君的爱情故事，是广为传布的才子佳人传奇故事，民间皆以为美谈，而学术界品评司马相如则多诽议。本讲的评说，只依循司马迁的原创精神。

司马相如与卓文君，男才女貌，天生一对。司马相如不只是一个才子，还是一个举止高雅的帅哥，传文称赞为"雍容闲雅甚都”，一出现在卓王孙高贵宾客宴会上，“一坐尽倾”。卓文君是一个美女，《西京杂记》记载“文君娇好”，“眉色如远山”。卓文君不仅有貌，而且有才。司马相如“琴心挑之”，只有卓文君能品尝其中滋味。司马迁对这样一对男才女貌的结合，击节赞赏，所以才重笔浓抹写入传中。清人吴见思在《史记论文》中，评价为“唐人传奇小说之祖”，评价司马迁第一个创造了才子佳人小说，可以说是司马子长的知音。

司马迁对司马相如设局娶归，赋予了很高的思想境界。设局就是做成一个圈套让人上当。临邛县令王吉与司马相如两人演双簧。王吉假装把司马相如当做贵客，天天到客馆里敬礼相如；司马相如假装端起架子，卓王孙往请相如赴宴，相如不给面子，县令王吉亲自迎请，才勉强赴宴，又是王吉再三恭敬地请求司马相如弹琴，司马相如再三推辞后，勉强弹了两支曲。司马迁用两个“缪”字揭穿西洋镜，说：“临邛令缪为恭敬”，“故相如缪与令相重，而以琴心挑之。”此言“缪”者，善意之谎言也。王吉设局是善意的，目的是打破一道贫富之间的万丈鸿沟，让一对有情人相遇。卓王孙富可敌国，司马相如“家居徒四壁立”，如此反差，在世俗眼光中就是一道万丈鸿沟。王吉设局是做月下老，他没有谋私利，不能叫婚托。司马相如弹琴“以琴心挑之”，一个“心”字传达的是真爱，卓文君毫不犹豫夜奔，这一举动惊世骇俗，表现爱情的力量冲破了一切罗网，妇女有自主婚姻追求幸福的权利。这就是司马迁赋予司马相如设局，卓文君夜奔的思想境界，体现了司马迁进步的妇女观。《史记》中写了多则的自由恋爱故事，如战国时齐襄王后太史嫩女就自择夫婿，爱上隐姓埋名藏于自己家浇花的园丁，后来做了君王后。秦始皇统一中国，通缉魏公子宾客豪侠张耳，张耳隐身在一个村庄当保安，富家女看中张耳嫁给了他。在古代，自由恋爱，自主婚姻，都是传奇故事。西汉扬雄说：“仲尼多爱，爱义也；子长多爱，爱奇也。”[①] 鲁迅说：司马迁“传畸人

① 《法言·君子》。

于千秋”。司马迁载传奇，是他进步历史观的反映，有着崇高的思想境界，只有司马迁才能创作出来。有人说，司马相如与卓文君的故事不符合司马迁的创作风格，没有根据。

世俗社会的婚姻，总是带有世俗社会的烙印。司马相如娶卓文君，原本也包含有借富室之女改善处境的目的，扬雄称其为“窃訾于卓氏”①。毫不讳言，攀附的世俗意识，也是生活的现实。但本质不是劫色劫财。扬雄的本意是赞赏司马相如能干，而不是指责劫财。扬雄说：“夫蔺先生收功于章台，四皓采荣于南山，公孙创业于金马，骠骑发迹于祁连，司马长卿窃訾于卓氏，东方朔割名于细君。仆不能与此数子者并，故默然独守吾《太玄》。”扬雄把司马相如娶富室女看做是人生追求的一种成功，与蔺相如使秦完璧归赵，商山四皓保护刘邦太子，霍去病开拓河西，公孙弘布衣为丞相，东方朔受赏于汉武帝相提并论，并解嘲说自己没有这样的本事，只好做自己的学问，写他的《太玄》。

司马相如娶卓文君，按传文是在回归故里的当年，即汉景帝中元六年，公元前144年，司马相如31岁。卓文君，据《西京杂记》当年17岁。司马相如在而立之年，赢得妙龄佳丽的芳心，一对有情人结为连理，诗文唱和，才子遇红颜知己，艺术追求，相得益彰。如此佳偶，的确是古今一大传奇。卓文君在精神和物质两方面的支持，影响了司马相如的人生轨迹。司马相如晚年淡泊仕进，依靠的是卓文君的物质支持。司马相如衣锦还乡，卓王孙喟然长叹，“自以为得使女尚司马长卿晚”，主动分家财给卓文君与男等同。卓文君赢得了与男子等同的尊重，这既是卓王孙的进步，也是司马迁借卓王孙来表彰卓文君。卓文君识人的能力，表现了她是一个杰出的女性。清人尤侗称赞说：“予谓文君之事，不足为相如病也。以相如之才，事景帝、孝王，皆不能知，而临邛令与诸富人又不足与言，乃文君独能怜才，国士之遇出于闺中，生平第一知己，在汉天子上矣。文君之从相如，不减红拂之

---

① “窃訾卓氏”首见扬雄《解嘲赋》。唐司马贞《索隐述赞》承用其说。訾，通赀。

识卫公；相如之挑文君，不愈仲容之追豁婢乎！”[1] 可谓深得司马迁之旨。

5. 司马相如三进皇宫，遗恨谢世

司马相如文武双全，但他自己并不看重自己的文才武技，司马相如要的是大智大勇，像蔺相如那样建功立名。司马相如“以赀为郎”，事汉景帝，这是一进皇宫。汉景帝看中司马相如的骑射，提升司马相如为武骑常侍，积资升迁，也有出将入相的机会，但司马相如“非其好也”，不看重武功，也耐不住等待，他辞官游梁，表现了巴人基因的轻躁，也表现了才子的傲岸，潇洒自如也。

汉武帝即位，读《子虚赋》，复召司马相如为郎，这是二进皇宫。汉武帝好文学，君臣相知，如鱼似水，司马相如才艺大展。司马相如的代表作是两赋两文，两赋为《子虚》、《上林》；两文为《喻巴蜀檄》、《难蜀父老》，除《子虚》外，都完成于得遇汉武帝。汉武帝的雄才大略，给司马相如的情采添加了几分自豪和磅礴气势。汉武帝识人任人，在元光二年，公元前 133 年，破格任用司马相如为钦差大臣，一年之中两度出使喻巴蜀，通西夷，使司马相如的政治才能得到绽放，也是司马相如人生事业的顶点。其实，司马相如才仅仅是剑出鞘，初露锋芒而已。由于司马相如超群的文才，遮蔽了他的政治才干，汉武帝紧紧地把司马相如留在身边，作为文学侍从“倡优畜之”，司马相如十分不满意。当元光六年，公元前 129 年，司马相如作《难蜀父老》讽喻汉武帝，蒙受贪贿的不白之冤被罢官，司马相如由此淡泊仕进，此事，本讲在后面还将作深入研讨。

司马相如免官一年后复职，这是三进皇宫，时在元朔元年，公元前 128 年，汉武帝外征内作的事业蒸蒸日上。司马相如仍然抱有政治热情，关注国家，上《谏猎书》，作《哀秦二世赋》、《封禅文》，但看轻名利。因“与卓氏婚，饶于财”，对于仕宦，“未尝肯与公卿国家之事，称病闲居，不慕官爵”。司马相如全身

① 尤侗：《读东坡志林》。

引退，求为孝文园令，这是一个闲职，既而称病家居茂陵，与卓文君相守，著书以自娱。

司马相如善著书，名震天下，他写的辞赋文章，求索的人很多，写一篇，送一篇，他自己并不看重，表现了一个文人的潇洒情怀，同时也是未尽其才的消极颓废。司马相如的大志在建功立业，临终还作《封禅文》，表明他的心脏紧紧地与时代脉搏连动在一起。司马相如走得并不潇洒，带着遗恨离开了人世。

二、司马相如的赋作成就

《汉书·艺文志》著录司马相如赋 29 篇。《司马相如列传》载录四篇，即《子虚赋》、《上林赋》、《大人赋》、《哀秦二世赋》。其他的赋，皆已失传。《昭明文选》中有《长门赋》，《初学记》、《古文苑》中有《美人赋》，两赋有序文，皆称为司马相如所作。

《子虚》、《上林》两赋是司马相如赋的代表作，也是汉赋的极品。两赋颂扬大汉一统气象，文字极其铺张扬厉，气势恢宏，如洪波汹涌，是散体大赋。《长门》、《美人》两赋，抒发细腻情感，文笔轻灵，字句妍秀，是仿作的骚体小赋。《子虚》、《上林》与《长门》、《美人》，两者风格迥然不同，不像是出自一个人的作品①。单从文章风格，不足以判定真伪与是非。《长门》、《美人》两赋，也是绝妙好文，仿佛非司马相如不能作，论者认为《子虚》、《上林》是司马相如的前期作品，《长门》、《美人》是后期作品，也是可以成立的。但证之以历史，考之以行事，涉及司马相如的人品，《长门》、《美人》两赋的真伪，必须加以廓清。

《长门赋》收入《昭明文选》，流传甚广，说它不是司马相如的作品，感情上实难割舍。尊重历史，不能不割爱。《长门赋》，据其序文所称，汉武帝陈皇后被废，深居长门宫，愁苦幽怨，用重金聘请司马相如代作《长门赋》，向汉武帝陈情，重新得到了

---

① 《南齐书·陆厥传》载陆厥《与沈约书》曰："长门、上林，殆非一家之赋。"

宠幸。这与史实大相径庭，是无稽之谈。陈皇后被废，原因是不生育，却嫉妒汉武帝宠妃卫子夫生男，哭闹寻死，使汉武帝恼怒。陈皇后用巫蛊术诅咒，东窗事发，这是大逆无道灭族的罪，汉武帝诛杀了涉案的三百多人。因陈皇后之母大长公主有恩于汉武帝，汉武帝立为皇太子，长公主出了很多力气，汉武帝赦陈皇后不死，安置长门宫已是大幸。卫子夫正式立为皇后，所生男立为皇太子。陈皇后陈情，则是向皇后挑战，只能是加速其死。陈皇后元光五年，公元前130年被废，幽居长门宫近20年，到元鼎年间死去，《汉书·外戚传》大书“废后乃死”，无有复幸之事。司马相如涉嫌受贿被罢官，恰好在陈皇后被废不久，一年后复职，岂肯为了一笔重金去冒险代笔，何况卷入的是帝王家事。有人说《长门赋》是司马相如自拟发牢骚，或有可能。若果真如此，那司马相如的写作动机是什么？若是闲来无事的游戏之笔，值不得讨论了。若是有所为而发，司马相如遭罢官事件，已经“不慕官爵”了，他的幽怨向谁诉呢？《美人赋》据《西京杂记》记载，说司马相如长得貌美如妇人，却身患消渴疾，作《美人赋》自称美人以解嘲自讽。而《美人赋》的内容则是假托司马相如答梁王问，自陈不好色，行比孔墨，坐怀不乱，与解嘲自讽不搭调。司马相如自命不凡，慕蔺相如之为人，胸怀大志，抒发豪情壮志才符合司马相如的人生。司马相如后期，淡泊仕进，是无奈的消极遁世，临终还写《封禅文》，没有忘却天下国家大事，游戏之作，不符司马相如的情趣。这两篇赋应该是作赋高手的自抒幽怨或游戏之作，假托司马相如之名以耸人听闻。评价司马相如的赋作，此两赋姑置不论。

司马相如是两汉一代文宗，最顶级的汉赋大师，《子虚》、《上林》两赋足可代表。汉赋名家辈出，司马相如、扬雄、班固、张衡被并称为四大赋家，而扬雄、班固、张衡，他们学习司马相如，均以司马相如为样板。他们的代表作有扬雄的《羽猎赋》、班固的《两都赋》、张衡的《西京赋》，都无可比拟于《子虚》、《上林》。“辞宗”二字，就是班固在《汉书·叙传》中对相如赋的评价。班固说：“文艳用寡，子虚乌有，寓言淫丽，托风终始，多识博物，有可观采，蔚为辞宗，赋颂之首。”这是极其崇高的评价。辞宗，即一代辞赋创作的宗师。

那么，《子虚》、《上林》两赋的内容和成就是什么呢？

《子虚》、《上林》两赋是同一构思，同一旨趣的讽喻大赋。内容是盛赞诸侯王与天子苑囿之广大，物产之富饶，游猎场面之壮观，极度的夸张颂扬。《子虚赋》讲诸侯王游猎，司马相如作于景帝后期，游梁之时，梁国的梁园是创作的参照物。《上林赋》讲天子游猎，司马相如作于汉武帝即位之初，上林苑是创作的参照物。司马相如在景帝初任武骑常侍，多次游猎上林苑，有生活的蓝本。传文称，武帝即位，读《子虚赋》甚爱之，召问相如，相如奏《上林赋》言天子游猎。所以《上林赋》是《子虚赋》的续篇，连接起来，就是讲由诸侯王到天子的游猎，司马迁作传，合为一篇，题名《天子游猎赋》。故《子虚》《上林》，合而为一，分而为二。《昭明文选》分而为二，前后雷同之弊可免，而华美辞采不遗。司马迁合而为一，前后对比照应，以诸侯王的游猎作为天子游猎的陪衬，首尾连贯，天衣无缝，气势更加恢宏。一般所称《子虚赋》，是指代合二为一的《天子游猎赋》，包括了《上林赋》的内容。

《子虚赋》的艺术构思，以三个虚拟人物的对话编织成故事。三个人物：子虚，虚言也；乌有先生，乌有此事也；无是公，无是人也。虚拟的故事平台，化荒诞为现实，可以把上林苑夸张为无限大，其中的物产，动物、植物，包括了全国四方，一年四季，如同今天浓缩的中华园。以此象征大一统王朝的盛大气象。故事情节是这样展开的：首先是子虚夸耀楚国的地域广阔，物产丰富，田猎排场壮观。接着是乌有先生驳难子虚，夸赞齐国地域、物产超过楚国，齐王品德谦和超过楚王。无是公听了哈哈大笑，批评子虚、乌有两人识见不高，胸怀不广，盛赞天子上林苑囿的广大，天子游猎场面，齐、楚两国更是小巫见大巫。无是公讥笑子虚、乌有两人是井底之蛙。无是公称扬天子明大义，在酒酣乐极之时，顿然醒悟，罢田猎，止奢靡，关心民生，恤鳏寡，存孤独，发德音，省刑罚，改制度，更正朔，与天下更始，为继嗣创业垂统。子虚、乌有两人听了羞愧难当，打心眼折服。司马迁非常看重司马相如赋在颂扬的主调之中不忘讽刺，评论说："相如虽多虚词滥说，然其要归引之节俭，此与《诗》之风谏何异。"

"虚辞滥说"是对司马相如赋的批评，这是司马相如同时代人的批评，所以司马迁引入他的评论中。虚辞，所指就是虚构。《子虚赋》的故事情节以及人物皆为虚构，《大人赋》中驾龙行空，更是虚构。滥说，指夸诞，极度的矫饰。《子虚赋》中的"卢橘夏熟"，北方的土地长出了南方的水果，实地考察，确实夸诞，而这恰恰是文学创作，艺术夸张，上林苑浓缩了全国四极，春夏秋冬的物产，有何不可。诸子散文，设寓说理，那是哲学。司马相如赋虚构夸诞，亦落实到譬喻说理，这就是文学。司马迁在"虚辞滥说"中发现了文学，指出其"要归"是"引之节俭"，提高到与《诗》的高度评价，这正是司马迁高人一筹的识见。《诗》，就是《诗经》，司马迁把司马相如赋比拟于《诗径》，足见他对司马相如是何等的敬仰了。班固说："文章则司马迁、相如。"[①] 评价极为中肯。两司马是西汉文学上并列的双星。鲁迅说："武帝时文人，赋莫若司马相如，文莫若司马迁。"[②] 也把两司马并提，毫无疑问是对司马相如赋价值的肯定。

"劝百讽一"是对司马相如赋的又一个批评，其说发自扬雄，也可以说是源远流长。扬雄原本是司马相如的粉丝，痴迷作赋，而且每作赋，摹仿相如为式。扬雄大才，但相如赋无可逾越，于是改变态度，认为作赋无价值，玩文字游戏，乃"雕虫小技"，不是大丈夫之所为。班固在《汉书》扬雄本传把这一过程作了生动的记述。班固说："雄以为赋者，将以风也。往时武帝好神仙，相如上《大人赋》，欲以风，帝反缥缥有凌云之志。由是言之，赋劝而不止，明矣。于是辍而不复为。"扬雄认为文学扇情，无益于教化，而且身体力行，不再作赋，言行一致，实是可爱。"劝百讽一"，也切中要害。但是放大这一批评，说它绝对的正

① 《汉书》卷五八《公孙弘卜式兒宽传》。

② 《汉文学史纲要》。

确，那就是跨出真理一步成了谬论。司马相如作《子虚赋》、《大人赋》正是西汉走上鼎盛，汉武帝的大一统事业蒸蒸日上，时代要求讴歌，司马相如应运而生。一个鼎盛的民族，国家的盛强，讴歌它的成就，是激励人民意气风发的宝贵财富。文学有讽的功能，即有说教的一面，文学也可以只有歌颂，要看它的特定时代。时至今日，我们要写名城颂，讴歌我们振兴中华伟大的时代，仍然要用赋体。藉此一端，司马相如赋已经垂范两千余年，至今仍在闪射它的光芒。赋体的本质是颂，司马相如赋产生于当颂的时代，所以“劝百讽一”的批评，也要一分为二。

司马相如赋的最高价值是艺术创作。著名学者韩兆琦先生概括司马相如赋的艺术特点有三个方面，可以代表当前研究的前沿成果，兹引录如次：

> 其一，它的结构宏伟，富丽堂皇。讲究场面的开阔，讲究层次的分明；由外及里，由下及上，由近及远；有空间的转移，有时间的流动；有多种生活、多种场面、多种气氛构成的一种极其广阔复杂而又极其统一和谐的艺术画面。司马相如不是说“赋家之心，要包括宇宙，总揽人物”么，他的作品正是他这种理论的绝好说明。
>
> 其二，讲究绘声绘形，有声有色。而且声音、色彩的种类极多，变化极大，穷形尽相，动魄惊心。而就其总的气氛来说，又是极其富丽、极其欢娱、极其热烈而又庄严的，这点和东汉以后的辞赋大不相同。
>
> 其三，它极大程度地利用了中国方块字在定形构造上的突出特点，在文章的字形排列上给阅读者以强烈的视觉刺激。一排列几十个山字头，几十个水字边，几十个鱼字旁，几十个草字头，鸟字边，马字旁，如此等等，首先就给人一种迎面扑来的气势感。这种作法在《七发》中已经开始了，到司马相如，更把它推到顶峰。①

① 《简明中国文学史》，中央广播电视大学出版社 2006 年版。

人世间没有十全十美的事物。司马相如赋艺术技巧的呆板僵化，语言作秀，堆砌词藻，亦是其短。

三、司马相如的政论文

司马相如最高的人生理想是建功立名，但他的盖世文才自蔽了他的政才，留下遗憾。但司马相如抓住了瞬间的机遇，在政治活动中留下了可圈可点的一笔，产生了两篇流传千古的政论文，本讲专立一个节目来说。

《喻巴蜀檄》、《难蜀父老》是司马相如在政治活动中留下的两篇政论文，具有警世的价值，也是透视司马相如人生轨迹的重要资料，值得细说。这两篇政论，是具有赋体风格的散文，质而不俚，说理透辟，内容充实，气势雄浑，有贾谊、晁错之风骨，堪称汉代政论散文的极品。

这两篇政论的写作背景均来自司马相如出使巴蜀通西夷的历史事件，是前后相承的姊妹篇。乍一看，两文的主旨都是宣扬大汉的圣德和军威，告喻巴蜀之民，要体察皇上汉武帝开边是非常之人建非常之功，皇上是伟大的明君。细究两文的内容，主旨似同而实异，司马相如的立场由鼓吹者转变为务实者，由无条件的支持，转而为主张调整政策，开边不忘民生。这两篇政论，说的是同一事件，但作于不同的时间，前后相隔四年，形势变化，两文的主旨不同，司马迁在传文中有着明确的交代，这是需要认真讨论的。

政论文有着极强的时效，领略其旨，首先必须要明白它的写作时间。《难蜀父老》文中有“汉兴七十有八载”，以及“通夜郎之涂，三年于兹”，明白无误地告知两文的写作时间。西汉建国在公元前206年，下推七十八载，即《难蜀父老》作于元光六年，公元前129年。“通夜郎之涂，三年于兹”，指唐蒙通南夷治道三年于兹。唐蒙建元六年，公元前135年通南夷，下推三年是元光二年，公元前133年，《喻巴蜀檄》作于是年。有人认为

《喻巴蜀檄》、《难蜀父老》两文分别作于元光五年和元朔元年，依据仍然是《难蜀父老》文中的那两句话，但作了误推。首先依据《汉书·武帝纪》元光五年记载："夏，发巴蜀治南夷道"，推断《喻巴蜀檄》作于元光五年秋，接着下推三年，于元朔元年作《难蜀父老》。同时把司马相如出使巴蜀通西夷的时间也定在元光五年。由于这一时间的误推，对于理解司马相如这两篇政论文的意义就不得要领，所以必先正名。

汉武帝建元六年，公元前 135 年，唐蒙为郎中将通南夷，用战时军兴法强征巴蜀之民数万人修治通夜郎的道路，三年还没有完工，引发巴蜀民的骚动。此时已到元光二年，公元前 133 年，汉武帝设谋马邑，发动了反击匈奴的战争。《檄》文有"兴师出兵，北征匈奴"之语可证。司马相如把通西南夷纳入汉武帝开边与反击匈奴的大格局中来论说它的意义，是"存抚天下，辑安中国"。战事方兴，要安集内部，汉武帝派司马相如出使巴蜀，调查事件，抚慰巴蜀民众。司马相如写了《喻巴蜀檄》告喻巴蜀之民，国家修治道路，是推广教化于远方之民，巴蜀士民应当尽臣民的义务，"急国家之难，而乐尽臣之道"，也为自己谋一个"剖符之封"，"居列东第"的远大前程，无需惊恐。那些应当服役而逃亡，甚至自残自杀的人，是不识国家大体，不仅"死而无名"，而且"耻及父母，为天下笑"。修路，不是打仗，唐蒙身边的人用战时军兴法强征劳役，又不避农时，"惊惧子弟，忧患长老"，不是皇上的意思，应当立即纠正。一篇通告檄文，从事实、情理、利害各个方面晓喻巴蜀士民，停止了军兴法的强征，责成唐蒙修路用工，不违农时，平息了将要发生的动乱，使修路工程继续有序进行，充分展示了司马相如的政治才能。建元六年唐蒙通西南夷，元鼎六年司马迁通西南夷，身份均是郎中将。这次司马相如出使巴蜀，亦当是郎中将。郎中将，秩千石，相当于正司级。司马相如返京报告，提出了通使西夷比通使南夷更为有利，汉武帝十分赞同。司马相如把握住了建功立业的好时机，被汉武帝任命为中郎将，建节出使西夷。中郎将，秩比二千石，副部级。副使三人，王然宇、壶充国、吕越人。这三人是职业外交官，后来壶充国官至大鸿胪，即当时的外交部长。建节，即持节，相当于后世的尚方宝剑，这是一个高规格的外交使团，司马相如一年内两度衣锦还乡，官位直线上升，荣耀无比。这一次蜀郡太守郊迎，县令为先导，蜀郡之民都感到自豪。司马相如也不辱使命，用和平的外交手段抚定西夷，邛、筰、冉駹、斯榆的君长都请求成为汉朝的臣民。于是拆除了旧有的关隘，扩大边关，西边到达沫水和若水，南边到达牂柯，以此为边塞，开通灵关道，在孙水上建桥，直通邛、筰，扩大了蜀郡十多个县的疆域。这是司马相如政治上的最高成就。此时的司马相如是汉武帝通西南夷的全力支持者和鼓吹者。

元光五年，公元前 130 年，汉武帝再次大规模征发巴蜀民修治南夷道，引发骚动。博士公孙弘奉使巡视，还奏事，认为通西南夷疲弊中国，拓地无用，朝臣多附议，引发大辩论。这时，已是元光六年，公元前 129 年，汉匈战争越打越大，汉朝国力不能四处出击。司马相如改变立场，想劝谏汉武帝作出政策调整，因自己言通西夷，不敢开口。公孙弘为言，汉武帝不予采纳，还要司马相如等驳斥公孙弘[①]，司马相如陷入了两难境地。在这种背景下，司马相如用他的如掾大笔，托辞讽谏，一篇《难蜀父老》，左右逢源。司马相如“籍以蜀父老为辞，而已诘难之，以风天子”。也就是说《难蜀父老》是司马相如假托巴蜀长老为民请命，自己以使者口吻驳难“通西南夷不为用”的论调，表面上是承袭《喻巴蜀檄》的基调，指出通西南夷对维护国家统一，促进民族间的文化交流有重大意义，驳斥公孙弘的“无用论”，而骨子里是赞同公孙弘的建议，停止修治通南夷道路的工程，专力对付匈奴。司马相如解脱两难明哲保身的智慧，或称耍滑头的伎俩，那能瞒得住雄才大略汉武帝的慧眼，公孙弘也不买账，司马相如陷入了骑墙者的尴尬，两边不讨好。不久，司马相如被罢官，有人告发他在四年前出使西夷时有受贿行为。果有其事，为何四年后

① 《资治通鉴》建元三年载：“上自初即位，招选天下文学材智之士，待以不次之位。蜀人司马相如等，并在左右，每令与大臣辩论，中外相应以义理之文，大臣数屈焉。”

才发现？看来是欲加之罪的莫须有。不过汉武帝离不开司马相如，只是给司马相如一点颜色看。司马相如罢官当在元朔元年，公元前128年。一年后，元朔二年，公元前127年司马相如官复原职。司马相如性格原本就潇洒，因“与卓氏婚，饶于财”，经过这一折腾，司马相如淡泊仕进。元朔三年，公元前126年，公孙弘拜御史大夫，费时十年通南夷的治道工程暂停下来，专力对匈奴。公孙弘为人阴狠，司马相如不想沾惹是非，大约此时退出宫廷，谋了一个闲职，为孝文园令，看守孝文帝的陵墓。晚年病退，家居茂陵。

司马相如“不慕官爵”，“未尝肯与公卿国家之事”，只是不在权利场上追逐，而他的政治热情未减。司马相如复职为郎，官场历险，心生淡泊，反而能直言陈事。他的《谏猎书》、《哀秦二世赋》表达他对国事的关注，直面劝谏汉武帝要守住帝王的职责，身负国家安危，不能效匹夫之勇逞能，手搏猛兽，更要以秦二世为殷鉴，尽心国事。传文称司马相如“从上至长杨猎”，“还过宜春宫”而作。说明两文作于同一时间，当在元朔二年、三年间，公元前127、前126年之时。

司马相如晚年病退家居，但在元狩五年，公元前118年临终之前还念念不忘封禅，写下他的绝笔文字《封禅文》，嘱其妻，在他死后交给天子使者。封禅是国家大典，司马相如临死都在关注，这是一种政治热情。所以《谏猎书》、《哀秦二世赋》、《封禅文》都应归于广义的政论文，特在本节评说。

《封禅文》主旨有二。其一，论证封禅意义，敬天顺德的典礼可以光大德业，国运昌盛。其二，帝王要兢兢业业治理好国家，《封禅文》的结尾明确指出：“圣王之德，兢兢翼翼”，“兴必虑衰，安必思危”。班固称赞，说司马相如的《封禅文》，是尽了一个忠臣的职责[①]。不过朱熹则极力贬损。朱熹在《楚辞集注》卷二《楚辞后语》中说：司马相如“将死而犹以封禅为言”，“亦

① 《昭明文选》卷四八载班固《典引》序文曰：“司马相如言封禅事，忠臣效也。”

足以知其阿意取容之可贱也”。俗谚说：“鸟之将死，其鸣也哀；人之将死，其言也善。”且不说司马相如生前已辞官家居，而一个要在死后才上奏《封禅文》的人，他“阿意取容”，是得益于地上呢，还是地下呢？可见“阿意取容”乃朱氏妄语也。

知世才能论人。还是从汉武帝封禅的背景来看司马相如上《封禅文》的是非。

封禅是祭告天地的国家大典，在泰山顶上筑坛祭天叫封，在泰山脚下一个小山头梁父山上辟草祭地叫禅。《史记·封禅书》说：“自古受命帝王，曷尝不封禅。”每一个新王朝建立，取得成功的帝王就要举行封禅，表示得天命。传说五帝与夏商周三代之王都举行过封禅，登上泰山封禅的有七十二王，但没有典礼流传下来。实际上封禅典礼是秦汉大一统制度下的新生事物，是秦始皇、汉武帝的首创。汉武帝之前，只有秦始皇上泰山封禅。但秦政暴虐，二世而亡，秦始皇又焚书坑儒，不是一个有德君主，汉儒不承认秦始皇封禅，讹言说上天不接受秦始皇封禅，降下暴风雨阻止了封禅典礼的进行。汉儒不传习秦朝的封禅礼仪，所以汉武举行封禅，没有参考资料，从头制定。汉武帝命礼部奉常与博士诸生议，讨论了十几年没有结果。元狩五年，公元前 118 年，汉武帝读了司马相如的《封禅文》，下定决心，一脚踢开奉常的制礼班子，指派太史令司马谈与祠官宽舒负责起草封禅礼仪。新班子经过几年努力，终于草成封禅礼仪。先立后土祠与泰畤坛，祭祀地神和太乙天神，演习了三年，才拍板定案，在司马相如死之后的第八年上泰山封禅。由此可见，制定封禅礼仪是多么的严肃，多么的神圣。司马相如的《封禅文》推助了汉武帝的封禅典礼的进行，也是古代传世唯一一篇阐述封禅意义的文献，弥足珍贵。

封禅典礼是巩固秦汉大一统新制度的新生事物，对于振奋国民发奋图强，开拓事业有重大意义。所以汉文帝时贾谊等人就提出封禅，汉文帝谦让，没有进行。因为封禅要耗费巨大的资财，汉文帝时国力还不富裕，条件不成熟，司马迁称赞汉文帝为仁君。

公元前 110 年，汉武帝举行中国历史上第一次有文献记载的封禅大典。封禅的前奏，“择兵振旅”，就是选择时机，进行大规模军事演习，震慑匈奴。汉历以十月为岁首。元封元年十月，汉武帝亲自率领18万步骑，北出长城巡边，旌旗招展千余里，向匈奴示威。在回长安的途中，汉武帝到桥山祭祀黄帝。正月，汉武帝率领朝廷百官和18万步骑正式从长安出发，先祭华山，经过洛阳祭嵩山，四月到达泰山封禅。礼成，汉武帝东行海上，至碣石登岸，再次出长城巡边，经辽西、九原，五月回到长安。这第一次封禅，汉武帝一行数十万人，绕行半个中国，前后历时八个月，耗费资财以亿万计，无论多么强大的国家也折腾不起。这就是汉文帝不举行封禅的原因。此后，汉武帝不断地上泰山封祥，以及后世的历代封禅君主，大大减低了规格，这是必然之势。

司马相如作《封禅文》，推动封禅大典进行，在当时是随潮流的进步思想，代表了举国一致的民心。司马迁作《封禅书》，也是肯定封禅大典的。但对于汉武帝的求仙、迷信，以及过度铺张，持批评态度，表明了一个正直史家的立场，但并不是反对封禅。

四、《史记》为司马相如立大传的历史意义

《司马相如列传》洋洋9100余字，是《史记》中寥寥可数的人物大传之一。万世师表，孔子的传记，《孔子世家》才7700余字。《史记》中超过八千字的人物大传只有三篇。第一位是《秦始皇本纪》，9400余字，第二位是《李斯列传》，9200余字，《司马相如列传》占第三位。三篇人物大传，篇幅几乎相等。秦始皇千古一帝，他的本纪包括秦二世，是一代王朝史。李斯一代名相，他的传记包括了赵高，备载秦王朝灭亡的过程。司马相如，一个文人的专传，其篇幅与秦始皇、李斯相侔，值得深究。如果没有司马迁之笔，历史也许会传不下来这位伟人的传奇，至少是大为减色，留下的只是有司马相如这个名字罢了。

司马迁写人物传记，主要有两大内容，一是记行，二是记

言。行，指事业，功业；言，指思想、言论。《孔子世家》，一半篇幅是融汇《论语》，载圣人之言。《司马相如列传》，更为奇特，传文收录司马相如的文与赋共八篇，7300余言，占全传80%的篇幅；事历部分只有1800余字，只占全传20%的篇幅。一个文人笔下的生花文章，能与圣人之言并世流传吗？司马迁提供了肯定的答案，这就是《史记》为司马相如立大传的历史意义。这意义就是司马迁发现了文学，高度评价文学的政治意义，这一识见独步当时。

司马迁第一个为文学家立传，不惜用大篇幅来收载文学作品，司马相如的辞赋、政论赖以流传，意义尤为重大。司马迁把文学作品提高到治国平天下的高度，绝响三百多年以后才有了一位知音。这个知音就是魏文帝曹丕。曹丕写文学评论，在《典论·论文》中说，"盖文章经国之大业，不朽之盛事"。我们再对照两司马的史识。司马光作《资治通鉴》，不载屈原事迹，司马迁为屈原立传，评价屈原的《离骚》，"虽与日月争光可也"。司马迁评价司马相如赋说："子虚之事，大人赋说，靡丽多夸，然其指讽谏，归于无为。作《司马相如列传》。"其他的人，包括司马相如的粉丝扬雄，更多的只是看到司马相如辞赋的"靡丽多夸"，却看不到"其指讽谏，归于无为"。

在司马迁时代，作为艺术的"文学"词语尚未产生，司马迁用"辞"、"文辞"、"文采"来表达。当时"文学"一词的含义是指文献典籍，在汉代"文学"是"经学"的代词。汉武帝独尊儒术，"文学士"专指儒生。司马迁创作《史记》，晚年修订，着重文采。《报任安书》曰："所以隐忍苟活，函粪土之中而不辞者，恨私心有所不尽，鄙没世而文采不表于后也。"文以载道，文学养心，它使人在娱悦之中升华思想境界。司马相如之被司马迁发现，是因为他们心灵相通，绝非偶然。在司马迁笔下，司马相如不仅是一个伟大的文学家，而且还是一个卓越的思想家。司马相如渴望建功立名，但他不追逐权利，始终坚守个性的潇洒自恣，不为世俗所约束。"阿世取容"、"劫财劫色"，这些恶言秽语无损司马相如分毫。我们在祭奠回眸司马相如的时候，是不能忘怀司马迁的。西汉文章两司马，司马相如、司马迁是一对永垂天空与日月同辉的双子星，这是中华民族的骄傲，中国文学的骄傲。

附：司马相如事历及论著系年

汉文帝前元六年（前174）　司马相如生，一岁

相如"以赀为郎"，轻辞去就，游梁数岁，回归故里，"家徒四壁立"，据此推论司马相如生年，应在是年。

梁武帝好文学，雅爱相如，在天监六年（公元507）分安汉县置相如县，明洪武年间裁省相如县并入蓬州，即今四川蓬安县。据此，司马相如出生地，应在今四川蓬安县。

汉文帝后元七年（前157）　相如十八岁

文翁为蜀郡守，选张叔等十八位青年俊秀东诣京师从博士受业七经。

相如在十八位入选俊秀中。传文称相如"蜀郡成都人"。当是相如幼年就移居成都，又成才于成都，家居成都。司马迁载名都为相如桑梓在情理之中，也完全成立。相如何时移居成都，文献失载，待考。

父名相如曰"犬子"。相如既学，慕蔺相如之为人，少立壮志，自己更名为相如。是年，相如被选为俊秀，初入长安，题署成都送客观之门曰："不乘赤车驷马，不过汝下。"

汉景帝前元元年（前156）相如十九岁

张叔、相如等十八俊秀，学成，还以教授，于是蜀学比于齐鲁。

汉景帝前元二年（前156）相如二十岁

景帝诏，入籍年龄更二十三岁为二十岁。

文翁荐相如"以赀为郎"，一进皇宫。

汉景帝前元七年（前150）　相如二十五岁

梁孝王入朝，从行宾客多文学之士，邹阳、枚乘、庄忌夫子，皆名重当时。

相如时任景帝武骑常侍，喜与梁王及其宾客交游，辞官游梁。

汉景帝中元六年（前 144）　相如三十一岁

相如游梁七岁，著《子虚赋》流传于世。是年梁孝王死，相如回归故里，“家居徒四壁立”，访故友王吉，入临邛，娶富家女卓文君为妻，归成都，买田宅，为富人。

汉武帝建元元年（前 140）相如三十五岁

汉武帝初即位，招选天下文学材智之士，待以不次之位。武帝读《子虚赋》而奇之，召问相如，相如奏《上林赋》，二进皇宫为郎。

司马迁合《子虚》《上林》两赋为一赋，题名《天子游猎赋》。后世称《子虚》者，多指合二为一的《天子游猎赋》。

汉武帝建元三年（前 138）　相如三十七岁

闽越击东瓯，庄助受诏以节发兵会稽救东瓯，东瓯举国依附中国，移其民处江淮间。《喻巴蜀檄》（以下省称为《檄》文）称“移师东指，闽越相诛”指此。

汉武帝建元六年（前 135）　相如四十岁

闽越击南越，汉武帝发兵出豫章、会稽两路救南越，兵未逾岭，闽越王弟杀其王请降。庄助受诏入南越喻旨，南越王入朝。《檄》文称“右吊番禺，太子入朝”指此。唐蒙通西南夷。

汉武帝元光二年（前 133）　相如四十二岁

汉武帝设谋马邑，发动了反击匈奴的战争。《檄》文中“兴师出兵，北征匈奴”指此。至于“单于怖骇，交臂受事”，“康居西域，重译请朝”，此乃相如用文学之笔发挥的预测，相如识见，后得历史验证，但并非当年实事。唐蒙用战时军兴法强征巴蜀之民治道通夜郎，三年不成，引发骚动。相如受诏以郎中将出使巴蜀，责唐蒙，因喻告巴蜀之民，作《喻巴蜀檄》。相如还报，因言通西夷，再为使，任中郎将，通西夷，拓地十余县。武帝大悦。

汉武帝元光五年（前 130） 相如四十五岁

是年夏，汉武帝再征巴蜀之民治南夷道，巴蜀民困，南夷数反。汉匈战争，日益扩大。相如认为，国家应作出政策调整，纾缓巴蜀之民，专力对匈奴。因自己建言通夷，欲言未敢。

博士公孙弘受诏，巡视巴蜀。

汉武帝元光六年（前 129） 相如四十六岁

公孙弘还报，上言通西南夷，疲弊中国，拓地无用，引发大辩论。司马相如等奉诏驳难。相如于是作《难蜀父老》，假托蜀长老为民请命，上闻武帝，追述为元光二年之时，自己以使者口吻承用《檄》文基调驳难公孙弘的无用论。司马相如左右逢源，明哲保身，不免骑墙尴尬，在汉武帝、公孙弘两边不讨好。于是有人告发相如四年前通西夷受贿，被罢官。

汉武帝元朔元年（前 128）相如四十七岁

相如免官一年后复职为郎，三进皇宫。相如本来不满意“倡优畜之”的文学侍从地位，经过罢官事件的折腾，淡泊仕进，不参预公卿国家之事。

汉武帝元朔二年（前 127） 相如四十八岁

相如不慕官爵，而政治热情未减，上《谏猎书》、《哀秦二世赋》，直言劝谏汉武帝要端正皇位职守，以二世为殷鉴，用心于治国，罢游猎。

汉武帝元朔三年（前 126） 相如四十九岁

公孙弘为丞相。相如求闲职，为孝文园令。

汉武帝元朔四年至元狩四年（前 125 至前 119） 相如五十岁至五十六岁，前后七年

相如晚年，因病告老，家居茂陵。何时辞闲职孝文园令，文献失载。七年间司马相如著书自娱，人往求书，相如慷慨赠送，案头空如。为孝文园令时，上奏《大人赋》，劝谏汉武帝好神仙，赋称列仙生活在山泽间，飘逸清苦，行体消瘦，不是帝王应当做的事。汉武帝读后飘飘有凌云之意。

汉武帝元狩五年（前118）相如五十七岁

相如死于是年，从徐广说。相如临终作《封禅文》，力劝汉武帝封禅。相如死之后八年，汉武帝封禅。

司马相如生于公元前174年，死于公元前118年，享年57岁。《史记》传文收录司马相如文与赋共八篇。其中赋四篇：《子虚赋》、《上林赋》（传文将上两篇合并称《天子游猎赋》）、《哀秦二世赋》、《大人赋》。文四篇：《喻巴蜀檄》、《难蜀父老》、《谏猎书》、《封禅文》。

（原载《信阳师范学院学报》2012年第4期。本讲系整理中央电视台《探索·发现》栏目组以“寻找司马相如”为题的采访提问而成文。采访提问在2011年8月29日，文稿整理完成于2011年9月10日）

专题论文

中国古代一部开明的治国宪法

——《尚书·洪范》解读

《洪范》是《尚书》中的篇名，也是一部法典的名称。

“洪范”二字的释义，孔传曰：“洪，大，范，法也。言天地之大法。”所谓“天地之大法”，就是国家行政的根本大法。现代国家的行政大法通称“宪法”。《洪范》内容是一部标准的国家宪法，行文分为序言、纲目、条文三个层次。《洪范》大法构建的是以王权为核心的等级行政制度，对国家职能，行政思想，行政方法，决策程序都简洁生动地囊括在法典中。法典积极进取，充满民主性的光芒。内容完备，井井有条，可与现代国家成熟的宪法媲美。本文分四个节目来解读。

一、《洪范》大法产生的历史背景及作者

《洪范》序言交待《洪范》产生的时间、地点、原因，以及作者。序言有两个段落，第一段落讲历史背景。其文曰：

武王胜殷杀受，立武庚，以箕子归，作《洪范》。

箕子名胥余，纣王时官至太师，掌管殷国典籍，封子爵，封地在箕，故称箕子。箕子是纣王的叔父，一说是纣王的庶兄①。纣王淫佚，箕子谏，纣王不听，明哲保身，于是披发佯狂为奴，但仍被纣王抓了起来。周武王灭纣，释箕子之囚②，并礼请箕子到周，目的有二：一是以箕子的声望笼络殷人，二是发挥箕子的学识，制定新建国家的行政大法《洪范》。

《洪范》序言第二段落讲立法过程，今谓之立法程序。其文曰：

> 维十有三祀，王访于箕子。王乃言曰："呜呼！箕子，惟天阴骘下民，相协厥居，我不知其彝伦攸叙。"箕子乃言曰："我闻在昔鲧堙洪水，汩陈其五行；帝乃震怒，不畀洪范九畴，彝伦攸斁。鲧则殛死，禹乃嗣兴；天乃锡禹洪范九畴，彝伦攸叙。"

周武王十一年灭殷，十三年访问箕子，其间有一至两年的时间，这个过程其实就是《洪范》大法的制定过程。以周武王为代表的新兴势力，以箕子为代表的殷国臣民双方协调，制定一部新国家的行政大法，建立新旧民众，即周商两国民众能够和谐相处的法制秩序。殷国地大民多，文化较为发达，等级秩序井然。周国小民寡，阶级分化不明显，是一个发达的军事民主制部落小国，观兵孟津，八百诸侯相会可证；武王伐纣，庸、蜀、羌、髳、微、卢、彭、濮助战可证。周灭殷，有似蒙元入主中原满人入关，要稳固全国形势，少数人的文化融入多数人的文化是必然之势。周小国灭大国，必须要化解殷人的反抗情绪，才能巩固政权。因此，《洪范》大法吸收殷文化，并由箕子来宣讲，既是形势使然，也是周武王的政治技巧。周民族是一个新兴势力，又有

① 《史记·宋微子世家》索隐曰："箕，国；子，爵也。司马彪曰：'箕子名胥余。'马融、王肃以箕子为纣之诸父。服虔、杜预以为纣之庶兄。"

② 《史记·殷本纪》载：箕子佯狂为奴，纣又囚之。周武王伐纣，释箕子之囚，封比干之墓，表商容之闾。

许多原始民主的遗存，所以才能产生一部古代的开明的治国宪法。离开这个历史背景，《洪范》大法绝对不能产生。什么《洪范》产生于战国说、春秋说、西周中后期说，甚或殷商说，其历史背景皆无趣。这些说法的论据与整体《洪范》内容不相容，其中以刘节先生的《洪范疏证》[①] 提出的战国末说，最具蛊惑性，风行一时。刘节条列九证，说《洪范》作于战国末。梁启超最赞赏其中四证，其一曰“如‘皇’字之用例”，刘节说在《春秋》以前“皇”决无训“王”、训“君”之说；其二曰“如‘圣，肃，谋，哲，义’五名之袭用《诗·小旻》”；其三曰“如‘无偏无党’数语，《墨子》引作《周诗》”；其四曰“如东、阳、耕、真之叶韵，与《三百篇》不相应。”梁氏称这四证为“最强之证据”，“凡此皆经科学方法研究之结果，令反驳者极难容喙。”真象则是，刘氏所列证据不符整体的《洪范》内容，今已被刘起釪、赵俪生等人驳难无一据成立[②]。今本《洪范》中“皇”，在《史记》与《尚书大传》中都作“王”，说明“皇”“王”二字通用。清人皮锡瑞《今文尚书考证》、孙星衍《尚书今古文注疏》都考证出《洪范》中的“皇”，有时作“王”，不同的本子有不同的写法。“盖皇、王，声近，义皆训大，故今文学家或作‘王’，或作‘皇’，或训君，或训大。”[③] 其实战国以前“皇”作“王”字解，《诗经》中已有此用。《诗·周颂·桓》：“于昭于天，皇以间之。”郑玄笺云：“皇，君也。”马瑞辰《毛诗传笺通释》进一步指出，此“皇”字指周武王。所谓五义袭自《诗·小旻》，是刘节误读《诗经》的想当然推论。刘节说：“诗义有六，此节其五，其为袭诗，显然有据。”《诗·小旻》原文：“国虽靡止，或圣或否；民虽靡膴，或哲或谋；或肃或艾。”这里《诗》亦只有五义。刘节把“或圣或否”，“圣”之一义，误作两义。“否”是“圣”的反

---

① 刘节《洪范疏证》作于1927年，收入《古史辨》第五册，梁启超作跋盛推此文。

② 刘起釪：《洪范这篇统治大法的形成过程》，载《古史续辨》，中国社会科学出版社1991年版。赵俪生：《洪范疏证驳难》，载《齐鲁学刊》1993年第6期。

③ 皮锡瑞：《今文尚书考证》，中华书局1989年版。

面，郑笺已有明解，曰："有通圣者，有不能者。"何来六义。即使《诗》有六义，《书》只有五义，"何所谓五去一袭自六，而不言六减一袭自五?"赵俪生氏讥之曰："这当真是哥哥成了'弟弟的弟弟'的逻辑了。琐节考据家之所以为人不尊重者，以此。"刘起釪进一步指出"肃、义、哲、谋、圣"是专对君王说的，小民根本没有资格秉有这些"嘉德"，待到这些观念流传以后，才逐渐扩散用在一般庶民身上。《诗·小旻》已是周幽王时的诗，是晚于《洪范》的。至于《墨子》所引"无偏无党"等诗句，称为《周诗》。赵俪生认为，在三代时很流行的一些说说唱唱，《诗》、《书》、《墨子》、《荀子》、《左传》，均有征引，各有词句不同，或曰《周书》，或曰《商书》，都是很正常的。刘起釪更认为，《洪范》"皇极"章原诗共十四句，围绕"皇极"主题一唱三叹，文气密合无间，自成章法，其后各书征引，才呈现支离割裂的套用。至于《洪范》用韵，据刘起釪、赵俪生两人全面考察，完全与《诗经》相应。还有东、阳、耕、真之叶韵，《诗经》亦然之。以上驳难，生动地说明，刘节的《疏证》只是从字里行间找出一些零零碎碎，再做片面的推论，钻了牛角尖，哪有科学可言。又如刘节引《诗·节南山》说"师尹"在周初与卿士、太师同为三公之官，《洪范》置于卿士之下，可证《洪范》非殷周间作。孔传与孔颖达《正义》都明确指出，《洪范》中"师尹"不是官名，而是"众官之长"。《尔雅》云："师，众也；尹，正也。"此指大夫。《洪范》中"师尹"与《诗》之"师尹"，名同实异，刘节的引证不能成立。刘节又说，阴阳五行起于战国，盛于西汉，《洪范》重五行，所以成书于战国末，更是乖谬的逻辑。事物的衍变总是由简到繁。《洪范》五行是原始的五行说，简；战国时阴阳五行说精细，繁。两者的承传关系，刘节完全颠倒了。《洪范疏证》中其他几条无关痛痒的零碎，姑置不论。

如何考证《洪范》的作者及产生的历史背景，关键问题是首先要确认《洪范》是一篇学术论文，还是一部国家大法?《洪范》整体内容毫无疑义是一部标准的国家大法。众所周知，任何一部国家大法，都不是一个圣王，或一个圣人，一拍脑袋就完成的，它必然成立一个立法班子，经过相当长的时间的协商，考证文献，协调各方利益完成的。一部朝气蓬勃的法典，只能出自新兴阶级，新兴国家建国之初，不可能出自一个王朝的中衰之时，更不会产生在动乱之世。所以殷周说，西周说，春秋说，战国说，均是不能成立的。这些说法的论证如同刘节氏的《疏证》一样，均是在《洪范》字里行间找一些似是而非的零零碎碎，而把《洪范》大法整体内容搁在一边，其结果当然可以想见。

确定了《洪范》是西周建国时制定的一部行政大法，其作者必然是一个集体班子，我们完全可以大胆推论，西周建国元勋周公、召公、姜太公，殷人微子这些代表人物必参预其事。殷周两国史官考证文献，亦必有多人参与。此时殷人代表为箕子、微子，原殷朝史官，已经是周国臣民了。《洪范》序言说武王"以箕子归，作《洪范》"，并不等于《洪范》为箕子个人所作。周武王与箕子两人问答，只不过是对制宪过程一个简洁的表达形式，武王与箕子是周与殷两方的代表人物。史官职责，君举必书，参与记录、整理、保存《洪范》，理所当然。如果举一人为作者代表，当然可以说："箕子作之。"

传统旧注对《洪范》作者依《洪范》序言立说，虽有分歧，而无大误。由汉历唐至宋，代表性的有四说。第一说曰："箕子作之。"这句话载于《洪范》，孔安国传作了首肯。可是，周朝法典，怎么会是殷人所作？孔颖达《正义》作了解说，认为《洪范》不是史官记述的问答之辞，"必是箕子既对武王之问，退而自撰其事"，"定其文辞，使成典故耳"[①]。

《洪范》纪年用"祀"，曰："维十有三祀，王访于箕子。"《尔雅·释天》："商曰祀，周曰年。"这是"箕子作之"问题的延伸，周朝法典，为何用商朝的纪年。宋人对此提出解说，主要有林之奇、史浩、夏僎三家。林著《尚书全解》、史著《尚书讲义》、夏著《尚书详解》，均收入《四库全书》，原文及全文有文

① 两孔氏之说代表了旧注权威，见《十三经注疏》。

渊阁四库全书电子检索版。三家之说，引录如次：

林之奇曰：

> 诸传引此篇者，皆以为《商书》，则知此篇之作，盖以箕子为武王陈之，退而自录答问之辞以为书，以箕子之所录，故传记皆以为《商书》，虽然箕子所录，史官启而藏之，故今文不以为《商书》而以为《周书》，惟十有三祀者，因箕子之辞，而未革也。①

林氏解释历史文献征引《洪范》有的称《商书》，有的称《周书》，以及纪年用“祀”的问题，作者仍为箕子，是对孔安国、孔颖达两氏之说的补充。

夏僎曰：

> 然史官于人君言动，无不书者，岂有武王访箕子，其事如此之大，史乃不录，而箕子自录之理？则此篇必是周史所录。其言祀者，乃史官不欲违箕子之志，故以祀。②

夏氏认为《洪范》为周史官记录，即史官作，纪年用“祀”，是史官尊箕子也。

史诰曰：

> 商以年为祀，武王访箕子于武庚之国，史臣纪其时，而曰祀者，未忘其旧也。③

此论与《洪范》序言曰“以箕子归”不符，不能成立。但说有殷史官参与，仍有见识。

“祀”字纪年成为一颗难解的纽扣。若《洪范》为箕子撰述，

① 《尚书全解》第二四卷。
② 《尚书详解》第一七卷。
③ 《尚书讲义》第一二卷。

不用周正而用“祀”，则有不臣之心；若《洪范》为周史官记录，不用本朝之历，更说不通。林氏、夏氏、史氏三家的弥合亦难解人意。清人王夫之在《尚书稗疏》中提出新解，说周武王“于克商之余，不即易汤之典”，“其改祀为年，易用天正、定名、革制、秩礼、作乐皆周公之事，终武王之世，则但除纣之虐，而不易汤之典”[①]。据考，西周金文，“祀”与“年”混用[②]，可证王夫之的推论成立。周武王尊礼箕子，寻求殷周民众和谐共处，不改殷之纪年，恰是一生动例证。周公平定武庚之乱，制礼作乐，改用周正，符合历史进程。综上诸家旧说，有一个共同点，即一致认为《洪范》为西周建国时武王所制，只是囿于《洪范》为个人作品，才产生了种种推论歧说。但这几种歧说，皆是对《洪范》序言的解说，并无大误，如同瞎子摸象，各具一体，合之则大象立现。跳出《洪范》为个人所作的拘泥视角，置于周武王尊礼殷人寻求治国方略这一大环境，《洪范》大法真实可信，是一部实录的法典，一切疑难皆可冰释矣。

序言是法典的总纲。《洪范》序言用对话形式，编造大法来自天帝所授，由禹传递到人间，为法典的权威制造神秘的理论基础，无庸置疑这是重建政权神授的一种形式。纣王说：“我生不有命在天乎。”[③] 纣王被打倒了，天帝的权威受到挑战，但人世间政权的合法性还必须借用天帝的权威。周武王修正天授君权改为天授大法，同样是建立神权政治的理论，但天授大法比起天授君权带来民主性的光芒，限制个人独裁，是应当肯定的。天授君权，君王是天帝的代言人，具有绝对权威，如同纣王那样独断专行，荒淫无耻，自称天命。天授大法，君王权威至高无上，但不能个人专断，君王与臣民同样要遵守大法，《洪范》对王权作了种种规范。周武王的目的，以此来约束后世子孙，永保政权。

① 《尚书稗疏》第四卷上。

② 西周各王以“祀”记年的金文，如成王时期的《大盂鼎》在篇末记年为“隹王廿又三祀”，《小盂鼎》篇末记年为“隹王卅又五祀”。昭王时期的《作册祈觥》、《作册旂觥》篇末记年均为“隹王十又九祀”。恭王、懿王、厉王时亦有金文记年用“祀”。西周各王时期的金文更多的记年用“年”，不具引。

③ 《史记》卷三《殷本纪》。

二、《洪范》大法的内容

《洪范》大法内容由纲目与条文两个部分组成，共九畴，称“洪范九畴”，即九个方面的治国大纲。畴，本义为田亩、疆界，引申为范围、范畴、方面。西汉学者用通语译称为“大法九章”，“大法九等”，“大法九类”[1]。本文用今语译称“大法九条”。

纲目总述九畴内容，重复条文的标题：一、五行；二、五事；三、八政；四、五纪；五、皇极；六、三德；七、稽疑；八、庶征；九、五福、六极。九畴标题共二十个字，加序数初一曰、次二曰等二十七字，再加修饰语敬用、农用等十八字，合计六十五字。《汉书·五行志》说：“凡此六十五字，皆《洛书》本文。”旧注解说天赐《洛书》原只有二十字，大禹加了二十七字与十八字，才有了六十五字。这是汉儒刘歆以及注家层累的穿凿之言，可以不去评说。愚意以为纲目总述，集中排列九畴，应当是突显九畴顺序与数术的寓意。九畴顺序是按天授大法必然的重要程度安排的。清人崔述作《洪范补说》[2]，有着生动的阐释，下面随条文解读。这里略说《洪范》数术的寓意。

九畴数目从一到九，寓意《洪范》大法十全十美。第九畴五福、六极，分之则有十畴，合之为九畴，因九为数之极，故大法为九畴。九畴数术彰显殷人尚五，以及五行构成世界的寓意。九畴中四畴有五，为五行、五事、五纪、五福。皇极、稽疑、庶征，三畴中含有五。稽疑是五谋决疑，庶征为五征。皇极居中为五，寓意处大中之位，行大中之道。排列起来看，第一畴五行，第九畴五福，皇极居中为五，则《洪范》大法首尾中皆有五，这绝不是偶然的巧合，而是制法者的匠心安排，隐喻或象征天授大

---

① 《汉书·五行志》译称为“大法九章”，《史记·宋世家》作“大法九等”，《集解》引郑玄注作“大法九类”。

② 崔文收入《崔东壁遗书》，见《丰镐考信录》卷三，上海古籍出版社 1983 年出版。下引崔氏文不再注。

法的神秘色彩。

下面谈《洪范》九畴条文的内容及序列意义。

第一条，五行。水、火、木、金、土。行，运行，指生生不息。《洪范》五行是朴素的唯物论，它把人类赖以生存的自然界，概括由五大类生生不息的物质构成，并解说五大类物质各有不同的性能和不同的味道。这完全讲的是物质世界，故梁启超说："此不过将物质区为五类，言其功用及性质耳，何尝有丝毫哲学或术数的意味。"①

崔述曰："何以首列五行也？天地之大用也。"引孟子言："民非水火不生活。"引宋子罕言："天生五材，民并用之。"五行又何以水为首？因鲧治水失宜，导致五行失正，九畴大法不传，"故九畴必先以五行，五行必先以水也"。这就是《洪范》五行以水为首，不同于战国时阴阳五行相生相克的顺序的原因。崔氏所论，符合《洪范》本义，是正解。

《说文解字叙》称，先民造字，"近取诸身，远取诸物"。人之所以万能，因为有一双长着五个指头的一双手，创造了人类所需的一切，所以先民认识世界，崇尚五这一数字，大概由此生发，所以用五行来概括物质世界。《洪范》第八畴庶征，提出了天人感应的观念，但仍以物质世界自然气象为基础，与汉代唯心哲学史观的天人感应有很大的区别。尽管《洪范》五行对物质世界的认识远未达到科学的境界，但这是总结先民从生产实践中获得的朴素唯物观点，写进国家行政大法的第一条，要求人类保护环境，遵从物质性能利用，至今也是先进的思想。

第二条，五事。本条规范君王的行为，要求君王在治国之先做到五个方面的修养。崔述称之为"正身"，曰："施于民者谓之政，故著于身者谓之事。身之未正，何以治民！故以五事先于八政也。"五事为："貌、言、视、听、思"，要向着"恭、从、明、聪、睿"方向发展，达到"肃、乂、哲、谋、圣"的品德境界，落到实处就是：工作认真、言论合理、观察明晰、听闻聪明、思

① 梁启超：《阴阳五行说的来历》，收入《古史辨》第五册。

考通达，是治理天下的五个必要条件。

《洪范》五事是后来儒家提倡修身齐家治国平天下思想的滥觞。

第三条，八政。君王设官分职，要管理好八大政务："一曰食，二曰货，三曰祀，四曰司空，五曰司徒，六曰司寇，七曰宾，八曰师。"译为今语就是：农业、财贸、祭祀、工程、教育、司法、礼宾、军事。殷商时期，"国之大事，在祀与戎"。殷人最敬鬼神，纣王笃信天命，用兵淮夷，临到亡国，仍把"祀"与"戎"放在首位。武王革殷天命，小国胜大国，争取民心，把民生放在首位。《史记·周本纪》载，武王建周，"纵马于华山之阳，放牛于桃林之虚；偃干戈，振兵释旅，示天下不复用也"，所以把师降到末位。

第四条，五纪。五种天象时令的计时方法："一曰岁，二曰月，三曰日，四曰星辰，五曰历数。"本条强调国君要重视天象观测，按时颁布历法，保证老百姓正常从事农业生产。《史记》在《五帝本纪》和《历书》中都记载黄帝观象授历，尧舜禹禅让也都申诫"天之历数在尔躬"[①]，君王要时刻放在心中。观象授历，既是君王的权力，也是君王服务于民的义务。五纪服务于农，故列为第四畴，紧接第三畴八政之后。

第五条，皇极。字面具有双关意义，指君王的权力至高无上，君王的法则至高无上。权力与法则两者不可分。皇，有两义，训大，训王。极，亦两义。《说文》："极，栋也。"栋居屋之正中，因此极之本义为正中，简训为中。正中，可引申为法则，榜样。极，又训为终极，顶端，至高无上。传统旧注，训"皇极"为"大中"[②]，谓君王处大中之位，行大中之道，极为贴切。即喻国君为国家最大的顶梁柱。房屋屹立不倒，靠的是顶梁柱。

① 《历书》阐释历法的重要性，曰："尧立羲和之官，明时正度，则阴阳调，风雨节，茂气至，民无夭疫。年耆禅舜，申戒文祖，云'天之历数在尔躬'。舜亦以命禹。由是观之，王者所重也。"

② 《汉书·五行志》注引应劭曰："皇，大；极，中也。"孔颖达《尚书正义》赞同此训。

栋，承重最大，喻国君权力最大。栋，立于正中，喻国君以身作则，为天下臣民做榜样，做标准。朱熹训为“王极”，说：“皇，君也；极，标准也。皇极，非大中。皇乃天子；极，乃极至。言皇建此极也，东西南北到此恰好，乃中之极。”又说：“皇极二字，皇指人君，极便是指其身为天下做个样子，使天下视之为标准。”① 比较两说，各有侧重面，本质没有多大区别。“皇极”为“大中之道”，即最高法则，侧重君王权威；“皇极”为“王极”，指君王行中正之道，为天下臣民表率，侧重君王中正之德。“皇极”的内容，既讲君王的最高权威，又讲君王行中正之德，两者皆有。也就是君王有双重身份，既是天下臣民的王，又是天下臣民的父母。

崔述曰：“畴虽有九，然尤重者《皇极》一章。”因为“皇极”就是建立最高的统治准则，用今语说，就是规范国家的行政制度和行政准则。本文在下一节目还要作专题解析。

第六条，三德。本条讲国君要具有正直、刚、柔三种品德，施之于政就是治理臣民的三种德教方式。“一曰正直，二曰刚克，三曰柔克。”三种方式分别施于三种类型的人。对平康正直的人，以正直方式对待；对倔强难于亲近的人，用强硬方式对待；对和顺可亲的人，用温和的方式对待。只有国君才具有赏罚和享受美食的绝对权威。所以“三德”紧接“皇极”之后为第六畴。崔述曰：“次之以三德，何也？所以助‘建极’之事也。”“皇极”强调君王持中正准则，为臣民榜样；“三德”讲作威作福。两畴从正反两个方面树立君王的最高权威。两畴紧密相关，互为补充，崔述误认为有错简，非是②。

第七条，稽疑。本条讲国君五谋决疑的决策程序：“谋及乃心，谋及卿士，谋及庶人，谋及卜筮。”卜筮指龟卜与蓍筮两谋，

① 朱熹之言，见《朱子语类》第七九。

② 崔述《洪范补说》云：三德章“惟辟作福，惟辟作威，惟辟玉食。臣无有作福，作威，玉食。臣之有作福，作威，玉食，其害于而家，凶于而国，人用侧颇僻，民用僭忒”一节，疑在皇极章“归其有极”之下，“亦咏皇极之盛，而错简于彼者”。三德章辅皇极，两章相辅相成，错简之说不成立。

故为五谋。《洪范》民主性的精华集中体现在本条，说详后。

第八条，庶征。雨、旸（晴）、燠（暖）、寒、风，五种气象是否按规律发生，决定年成的丰欠，是检验国君政治得失的征兆。

第九条，五福、六极。长寿、财富、康宁、美德、善终，是五种幸福。短命、疾病、忧愁、贫穷、丑恶、衰弱，是六种不幸。极，通殛，诛杀，引申为惩罚。国君掌控五福、六极，用于赏罚，引导人民趋利避害。崔述曰：五福六极，"所以终'建极'之事也。"

上述九畴内容，全面概括了西周新建国家的政治制度。法典全文简洁明快，组织严密，条理清楚，操作性强，给国君以及臣民以明确的指导，一部根本大法巍然屹立。

三、《洪范》大法的行政思想

《洪范》大法规范西周国家行政制度和行政准则，着重谈四个要点。

1. 天人合一的立国理念

《洪范》大法的序言，托言天授大法，为西周政权的合法存在建立理论基础。第五畴"皇极"明确提出国君是"天子"，"作民父母，以为天下王"。条文中用四畴的篇幅来构建天人合一的立国理念。这四畴是第一畴五行，第二畴五事，第四畴五纪，第八畴庶征。五行、五纪、庶征三畴讲天，五事讲君，即人。天人合一，表现为国君的行为与天行规律紧密相关。鲧搞乱了五行次序，不能治洪水，被杀了头。禹遵循五行次序，完成了洪水的治理而得天下。国君行为好，雨、晴、暖、寒、风的气象表现为休征；国君有过失，气象表现为咎征。国君与五纪，君好比岁，卿士好比月，师尹好比日。上下等级秩序合于天道。君臣秩序井然，政治清明，岁月日的自然顺序就不发生错乱；君臣乖谬，政治昏暗，岁月日的顺序紊乱，各种自然灾害就要发生。

天授君权是天人合一世界观的最高表现形式。殷人尊天帝为祖宗神，国君是天子。殷国的覆亡，说明天命不可靠。《洪范》大法重塑天人合一世界观，改天授君权为天授大法，在条文中以人赖以生存的五行为基础，用四畴篇幅构建以“五”为数术的哲学理念，即五行哲学。《洪范》重建的天人关系，天既是自然之天，又是意志之天。五行水、火、木、金、土是自然之天，庶征天人感应杂入意志之天。由此可见，《洪范》五行哲学重建的天人合一，用天授大法取代殷人的天授君权，没有本质的差别，但理念更为精细。天授大法确立了君主权力来自于天，至高无上；同时君主也要慎言慎行，自身修德，做好五事，否则将要受天地之责，气候异常，贤人在野，天命就要转移了。

2. 以王权为核心的等级行政制度

“皇极”位次处《洪范》大法的正中，为第五畴，集中构建最高统治准则，即国家行政准则，实施以王权为核心的等级行政制度。第六畴“三德”，第九畴“五福六极”是“皇极”的辅助条文。“皇极”思想主要有七个方面：

其一，君王是国家的核心人物，有至高无上的权威。“天子作民父母，以为天下王。”“惟辟作福，惟辟作威，惟辟玉食。”

其二，君王必须建立中正、无私的准则，臣民必须遵守这些准则，不能违背。“无偏无陂，遵王之义。无有作好，遵王之道。无有作恶，遵王之路。无偏无党，王道荡荡。无党无偏，王道平平。无反无侧，王道正直。会其有极，归其有极。”

其三，君王必须掌握赏罚权力，才能有效管理国家。“敛时五福，用敷锡厥庶民。”辅之以威，便是“五福六极”。崔述曰：“所以终‘建极’之事也。赏罚之权操之自上，然后能使人协于极，故曰‘享用五福，威用六极’。”

其四，所有臣民不得结党营私，朋比为奸。“凡厥庶民，无有淫朋，人无有比德。”

其五，君王要任贤为官，俸禄优厚，让其施展才能，使国家繁荣昌盛。“凡厥庶民，有猷有为有守，汝则念之。”“凡厥正人，既富方谷”，“使羞其行，而邦其昌。”

其六，君王对待臣民要一视同仁，公平正直，不欺压弱势平民，不惧怕强权显贵。“无虐茕独而畏高明。”

其七，君王尚德。一是鼓励臣民好德。“而康而色，曰‘予攸好德。’汝则赐之福。”二是要有宽容之德，对那些没有犯罪而又不符合“皇极”标准的人要宽容。“不协于极，不罹于咎，皇则受之。”

3. 《洪范》“稽疑”，闪射民主性的光芒

《洪范》“稽疑”提出的五谋决疑程序写入法典，实质是古代先进的政治家周武王和先进的思想家箕子探索从法制上杜绝个人独裁的一种尝试。“稽疑”规范的国家重大决策程序闪射民主性的光芒，其民主性表现在三个方面。

其一，建立卜筮咨询机构。“择建卜筮人，乃命卜筮”。古代的卜筮人是掌管文化的精英，他们积淀的政治经验为王权服务，相当于智囊和顾问。精选的卜筮人都是专家，由这些专家组建的卜筮机构，其实就是君王决策的咨询机构。“三人占则从二人之言。”三人是多的意思。三占从二，是少数服从多数。旧注释“占”为卜筮方法，谓用三种方法，或三人并占，以从其二[①]。崔述云：“旧说以为占用三人，非也。此但言于占者之言当从其多者，不当从其少者耳，非限以三人也。”崔氏释“占”为“议”是正解。《说文》云：“占，视兆也。”古代贞卜分为三个步骤。第一，命龟，把贞问的事向鬼神祷告。第二，灼龟示兆。第三，审视兆形，进行吉或凶的解析叫占。占，只是卜筮过程的一个步骤，即视兆评议。《公羊传》桓公六年何休解诂引《尚书》曰：“三人议则从二人言。”“占”字作“议”。此当是崔氏正解的依据。众人议兆，少数服从多数，避免个人操控，这是民主决疑的最要原则。

其二，君王决疑，要遵守程序。“稽疑”的字面意义是考核决疑。《说文》曰“稽，留止也。”段玉裁注：“凡稽留则有审慎

① 旧注指孔传和郑注。《尚书》孔安国传云：“夏、殷、商卜筮各异，三法并用。从二人之言，善物丛众，卜筮各三人。”郑玄《尚书》注：“卜筮各三人。太卜掌三兆，三易。”《周礼·春官·太卜》云：“大卜掌三兆之法。一曰玉兆，二曰瓦兆，三曰原兆。……掌三易之法，一曰连山，二曰归藏，三曰周易”。孔郑两位大经师均解“三人占”为三法并用，或三人并占，《周礼》时代的繁琐占卜或许如是，不符古朴的《洪范》。

求详之意。”故稽引申为考。孔颖达《正义》曰“稽疑者，王者考正疑事。”谓国君对重大的决策，不能一言堂，匆匆决断，要停留有充分时间考查研究，要广听众议，先人后龟。具体程序为“五谋”决疑：要谋及乃心，谋及卿士，谋及庶民，谋及龟与卜。崔述云：“是以圣人广搜博采，不以己所见，遂以为然。”

其三，“稽疑”规范了五谋决策操作细则，法典列举了六种形式，如次：

五谋：	王	卿士	庶民	龟	筮	吉	凶
（一）	从	从	从	从	从	大同	
（二）	从	逆	逆	从	从	吉	
（三）	逆	从	逆	从	从	吉	
（四）	逆	逆	从	从	从	吉	
（五）	从	逆	逆	从	逆	内吉	外凶
（六）	从	从	从	逆	逆	静吉	动凶

吉，就是通过。凶，就是被否决。上述五谋决策操作细则，体现的民主决策程序的原则有三个方面：

第一，（一）王、卿士、庶民、龟、筮，一致赞同，举国一致，大吉大利。当代的举国一致，方式为全国公民投票。

第二，（二）（三）（四）王、卿士、庶民三方鼎立，只要龟、筮一致赞同一方，即可通过。表现出五谋从三，少数服从多数。龟、筮代表智囊团，在决策中起平衡杠杆作用，即便是王与卿士联合反对也不能操控决策。

第三，（五）（六）两项决策，在一定条件下多数也可服从少数。其一，君王只要取得龟的同意，便可决策内政，体现了王权至上，但对外决策，如征伐大事，必须三谋以上，多数赞同才能决策。其二，王、卿士、庶民赞同，龟筮一致反对，静吉动凶，实际是保持现状，无有举动。表明在民主决策体制下，社会精英的重要作用，它是国家慎重决策的一付清醒剂。

上述《洪范》“稽疑”的三个方面，明显地是限制王权独断专行的民主决策程序，这无疑是周人原始民主的遗存，也是周人吸取殷人亡国教训实施政治改革的硕果。

4.《洪范》大法的核心价值体系

《洪范》大法的核心价值体系可用十六个字概括：敬天保民，尚德任贤，王道正直，五福六极。

敬天保民。《洪范》大法序言、第一畴五行，第八畴庶征，主旨讲敬天。君王权力来自天授，要长保政权，必须敬天，遵守五行，重视庶征的警示。第二畴五事，第三畴八政，第四畴五纪，主旨讲保民，君王要修身办好五事，管理好八政，注重民生，以农为八政之首务，颁布历法为农服务。

尚德任贤。尚德任贤，周人传统。《史记·周本纪》载，周始祖后稷，为帝尧农师，播时百谷，及其子孙，皆有令德。公刘复修后稷之业，百姓怀之，周道之兴自此始。古公亶父施仁，民颂其德。西伯姬昌，遵后稷、公刘之业，笃仁，慈少，礼下贤者，士以此多归之。武王灭殷，靠的是太师姜尚、太颠、闳夭、散宜生等一大批贤才辅佐。《洪范》大法把尚德任贤写入法典。第六畴，“乂用三德”；第九畴五福之四：“曰攸好德”；第五畴“皇极”，君王要赐福“予攸好德”之人，对“有猷，有为，有守”的贤者，“汝则念之”，“人之有能有为，使羞其行，而邦其昌”。

王道正直。即“皇极”，君王要有最高权威，对臣民一视同仁，“无虐茕独而畏高明”，施中正之德，尤其是要遵守“稽疑”的五谋决策程序，广听众议，则王道平平，王道正直。

五福六极。《洪范》第九畴五福六极，谓君王要操执赏罚大权，“享用五福，威用六极”，然后才能使人协于极，君王方可“惟辟作福，惟辟作威，惟辟玉食。”

四、《洪范》大法对中华文化的影响及其研究之意义

《洪范》大法对中华文化的影响，要点讲三个方面。

1.《洪范》大法蕴涵丰富的思想，是中国传统文化的源头

《尚书》为儒家五经之一，《洪范》是《尚书》中最重要的篇

目，是儒家的经典。《洪范》是对夏商及周人悠久文化的总结，以法典形式颁行于世，影响巨大。首先，它是儒家思想的源头。儒家中庸思想来自“皇极”。五事：肃、乂、哲、谋、圣，是孔孟仁、义、礼、智、信五德的三代标准，也是孔子在《论语·季氏》中提出的“君子有九思”的源头[①]。儒家倡导的等级礼制、尚德任贤、敬天保民、修身齐家治国平天下，无一不是《洪范》思想的发扬。

其次，《洪范》思想也为先秦诸子政治经济哲学体系的建立，提供了启迪和思路。《管子》经济思想“仓廪实而知礼节，衣食足而知荣辱”，以及管仲相齐通货积财，富国强兵思想，是《洪范》八政以食货为先的延伸与发展。到战国纷争之世，各种政治学派从《洪范》中吸取各自所需的思想营养。道家认为君王建立的统治准则是“道”，墨家认为君王建立的统治准则是“兼爱”，法家认为君王建立的统治准则是“法”，皆来自于对“皇极”思想不同的解读形成的学派。法家“法、术、势”的统治术，是对《洪范》三德思想的发展。

再次，战国末阴阳家提出的“阴阳五行说”以及五德更替政权的“五德终始”学说是改造和发展《洪范》五行与庶征的思想。刘节《洪范疏证》说，《洪范》五行袭自战国末的阴阳五行说，完全颠倒了二者的发展脉络是不能成立的。

2. 周公全面推行《洪范》大法，奠定了西周极盛的成康之治

周公是西周建立仅次于武王的第二号人物，中国古代最伟大的政治家和思想家之一。时贤杨尚奎在《宗周社会与礼乐文明》一书中对周公作了最崇高的评价。杨尚奎说：

> 没有周公，不会有武王灭殷的一统天下；没有周公，不会有传世的礼乐文明；没有周公，就没有儒家的历史渊源，没有儒家，中国传统文明可能是另一种精神状态。[②]

① 参见赵俪生《洪范疏证驳议》一文。

② 杨尚奎：《宗周社会与礼乐文明》，人民出版社 1997 年版，第 141 页。

周公，名旦，周文王第四子，武王之弟。武王制定《洪范》大法之后，不久病逝，武王之子姬诵即位，是为成王。成王年幼，周公摄政。文王第三子，周公三兄管叔姬鲜不满，勾结武庚叛乱，周公毅然东征，用了三年时间才平定了叛乱。周公摄政七年，还政成王。周公执政七年，办了七件大事，伏胜《尚书大传》记载说：

> 一年救乱，二年克殷，三年伐奄多方，四年建侯卫，五年营成周，六年制礼作乐，七年致政成王。

周公再造西周，稳固政权，制礼作乐，完善国家制度。他还政成王，不是功成身退，而是遵守“皇极”原则，维护周天子的最高权威。周公执政期间，发布一系列文告，全面推行《洪范》大法，奠定了成康之治的基础。崔述曰：“皇极”准则“荡荡平平，莫不‘遵王之道’。所谓道德一而风俗同者，此也。是以成周之治几于唐、虞，成康之世刑措不用，岂不因于此哉!”崔氏评论，极为中肯。周公执政七年，发布的一系列文告，生动地证实了是《洪范》大法创造了西周极盛的成康之治。

《史记》记载，周公作了《大诰》、《微子之命》、《归禾》、《嘉禾》、《康诰》、《酒诰》、《梓材》、《召诰》、《洛诰》、《多士》、《无逸》、《多方》、《周官》、《立政》、《君奭》共十五篇，还有一篇秘藏的文件《金滕》[①]。《今文尚书》缺《微子之命》、《周官》、《归禾》、《嘉禾》四篇，《古文尚书》中有《微子之命》、《周官》。这些文告，提供了周公全面推行《洪范》大法的证据，是研究《洪范》极其珍贵的历史文献。

周公在文告中大力宣扬敬天保民思想。周公敬天，说西周政权来自天命。他常说：“敷前人受命”[②]，“用怿先王受命”[③]，“文

① 上述篇目载《史记》之《周本纪》、《鲁周公世家》、《燕召公世家》。

② 《尚书·大诰》。

③ 《尚书·梓材》。

王受命惟中身”①，“惟周公诞保文武受命”②。为西周政权的合法提供理论基础。周公又认为天命靡常，说“惟命不于常”③，“天不可信”④，说明殷之所以亡，周之所以兴的原因，就是天命转移。周朝要长保政权，就要敬天，畏天。《君奭》、《酒诰》反覆申说，殷人从成汤到帝乙，因敬天、畏天，王业有成，后世子孙荒忽政务，纵酒享乐，天命就把亡国大祸降给了殷。《大诰》、《多士》强调天命不可违，东征平叛是顺从天命，殷人要顺从天命，不要怨恨周人。《洪范》宣扬的敬天思想为周公的文告提供了理论依据。

周公的保民思想，在诸诰中尤为突出。

——《康诰》曰：“往敷求于殷先哲王，用保乂民。”“别求闻由古先哲王，用康保民。”“王应保殷民。”

——《梓材》曰：“惟王子子孙孙永保民。”

——《酒诰》曰：“在昔殷先哲王迪畏天显小民，经德秉哲。”

——《无逸》曰：“能保惠于庶民。”“怀保小民。”

周公的保民思想是对《洪范》“天子作民父母”，以及八政中“食货”为首思想的宏扬。周公平定了武庚之乱，封康叔姬封于卫统治殷遗民，告诫康叔“王应保殷民”，把广大民众与叛乱分子区分开来，敞开伟大政治家真诚保民的胸怀，实为难得。

尚德任贤，更是周公执政不遗余力推行的政策。据统计，周公在诸诰中使用“德”字的频率极高，多达67处，申说君王统治臣民的准则是敬德、明德、自身修德以行政三个层次的内容。

——周公讲敬德。《召诰》曰：“王敬作所，不可不敬德。”又说：“我不可不监于有夏，亦不可不监于有殷。（夏）惟不敬厥德，乃早坠厥命。（殷）惟不敬厥德，乃早坠厥命。今王嗣受厥命，……肆惟王其疾敬德，王其德之用，祚天永命。”天命惟德是辅，敬德得天命，不敬德就要失天命。

---

① 《尚书·无逸》。
② 《尚书·洛诰》。
③ 《尚书·康诰》。
④ 《尚书·君奭》。

——周公讲明德。《梓材》曰："先王既勤用明德，怀为夹，庶邦享作，兄弟方来，亦既用明德。"意谓：周国的先王辛勤努力地光大德政，贤臣来辅佐，许多诸侯主动纳贡称臣，甚至兄弟之国也来臣服，这都是光大德政的效果。

——周公讲修德。《召诰》曰："其惟王位在德元，小民乃惟刑用于天下，越王显。"意思是说，君王在天子之位要以德为表率，这样在下位的小民就会在全国依法行事，发扬君王的德政。

《洪范》开启德教思想，即"乂用三德"，"人无有比德"，"予攸好德"，等等，周公在施政中作了全面的继承和发扬，形成西周的"德政"实践，其后为儒家承袭，发展成为孔孟的仁政学说。

周公尊贤、任贤，是历代君王的表率。周公礼贤下士，"一沐三捉发，一饭三吐哺"[①]。周公在《立政》中强调选拔官吏要尚贤任德，在《君奭》中与召公讨论尚贤任德的重要性。限于篇幅，不具引。

3.《洪范》儒化后成为集权专制理论

《洪范》"皇极"构建的是以王权为核心的等级行政制度，它要达到两个目的。一是王权至高无上，保障国家机器顺畅运转；二是王权要执行中正之德，王道无偏无陂，平平正直，君王要做出表率不走向独裁专制。为此，《洪范》条文用"五行"、"五事"、"稽疑"、"庶征"四畴来节制或平衡国君的权力，保障王道执中，体现国家机器应是公权力的机关，"无虐茕独而畏高明"。所以《洪范》是中国古代一部开明的治国宪法。

当战国纷争之世，百家学说兴起，各种学派都在探索长治久安的治国之术，一种中央集权的皇帝制度正在兴起，"皇极"尊主，王权至上的一面被无限夸大，变成了皇帝独裁理论。《洪范》的五行、庶征本是节制王权的理念变成了阴阳五行、天人感应、五德终始的学说，强化君权神授，要人民俯首贴耳尊天尊君，成为君主专制集权的理论。董仲舒阐释的"天人感应"，也承袭了

① 引文见《史记·鲁周公世家》。

《洪范·庶征》示警的思想，试图用天帝的权威来限制君权的无限膨胀。但董仲舒宣扬“天不变，道亦不变”，淡化天命转移，削弱了示警的意味。《洪范·五行》是敬畏自然之天，告诫君王要遵循五行的物质属性，合理开发自然，是朴素的唯物论。“阴阳五行”与“五德终始”，宣扬神学目的论，强调敬畏意志之天，是精细的唯心论。到了东汉，日食天变，策免三公，“天人感应”反被暴君所利用。《洪范》序言托言禹传天赐大法，虽然是重建君权天授，却留有节制王权的空间，因为“法者，天子所与天下公共也”①。到了汉儒手里，“天赐大法”的托言被用河图、洛书的妄语来证实，增强天帝的目的性和神秘色彩，也就是增强君王的绝对权威，缩小节制王权的空间。由此可见《洪范》被儒化的过程，就是一部开明的法典被改造成集权理论的过程。一句话，战国秦汉以后经学化的《洪范》，不是《洪范》法典本义的意识形态，是儒学层累的集权理论。

华夏民族兴起于黄土高原。华夏文明植根于农耕文化。古代先民日出而作，日没而入，生产力低下，靠天吃饭，所以尊天、敬天。天人合一的观念自然形成。《洪范》“庶征”的感应，只限于雨、晴、暖、寒、风五种自然气象，这也是古代先民从生产实践中总结出的经验。气象变化，影响万物生长，影响农业丰欠，于是思想家上升为庶征的意识形态用来警示国君，不过是古代问责国君的一种形式。自然灾害时有发生，政治好坏影响国家的抗灾能力，所以“庶征”思想根植于现实政治，不是神学体系。《洪范》序言天赐大法的托言也不是神学政治，只不过是为世俗政权披上合法外衣的哲学理念。有人说《洪范》大法的核心思想不过是“描绘出一幅神权政治的蓝图”，旨在“宣扬神权政治”②。也有人以此为依据，说《洪范》大法产生于商代，因为“《洪范》的中心思想是，以唯心主义神学世界观，倡导一种基于上帝意志的神权政治论”，“这完全是商代统治者所

① 西汉文帝朝名臣张释之语，见《史记·张释之冯唐列传》。
② 王世舜：《尚书译注·论洪范》。

执行的一套自成体系的统治思想。”[1] 我们认为这是对中国古代天人合一，天授君权哲学理论的过度夸张，既不符《洪范》思想，也不符中国历史。中国古代从夏商周的王权时代到秦汉大一统的皇帝制度，从未有过神权时代。神权政治必须符合两个要素：一是全社会信仰神权高于一切；二是神权力量高于世俗权力。中国世俗的王权和皇帝，从未匍匐在天帝脚下，中国人也从不信仰宗教，哪来神权政治。

此外，还有一个枝节，如何解释“皇极”中“无虐茕独而畏高明”十分重要。旧注的解释是正解。孔传曰：“茕独者不侵虐之，宠贵者不枉法畏之。”正义曰：“天子无陵虐茕独而畏避高明。”均以“无”字统贯全句。《诗经·大雅·蒸民》曰：“不侮矜寡，不畏强御。”可为本句作注脚。这与“皇极”持中正之德的思想是一致的。今人时贤有人提出新解，说“而”字是连接“无虐茕独”与“畏高明”两个句子，谓“不要虐待那些无依无靠的人，然而对那些高贵显赫的贵族却要畏惧”。甚至说：“天子不过是贵族的代表，同属于奴隶主阶级，天子当然不会站在贵族的对立面。”这是极端的教条主义阶级观点分析法，不符“皇极”天子执中，王道平平正直的理念，是误解。

《洪范》大法之所以被儒化，有主客观的深层原因。客观原因是经济基础决定上层建筑。以农耕为基础的古代社会，没有中央集权的皇帝制度，无法形成举国一致。秦汉大一统结束春秋战国的长期战乱，皇帝集权制度是历史的必然。儒学的核心价值是尊君仁民。尊君为秦汉大一统的中央集权制度奠定理论基础。司马谈一针见血指出：儒家“序君臣父子之礼，列夫妇长幼之别，不可易也”。[2] 所以儒家的尊君是专制集权理论。秦汉大一统，带来中华民族的大发展，这是历史的进步。因此，《洪范》被儒化，是历史的必然。《洪范》闪射的民主性光芒，是原始民主的遗存与发扬，不可能长久。《洪范》被儒化的主观原因，是节制王权

① 刘起釪：《洪范这篇统治大法的形成过程》。

② 司马谈：《论六家要指》，载《史记·太史公自序》。

的理论先天不足，民主性缺失制度保证。"稽疑"的五谋决疑，起制衡作用的卜筮机构和卜筮人由王和卿士遴选。君王可以通过掌控卜筮机构和卜筮人来操纵决策。君王与龟意见一致就可决策内政，已为王权专断开了后门。

斗转星移，中国历史行进到辛亥革命，帝制结束，掀起五四运动，提倡科学民主，儒学受到批判，孔子偶像被推倒，这也是历史的必然。如今振兴中华，宏扬传统文化，儒家核心体系中的仁民理念，孔孟主张的仁政学说，民为邦本，个性修养，忠诚信义等等价值观，仍是中国传统文化中的瑰宝。对于传统文化，扬弃其糟粕，继承其精华，是我们的责任。这就是本文写作的命意之所在。

今天研究《洪范》价值主要有两点。第一，一部治国的开明大法是怎样产生的，可以启迪思维，提供经验。第二，《洪范》大法的民主光辉是怎样退去的，可以提供殷鉴和吸取教训。《洪范》大法节制王权的理念和手段，一靠虚无的天帝示警，二靠君王修德自律。《洪范》大法的儒化，从开明理念走向集权理论，生动地证明民主决策程序，缺失制度制衡，靠自律来节制个人至高无上的权力是无效的。讨论《洪范》，具有重大的现实意义。

五、附《洪范》语译

一、序言

周武王战胜殷国，杀了殷纣王受，封立武庚为殷的继承人，并把箕子带回到了周都镐京，制作了《洪范》。

周武王十三年，访问箕子。武王说："唉，箕子啊，天帝庇护着下界的民众，使大家相互和谐安居，我不知天帝使民众安居井然有序的常理究竟是什么。"

箕子于是回答说："我听说在先前鲧用土去堵塞洪水，扰乱了五行。天帝大怒，不把‘洪范九畴’传授给鲧，常理遭到败坏，鲧被处了极刑。禹承父业，完成了治水大业，天帝就把‘洪范九畴’传授给禹，于是民众安居和谐有序的常理流传下来。”

二、纲目

《洪范》九畴第一条讲五行。第二条讲君王要恭敬地修身做好五事。第三条讲治理国家的八大政务。第四条讲协调好五种纪时方法，颁布历法。第五条讲统治准则，君王要建立至高无上的权威。第六条讲君王治理臣民的三种品德与方式。第七条讲君王决策要用透明的程序处理疑难。第八条讲君王要高度重视各种警示征兆。第九条讲君王用五种福泽劝人为善，用六种不幸戒人作恶。

三、条文

第一条，五行。一是水，二是火，三是木，四是金，五是土。水的特性是向下湿润，火的特性是向上燃烧，木的特性是可以弯曲与伸直，金的特性是通过熔化可以随意铸造形状，土的特性是可以种植庄稼。向下湿润的水味道是咸的，向上燃烧的火味道是苦的，可以弯曲与伸直的木味道是酸的，可以随意变革形状的金味道是辛的，土地生长的庄稼味道是甜的。

第二条，五事。君王修身的五事。一是仪容，二是语言，三是观察，四是听取，五是思考。仪容谦和恭敬，语言使人顺从，观察事物明晰，听取意见聪敏，思考问题通达。仪容恭敬导致臣民严肃，人人顺从带来天下治理，观察明晰产生智慧，听取聪敏就能善谋，思考通达成为圣人。

第三条，八政。君王要勉力（管理好）八大政务。一是农业生产，二是工商财货，三是神灵祭祀，四是工程与交通，五是文化教育，六是公安司法，七是礼宾外务，八是军事防务。

第四条，五纪。君王协调五种纪时方法观天授历。一是年，二是月，三是日，四是星辰，五是历数。

第五条，皇极。君王要建立最高权威的准则。集中五种福泽，把它布施给广大民众。这样，你的民众就会拥护你最高权威的准则，进献给你遵循准则的一颗赤心。凡是君王的民众，没有邪恶的帮派；全体百官，没有相互勾结的朋党，心中只有君王建立的最高准则。凡是君王的民众，那些有谋略，有作为，有操守的，君王要常常想到他们。民众中有与君王最高准则不协调的行为，但还没到犯罪的程度，君王就要宽容他们。有人和颜悦色地说："我所追求的是修养好的品德。"君王要赐给他福泽，这些人就会拥护君王的最高准则。不要欺压那些无依无靠鳏寡孤独的平民，也不要畏惧那些大权在握的达官显贵。进用有能力有作为的人，让他们充分发挥才能，提高德行，你的国家就会繁荣昌盛。凡是在位的官员，使他们既富有又尊贵，但你给予的高薪未能调动起他们的积极性为国家作出贡献，那就是这些官员们的罪过。至于那些不修养品德的人，你虽然赐给他们福泽，他们即使替你做事也干不好，使你取怨于民。不要偏，不要斜，应当遵循君王的正义；不要有私心爱好，要遵循君王的道义；不要为非作恶，要遵循君王的正路；不要有偏私，不要结朋党，君王的道路非常宽广；不要结朋党，不要有偏私，君王的道路非常平坦；不要反常，不要倾侧，君王的道路非常正直。君王凝聚臣民，靠的是最高准则；臣民归服君王，也靠的是最高准则。这就是说：君王的最高准则要做最广泛的散布和宣传，因为这准则是天下的常理，天下的大训，符合天帝的旨意。凡是君王的民众，要把君王宣布的训言作为最高准则，要顺从要遵行，以此来接近天子的光明。换句话说：天子是民众的父母，是天下的君王。

第六条，三德。三种治理臣民的德教方式：一是用正直的方式进行管理，二是用强制的方式进行管理，三是用温和的方式进行管理。对于平正康宁的人用正直的方式进行管理，对那些倔强难于亲近的人用强制的方式进行管理，对和蔼可亲的人用温和的方式进行管理。对暗藏潜伏的危害小人用强硬的方式对待，对高尚明智的上层显贵用温和的方式对待。只有君王才有权赏赐幸福，只有君王才有权实施惩罚，只有君王才可以享受美食。臣下没有权利行使赏罚和享受美食。臣下这样做了，就会危害王室，祸害国家。百官因此偏邪不正，民众因此犯上作乱。

第七条，稽疑。重大决策的决疑方法：选择卜筮专家，建立稽疑咨询机构，命令他们进行龟卜和蓍筮考察吉凶。卜筮的征兆像雨、霁、蒙、驿、克、贞、悔共七种[①]。推演研究这些兆卦的变化，分别由龟卜与蓍筮两组专家多人研讨，三人审议采信多数两人一致的意见。君王决策有重大的疑问，君王首先要问你自己心里的考虑，依次再与卿士（大臣们）商议，与庶民商议，最后问及卜筮。君王自己内心同意，龟卜同意，蓍筮同意，卿士同意，庶民同意，这就叫大同。君王自身安康强壮，子孙兴旺大吉。君王同意，龟卜同意，蓍筮同意，卿士反对，庶民反对，吉利。卿士同意，龟卜同意，蓍筮同意，君王反对，庶民反对，吉利。庶民同意，龟卜同意，蓍筮同意，君王反对，卿士反对，吉利。庶民同意，龟卜同意，蓍筮反对，君王反对，卿士反对，吉利。君王同意，龟卜同意，蓍筮同意，卿士反对，庶民反对，进行内事吉利，进行外事则有凶灾。龟卜与蓍筮意见一致而君王、卿士、庶民的意见也一致，两者相反，那就要安静下来吉利，有所举动则有凶灾。

第八条，庶征。多种警示的气象征兆：有雨、晴、暖、寒、风。按时令五种气象齐备，各自按正常的顺序发生，那么草木繁茂，作物丰收。其中某一种气象过多，就是凶灾；某一种气象过少，也是凶灾。

要使五种气象美好：君王仪态肃敬，雨水按时降落；君王政治清明，晴天适时出现；君王处事明智，暖热的夏天及时到来；君王深谋善断，寒冷的冬天适时而至；君王通达圣明，风就按时发生。

五种凶恶气象的产生：君王行为狂傲，雨水下个不停；君王政治混乱，晴天持久成干旱；君王贪图逸乐，夏天持久炎热；君

① 七种征兆为：雨，降雨之形；霁，雨后初晴的云气之形；蒙，雾蒙蒙的混沌之形；驿，散落的云气之形；克，兆相交错之形（此五种为龟卜的征兆）；贞，内卦；悔，外卦（此两种为筮占卦象）。

王处事严急，冬天持久严寒；君王闭塞昏暗，狂风刮个没完。

说到隶属关系，君王好比岁，有了过失影响一年的气象；卿士好比月，有了过失影响一月的气象；师尹好比日，有了过失影响一天的气象。年、月、日的时间顺序都不发生变易错乱，百谷丰收，象征君臣和谐，政治清明，贤能的人受到重用，国家平安宁静。日、月、年时序变易错乱，百谷不熟，象征君臣不睦，政治昏暗，贤能的人不受重用，国家因此不安宁。民众就像天上的星星，有的星喜好风，有的星喜好雨。日、月按规律运行，便有冬天，有夏天。月的运行失常，跟了星星，靠近箕星就刮风，靠近毕星就下雨。

第九条，五福、六极。五种福泽：一是长寿，二是财富，三是健康安宁，四是喜好美德，五是长寿善终。六种最不幸：一是不得好死又短命，二是疾病，三是忧虑，四是贫穷，五是丑恶，六是衰弱。

书序　书评

【说明】这是一组《史记》论著评介文章，共12篇。其中书序8篇，书评4篇，是作者应“中国史记研究会”各位专家同仁之邀所写，借此将各位当代《史记》研究专家之作向广大读者推荐。

一、《史记》论著书序

《史记新探》序[①]

这部《史记新探》论集（以下简称《新探》），从体例结构到论题内容，都体现了一个“新”字，无疑是我国当代学术界《史记》研究领域绽开的一朵奇葩，值得庆贺的一部新作。尤为可喜的是，作者俞樟华是一位勤勉发愤的青年学者，还未到不惑之年，已在《史记》研究领域耕耘丰收，硕果累累。著作有《史记会注考证驳议》点校、《四史评议》点校、《历代名臣传》点校等；与人合作撰述了《史记研究资料索引和论文专著提要》、《史记研究史略》、《史记通论》、《司马迁一家言》等书。这些论著已在学术界展示了作者峥嵘的头角。更代表作者特色和功力的是近十年来所发表的数十篇《史记》论文。这部《新探》就是从这数十篇论文中精选出来，按作者构想的思维系统重新组合的一部个

① 《史记新探》论文集，民族出版社 1994 年出版。作者俞樟华，浙江师范大学中文系教授，硕士生导师。《史记》研究著名学者，中国史记研究会副会长。

人学术专著。这部专著的学术造诣，已经达到了独树一帜自成一家言的境界，标志着《史记》研究领域一颗新星的升起，怎能不庆贺？

众所周知，一个电子元件，它只显示单一功能，而将若干不同功能型号的电子元件，按照一定系统组装起来，就成为多功能的电脑或其他不同用途的电器，显示出无限神力。这就是集群效应或系统效应的价值。单篇论文，好比是一个电子元件，容易制作。而对一个大课题作深入研究，写出系列论文就不容易了。由系列论文构成的学术著作，恰如由集群电路组装的电器，它将显示无限神力的系统效应，这效应就是表现作者个性思维的学术体系。《新探》就是这样的一部学术论著。读者自然要问，这部《新探》"新"在什么地方？它"探"了些什么内容？在学术史上有无位置？应占什么地位？在回答这些问题之前，让我们简明地展示一下《史记》一书的价值和研究领域的现状，读者不难从比较中引出应有的结论。

司马迁是我国古代最有创造天才的历史家和文学家。他有着崇高的人格，远大的理想，坚强的毅力和卓越的史才与文才，所以在两千多年前就写出了一部具有世界史性质的中国古代通史，即纪传体《史记》，以人为中心的新型史学宝典。从文献价值看，《史记》是一部划时代的文献大典，它是概括了从黄帝到汉武帝中国古代三千年文化的百科全书，博大精深。人们研究西汉以前的古代社会，从事史学、文学、哲学、政治、经济、法律、军事、民族、文化、天文、地理、历法、医学、美学、语言学、伦理学、民俗学等等各个门类的学科研究，无不取资于《史记》。《史记》恰如长江大河，浩浩荡荡，万古奔流，研习者如同饮河之鼠，各充其腹而已。自《史记》问世两千多年来，有不可胜计的中外学者阅读和研究它，留下论著论文之多，没有人能够完全统计。仅清代研究《史记》留下文章论著的人就有三百多位。新中国成立四十五年来，研究《史记》的论文有一千六百余篇，作者数百人，出版论著六十余种。台湾学术界与大陆旗鼓相当，四十余年来发表学术论文四百余篇。出版学术论著四十余部，数量比大陆略少，而质量不可低估。海峡两岸，并驾齐驱，各领风骚。日本汉学界，近代以来的《史记》研究名家约一百三十人，出版专著译著六百多种。单篇论文，不可统计。其他有我国东邻韩国，西方美、俄、法、英、德等国家的汉学家，对《史记》的研究也取得了可喜的成绩。司马迁和《史记》，既是中国的，也是世界的。《史记》研究，已成为世界性的热门课题，当然中心地区在我们中国大陆、港台以及日本。《史记》研究的整体学术水平，已具有高水准，研究成果，单就新中国的成绩就有几千万字。许多《史记》课题，一代又一代的人作了数十百次的重复研究，《史记》的各个角落均有人开拓，似乎有“题无剩义”之感。在《史记》研究这块万紫千红的百花园地中，要绽出一枝独秀的鲜花，可以说是很难的。而《新探》正是在这样的学术氛围中，放出异采，实属难能可贵。

《新探》的学术价值，主要体现在以下四个方面。

其一，关合天人古今的结构，自成一家言。司马迁对自己的《史记》作了如下十五字总结：“究天人之际，通古今之变，成一家之言。”这三句话既概括了《史记》在史学上的贡献和百科全书的性质，也反映了司马迁进步的历史观和独创性。学术界认可司马迁的自评，并简缩为四个字，叫“天、人、古、今”。意思是说，《史记》这部纪传体通史，包容了天地人事百科内容，贯通古今自成体系为一家言。《新探》集论十八题，分为上下两编。上编探讨《史记》的思想与艺术，下编探讨《史记》的源与流。上编七题，其中五题探讨思想，两题探讨艺术，均各有一个中心。探讨思想的五题，开卷讲“太史公曰”，其实是开门见山讨论司马迁的史学思想，这个开卷题选得极好，它突出了一个“史”字。以下关于法律、民俗、姓氏、地名几个专题，均着眼于从“史”字探索司马迁的立意。我们说司马迁集文史哲于一身，但主流是历史家，司马迁一家言的核心，是独创了一个新史学体系，奠定了中国史学的独立地位。《新探》抓准了“史”字立题立言，可谓深得司马迁一家言的精髓。《史记》的文学价值与艺术表现也是多方面的。如散文艺术、语言艺术、文章风格、传记文学等。《新探》关于艺术的两题，作了点与面的分工。第一题《论史记人物传记》是重点，以传记人物为中心讲《史记》的艺术成就，突出了一个“人”字。《史记》文学艺术的最高成就，就是写人艺术。第二题《古代学者对史记的艺术评论》，全面触及《史记》的艺术价值，作了宏观的轮廓概述。这是师法司马迁借他人之语以立论的手法，既总括了前人的成就，又达到了立新意的目的，可以说是一石两鸟。上编七题的总体布局，由点切入，专论“太史公曰”，由面化出，宏观评点《史记》的艺术轮廓，配合精妙。下编十一题，前四题探讨“源”，后七题探讨“流”，至为明显。在探讨“流”的七题中，前三题为史学之“流”，后四题为文学之“流”，层次井然。《新探》十八题的布局与结构内容，可简缩为“史、人、源、流”四字，实即关合司马迁“天、人、古、今”四字，表现了论集似散而有中心的学术体系，紧扣研究对象，独树一帜，自成一家言。我们可以断言，《新探》问世后，将立于学术之林，作者的这一精意构思和选题，起了奠基的作用。

其二，求新求实的立言内容，填补了某些学术空白。求新有多种形式。有的故作标新，转换名词，或故作偏颇之论，华而不实，此等求新，应予摒弃。如果用新方法、新视角、新材料翻出新意，或挖掘新课题，此为求实基础上的求新，这是一种创造性的求新，应予鼓励。只有求新，学术才能前进。《新探》论集就是在求实基础上的求新，所以获得了许多创见，值得肯定。《新探》的求新，有两大特点，第一是开掘新课题，第二是以细密的材料为主与新方法结合翻出新意。试简析之如下。

《新探》十八题，有十二题基本为新开掘的论题。其中探索思想的有四题：《司马迁的法律思想》、《司马迁的民俗观》、《司马迁与古代姓氏学》、《司马迁与地名学》；探索艺术的有一题：《古代学者对史记艺术的评论》；论“源”的有一题：《史记与晏子春秋》；论“流”的有五题：《史记与欧阳修的新五代史》、《史记与戴名世》、《史记与三苏》、《史记与三国演义》、《史记与水浒传》、《史记与戏曲》。对这些问题，学术界只言片语论及的也有，也有个别的专篇文章，但像《新探》这样作集中和系统的论述还是首次。这些论题内容填补了这些方面的学术空白。其中，《史记》与《晏子春秋》、《三国演义》、《水浒传》，以及与欧阳修、戴名世、三苏等题最引人注目，不仅课题新，而且论述内容平实而有力度，表明作者进行了深入的钻研。以《史记》与《晏子春秋》为例，作者通过两书的比勘对照，认为“《史记》以写人为主的体裁和《晏子春秋》专记晏子一人事迹的体裁比较一致”。例如以事迹为中心记叙人物，用小故事刻画人物形象，有头有尾的故事情节，富有个性特点的人物对活，中心人物与次要人物的交错叙述，人物末尾的“君子曰”评论，都表明了《史记》与《晏子春秋》之间承传关系，“因此，《晏子春秋》对司马迁创立传记文学的影响，不可低估”。这个结论从具体事实的比较中得出，令人信服。又如作者对长篇小说《三国演义》、《水浒传》的故事情节、人物塑造与《史记》之间的承袭关系的分析，也很有创见，所以文章发表后，立即被中国人民大学书报资料中心全文复印，《新华文摘》也作了转摘。

《新探》对传统课题作了新探索，共有六题，占有全书三分之一。这六题中，探索思想的有一题：《论史记中的“太史公曰”》；探索艺术的有一题：《论史记人物传记》；探索“源”的有三题：《史记与左传》、《司马迁与先秦诸子》、《司马迁与诗人屈原》；探索“流”的有一题：《史记》与《汉书》。这些课题是研究《史记》的人不能回避的重大问题，每个研究者智者见智，仁者见仁，回答好坏，智愚之见。不少人是在现有研究成果中翻筋斗，炒冷饭，自然谈不到新意。《新探》总能拿出自己独到的见解，以论“太史公曰”为例。作者用条列分类的方法，概括了“太史公曰”有七个方面的内容：（一）阐明立篇旨意；（二）论史料的选择和运用的态度；（三）引据事实辟去相传的谬说；（四）叙述实际调查行踪和收获；（五）谈个人成败得失和人与人之间的关系；（六）论统治阶级为政的得失；（七）自述学习和研究历史的经过及撰著《史记》的动机、意旨和感想。条列分类是一般的方法，对探索问题的深度有局限，但它对于复杂内容的条析和理论升华，是切实而有效的。“太史公曰”是司马迁最直接的史学理论体系，内容丰博而复杂，《新探》首次作这样的条析，还是很不容易的。《新探》还对“太史公曰”形成的历史渊源、表现手法、前人的论评作了总结，提出许多独到而有价值的见解。《新探》认为，“太史公曰”的表现手法，“丰富多彩，富有创造性”，它是“在一幅绚丽多彩画面上的精采一笔，非但没有破坏文章艺术上的统一性和完整性，而且还起到了画龙点睛的作用，提高了文章的思想性”。最后结论是：“无论从史从文说，司马迁的论赞都是《史记》正文的补充，是充满光彩的‘豹尾’，也是《史记》这部完整的艺术品的锦上添花之笔。”这是针对唐代史学评论家刘知几抨击《史记》论赞为画蛇添足的误说而发，很有见地。

从上分析，《新探》作者在自己所立论的“史、人、源、流”四个方面，既有对传统课题的翻新，主流则是开掘新课题，顽强地显示作者个性化的独创，这是一种攀登险峰的精神，值得肯定。从事学术研究，而欲立于学术之林，没有这种精神，是不可能的。

其三，宏观立论基础上的索隐发微，开拓了《史记》研究新领域。对具体问题作细微的分析论证，称为微观研究，例如对《史记》具体的篇章、人物、事件进行考察分析，就是微观研究。至于考订史实，校勘文字，疏解词句、掌故，更是微观研究。考察《史记》的思想和艺术成就，及其对中国文化的影响，贯通古今，把握全局的总体，就是宏观研究。两者相辅相承。传统的《史记》研究，侧重于史实考订、文字校勘训诂、名物制度及地名等的疏解，其研究方法是罗列材料，引证甲说乙云，层层相因，缺少新意，停留在文献整理的基础上，裹足不前。缺乏宏现指导的微观研究，只见树木，不见森林，不会有大的出息。但微观研究是宏观立论的基石，没有微观研究的功力，宏现立论未免流于空论。《新探》作者，将二者统一起来，相辅为用，获得了显著的成绩。《新探》所论十八题，作者以宏观布局，微观分析的研究方法至为明晰。上编探索《史记》思想艺术，下编探索

《史记》的源与流，明显地反映了作者贯通的精神，把《史记》放在整个汉文化、中国文化的大背景下去考察、分析和评价。探索《史记》的“源”，实际是评述《史记》对先秦文化的承传与总结；探索《史记》的“流”，实际是考察《史记》对汉文化的影响。而单篇论文的具体论证，《新探》又基本是运用微观的方法，进行详实的考察，言必有据，论从史出。例如作者概述古代学者对《史记》艺术的评论，指的是司马迁的文才和《史记》的文学价值，是在汉魏到明末这一漫长时间里逐渐被认识，至清才达于深化。唐代古文大家韩愈评论《史记》文章“雄深雅健”，柳宗元评之为“峻洁”，影响至为深远。何谓“雄深雅健”？作者认为“主要是指《史记》语言那种咄咄逼人的气势说的”。然后引证宋明学者的具体分析展开评说。宋洪迈举《魏世家》魏公子无忌与魏王论韩事说“韩必德魏、爱魏、重魏、畏魏，韩必不敢反魏”，十余语之间五用“魏”字等例，说明《史记》文字的流转和重复取势。又引明方孝孺的评论说，《史记》之文“如决江河而注之海，不劳余力，顺流直趋，终焉万里，势之所触，裂山转石，襄陵荡壑，鼓之如雷霆，蒸之如烟云，澄之如太空，攒之如绮縠，回旋曲折，抑扬喷伏，而不见艰难辛苦之态，必至于极而后止”。明代归有光评点《史记》，更多的是谈文章的转折波澜，起伏照应，但并未抉发出《史记》文章的精髓。有清一代，经过桐城派古文大家方苞、刘大櫆、林纾，以及《史记》评点家吴见思等人的发掘才将《史记》文章的精妙及风格气势淋漓尽致地阐发出来。作者放眼《史记》流传两千年的发展脉络，从分散而杂乱的历代文集资料中披沙拣金，把握重点，从而展示了各个时代不同的研究状况和特点，用力之勤，可以想见作者的这一研究，开了一个新生面，即对《史记》的流传及影响作系统的总结，为读者和研究者提供古今中外《史记》研究全貌的信息和借鉴，是非常有意义的。

《新探》作者的微观研究，摒弃传统的资料排列方法，不是机械地引证甲说乙云，而是运用比较方法，综核材料，这是较为科学的方法，与宏观立论相吻合。例如马班异同，这是一个传统的比较课题。《新探》作者跳出甲班乙马或甲马乙班简单优劣论的圈子，全面比照，综合归纳《史记》《汉书》两书资料，提出“体例异同”、“思想异同”、“风格异同”的对照范围，不是简单的文字对照，立论起点就高。作者认为，总体上，《史记》尤于《汉书》，尤其是思想识见，司马迁高于班固，这是由时代和立场所决定的。文章风格，《史记》《汉书》各有特点，司马迁和班固风格不同，都是大手笔。史学体例，《史记》《汉书》两书有五十多篇相同篇目，班固取资《史记》，但“没有完全照搬，而是在继承中有补充、有调整、有发展”，有些传记，“班固补充了一些新材料、新史实，极大地丰富了记事内容”。班史十志，“开辟了一些新的领域，扩大了史学范围，也增补了《史记》的不足”。这些见解是新颖的，不仅公允，而且平实，研究方法和态度，都应肯定。

综览《新探》，十八个论题中有十三个论题皆为司马迁与什么，或《史记》与什么，明显标示比较的意味。中国传统的比较研究，司马迁第一个运用，《史记》中的合传、类传，就是用纵横比较方法归类人物。传统的比较研究而成一门学问，只有“马班异同”，成为史记学的一个分支。诗人李杜、散文韩柳、帝王秦皇汉武、将军卫霍。这类并提的事例很多，但未形成全面的比较学。因此，在中国学术界，运用比较方法研究并不普遍，更谈不上深入。《新探》的尝试，无疑开风气之先，且初试锋芒就取得成效，可贺可佩！

其四，简洁流畅的语言，鲜明地反映了时代特色。不同的时代，语言文风具有不同的特点，只有为大众所接受才是有生命力的。当代社会生活快节奏，文风要求简洁明快，有透明度。如果学术论文让初中生能看懂，而学术水平让专家学者也不敢轻视，这就是最成功的语言。《新探》论集，讨论的是学术问题，而语言简洁流畅，行云流水似散文，有些段落可以诵读而朗朗上口。例如作者阐述韩愈论《史记》文章雄健，作了如下解说：

文之雄健，全在气势。司马迁行文，如六辔在手，控纵驰骋，运用自如，举凡三代之礼乐，刘项之战争，以及律历天官、文词事业，在他笔下恰似掌上转丸，写来毫无辛劳之态，其文笔雄骏宏肆，文章确定给人以气势磅礴的感觉。

作者论述得多么轻松自如，绘声绘色，使得学术品味，能够雅俗共赏。作者还有意师法司马迁“寓论断于叙事”的笔法，把论断和观点融入叙事之中。例如作者论证《史记》传记的体例以及写人手法，受《晏子春秋》的影响很深，有着如下的一段事实叙述，其言曰：

《晏子春秋》作为我国文学史上出现最早、最古老的人物传说故事集，在当时和后代都流播很广，受人喜爱。司马迁在写《史记》为晏子作传时说此书“世多有之，是以不论，论其轶事”，说明他是见过《晏子春秋》的。再说，《史记·晏子列传》所载的事迹，以及《吴太伯世家》、《齐太公世家》、《鲁周公世家》、《晋世家》、《赵世家》、《田敬仲完世家》、《孔子世家》、《司马穰苴列传》等篇所涉及到的晏子事迹，全都取材于《晏子春秋》。

这段话叙述了三个事实：第一，讲《晏子春秋》流传很广；第二，用司马迁自己的话说明司马迁不仅看过《晏子春秋》，而且很推崇；第三，从《史记》书中找出大量本证，说明《史记》吸收《晏子春秋》的资料。这些事实言外之意，不用剖明而自见。

《新探》作者为了立论通俗、显达，把立篇旨意提炼成为标题，嵌入论文之中，具有章节体式的意味，篇篇如此，形成作者的风格。笔者很欣赏这种雅俗共赏的论文写作方法，面向大众，使具有中等文化知识水平的人都能阅读。我们常说的深入浅出，深入尚可，浅出则不易。没有一定的文学修养，做起来很困难。这是时代的需要，应该朝着这一方面努力，《新探》给我们提供了一个范例。

1990年，《新探》作者俞樟华与另一位青年学者张新科合著的《史记研究史略》在陕西三秦出版社出版后，就引起了学术界的注目。这部论著填补了史记学发展史研究方面的学术空白，使得一位学术长者击节叹赏。这位学术长者就是《史记艺术美研究》一书的作者，吉林师院年逾六旬的宋嗣廉教授。宋文曰："后生可畏，后生可敬。"文章标题为《从最顽强的事实出发的一部力作》，肯定作者踏实的求真求是的学风，以及敢于攀登学术高峰的志向。《新探》的出版，可证宋先生知人。

笔者与作者已有十年的文字交往，我们正在合作《史记研究集成》的大型学术工程，作者用力甚勤，博得参与者同行的好评。《新探》付梓，作者承索序言，笔者喜读《新探》，故而冒昧应承，写了如上文字，未必切合《新探》成绩于万一。最后，我要说的是，宏扬和普及《史记》是我们义不容辞的责任，而要把《史记》这样一部博大精深的典籍普及开来，使这份珍贵的遗产真正成为广大人民所占有、所享受的艺术品，要做的工作还有许多。例如从文献学的角度研究《史记》与古代典籍的关系，以及从艺术角度一篇一篇，一人一事解析《史记》，就是两个薄弱环节。《新探》恰好在这两个薄弱环节上登高呼喊，相信必将有后来者群起响应，同时也希望俞樟华同志努力发挥年龄优势，孜孜不倦地继续钻研下去，奉献出更多更好的作品来。"欲穷千里目，更上一层楼。"人生有涯，学海无涯。既企望于《新探》作者俞樟华同志，笔者亦愿谨以此自勉。

是为序。

（原载《天人古今》1995年第3期）

《史记学概论》[①] 序言

《史记学概论》作者张新科同志是当代《史记》研究一位卓有成就的中青年学者，有多种《史记》研究论著问世。《史记与中国文学》、《史记研究史略》均是成名作，而这部《史记学概论》则标志作者已进入当代《史记》研究前沿，更是一部代表作。

何谓“史记学”？似乎人人都可以回答，不就是对《史记》研究的专门之学吗？说具体一点，“史记学”就是指对司马迁及其《史记》研究而形成的专门学术体系，但这仍然笼统。继续追问，这“史记学”的“学术体系”如何建构，它的基础理论、研究范围、研究任务、研究方法、以往的研究过程与研究成果、当前的研究现状与未来的走向等等，都应包括其中，方能成为一门学科体系，回答起来就不那么简单了。十多年前，即 20 世纪 90 年代初，笔者曾提出这一课题，但至今未能顾及。公元 2001 年，中国史记研究会成立，由学会再次提出这一课题，希望中青年学者勇挑重担，张新科同志就是在这一背景下，知难而上，在短短的两年时间，拿出他的研究成果《史记学概论》。该书分为七论十七章，全面阐述了“史记学”的范畴、价值、源流、本质、方法，以及“史记学”的生命力与研究者的素养等内容，第一次构建了“史记学”的模式和框架，是一部开创性的著作，填补了一项学术空白，奠基了“史记学”的基础理论，值得庆贺。

本书具有重要的理论价值与现实意义。下面从两个方面来说明。第一，本书适应当代《史记》研究的需要应运而生，是时代的产物。在中国传统文化国学精品中，《史记》是无与伦比的百

① 《史记学概论》，商务印书馆 2003 年出版。作者张新科，陕西师范大学文学院院长，教授，博士生导师。《史记》研究知名学者，中国史记研究会副会长。

科全书，它有取之不尽的思想源泉，养育着一代又一代人的成长。司马迁的思想、精神、人格对中国知识阶层、对中华民族产生了不可估量的影响和强大的凝聚作用。因此，《史记》问世两千多年来，有不可胜计的中外学者阅读它、研究它。而且随着时间的推移，《史记》日益走向普及，研究队伍不断扩大，学习的基础日益广泛，越来越成为人民大众的精神食粮与艺术欣赏品。在当今的书店里，随处可见《史记》及其相关的书籍，从学术论著到普及读物，从全本《史记》的整理到选本《史记》的读本，还有影视、光盘、绘画、改编等等著作，年复一年成为热点。可以说当代《史记》研究正处于一个黄金时代，近二十年来的研究成果，论著一百余种，论文数千篇，研究队伍一千多人。在这样一个"史记热"的环境中，"史记学"理论建构的任务便提到议事日程上来了，这一课题，处于当前《史记》研究的前沿阵地，对于引导《史记》研究具有重大的现实意义。第二，《史记学概论》系统地总结了两千年来《史记》研究的成果，阐释了这一学科的研究过程、研究方法、研究目标，赋予理论的升华，具有重大的理论价值，毫无疑问，将推动《史记》研究深入发展，减少盲目性，增强科学性。例如，作者论述《史记》的普及宣传，提出要明确普及对象，并且要有多层次的普及内容。第一层次，是普及《史记》的人物、故事、内容，以及宣传司马迁，这只是初级的普及历史知识。第二层次，是普及司马迁的精神、人格、思想、《史记》的价值，这是深层的社会意义，是提高民族文化素养、建设新文化的内容了。第三层次，是普及研究成果，造成更深广的社会影响，诸如大学《史记》课程的设置、《史记》研究成果的数字化，以及其他高科技手段的应用，属于第三层次。经过作者这样的概括，如何普及《史记》，就有了明确方向，有了具体内容。在第九章，作者阐释"史记学"的特点，分为"多学科性"、"多层面性"、"现实性"、"世界性"四个方面的内容。在"多学科性"一目中，作者概括了两千多年来《史记》的研究过程和研究成果，总括为三十五门、二百七十八目，展示了《史记》研究内容的丰富性，既是已往《史记》研究的总盘点，也是进一步拓展《史记》研究的出发点，具有重大的借鉴意义。方法论问题，一直是《史记》研究中的重要问题，作者在第十二章就此问题进行了全面论述，尤其指出了目前《史记》研究中的一些误区，颇为中肯。关于今后《史记》研究的方向，作者在第十七章提出：走综合化之路、以论作统帅、立体化的研究、多样化的形式、世界化的目标、生产化的方式，这样的概括具有积极的理论指导意义。上述例证可以窥见作者的思想火花，以及用力之勤。《史记学概论》各章各节，充满了对历代以来《史记》研究工作条理性的概括与理论升华，不一一具述，读者读其书，领其意，可以获得多方面的启迪，有助于自己的学习和研究。

我与作者张新科同志，在学术上切磋，有着密切的联系。《史记学概论》杀青之后，要我写几句话，应是义不容辞。遗憾的是，我对此还研究不深，勉为其难，写了点体会，既是与作者共勉，也是抛砖引玉，以期引起讨论。

是为序。

（原载《陕西社会科学》2004 年第 1 期）

《史记笺证》[①] 序

司马迁是我国古代最有创造天才的历史家和文学家。他的《史记》是公认的历史名著。作为史学名著，《史记》体大思精，内容丰富，包罗万有，贯通古今。它上起黄帝，下讫太初，会综古今典籍，“网罗天下放失旧闻”成为一部百科全书式的古代中国通史。作为文学名著，《史记》以人物为中心，记述历史，所记历史事件和人物栩栩如生，语言雄深峻洁，有很强的文学性，被唐宋八大家奉为古代的散文典范。伴随时代的前进与人们认识的深入，《史记》的文学性在近现代大放光采，《史记》中的人物传记已被学术界公认为古代传记文学的典范。《史记》是如此的一部文化瑰宝，所以自问世以来历经两千余年，不仅一直拥有广大读者，而且日益走向普及，《史记》生命之树常青。但是由于古今语言的巨大差异，以及人们陌生的古代典章制度、风物人情，还有地理沿革变迁等等，真正读懂《史记》，品评其中滋味，十分困难。于是历代以来有众多的学者研究和注解《史记》，积聚起来丰硕的成果，粗略统计，迄今累计有论文四千余篇，论著三百余部，字数一亿两千多万字，对于初学者来说，未免有浩如烟海之叹。《史记》研究的过半成果是解读《史记》，划时代的名著首推唐代形成的“三家注”，近代则有东邻日本学者完成的《史记会注考证》。近年来《史记》大量刊行，各种校本、注本、选本、译本，有如雨后春笋，全本《史记》新注笔者所见就有近十种。但杰出著作不多，就新注来说，还难与“三家注”和“会注考证”比肩。值得欣喜的是，北京师范大学韩兆琦教授即将推出的五百万言的《史记笺证》是值得关注的一部大部头的《史

① 《史记笺证》，大型古籍整理学术论著，江西人民出版社 2001 年出版。作者韩兆琦，北京师范大学文学院教授，博士生导师，是研究中国古典文学著名的学者，《史记》研究专家，有系列的《史记》研究论著问世，中国史记研究会名誉会长。

记》新注本。该书即将由江西人民出版社出版，是当代《史记》研究界的一件大事。

韩兆琦教授是当今一位卓有成就的古典传记文学的研究专家，知名学者，他对《史记》的研究情有独钟，花费了他过半的精力，成绩可观。韩兆琦教授对《史记》文章的赏析、文学性的阐释，蜚声学界，出版了《史记评议赏析》、《史记选注集说》、《史记通论》、《史记题评》等多项成果。其中“集评”是韩兆琦教授的首创，荟萃历代评点《史记》的精言，沙里淘金，付出了巨大的劳动。在此基础上，韩兆琦教授厚积薄发，把他数十年的研究成果集中凝聚在《史记笺证》中，是值得期待的。

我与韩兆琦先生多年相知，共同切磋。我对《史记》侧重史学研究，韩先生侧重文学研究，各展所长。韩先生有所心得，毫无保留相告，使我受益匪浅，而注疏《史记》需要全面的知识。近年来韩先生关注考古与历史调查，他不放过任何机会向同行学者和各学科专家请教。他加强了对《史记》思想性和史学的研究，为“笺证”蓄积力量，对《史记》十表尤有心得。韩先生的这些努力，都熔铸在《史记笺证》中。韩先生这种孜孜以求的精神是值得敬仰的。《史记笺证》杀青后，韩先生送来部分清样，向我索序。我诚惶诚恐，许久不能下笔，生怕笔力浅薄，埋没了《史记笺证》这部煌煌巨著的精华。但老友的诚意，敢不从命。我只能勉为其难，说一点浅见，向读者推荐，以期抛砖引玉。

司马迁崇高的人格，表现为卓越的创新能力。韩先生研究《史记》，学习司马迁，心灵相通，也表现为不凡的创新精神。《史记笺证》在继承传统的基础上有着多方面的创新，取得了突出的成就。就大的方面来说，主要有四个方面，分述如次。

其一，《笺证》运用本证、旁证与理校等多种方法，对当前通行本《史记》原文的字句讹误和一些重要的标点失当，校改了二百多处。注解《史记》的首要任务是竭尽所能恢复《史记》原貌。《笺证》对此花了大力气。该书凡例二十条，前十条凡例集中对《史记》原著文字的校正处理，占了凡例的半数，由此可见《笺证》注释的重心所在。韩先生花大力气校正《史记》原文，凡校正之处皆出注说明与论证，有的更改，有的只是提出问题，区别对待，态度严谨，这无疑是注解古籍的正确态度，也是对传统校勘学的弘扬。所谓通行本《史记》，当代所指即中华书局点校本《史记》，韩先生据以作底本，这是聪明而又正确的选择。因为中华本《史记》，是几代人的校勘总成果，结晶了众多前辈学者的智慧，对此作出校正难度是非常大的，也是要有勇气的。为了求真，韩先生知难而上，做出了成绩，特别是对一些大家习见而默认的错误作出校正，或提出新解，实为难得。例如《孔子世家》正文中有“鲁世世相传以岁时奉祠孔子冢，而诸儒亦讲礼乡饮大射于孔子冢。孔子冢大一顷。”说“鲁世世相传以岁时奉祠孔子冢”是对的；说“诸儒亦讲礼乡饮大射于孔子冢”，并说“孔子冢大一顷”，就显然不对了。《笺证》引阎若璩的考证，以《孔子世家》的赞文作“以时习礼其家”为证据，更正后两个“冢”字是“家”字之误，是为本证。现存事实的比较是为理证，《笺证》作如下按语：“孔子冢在今山东曲阜市城北的孔林中，是一个不大的土丘，别说一顷，连一亩也没有；孔子家的旧址在今曲阜市的孔府内，孔子死后越来越阔气，现存孔府共占地至二百四十亩；孔子活着的时候到处碰壁，不可能有这样大，但比那个土丘大一些还是应该的。”这个按语并不是以简单的事实对比就作出推理论证，它注意到了历史的发展，逻辑严密。同时行文诙谐风趣，增强了可读性。韩先生讲话、行文潇洒飘逸，具有个性，这一风格，带入《笺证》，很有特色。

其二，引申王国维的二重证据方法于《笺证》，博采非文献资料注解《史记》，贡献突出。韩先生不仅吸收考古资料，利用出土文物以验证《史记》文本叙述的史实；而且访求、采录地面遗留的各种古代遗迹，诸如城垣、关塞、楼台、陵墓、碑碣等可与历史人物、历史事件相互印证者录入注释中，既资博览，以广异闻，又大大提高了史实的清晰度，有的还纠正了文本叙事的偏差。例如周武王伐纣的牧野之战，这一重大事件，文献记载见于《周书》、《尚书》、《韩非子》等多种典籍中，而1976年陕西临潼出土的西周铜器“利簋”，这是一件纪念武王克殷大臣利受赐的礼器，铭文详细地记述了武王灭商的事实与文献记载完全吻合。“利簋”的出土以实物证实了武王灭商的历史事件，使之更加明晰而生动。又如山西高平县永禄乡多个古代尸骨坑的发现，可证《白起王翦列传》中秦赵长平大战赵军覆灭的地方，以及白起坑杀赵卒的史实。至于周文王被囚于羑里的遗址，秦始皇刻石颂功的刻石遗存，秦修直道遗址，田单复齐所据莒城、即墨城的遗址，等等，以资证史，极为亲切，韩先生广泛采择，系统地引入《笺证》，很有胆识。

其三，引证宏博，多方取资，大大丰富了注释的内容，开拓与发展了现代注疏学。《笺证》的引证是开放式的，广泛采择，不设界囿，成为一大特色。广泛采择，仍有重点，着重三个方面：一是采择、引用学术界的研究成果，正讹旧注，提出新说；二是采择、引证古今中外的政治家、军事家、思想家对《史记》有关史事、人物的评论，有助于读者更好地理解历史内涵，提高阅读能力；三是采择、引证文学方面的评论资料，用以加深读者对《史记》文学性的理解，并增强阅读乐趣。试各举一例以明之。《陈丞相世家》、《匈奴列传》中提到的匈奴“阏氏”，三家注《集解》引苏林说“阏氏”，如“汉皇后”。释匈奴“阏氏”为“皇后”，千余年来没有人提出异议，遂成定论。而《笺证》引用林干《匈奴史》研究的成果，匈奴“阏氏”，乃是对匈奴单于多妻的通称，如汉室的“嫔妃”，而不是“统率后宫，母仪天下”的皇后，纠正了旧注的误说。楚汉相争刘胜项败，弱者战胜了强者。《笺证》引用了毛泽东以及军事史专家的评论加以解说，指出：刘邦是高明的政治家，施政深得人心，善于用人，把握了战争全局，指挥艺术得当；而项羽反是，不是政治家，贵族出身，不了解社会，不善用人，不懂战争艺术，终于导致优劣易势，成败异变，成为悲剧英雄。引用大政治家、军事家的评论解说历史大事件，无疑具有权威性《笺证》引文学家的评论解说《史记》中的精妙笔法，更为传神。例如《项羽本纪》载霸王别姬的一幕：“于是项王乃悲歌慷慨，自为诗曰：‘力拔山兮气盖世，时不利兮骓不逝。骓不逝兮可奈何，虞兮虞兮奈若何！’歌数阕，美人和之。”这是何等的一个悲壮场面，《笺证》是怎样解说的呢？不妨全文引录如下：

力拔山兮气盖世四句——朱熹曰：“慷慨激烈，有千载不平之余愤。”吴见思曰：“‘可奈何’、‘奈若何’，若无意义，乃一腔怒愤，万种低回，地厚天高，托身无所，写英雄失路之悲，至此极矣。”钱钟书引周亮工曰：“垓下是何等时？虞姬死而子弟散，匹马逃亡，身迷大泽，亦何暇更作歌诗？即有作，亦谁闻之，而谁记之欤？吾谓此数语者，无论事之有无，应是太史公‘笔补造化’，代为传神。”

歌数阕——连唱了几遍。阕：段、遍。美人和之——《正义》引《楚汉春秋》所载虞姬和歌云：“汉军已略地，四方楚歌声。大王意气尽，贱妾何聊生。”殆出于后人依托。《正义》引《括地志》云：“虞姬墓在濠州定远县东六十里”按：今安徽灵璧县城东十五里之宿泗公路旁有虞姬墓，墓前有一石碑，横额刻“巾帼千秋”。两旁对联为：“虞兮奈何，自古红颜多薄命；姬耶安在，独留青冢向黄昏。”

史公笔力千钧，寥寥数语刻画了一个盖世英雄末路的悲壮场面，《笺证》引证他人之语层层解说，活脱脱再现了这一场面，使历史人物历历在目，可歌可泣，而且有分析，有辩正，引人深思。《笺证》作者韩先生自己没有说话，而胸中意境全盘托出，借他人之语写尽胸中之意，寓论断于叙事之中，是史公笔法，韩先生运用得心应手，于此可见一斑。没有高超的文学修养和抉择组织能力是做不到的。韩先生的这一注释方法和抉择织组能力别具风格，也是他讲话、写作个性化的生动体现，特色鲜明。

其四，《笺证》的“集评”，是韩兆琦先生对注疏体例的一种创新。传统的注解，着重字音字义、名物制度的训诂和年代与史事的考证，一般以疏解古籍的原文为限，主旨是疏通字义，读懂古文，这是一种微观解读方法，无疑是注解的正宗，最基本的内容。“集评”则是超出字、句之外，在篇后评析，以一篇为一个整体单元，作宏观的义理解读，帮助读者欣赏古籍的价值，吸取思想营养，这是超越前人的一种创新。前文已指出，“集评”是荟萃前人的研究成果，沙里淘金，付出了巨大的劳动。读者通过“集评”扩大了眼界，在有限的时间领略众多往哲时贤的风范，受益多多。“集评”之后是韩先生的按语，概述全篇主旨，评判传主，直抒胸臆，简洁明快，引领读者思考。有时对司马迁亦提出批评。例如《吕不韦列传》“集评”后按语说：“吕不韦自庄襄王元年为相，至始皇九年免职，前后为秦相十二年，而这段时间正是秦对东方诸国大举进攻，并逐步实现吞并的时代，而本文作为一个秦国宰相的列传，竟只字未提吕不韦对于秦国的政治有何建树。这就未免过于偏狭，过于失之公正了。”这个批评是中肯的。

此外，《笺证》在技术方面也有所创新。如对《史记》记载历史的地理、年代，《笺证》除了用现今地名、公元纪年加以对照外，特别加进了地形图十八幅、历史古迹、考古发掘、出土文物等图片一百余幅，使《史记》记载的历史内容形象化、视觉化，以利读者的记忆和提高阅读兴趣。对古代的度量衡加注了当今的相应值。对疑难字、生僻字加注汉语拼音。这些细微地方的得当处理，拉近了古典作品与当今读者的距离，增强了时代感。加之《笺证》作者整体行文的流畅与清新，使《笺证》有较强的可读性，具有雅俗共赏的功能。

《笺证》的长处与创新，已如上述。金无足赤，世间没有完美无缺的事物。《笺证》的正误亦有可商或只是一家之言的地方。例如《秦始皇本纪》，记载始皇下葬，为了防止“臧重即泄”，二世残忍地下令闭杀向墓中搬运随葬品的工人。“臧重即泄”为句，下书“大事毕，已臧”两句。“大事毕”，指丧葬礼仪完成，“已臧”，指随葬物品安放完毕，两者各有所指，并不重复。《笺证》认为两者重复，将“大事毕”属上读，标点为：“臧重即泄，大事毕”，解为“意谓陵墓中这些众多的珍藏物倘若一旦泄露出去，那可就大事休矣”。如此解，反觉干格。又《秦始皇本纪》载始皇焚书坑儒事件，其文曰：“于是使御史悉案问诸生，诸生传相告引，乃自除。犯禁者四百六十余人，皆坑之咸阳，使天下知之，以惩后。”方苞《评点史记》将“诸生传相告引乃自除”作一句读，意思是“引他人乃得自除己罪”，这是专制者的惯用手法，用以株连兴大狱，理顺义明。《笺证》认为“乃自除”三字生涩不顺，属下读，以“乃自除犯禁者四百六十余人”为句，解“自除”为“自己圈定、挑出。主语是秦始皇。”“除”字作“圈定、挑出”解，似无依据。案问诸生的是御史，此解横生主语为秦始皇，倒有些生涩不顺。不过这些细枝末节还可继续讨论，无伤《史记笺证》恢弘巨制之大雅，《史记笺证》不失为当今研究《史记》最具参考意义的重要著作，嘉惠士林，有益后学，是为之序。

（2004年11月28日写于北京）

《史记八书与中国文化研究·续篇》[①] 序

《史记》体大思精，是学术界公认的一部“百科全书”。正由于此，阅读和研究《史记》有很多话可说。尽管《史记》自问世两千多年以来，有不可胜计的中外学者和读者阅读和研究，发表的论文论著不计其数，但仍然有许多话题可说，不仅不会出现题无剩义的局面，而且《史记》蕴含的思想有永远开掘不完的价值。就拿《史记》五体之一的“八书”来说，内容博大精深，至今留有许多未知领域有待探索。例如，司马迁为什么作“八书”？为何其数为八？“八书”顺序有无深意？司马迁与班固相隔未远，而《史记》八书与《汉书》十志相较，却有很大的差异。马班比较是一个传统课题，汉末王充已发其端，争论了近两千年，而“八书”与“十志”的比较，却很少提及。也许“八书”与“十志”都难读，内容太博大，难点最多，深入探讨不是一件易事，所以在《史记》研究与马班研究中都留下许多空白。徐日辉君师从于余研究《史记》，并结合他的考古知识欲有所展。1996 年我有幸参与陕西人民教育出版社规划“司马迁与华夏文化丛书”的机缘，提出了“史记八书与中国文化”的课题，徐日辉君承担了这一课题的研究。经过两年多的辛勤劳作，徐君获得了二十余万字的成果，于 2000 年 9 月在陕西人民教育出版社出版。

徐日辉君研究《史记》八书有以下三个突出的贡献。《史记八书与中国文化》全书七章，内容为：一、八书的题名；二、八书的序列；三、八书的旨意；四、八书的重构与扩展；五、八书产生的历史条件；六、八书对中国文化的直接影响；七、八书的

① 《史记八书与中国文化研究·续篇》，中国教育文化出版社 2005 年出版。作者徐日辉，浙江工商大学旅游学院教授、中国旅游文献研究所所长，硕士生导师。中国史记研究会副会长。

历史地位。从全书的这一分章布局，可以看出，作者突出对“八书”的创作旨意及思想内涵进行了深入的研究，视角宏观，论述全面，回答了许多隐微的问题，也是第一次系统而全面地探索“八书”的构成及其价值的论著，填补了一项学术空白，是“史记学”百花园中绽放的一朵奇葩。这是第一个贡献。

但是，徐日辉君并未止步，他继续深入，把《史记》八书与《汉书》十志的比较列入了攻关项目，着重阐发《史记》八书与《汉书》十志相比较中《史记》的未立项目，即司马迁为何不立“刑法”、“地理”、“艺文”、“五行”等门类。结论认为：不立“刑法”，“是对现实政治的公开抗议，旨在恢复传统的礼乐制度，净化每况愈下的社会风气”；不立“地理”，是在“德配与地理的思想主导下，不为汉武帝穷兵黩武的盛世疆域张目”；不立“艺文”，一是秦火之后文献缺失；二是“艺文”不合八书寓意，“不愿为汉武帝时代穷经而经亡的‘学术繁荣’贴金”；不立“五行”，乃是“破除迷信，摈弃五行”。这些议论，既有合理的内核，深挖司马迁书与不书的微言大义，亦难免有偏颇之嫌，但徐君第一次探微，揭示司马迁春秋笔法的尝试是可取的。徐君的尝试，开拓了多向思维的境界，可备一家之言，启示来者再探索，发明新义之功不可没。可以说，徐君即将推出的《史记八书与中国文化研究·续篇》，填补了马班比较研究中的一个空白。这是第二个贡献。

徐君的研究成果，还有一大特色，大量引证考古新材料，使立论证据充实，亦更具时代色彩，精义迭出。这是第三个贡献。

徐君书成，索序于余，欣然命笔，已陈体会于前。意犹未尽，在此，借花献佛，略抒一点浅见，既与徐君共勉，亦以此就正于方家。

“八书”载朝章国典，即把国家大政纳入史学范围，这是司马迁的创造。司马迁以“书”之名为题，司马贞解读说：“书者，五经六籍总名也。此之‘八书’，记国家大体。”① 据此，“八书”是囊

① 《史记》卷二三《礼书》索隐。

括国家大政，以今日言之，是分门别类的文化专史，开后世各种典志体专门之学的先河，所以内容极其丰富。古代《尚书》是各种体裁的公文档案汇编，司马贞以“五经六籍总名”释之最确。班固著《汉书》，因总题为“书”，所以改“书”为“志”，并扩大内容为“十志”。后之作者，依仿班志，《汉书》以下诸纪传史，皆称之为“志”。“八书”首创，“十志”相承，渊源有序，马班比较，切不可以班志为标准，反推“八书”之失，或某书某志缺如。

司马迁只作“八书”，不立“刑法”、“地理”、“艺文”、“五行”，以及“食志”等五门，要依据司马迁所处的历史环境，以及他所承继的前代资料来探求，而不应以《汉志》的有无为标准，这是必须把握的一个基点。

先秦时代，国家大政被归纳为“八政”，见于《尚书·洪范》，司马迁非常熟悉，写入《宋微子世家》，以周武王问政于箕子，箕子答以九条，其中第三条便是“八政”。“八政”依次是：一曰食，二曰货，三曰祀，四曰司空，五曰司徒，六曰司寇，七曰宾，八曰师。《史记》八书与之对应，礼、乐对应宾，律对应师，封禅对应祀，平准对应货，相对应者只有四政。“八书”缺“食”、“司空”、“司徒”、“司寇”四政，而增设“历书”、“天官”、“河渠”三政。由此可见，司马迁所立“八书”，自有其思想旨趣，不是简单的缺与不缺。徐君的研究作了许多探索，这里不多说。

《史记》在“八书”之外，立有十篇类传，其中多有国家大政。例如“循吏”与“酷吏”，可代司寇，即“刑律”之政；“儒林列传”可代“司徒”之政；“货殖列传”“平准”为表里之文，是相辅与相承的姊妹篇，合为货政。此外，《夏本纪》详载大禹治水，划分九州，厘定贡赋，既有司空之政，又含地理之政。这说明，司马迁关注的国家大政，并不限于“八书”所列，古代亦不止于八政，而是书志所列以及排列顺序表现了史家以及当时社会所认定的重大之政。司马迁以礼、乐居第一、第二，取代《洪范》以食、货居第一、第二，显然是维护秦汉时代大一统政治强化中央集权的等级制度的需要而升华的哲学观念，同时这也是升华孔子“足食、足兵”而“民信为先”思想的政治体现。

“职官”是国家大政的要件，儒家五经典籍中就有一典曰《周礼》，又称《周官》，专论官政，讲的是国家机构。《史记》列在“十表”之中，有“汉兴以来将相名臣年表”，班固仿之，作“百官公卿表”，详于“史”表，范晔《后汉书》升格设立“职官志”。在这一点上，范书优于《史》《汉》，也说明了史学的发展脉络，某些方面是后来居上。

“八书”寓含先秦八政观念，只是一个因素。《史记》五体，总数一百三十篇，各体分数，本纪十二，表十，书八，世家三十，列传七十，这些数目均有特定含义，《太史公自序》以及三家注均有明确的阐释。张守节说：“作书八，象一岁八节。”（《论史例》）。徐君进一步上溯先民创“八卦”对“八”这一数字的神秘观念，以及五行哲学对司马迁的影响，很有见地。无论司马迁有怎样的哲学思考，而从国家大政的角度来看，司马迁囿于“八书”其数为“八”的极限，省立“刑法”、“地理”、“食志”等门类留下遗憾，也恰为班固提供了用武之地，而列传所书国家大政，受其传记体例的局限，是不能与书志相提并论的。也就是说，班书“十志”，比迁书“八书”的内容更为博大，更符合史学的完整性是勿庸置疑的。

不过我们再具体分析，《史记》八书不立“刑法”、“地理”、“食”三门是真谓之“缺”，即应立而未立者曰“缺”；不立“艺文”，是条件未备；不立“五行”，是破除迷信，不从流俗，此乃司马迁的卓识远见。

以上议论，权作是笔者对《史》《汉》两书之书志比较的断想，意在说明，此课题的研究还有话可说，还有待深入，也可以说是《史记》研究永无穷期的一个例证。

（2005年1月于北京）

《司马迁与韩城》① 序

公元2004年8月9日至13日，由北京大学、内蒙古师范大学与中国史记研究会联合举办的"《史记》与中华文明学术研讨会暨中国史记研究会第二届年会"在北京隆重召开。这是一次学术盛会，来自全国的《史记》研究者和来宾达112人；这也是一次团结的大会，韩城市司马迁学会、陕西省司马迁研究会、中国史记研究会三家坐在一起共商2005年纪念司马迁诞辰二千一百五十周年学术讨论会事宜。韩城市市长刘新兴作为嘉宾出席大会并在开幕式上作了热情洋溢的发言，韩城市司马迁学会会长、副会长均出席了这次会议，表现了司马故里人民对史圣司马迁的无比崇敬之情。他们带来了韩城市40万人民要求举办纪念司马迁诞辰二千一百五十周年学术讨论会的渴望与关注。

刘宏伟是韩城市司马迁学会的骨干成员之一，是中国史记研究会的会员和理事，也是该学会出席这次盛会的代表之一。刘宏伟带来了一部书稿，题名为《司马迁与韩城》，这本书就是为韩城市举办2005年纪念盛会的献礼作品，可以说是代表了司马迁故里人民祭奠史圣的一份厚重礼品。该书全面总结了韩城市自司马迁学会成立以来二十年间的研究历程与成果。内容分为上、中、下三编。上编囊括了司马迁事历以及韩城当地与史圣有关的风情、习俗，生动地表现了史圣司马迁对历史的巨大影响；中编全面归纳总结了韩城市司马迁学会二十年的历程与学会代表作者的部分研究成果；下编集中收录了作者本人十余年的研究成果与诗文述怀。上述内容非常本分且踏踏实实地展示了司马故里学术界在二千年跨世纪之交近二十年的丰硕成果，有独特浓郁的地方

① 《司马迁与韩城》，中国文史出版社2005年7月出版。作者刘宏伟时任《韩电报》常务主编。中国史记研究会理事。

特色，与书名“司马迁与韩城”十分关合，可以说这也是本书得以立于学术之林的基础。韩城市司马迁学会成立于上个世纪八十年代，是我国第一个也是最早的司马迁研究会。这本书又全面地实录了该会的研究历程，把它在纪念司马迁诞辰二千一百五十周年之际推出，具有特别的意义。

刘宏伟是宣传司马迁、研究司马迁特别热心的一位作者，他把自己的青春和热血贡献给了建设司马故里的伟大事业中，工作之余又全力投入司马迁的宣传与研究，是司马迁执著追求精神的继承者。《司马迁与韩城》虽然不是恢宏大著，但它踏踏实实地反映司马迁故里的学术活动，把它系统地记录下来，也是一件不容易的事。作者的勇气，作者的务实精神，使人感佩。本书具有学案性质，说它是韩城市司马迁学会成立二十年来的学案纪事也是非常贴切的。

刘宏伟同志要求我写篇序。支持司马迁故里的学术事业义不容辞。我以为本书在纪念司马迁诞辰二千一百五十周年推出，不仅是作者的追求，而且是非常及时和有意义的，所以本文着重突出这一点。权作一个“小序”吧！

（2004 年 9 月 10 日于北京）

《史记与周汉文化探索》[①] 序

在司马迁与《史记》研究的学术园地，即将绽放一朵奇葩，也就是在你的书案上，将要置放一本具有鲜活新思想、新思维、新视角的学术论著。这本书题为《〈史记〉与周汉文化探索》，作者陈曦是《史记》研究著名学者北京师范大学韩兆琦教授的高足，现任教于解放军艺术学院文学系。我与韩兆琦先生过从甚密，因此与陈曦早就相识，她的工作单位与我的工作单位中央社会主义学院又是近邻，平素有一些学术联系，偶尔也有过学术问题的交流，也可算是忘年交吧。陈曦把她积年撰写的《史记》论文结集出版，在付梓之际，索序于余，这就是本文的由来。

陈曦为人淡定，不事张扬。她平时在交流中涉及学术问题，只谈具体问题，从未透露她个人的治学计划，以及出版学术论著的事。她正当中年，作为女性，在工作之外，还要承担生活的重负，系统读书、研究要挤时间，做出成绩很不容易。当她把洋洋数十万字的书稿清样送来时，让人有些惊愕。尤其是读完书稿之后，更使人油然生敬。全书收论文十八篇，所有的论题和本书的书名一样，看似平淡，有些是老生常谈，可是在陈曦的感悟与表述中，别具一番内涵深意，吐发人所未发之言，出奇，出新，表现了作者刻苦用功、沤心沥血的心路历程。毫无疑义，《〈史记〉与周汉文化探索》是在热门课题研究中异军突起，独树一帜，开拓了《史记》研究的新领域，所以是《史记》学术园地的一朵奇葩。其极具个性的鲜明特点，着重表现在以下几个方面：

其一，推陈出新，吐发人所未发之言

这一特点以集中探索《史记》文化渊源的一组文章最为突出。

① 《史记与周汉文化探索》，学术论文集，中华书局 2007 年出版。作者陈曦，解放军艺术学院教授，硕士生导师。中国史记研究会常务理事，副秘书长。

这一组文章主要有三篇：《司马迁与孔子》《司马迁与墨学的精神关联》《司马迁的幽暗意识》。《司马迁与孔子》探讨了两人思想的渊源与承传关系。作者认为，两位哲人对“天”和“天命”都一再有所称引，表明他们头脑中，“都有宗教意识的地盘”，但是“支撑他们从事艰苦卓绝的文化事业的精神源泉”，以及审判历史、批评现实的终极标准，都不是来自“超验、神秘的上天”，而是“从茫茫历史积淀而成的思想观念”。也就是说，司马迁和孔子，两位哲人的思想都是来自于对历史认知的升华，而不是来自于先验的顿悟，所以两人都是历史学家，重视历史，叙写历史，从而两人“均树立了人文色彩浓郁的崇古意识”。在这里，作者使用的“崇古意识”，不是复古思想、倒退意识，而是指“历史信仰”，要从总结历史经验中拈出改变现实，创造美好制度的理论基础。这也是作者挖掘出的司马迁写《史记》的理论基础。

作者并未止步。司马迁和孔子是不同时代的思想家，历史时代不同，两人的崇古意识必然不同，思想内核和意义有着明显的差异，作者作了充分的阐释。孔子崇古的内核是着重于古代的政治制度，其内容有两个层面。其一，对夏商周三代圣君贤臣的礼赞，从而提倡“仁义”学说；其二，对西周礼乐制度的推崇，从而提出“复礼”的主张。“仁”与“礼”的关系，“仁”是“复礼”的手段，“礼”是“仁”的旨归。所以孔子的政治主张就是“克己复礼”，把复礼作为治世的良方。司马迁的崇古意识则体现为一种多元吸纳而又自成一格的文化观念和文化立场。其精髓是充分吸纳圣君贤臣独具的道德、伦理，以及先哲大公无私的奉献精神与忍辱负重的奋斗精神，用以激励自己的人生，落实在自己从事的文化事业中，树立起一个追求史学独立品格的光辉典范，用以抵制西汉时盛行的媚附皇权的庸俗哲学。

《司马迁与墨学的精神关联》，作者一反前人所谓司马迁“尊儒而重道，墨盖非其所喜”（孙诒让语）的说法，认为司马迁十分重视对墨学精义的吸收，主要表现在两个方面：其一，《史记》中的一些重要历史人物，如夏禹、晏婴等，被涂抹上了一层浓郁的墨学色彩；其二，司马迁多方汲取了墨学的若干合理内核，包括鲜明的平民意识、突出的功利精神等，但司马迁的游侠观却与墨学并无关涉。

《司马迁的幽暗意识》，探讨司马迁对先秦儒法两家关于人性善与人性恶主张的吸收和扬弃。“幽暗意识”是借用上世纪八十年代台湾学者提出的一个术语，意思是指对人性负面恶行的正视与省悟。作者概括司马迁幽暗意识表现在以下三个方面：其一，正视人类合理欲望，不认为追名逐利是恶；其二，高扬人类至善本性，不认为追名逐利是最高价值；其三，对“伪善”进行了揭露和批判。简括地说，司马迁的幽暗意识，对儒家的性善说并不照单全收，而对法家也不全盘否定。传统归类荀子为儒家，但他的性恶论是法家的理论基础，他的两个最有出息的学生韩非、李斯是先秦的法家代表。《司马迁的幽暗意识》重点是探讨司马迁对性善说的吸收。

上述三篇文章构成作者对《史记》文化背景的探索，试图构建司马迁撰写《史记》的文化语境，也就是探讨司马迁创作《史记》的思想渊源与理论基础。这些都是老生常谈的话题。可是在学术界以往的探讨里，基本停留在表层的论述中，有的认为司马迁崇儒，有的认为司马迁尊道，有的则说司马迁好奇、驳杂，儒、墨、名、法、阴阳、道，兼收并蓄，司马迁父子的《论六家要指》自己就这么说了。但司马迁并没有说自己是杂家，他兼收并蓄，自成一家，怎么融会贯通，往往说不清楚，也很少有深层次的分析。作者的这一组文章，从不同层面探讨司马迁对先秦思想的吸收与承传，别开生面，进行了深层次的探讨，呈现了司马迁思想的崭新面貌。作者在《司马迁与孔子》一文的结语中自信地认为她“真切地感觉到了”自己的发现和感悟，“靠近了那两颗伟大的心灵”，“并对他们的思想有了似乎较为贴切的把握”。作者这组论文所取得的成就，所闪现的思想光芒，展现出的新思维，可证作者的自信是有充分理由的。

其二，论从史出，在探微发隐中出奇、出新

作者考察由“巫蛊案”引发的戾太子之死与司马迁卒年考论两大学术问题，运用探微发隐的方法，作出了令人称道的贡献，值得细细评说。

所谓“论从史出”，指的是立论要有依据，不说空话，论点要有论据支撑。由于古史研究，常常苦于文献不足，所以强调“论从史出”，要求治学者细心读史，探微发隐，沙里淘金，下一番考据的功夫，找出论据。这也是治学者见功力的地方。如果治学者对自己要论证的问题，下的功夫不够，若只依据似是而非的材料，或者抓住一条孤证就大做文章，用推论代替考证，即便是学术大家，也免不了跌跟头。例如考证司马迁的卒年，以《报任安书》作为司马迁绝笔文字来推论司马迁的卒年，就陷入了主观推论的泥潭。《报任安书》中有怨言，算是一条孤证，但无法证明是司马迁慷慨赴义的绝笔书。再说《报任安书》的写作时间也未能确定，学术界有太始元年、太始四年、征和二年、征和三年四种说法。《报任安书》中有“会少卿抱不测之罪，涉旬月，迫季冬”的话头，论者于是推定任安死于征和二年十二月。因汉法大辟罪人在季冬。东汉卫宏《汉旧仪注》有司马迁“有怨言，下狱死”的话头，论者就把假定的任安死于十二月反过来推定《报任安书》作于十一月，由任安之死牵连出司马迁下狱死。由因证果，以果证因，循环往复，违反了逻辑法则，不是由甲证乙，由乙证丙的单向延伸，而是由甲证乙，又由乙证甲。推理论证必须在已知的条件下延伸才符合逻辑。而因果论证，循环推理，其前提均是假设，无法单向延伸，只能循环，所以不符合逻辑。《报任安书》虽有怨言，但不是绝笔书，说它是绝笔书就是假设。涉及巫蛊案的罪人，属“斩立决”，并不在季冬。说任安死于季冬亦是假设。用假设证假设，互为因果，当然是荒谬的。陈曦在《巫蛊之祸与司马迁卒年问题考论》一文中，从《汉书・刘屈氂传》、《资治通鉴》汉纪征和二年发现任安之死不在征和二年十一月，而是与放走戾太子的丞相司直田仁一起在七月被腰斩。这一记述斩断了循环论证的一个链条，那么循环论者构建的推论大厦必然呼啦啦倒塌。作者的结论：“《报任安书》并非作于征和二年，它与司马迁之死是毫不搭界的。”完全合于逻辑，因而中肯有力。

《汉书》与《通鉴》载述的任安之死，明白无误，只是读史者粗心放过，于是走了许多弯路。如果说陈曦指出了任安的确切死日，表现了她的读史细心，还不足以证明她“探微发隐”的功力的话，那么陈曦在戾太子“私问《谷梁》而善之”这一史料的发现及其细微论证，足可以证明治学的用力之勤，思维逻辑之密，在“探微发隐”的方法上作出了典范意义的贡献，作者的功力和识见，于此可见。

众所周知，汉武帝是一个雄才大略的君主，即使是晚年，他对于全国局势的把握也不失清醒，他在临终前的两年，颁布轮台诏令，为昭宣中兴奠定了政治转机的基础。如此英明有为的君主怎么会在一个小小权臣江充的误导下演出巫蛊之祸的悲剧呢？巫蛊之祸的死难者有皇后、太子、皇孙、丞相等皇亲贵胄、公卿大臣，更有数万名吏卒，差点颠覆了帝国。冰冻三尺，非一日之寒，汉武帝、戾太子这一对父子究竟是怎样的关系呢？大概是文献不足，学术界很少论及，成为千古悬案。陈曦发现戾太子“私问《谷梁》而善之”这一史料，运用“探微发隐”的方法，从《公羊传》与《谷梁传》的思想倾向入手，论证了汉武帝、戾太子两人不同的政治路线，为解决这一千年沉寂的悬案作出了可喜的努力。

汉武帝崇尚“公羊学”，依据《公羊传》宣扬的九世复仇、尊王攘夷而外伐四夷，又依据《公羊传》宣扬的“臣无将，将而诛”，用法严苛；而《谷梁传》宣扬“民本”意识与“亲亲之道”，戾太子据以反对汉武帝的强权政治，主张化解仇恨，必欲用武，也必须要内政无忧方可攘夷。戾太子不赞同用法严苛，平反冤狱，于是“群臣宽厚者皆附太子，而深酷用法者皆毁之”。父子两人的政见既不同，而朝中大臣又各有彼此，于是江充得以乘间而入。作者还认为戾太子继承了《谷梁传》维护礼制的思想，长期恪守为臣之道，尽忠尽孝，这既是汉武帝迟迟不废戾太子的原因，也是促使汉武帝后来反思悲剧结局的原因。汉武帝痛定思痛，引发内心激烈振荡，转向认可戾太子的“守文”，才发布了轮台诏令，“最终完成了政治上的‘守文’转向，避免了亡秦悲剧的再次上演”。本文立论新颖，分析透彻，论据充分，很有说服力。文章的写作起源于戾太子“私问《谷梁》而善之”这一细微史料的发现。因为作者注意到，汉武帝慎重其事地发布诏令让太子刘据学习《公羊传》，要他继承自己的政治路线，而太子却对《谷梁传》感兴趣，“私问”，即个人爱好。诏令与私问形成强烈反差，作者敏感地捕捉了这一反差，经过细密的论证，全过程都是“探微发隐”，对照《公羊》与《谷梁》两传的思想旨趣，不下一番功夫，是做不到的。

其三，纵横比较，在周汉文化的大背景下感悟司马迁的创作心声，开拓了《史记》研究的新领域

作者题书名为《〈史记〉与周汉文化探索》，探索的内容归纳为三个方面的问题：1.《史记》的艺术探索；2.《史记》人物实例分析；3.《史记》的文化探索。作者探讨的这些学术问题，以及本书书名，看似平淡，而内涵却别具深意，特别是书名大题，对于作者的研究方法有提示作用。本书书名中，“周汉”这一术语概括了《史记》所载三千年历史的断限范围，因此《史记》本身就是周汉文化的组成部分。《史记》是小题，“周汉文化”是大题。作者将小题与大题对接构成书名，其内涵就是把《史记》置放在周汉文化发展的大背景下作纵横比较研究。纵横比较与重视文化发展大背景，是作者宏观研究的两个最重要的元素，极具个性化。作者对这两个元素得心应手的运用，充分展现了她的新思维与新视角。作者在研究具体问题的过程中，把古今中外的文化发展都用为感悟司马迁创作心声的大背景。在这一大背景的平台上，作者将《史记》与《三国演义》，《史记》与古代正史传记，《史记》与蔡东藩的《前汉演义》作比较研究，并将司马迁与世界东西方哲人，如印度的泰戈尔，英国的以赛亚·柏林，法国的安德列·莫洛亚，德国的卡尔·雅斯贝斯，美国的欧文·斯通，俄国的托尔斯泰等人的思想作比较。原本晦暗、枯槁的史事，模糊、混沌的思想，一经对比的眼光扫描，霎时就变得清新、生动，历史的真相、思想的真谛，也因而得到显示。那些老生常谈的问题，在作者笔下变成了新课题，展现出了新思维，因而取得了创新的极大成功。

下面，具体结合对《史记》的叙事艺术、写人艺术、虚构问题略作述评，看看作者在纵横比较中带给我们哪些新思维。

《史记》的叙事艺术，作者讨论了《史记》的隐含叙述与战争叙述两个课题。所谓“隐含叙述”，就是创作者寄寓在文字之外的“微情妙旨”。作者分析了《史记》中大量的以曲折形式表达作者主观情志的隐含叙述，其方法有四：一是调整叙述节奏，二是插入寓言式的叙述，三是移位叙述，四是反讽修辞的使用。这些手法，是司马迁对先秦隐喻性叙事观念的热情响应与积极发挥。作者指出：只有了解《史记》的叙事策略，才能深入司马迁的心灵深处，感受《史记》如冰山般的威严。关于战争叙述，作者从军事文化的角度切入，揭示了“崇儒”与“爱奇”是《史记》战争叙述的两大基石。学术界以往探讨《史记》的叙事艺术，着重文学技法的揭示，陈曦的探讨，首次触及司马迁思想的承传，揭示了司马迁对人类历史、社会政治、现实人生等多方面的思索，把《史记》叙事艺术的研究推向了一个新的平台，超越了前人的成就。

《史记》的写人艺术，是文学界研究的一个热门话题，关于写人技巧、形象塑造的话题，似乎已达题无剩义的程度，许多论文是叠床架屋炒剩饭，突破前人成就很难。陈曦的探索与人物实例分析，独辟蹊径，打开了一片新天地。《〈史记〉传记艺术溯源》，作者系统地考察了先秦文献在传记体例、写人意识及写作技巧等方面提供给了《史记》以艺术滋养，从而揭示了《史记》传记文学的辉煌绝非空中楼阁，而是一种继承和发扬。《〈史记〉的悲剧艺术》，将《史记》置于中外悲剧文学的广阔天地，考察了司马迁怎样选择和塑造悲剧人物，揭示了司马迁与儒、道两家迥然不同的悲剧审美观。

在《史记》人物实例分析中，着重选择先秦人物，并特意将《史记》原文与司马迁所利用过的先秦文献作了排比对照，得知司马迁绝不照搬先秦史料，而是常常在一些关键地方，有意弃《左传》、《国语》、《论语》、《国策》等现存材料而另采他说，甚至于脆独创新说，目的是为了传送自己的心声。没有先秦文献依据，完全是司马迁自己独创的李斯传、项羽传，作者要阐明的重点也放在揭示司马迁的心声上。总之，作者对司马迁写人艺术的探索，以及人物实例分析，重点放在揭示司马迁的心声上，目的是进一步走进司马迁的心灵深处，挖掘出前贤未曾指出的蕴藏于《史记》中的幽微旨趣。可以说，这是对创作者更深层次的思想研究，表现了作者立意高远，故能创新，值得肯定。

关于《史记》记事的事实与虚构，也是文史两界关心的热门话题，至今论说纷纭，莫衷一是。有人认为《史记》实录，记事文直事核，是历史，没有虚构。有人认为《史记》人物传记，已达到典型化的艺术境界，是短篇历史小说集，甚至郭沫若也说过《史记》人物传记是历史小说。目前占上风的意见认为，《史记》主干实，枝叶虚，只有细节的虚构，是合理的“遥情想象”，并给予了“艺术真实”的理论标签。陈曦运用文化发展的大平台和纵横比较方法，把《史记》中的历史虚构，它的成因和作用，推向了一个更高的境界。作者在《〈史记〉的历史虚构》一文中认为，《史记》只有细节的虚构，它与历史记载的真实是浑然一体的。分别将《史记》与蔡东藩的《前汉演义》以及《三国演义》作比较，指出传统的虚实理论，将作家主体意识创作的历史文学，人为地分割为真实与虚构两个部分，既误导了对《史记》中虚构的认识，又误导了历史小说的发展。作者在对比研究中发现，《史记》中含有细节虚构的篇章并不是《史记》中文学性最强的精华。《前汉演义》力图避免虚构，却又摆脱不了虚构，而文学性最强的部分，又恰恰是含有虚构的部分。这说明虚构可以增强史传的文学性，但却不是唯一的手段，《三国演义》不回避虚构，未受传统虚实理论的干扰，成为历史演义小说的典范。作者引入了泰戈尔“历史情味”的概念，主张人物传记与历史小说，作家的主体意识，都要注重“历史情味”的酿造。《史记》与《三国演义》共同点是都蕴涵作家“历史情味”的酿造，不同点，《史记》的文学创作是不自觉的，《三国演义》是完全自觉的。一般演义小说之所以未能超越《三国演义》，原因之一便是传统虚实理论的误导，失去了“历史情味”的芬芳。作者对“历史情味”概念的引入和运用，使人耳目一新。

作者在《〈史记〉与历代“正史”传记》一文中，以中国古代文、史两家的分合变化为背景，指出《史记》是在文史不分的背景下，司马迁重视自我表现，挖掘传主复杂的人性，运用小说技法刻画传主形象，“在写人艺术方面奏出了许多暗含现代传记观的精彩乐章。”司马迁之后，在文史异辙的背景下，作家主体意识衰退，人物形象干瘪，语言枯淡无华，史传人物失去了文学性，故而无人企及司马迁。

《史记》是大家熟悉的文史名著，对《史记》的研究，也是中国改革开放以来新时期涌现出来的一个热门课题。粗略统计，自上世纪1978年以来，每年都有百余篇《史记》学术论文发表，二十余年间积数有两千多篇，出版的专题学术论著130余部，论文论著作者1200余人。当前《史记》研究的学术平台，处于一个高端发展的态势。如此众多的作者，又在一个高水平的学术园地，陈曦可谓脱颖而出，她的《〈史记〉与周汉文化探索》给我们带来了新思维，开拓了《史记》研究的新领域，引领后继者探索《史记》每一篇创作背后作者的心声，这一新领域有着广阔的天地，有待作者和《史记》爱好者共同努力。学无止境，人生有涯。中青年学者的创造思维，是“史记学”发展的希望。祝贺陈曦，祝贺《〈史记〉与周汉文化探索》的问世！

是为序。

（2006年10月30日于北京，载《解放军艺术学院学报》2008年第1期）

《史记散论》[1] 序

宋嗣廉先生是当今《史记》研究学术圈内的一位长者，治学严谨，为人谦和，年岁最长，临近八十，是当之无愧的老一辈学者。宋先生退休前任吉林师范学院院长，是“从政”型的学者，俗称“双肩挑”。一般情况，“双肩挑”总要偏重一头，而宋先生却能做到“双肩挑”名副其实，“从政”与“从学”两不误，在学术上同样取得了瞩目的成就。宋先生治学，一生执着，至今仍笔耕不辍，真是“老骥伏枥，壮心不已”，是值得学习与敬仰的一位长者。

我与宋先生相识、相交已二十余年，宋先生长我八九岁，一直表现出老大哥的关怀。公元 2001 年中国史记研究会成立，我任副会长主持常务工作，宋先生是学会顾问，非常关心和支持学会工作，与我交谈，总是语重心长，十分坦诚，也使我十分敬重。宋先生与中青年交往，平易近人，没有架子，乐于提携中青年后进，评介中青年学者的成果，不遗余力。宋先生在学术界的长者形象，或者说是一个长者的人格魅力，得到老中青学者的一致认同。

文如其人。宋先生的学术成就，朴实无华，文风厚重，思想内涵颇具独创性。宋先生有三部专著问世，每部都具有开创性。1986 年出版了《史记艺术美研究》，二十多年过去了，这本论著仍处于这一课题的前沿。一是，从美学角度研究《史记》的论文论著寥若晨星，所以宋先生的《史记艺术美研究》仍是课题的代表性论著立于学术之林。二是，《史记艺术美研究》对《史记》审美价值的发现与论述，具有独到的思维，对此，本文后面还将

① 《史记散论》，“史记学”论文集，待出。作者宋嗣廉，北华大学文学院教授，中国古典文学研究知名学者，《史记》研究专家。曾任吉林师院院长。中国史记研究会顾问。

作具体分析。宋先生的第二部《史记》专著《司马迁兵学纵横》2006 年陕西人民教育出版社出版，该书全面总结了司马迁如何在《史记》所撰写三千年的通史中历朝历代各个时期的战争史。该书最突出的特点是发现《孙子兵法》是司马迁兵学思想的灵魂，发前人所未发。2007 年宋先生的第三部《史记》论著《历代吟咏史记人物诗歌选读》问世。这是一部资料辑录再创作的学术论著，淋漓尽致地表现了宋先生涉猎广博与有心人的思维方式。宋先生晚年才出版这部书，可想而知是数十年的日积月累才获得的，没有持久的耐力与恒心是得不到的。可以说，宋先生的这一成就，展延了“史记学”的范围，开拓了一个冷门。举一反三，作为百科全书的《史记》，还有多少空间可供后继者去延展呢？宋先生作出了示范。

即将置于读者案头的《史记散论》是宋先生的第四部《史记》论著。这是一部论文集，书题《史记散论》，表达作者点点滴滴数十年凝结的心得。如果说，宋先生的前三部《史记》专著，是集中开拓“史记学”的某一个侧面，那么这部《史记散论》则是阐释《史记》百科全书内容的述评，涉及面相当广泛，诸如政治、思想、军事、外交、道德、审美、文化、文学、人物等等，以及《史记》成因，都留下了作者独特视角的探讨。论文集中的重点论文，是作者专题论著的升华。例如《司马迁对研究孙武及其兵法有首创之功》一文，就是集中阐释了《孙子兵法》是《司马迁兵法纵横》一书的领读大纲。再如《吟咏史记人物的诗歌也是史记研究成果的一种表现形式》等论文，则是领读《历代吟咏史记人物诗歌选读》一书的大纲。特别是作为一篇论文标题长达 24 个字，似乎有些累赘，但仔细一推敲，该文标题正是作者研究《史记》人物诗歌升华出来的理论浓缩，把《史记》人物诗歌升华到诗评的高度，认为是诗人研究《史记》的成果，这是作者的新发现，作者要活脱脱地展示给读者。所以不惜标题文长的累赘，要求理论的表述细腻发微，这也是文如其人。宋先生平时说话慢条斯理，读宋先生之书，不能快速，不能性急，也要慢条斯理，细细品味，才能得其要领。

宋嗣廉先生最具功力的论著，应是《史记艺术美研究》。该书探微发隐《史记》的审美价值，见解深刻而论说中肯。宋先生认为，《史记》所写的人物、事件情节、结构布局所表现出来的审美风格，大体有雄奇、悲壮、流动、匀称等几个特点。宋先生认为司马迁"发愤著书"的非"中和"美的思想，渗透在全书中，这是形成《史记》雄浑、悲壮的美学风格极其重要的因素。宋先生还在《史记艺术美研究》一书中首次引进"艺术辨证法"的概念，并列专章讨论《史记》的艺术辨证法。宋先生认为，司马迁继承了《诗经》以来中国文学美的优良传统，在处理褒善与贬恶、实录与想象、多样与统一、共性与个性等关系上，合于艺术辨证法。拿"实录"与想象来说，《史记》在"实录基础上，对某些细节通过"合情入理"的想象，"称量以出之"，加以"文饰"，这与小说家之言是不可同日而语的。倒是那种把"实录"只理解为承认客观事实的看法是不全面的。此说理清了历史"实录"的细节与小说虚构本质的区分，鲜明指出"入情合理"的想象，再加"称量以出之"，恰恰是历史"实录"的再现，或者说是经过"文饰"的"实录"，不能等同于虚构。

《史记散论》中两篇重量级论文《"文之道，时为大"》与《论司马迁"与民族共斯悔"精神》，应是从《史记艺术美研究》中脱颖而出，是作者的再度创作与升华，更具有理论色彩。就说《"文之道，时为大"》吧。任何一个历史时代，总是真善美与假丑恶并存，盛世如此，衰世亦如此。作为时代镜子的伟大作品，在褒善与贬恶两个方面，如何才能做到"不虚美"，"不隐恶"。宋先生从《艺概》中得到启示，认为下笔成文，所载之道，要把握时代脉搏，做到以"时为大"，就能把握好褒善与贬恶的分寸，从而全面地反映出时代的本来面貌。司马迁做到了，真正载了"时为大"之道，《史记》是当之无愧的历史的镜子。分析作品，也需要以"时为大"为准绳，才能把握作者的本来意图不走样。例如，司马迁在《史记》贬恶的行文中流露出许多激愤不平的言论，一些评论者认为是司马迁发泄个人私愤了。宋先生批评了这种看法。因为司马迁所处的时代是昂扬向上的大一统时代，司马迁的基调是尊汉褒善，着意反映的是“海内一统”的大时代，司马迁颂扬“明主贤君忠臣死义之士”，是时代的要求。所以《史记》文章的风格才能是雄浑悲壮与疏宕有奇气。司马迁提倡的“发愤”，绝不是个人私愤的发泄，而所发之“愤”，是“不愤不启”之愤，是吐发胸中之所欲言，而非愤怒也。所吐之言，是勇敢地对黑暗现实发出的不平之鸣，因而“愤”中更多地保留了地主阶级上升时期的进步思想。宋先生的这些论述，显然是在司马迁“发愤著书”为非“中和”美的基础上，引入“时为大”升华出的新认识，理论色彩更为醇厚，表现了作者勇于探索的精神永不停步。

宋嗣廉先生年近八旬，还为学界奉献《史记散论》，这本身就是一种精神。应该就是我们效法的老当益壮吧。宋先生嘱我写几句话，敢不从命。只是学力有限，未能将宋先生的学术精髓阐释出来，于是拉拉杂杂写一点我与宋先生交往的印象，以及拜读宋先生学术成果的一点体会，权作介绍宋先生其人其文吧！

是为序。

（2009年7月8日于北京）

《司马迁及史记论稿》序①

子夏有言："仕而优则学，学而优则仕。"（《论语·子张》）杨伯峻《论语译注》的解读是："做官了，有余力便去学习；学习了，有余力便去做官。"优，杨氏解读为行有余力。其实，优字直接按本字来解更有意境。那就是"最优秀的领导者，总是在不断地学习；学习最优秀的人，才应当到领导岗位上来。"子夏的这两句话，多年来有一个更精炼的时髦解读，三个字，叫"双肩挑"。换成文雅的说法，就是"从政"与"为学"两不误。

一般来说，二者不可得兼。"政"与"学"孰为熊掌孰为鱼，有了个人选择还得有随缘机会，所以二者很难兼得。科举时代，"学而优则仕"，"学"是"仕"的先决条件，二者普遍得兼，但要做出成绩，二者仍然很难兼。得兼者必有过人之处。环视当今，职位得兼者不乏其人，而名副其实者并不多见。淮阴师范学院副校长、博士生导师张强先生，"从政"与"为学"两不误，熊掌与鱼兼得，表现了他的过人之处。他不仅从政有声，而且为学更有绩。如今才到中年，已著作等身，发表学术论文二百余篇，出版学术论著二十余部，洋洋近千万言，是当今中年学者的翘楚。为学有"通才"与"专才"之分，专才易通才难，而张强先生是一个通才，这是他又一过人之处。他的论文与论著涉及多个领域，列举几本论著书目便可见一斑。《桑文化原论》、《人与自然对话》、《宇宙的寂寞——扬雄传》、《僧肇大师传》、《李商隐集》、《李贺集》、《三曹诗集》、《〈山阳诗征续编〉点校》、《新国学三十讲·运河学》等等，足以展示他博闻的才华。张强先生又是专才。他是《史记》研究的专家，任中

① 《司马迁及史记论稿》，"史记学"专论，待出。作者张强，江苏淮阴师院副院长、教授、博士生导师，中国史记研究会副会长。

国史记研究会副会长，出版了《史记》研究系列论著，有《司马迁与宗教神话》、《司马迁学术思想探源》、《史记精读》三部个人专著，合著者不在之列。如今第四部《史记》专著又杀青，书题为《司马迁及史记论稿》，40余万言，索序于余，手执沉甸甸的清样稿，感慨良多。我为学一生，《史记》用力尤勤，年逾古稀，许多课题心有余而力不足，张强先生似乎顺手拈来，挥洒自如。面对张强先生的这一拍岸有声的滚滚长江波涛，惊喜多于感伤。中国史记研究会有一批中青年学者，在《史记》研究学术领域大放异彩，不仅许多重大课题的攻关完成在他们之手，而且不断开拓《史记》研究新领域。张强先生的这部《司马迁及史记论稿》又拓展了新的领域，为本书作序，是我的荣誉。我作为中国史记研究会的发起人之一，看到学会的兴旺，看到一大批中青年学者的成长，心里充满了由衷的喜悦。一个人能力有限，人生有涯，知识无涯，但群体的力量也是无穷的。从上世纪80年代以来的“史记热”持续不衰，连绵三十年，越来越红火，要感谢张强先生他们这一批中年学者，以及跟进他们的青年学者。一批又一批中青年学者的成长与接力，是三十年来“史记热”持续不衰的根本保证。本文在此借题发挥，既为张强先生祝贺，也表达我对长江后浪的赞佩。

《司马迁及史记论稿》是一部论文集，也是一部学术专著。全书收文48篇，加链接17篇，总计65篇，分为上下编。上编《司马迁思想发微》，下编《史记》品读散论。上、下两编笔调不同。上编以理论思维为主调，冷静研讨司马迁思想，大多是专题论文，颇多创获，展示作者的治学功底。下编以赏析为主调，激情抉发《史记》的文学价值，可能多为课堂教学，展示作者解读古典文学的天赋。上编的许多论题，经过细细打磨才可能达到现有的境界；下编的多数文章是激情喷发，奔涌而出，一气呵成，尤其是那些链接的小品，火花四射。文如其人，多样风格熔于一书，恰恰是张强先生才华横溢淋漓致尽的展现。

张强先生是一位帅哥，高高的个子，脸上常带笑容，充满自信，幽默而风趣，他得到上帝太多的眷顾，让人有些嫉妒。

与之交谈，如沐春风，借用三国时东吴老将程普的话说："与周郎交，若饮醇醪，不觉自醉。"在这里应该改一个字，周郎为张郎。

下面着重谈一谈上编"司马迁思想发微"22篇论文读后的体味，与读者分享。作者所说的"发微"，不是一般意义的探微发隐，做一些微观的考证，或抉发一些冷僻的隐微旨趣，而是指发人所未发之言，或人们所忽略的思维侧面。确切地说，是开拓，是新发现，是解读了新义。22篇论文多数命题都是客观的，视角是高屋建瓴，试析之如下。作者将22篇论文分为五组。第一组论文三篇，研讨历史产生司马迁和《史记》的文化背景，是一个大主题。《司马迁的文化使命与史记的着力点》，是论集开篇的论文标题，也是全书之纲。学术界以往的研究，着眼于《史记》这一丰硕成果立论，认识到"司马迁是中国历史上最伟大的史学家和文学家，他不但以宏大的气魄撰写了中国历史上第一部通史，而且以崭新的史学体例规范了后世史学的运动方向。"这段话是对以往学术界研究成果的概括，可以说是众所周知的共识。不过这只是作者的引论，紧接着笔锋一转，点出了新义。作者说："从另一个层面看，仅仅有这样的认识是不够的，因为有更多的文化担当。司马迁是史官，史官文化使命是什么？司马迁是怎样提出《史记》撰写原则的？搞清这些问题，对于认识司马迁的撰写动机，司马迁与史官文化的关系、《史记》的结构及谋篇布局、《史记》文化着力点等具有重要意义。"

所谓"另一层面"，就是指从文化发展的视角解读《史记》，也就是说从产生《史记》背后的原因看《史记》，而不是只停留在以《史记》看《史记》。产生《史记》背后的原因是两个方面，一是对历史文化的承传，即《史记》承传了史官文化；二是秦汉大一统的历史现实提出了《史记》要担当的文化使命。接下来"司马迁的史官文化的修复"和"司马迁读书与三次壮游"两文就是对上述两方面原因的阐释。所以这三篇文章为一组。作者提出了"文化使命"这一新概念，司马迁是肩负着历史使命去写《史记》的，所以他是一位自觉的历史家，正由于此，司马迁才能把“局限于记言记事”的史官文化，发展为写一部博大精深，“究天人之际，通古今之变，成一家之言”的通史。

第二组论文3篇，研讨司马迁的礼乐观与帝王观，这也是客观的论题。作者认为，这两篇并不是纯儒家的东西，礼乐自有其文化传统，帝王中心源于史官文化的积累，两者为儒家所吸收。司马迁的礼乐观与帝王观，既承传原有的文化传统，又吸收儒家的思想，而又弘扬自成一家之言。作者在研究司马迁的礼乐思想时，注意到《史记》中《礼书》、《乐书》与司马迁礼乐思想的一致性，跳出两篇是否为司马迁所作的传统争论，自有作者的独特见解。这两篇，尽管来自《荀子》和《礼记》，虽经后人补入，但与《史记》全书旨趣相合，作者作出了翔实的论证，可以自成一家之言。

第三组4篇文章，考论汉代改制、汉初韩诗与齐诗的争论，汉武帝“定郊祀之礼”，以及隐约张苍功绩的笔法几个问题。作者抒发了自己独到的见解，如说汉代儒学借重阴阳五行说，司马迁所学系鲁诗学派，制定《郊祀歌》是汉武帝重新厘定汉代礼乐制度、改革宗教祭祀制度的重要举措，作者的论证，理据充实。司马迁隐约张苍功绩的笔法，是作者挖掘较深而首次考证的课题，引人注目。张苍是秦朝旧时官吏，而在汉初文帝初年代灌婴为丞相，可谓脱颖而出，足见其有过人之处。司马迁把张苍、周昌、任敖、申屠嘉等四人合传，附传赵尧、陶青、刘舍、许昌、薛泽、庄青翟、赵周。这是汉初丞相班列中一篇宰辅类传，却以“张丞相”为篇题，即把合传、类传用专传命名，司马迁的这一创造旨在突出张苍，行文亦将其事迹贯穿全传。张苍擅长律历，辅助萧何定汉律，执行萧何路线，是汉初很有作为的丞相之一，可是司马迁在行文中对张苍的功绩却隐约其词，这一笔法有何深意呢？作者认为张苍主张严刑，反对改历，不承认秦得天统，这些思想与司马迁尖锐对立，所以司马迁重其人而隐约其功绩。这些独特的见解，展示了作者大胆探索，勇往直行的精神。

第四组论文6篇，研讨《史记》五体的结构。作者认为《史记》五体是一个整体，“本纪”是母系统，表、书、世家、列传四体是子系统，母系统与子系统存在着阐释与被阐释的关系。本纪是纲，其他四体是目，纲与目，详略互补。司马迁哲学思想贯通在纲与目之间，要互见比照，才能透彻了解。例如《五帝本纪》，司马迁有意识地突出黄帝以“德”治天下的思想，这一思想在世家、列传中也得到了全面的贯彻。“本纪”、“世家”、“列传”三体的开篇，“五帝本纪”、“吴太伯世家”、“伯夷列传”，三个第一之间“贵让”精神的特殊联系是司马迁刻意安排，提出了以道德批判为内核的价值评判标准具有典范意义。作者在对《史记》体例创构中，再次提出“文化使命”的担当问题。作者认为“本纪”的“文化使命”有两个方面，一是以编年的形式承担“原始察终，见盛观衰”，以“稽其成败兴坏之理”；二是以朝代更替的形式叙述帝王之间的统绪。作者将其结论，验之以《秦本纪》与《秦始皇本纪》的特别创构，形式上自乱其例，而思想内核是贯通一姓一朝的兴亡始终。这超越了刘知几简单的形式主义的批评，而更注意司马迁述史内在的思想联系。

第五组论文6篇，研讨司马迁在评述史事与人物中寓论断的叙事笔法，所探讨的战争观、复仇观、焚书与古代养士、用士，也都是宏观课题，也是历代倍受关注的传统课题，作者提出了新思维。战争观以田单抗燕为例，突显的是爱国主义精神与英雄主义精神。作者抉发了用奇制胜兵家思想光芒背后更高层次的思想光辉。作者对焚书、复仇两个课题的研讨，更多的笔墨跳出了就事论事，作了贯通历史的考察，颇带太史公笔法。吕不韦和范蠡是两个传奇人物，也是中国历史上取得成功的伟大倜傥英杰。作者在评述吕不韦的功过中，从吕不韦运用商业手段投机政治的事迹中看到了“秦统一宫闱内部的罪恶，从一个侧面展示了春秋以降道德沦丧的历史”。范蠡一生，取得了三次成功，第一次政治成功，佐越兴霸，第二次经营农业成功，第三次经商成功。而这个具有大智慧的范蠡，却在挽救儿子的生命中犯了大错误，这叫

“智者千虑必有一失”。这些看似节外生枝的评说，恰恰展示了作者多元思维的思想光芒。《司马迁及史记论稿》对《史记》全新的解读绝不是偶然的。作者研习《史记》，非一时的零落散论，串起来成为一部有系统的学术论著，不仅展示了作者的学术功底，而且更展示了作者善于学习，巧于读书，心中自有一主线贯通的思维境界。作者的学识与修养，令人钦佩。

是为序。

（2011年6月10日）

二、《史记》论著书评

《史记评议赏析》评介

一

近年来《史记》研究出现了空前的热潮，不仅刊物发表了大量的学术论文，而且成集的专著不断出版。韩兆琦的《史记评议赏析》[1]，就是在这高潮中独树一帜的新成果。

本书收文二十七篇，约二十八万字，内容恰如书题所示，分为两大部分。第一部分收专题论文十二篇，是对司马迁和《史记》进行总括性的综合评议，兼顾了史学和文学两个方面。第二部分收赏析十三篇，是对精选的《史记》单篇作品进行的分析论

① 《史记评议赏析》，“史记学”论著，内蒙古人民出版社 1985 年出版。作者韩兆琦，北京师范大学文学院教授，博士生导师，中国古典文学研究知名学者，《史记》研究专家。中国史记研究会名誉会长。

述。书后有两个附录。其一，《关于史记的一些常识》，对《史记》的名称，断限、散失与补缀、流传等问题，以及三家注作了简明的介绍。其中名称、断限、散补等问题是《史记》研究中的疑案，作者提出了自己的看法。其二，《司马迁年表》，勾勒了司马迁生活时代的广阔社会背景，系年大事多与《史记》内容相关合。作者认为司马迁生年在汉景帝中元五年（前145），系死年于汉武帝征和三年（前90），即认为司马迁行年五十六岁，《报任安书》系于征和二年（前91）。作者认为《报任安书》与司马迁之死有关联。

司马迁集史学家、文学家、思想家于一身，他的《史记》熔文史于一炉。《史记评议赏析》所创造的“评议”与“赏析”的形式较好地反映了司马迁及其《史记》的这些特色，可以说是熔文学研究与史学研究于一炉的学术专书。从总的来看，本书侧重于文学研究，这反映了作者的工作重点，作者长期从事于中国古典文学的教学与研究，其中又以汉代散文为重点。正如作者在本书《前言》中所说：“一个是汉代，一个是散文，两条线一交叉，座标点很自然地就落在了《史记》上。”这一研究重点恰好弥补了《史记》研究中的不足，单篇的赏析意在示范，目的是给《史记》爱好者提供“一个如何深入读书，如何理解、分析《史记》单篇文章的参考”，专题论文则是作全面的理论概括。两者相结合，形成了本书有理论有分析的系统地研究《史记》文学而兼备史学的特色。

二

本书的五篇史学评议，涉及司马迁的历史观、经济观、民族观、求实精神、受宫刑与忍辱著书。论述的中心是揭示司马迁进步历史观的形成对于创作《史记》的意义。第一篇《司马迁受宫刑及其忍辱著书》，着重评议司马迁“发愤著书”世界观形成的社会历史条件。第二篇《司马迁的进步历史观》概括了司马迁历史观的内容。第三、四、五三篇，分别为《司马迁的求实精神》、

《司马迁的民族观》、《司马迁的经济思想》，则是从不同侧面对司马迁进步历史观内容的深化分析。

作者在《司马迁的进步历史观》一文中，概括司马迁进步历史观的内容为三个方面：（一）重视经济，重视分析经济对社会问题的决定作用；（二）重视下层人民，重视并歌颂下层人民的力量；（三）主张兄弟民族之间和睦友好，反对侵暴掠夺。作者的这一概括稍嫌简略，它没有说明司马迁怎样“通古今之变”，以及如何看待历史进程的发展。本书以研究《史记》的文学为重点，这是可以理解的。

《司马迁的民族观》、《司马迁的经济思想》两文提出了一些新颖的见解。关于司马迁的民族思想，作者认为，《诗经》所鼓吹的“戎狄是膺，荆舒是惩”，《左传》所鼓吹的“尊王攘夷”，《公羊》所鼓吹的“内诸夏而外夷狄”等思想，“反映了一种以局部为中心，即自尊，又怕别人侵扰，极力想闭关自守的不安心理”，而《史记》宣扬的各民族均为黄帝子孙，中国之虞与荆蛮勾吴为兄弟的思想，则是“反映了一种以四海为家，胸襟坦荡，既不自卑，又不蔑视别人的平等开放气概，这是西汉的时代精神和司马迁进步民族观的综合体现，这种思想，有利于多民族国家的统一巩固，是值得称赞的。”关于司马迁的经济思想，作者概括为五个方面：（一）肯定了追求物质利益、追求财富占有是人的本性；（二）指出物质财富的占有决定着人的社会地位；（三）指出经济的发展是一个国家强弱盛衰的基础；（四）指出物质财富的占有状况决定着人的思想面貌；（五）主张农、工、商、虞四业并重，批判了秦汉“重本抑末”的经济政策，在经济学史上有重要地位。近年来报刊发表不少关于司马迁经济思想的文章，大多流于空泛或现代化，过分拔高而不切实际。相比之下，作者的这五点概括较为平实，扣紧了《史记》的《货殖列传》和《平准书》。

《史记》以“实录”著称于世。《司马迁的求实精神》对此作了分析。作者概括司马迁的求实精神为三个方面：（一）深入实地，认真进行调查考核；（二）尊重事实，不因个人爱憎歪曲历史真象；（三）坚持真理，勇敢无畏地秉笔直书。

《司马迁受宫刑及其忍辱著书》是史学评议这一组文章的主题论文，在全书具有代序的作用。作者认为，司马迁受宫刑，是由于他秉笔直书批判了汉王朝的黑暗，在政治上与汉武帝相左，于是“沮贰师”与“诬上”成为了“宿怨新愆的总爆发”的导火线。“受宫刑对司马迁的肉体是一种莫大的摧残，但是对于司马迁思想的升华，却是一种莫大的促进。”因为，这一事件，“使他的眼睛更加向下，更加看到了下层人民的精神和力量，从而更加增强了他与黑暗邪恶势力进行抗争的毅力和决心。”作者还分析了司马迁因受宫刑而“发愤著书”的主客观原因。主观原因是司马迁有不同于一般人的生死观，他要通过完成通古今之变的历史著作，褒善贬恶来达到“自己改良社会，实现理想政治的目的。客观原因是西汉盛世开阔了文人士大夫们的眼界，展示了广阔的远景，使他们充满了建功立业的抱负与自信”。换句话说，时代因素是直接呼唤司马迁“发愤著书”的最强音。关于司马迁受宫刑的原因，学术界尚有争议，目前还不能定论。受宫刑原因是“宿怨新愆的总爆发”缺乏事实依据，有想当然之歉。但作者对于司马迁受宫刑所产生的影响的评议，无疑是中肯的。

三

本书关于文学的评议有七篇，探讨了司马迁的文学观、审美观；《史记》的小说因素、悲剧英雄人物的画廊、抒情性、特殊修辞、书法释例等专题。这些专题，大都是作者开拓的新领域，多有独到见解，精彩议论，时发乎篇。

作者在《司马迁的文学观》、《司马迁的审美观》、《史记——一道悲剧英雄人物的画廊》、《史记的抒情性》等文中，探讨了司马迁的文学主张和艺术风格，以及《史记》主流人物的风貌品格。作者认为，司马迁有意识地重视文学的特点，十分爱好文学家和文学作品。司马迁主张文学“要能讽谕政治的得失要能成为促进政治改革的手段和工具”。司马迁对艺术风格的追求是“隐约、含蓄、语言精练而包容深广”和“朴拙、浑厚、有气势、有感情”，“带有一种苍劲浑茫的原始气象”。《史记》浓烈的抒情色彩鲜明地表达了司马迁的爱与恨。“他在那些伟大、崇高、善良的人物身上，赋予了他们以理想的光辉，倾注了自己无限的热爱与敬仰，从而表现了自己对于这种理想政治、理想道德的努力追求；他在那些卑鄙、奸邪、阴险的人物身上，也更突出了他们作为一股反动势力的那种腐朽丑恶的本质特征，流露了自己对这些人的无比愤怒与轻蔑，表现了自己对这股邪恶势力的痛心疾首的唾弃与鞭挞。”由于春秋战国秦汉之际的长期动乱，司马迁个人的惨痛遭遇，使他对于这一“悲惨而又雄壮”的时代气氛特别敏感，因而十分酷爱悲剧英雄人物，这是形成司马迁强烈爱恨观的生活基础和物质基础。作者统计，《史记》有七十七篇传纪写悲剧人物，总数达一百二十余人。可以说《史记》人物是一道悲剧英雄人物的画廊。这些悲剧英雄，伴随着新兴地主阶级而登上历史舞台，他们的人生观，“大都有一种豪迈的进取精神”，“从各方面为建立统一的多民族的国家做贡献”，所以，“我们从《史记》中读到的不是无所作为的哀叹，而是百折不挠，无所畏惧的进取；不是失败的感伤，而是一种胜利成功的快慰，是一种道德上获得满足的欢欣。”

最值得注意的是《史记的小说因素》和《史记书法释例》两文，具体而微地概括了司马迁塑造历史人物形象的艺术手法，发人之所未发。《史记》的小说因素表现在六个方面：（一）每篇传记都有一个主题；（二）设计个性化的人物语言；（三）构思戏剧化的情节，工笔描写戏剧化的场面；（四）好写奇闻轶事，使作品具有某些浪漫色彩；（五）按小说情节剪截布局；（六）运用小说的夸张、铺垫、对比、衬托等手法。《史记》增强人物形象和文学性的书法有十个方面：（一）明知史实不确，亦必记人，以见作者的观点、理想；（二）基本事实或有，有夸张虚构细节，以求故事的生动感人；（三）书写神灵怪异，若有介事，实乃厌恶其妖言惑众；（四）记载“阴谋阳祸”，似信天命，实乃借以抒发愤世不平；（五）著录荒诞传闻，以表现个人之爱憎；（六）故露矛盾破绽，以见大事之隐情；（七）口赞其是，实则正鄙其非；（八）口斥其非，实则正叹其是；（九）引入大段言论，以翻历史冤案；（十）细节包含感情，以发难言苦衷。尽管《史记》中有十几篇传记因过分追求文学的形象而损害了历史人物的事功，但从总体上来看，《史记》的小说因素，主要是在一些具体的细节上对历史作了加工制作，并未在根本上影响历史的真实。相反，由于文学性增强，司马迁生动地表现了“惊天动地的斗争，气势宏阔的事件，激昂慷慨的人物，悲惨壮烈的场面”，更加反映了历史的本质。司马迁把历史实录与文学形象的人物塑造和谐地结合起来。《史记》刻画人物的各种手法与六朝志怪小说嫁接，才产生了中国小说发展史上的第一个里程碑唐代传奇。上述作者的这些独具见解的议论，不仅深化了我们对《史记》价值的认识，而且提高了司马迁在中国文学史上的地位。

四

赏析十三篇是对项羽、汉高祖、陈涉、留侯、魏公子、廉颇蔺相如、田单、刺客、李斯、淮阴侯、魏其武安侯、李将军、游侠等十三篇纪传世家的思想与艺术的分析鉴赏。篇目顺序依《史记》体制的序列。这些篇目有八篇是汉代人物，五篇是战国及秦代人物，基本上是司马迁所创作的作品，反映亲身见闻的战国秦汉之际的近现代历史，与司马迁自己思想密切关联，无论思想性和艺术性都堪称《史记》精华。

本书赏析论文有两大特色，简述如次。

其一，赏析突出地分析作品的思想内容，而不是单纯的艺术手法的赏析，因而富有理论色彩。试以《项羽本纪赏析》为例。本篇赏析分析了司马迁如何塑造项羽这一悲剧英雄形象，指出《项羽本纪》具有小说因素的创作特点：一是注意矛盾情节，注意描写场面；二是注意渲染气氛；三是细节描写。这些艺术分析是服务于作品的思想分析。赏析分析了《项羽本纪》的思想意义，指出这篇作品突出的思想有几点：第一，司马迁歌颂了项羽的丰功伟绩，表现了一种进步的历史观；第二，司马迁如实地写出了项羽的种种弱点和错误，揭示了他必然失败的命运，表现了作者的实录精神。这两点也正是《项羽本纪》的历史内容。赏析是将历史内容与文学艺术内容的分析融为一体的。

其二，广博地采录古今名家论《史记》的成果，不仅增强了赏析的学术性，而且大大丰富了读者的知识面。作者引用前人及时贤的议论有机地熔铸于行文之中，不只是吸收，其中有商榷，有发挥，挥洒自如。赏析的行文平易近人，好似娓娓地讲故事。试看《项羽本纪赏析》中如下的一段文字：

> 项羽是一个顶天立地的英雄，同时又是一个鼠目寸光的庸人；他有时真有龙飞凤翥的雄姿，有时又愚蠢昏聩得像一头猴子；他有时天真纯朴、宽厚慈和得令人喜爱，有时又暴戾凶残得令人发指。只此种种，都在司马迁笔下得到了极其生动真切的表现。正如钱钟书所说："'言语呕呕'与'暗恶叱咤'，'恭敬慈爱'与'剽悍滑贼'，'爱人礼士'与'妒贤嫉能'，'妇人之仁'与'屠坑残灭'，'分食推饮'与'玩印不予'，皆若相反相违，而既具有羽一人之身，有似两手分书，一喉异曲，则又莫不同共贯，科以性理，犁然有当。《史记》写人物性格，无复综如此者。"说得好极了。

作者引钱钟书《管锥编》以证项羽两重人格的悲剧性，好似信手拈来，嵌合得当，有如天孙云锦。这反映了作者治学的功力和辛勤耙疏的劳动。

名篇赏析扣紧史传内容分析，灵活行文，不拘一格。有的分析突出作品的写作目的、思想意义；有的分析突出人物塑造、场面情节、语言运用等艺术方面的赏析，本文限于篇幅，不一一述评。

五

《史记评议赏析》既是作者研究《史记》的心得，更是课堂教学的结晶。作者在《前言》中有明白的交代。这就是说，本书在出版之前，以及专题论文在发表之前，早已在讲坛上经过了反复锤炼和大学生读者的评阅，故能做到雅俗共赏，既有学术性，又有普及性。文情畅达，语言通俗，论证翔实，条理清晰是本书的优点，可读性强，有广泛的适应性。本书值得大学文、史两个专业的本科生，以及社会各界文史爱好者和知识青年阅读，这对于增强历史知识和提高对中国古典文学的欣赏能力，是有益的。本书对于文史专业工作者也有参考的价值。

本书评议部分的专题论文略带程式化，有些议论似有重复，例如评议司马迁的历史观、审美观、注目悲剧人物等思想的历史条件就语多重复。个别地方依以立论的史实考核疏于检校。如说李广利天汉二年出兵“根本没有找到敌人”，其实李广利是打了败仗归来的。又如引用明人柯维骐，清人何焯、梁玉绳、俞正燮等人证假孝惠子为真孝惠子。这当然是大醇小疵。

附带提及，作者还有一本《史记选注集说》，江西人民出版社1982年出版。本书选注《史记》中脍炙人口的名作二十八篇，为之简注集说。本书的注释体例完备，内容简明而丰博。作者将选篇的史事内容划分了结构段，有简洁的结构段意，注文条释于结构段后，层次井然。篇后博采古今名家研究《史记》的成果，为之集说；断以己意，为之评说。作者开创的这一体例，把传统的评点与新式注释有机地结合起来，十分新颖而引人注目。论集的十三篇赏析就是从这个“集说”选本的二十八篇中又一次筛选出的精品，赏析的内容也是“集说”的扩大与发挥。这两本书是作者在教学实践的基础上升华的结晶，故特附论于此，以见作者对《史记》研究用力之深。

（原题《熔文史研究于一炉的论集——评〈史记评议赏析〉》，载《社会科学评论》1986年第4期。1986年7月选入中国人民大学书报资料中心《报刊资料选汇》）

《太史公书研究》[1] 评介

《史记》研究，自八十年代以来，已持续十余年成为学术界的一个热门课题，研究水平不断提高，学术论著硕果累累，一系列大型集成工程提上议事日程，学术交流扩大，横向联系加强，这一切标志着“史记学”的发展步入了黄金时代。其中一个重要原因，是新人新作不断涌现，研究队伍日益扩大。八十年代崭露头角的青年，进入九十年代已经成熟起来，不断推出有份量的学术论著，给“史记学”的发展注入了活力。赵生群同志是这批成熟的青年学者之一，他十余年来发表了数十篇卓有见地的《史记》研究论文，引人注目，陕西人民出版社推出了赵生群结集的学术论集《太史公书研究》，标志了作者的成熟，以及研究水平跃升到一个新的高度。这不仅仅是作者对所收论文进行了重新料理，提高了学术水平，而且更为重要的是，结集的论文均围绕一个专题，集中探讨《史记》的文献问题，成为一部论学专著，即以《史记》为对象的文献学论著，这就是该书的特色。这一特色可称为“专书文献学”，如果作者没有深厚的文献功力，是不能问津的。单篇论文容易制作，而对一个大课题作深入研究，写出系列论文就不容易了。赵生群同志不仅写出了系列论文，而且由系列论文构成一部有独特理论体系的学术论著就更不容易了。为此，笔者乐于推荐。具体说，《太史公书研究》的学术价值，有五个特点，即五个方面的成绩，其中三个具有突破性成就。为了行文简练，以下省称为赵著。

赵著的第一个特点，是对《史记》文献作了系统考释。赵著集论 15 篇，分为三组。第一组 8 篇，探讨《史记》疑案，考释了

① 《太史公书研究》，陕西人民出版社 1994 年出版。作者赵生群，南京师范大学文学院院长，教授，博士生导师，当今著名学者，有多部《史记》研究论著问世，中国史记研究会副会长。

《史记》断限、残缺补窜、司马谈作史、史公生年、太史公称谓等五大问题。第二组文4篇，探讨《史记》取材的几个问题。第三组文3篇，探讨《史记》编纂学，分别考释《史记》的史学构架和传记文学两大主体。前人研究，多是一个或几个问题的切点深入，微观实证，就事论事，赵著系统考释，由具体问题结合而为总体，不仅有关《史记》文献重大课题均已囊括，而且描绘了《史记》的总体结构，内容丰富。读者一书在手，《史记》文献基本内容了然于胸，总体框架立于目前，故赵著可作为一部《史记》导读书来读。这是第一个突破。

赵著的第二个特点，提出了新课题。"《史记》取材于诸侯史记"，这一课题的提出和论证，填补了《史记》文献研究的一个空白。作者的论证，详密有序。首先，从古代史官记事的史法上考释。诸侯史记分别用本国纪年和多录本国之事，这是基本的记事原则。依此原则，作者将《史记》与魏国史记《竹书纪年》作比较，提炼出理论性的三条论据：一、叙事用第一人称"我"；二、用朝向动词"来"；三、称"今王"。这些论据是很有说服力的。接着，运用逻辑推理，提出旁证。《六国年表》说："《秦记》不载日月，其文略不具"，所以《史记》据《秦记》所写秦史多有缺略，而《史记》所写六国史事却详赡而有年月，显然不能单靠"其文略不具"的《秦记》，来写各诸侯国的历史。此外，《史记》多存异说，疑以传疑，也"足证其材料来源丰富，不会是仅据《秦记》"。再次，条列《史记》取自诸侯史记的资料，作有力的实证。作者经过这样的层层论证之后，得出结论："《史记》之所以能在总体上做到叙事精审准确，言之有据，离不开诸侯史记提供的大量资料。"这一结论，无疑地给《史记》以"实录"著称的信史地位以有力的论证，具有重要意义。这是第二个突破。

赵著的第三个特点，考释文献，赋予了理论的升华，提高了"史记学"研究的层面。《史记历史编纂学简论》和《史记纪传与传记文学》两文，最具理论色彩。这是两篇考论结合的恢宏大论，每篇两万余言。前者考释了《史记》的史学构架，后者阐释了《史记》以人为中心述史的意义及写人艺术，两文分别把《史记》的史学与文学两大主体价值鲜明地揭示了出来。作者认为，《史记》五体创作，是“自出心裁的作史体例”，是“继往开来的述史构架”，不仅熔铸了“系统深入的史学思考”，即“史学理论”，而且“纪传体”形式的确立，第一项找到了文学和史学的契合点，使史学更加贴近作为“人学的文学”。作者的这些使人耳目一新的观点，是建立在具体深入的分析和考释的基础上，论从史出，使人信服。前人的考释研究，停留在主体溯源的表面形式上，得出《史记》五体，古已有之的结论，或者说，司马迁综合古代各体典籍熔为一书，基本没有认识到司马迁的创作精神及其内涵意义。五体创作，当然有继承，但主要是创新，自出心裁。“继往开来”，说清了这两层意思。若只停留在“继往”上溯源五体依据，是粗浅的认识，阐发“开来”，才能深入内里，揭示司马迁的作史目的、历史观点、研究方法，尤其是文史合一的契合等创新内容。作者落笔在创新上对司马迁文史两个方面的内涵作了详悉的分析论证，而且升华到理论高度，勾画了《太史公书》的总体轮廓。这是第三个突破。

赵著的第四个特点，考释文献，方法细密，论从史出。例如开篇《论〈史记〉记事讫于太初》一文，对《史记》断限的考释，方法极为严密，结论依据坚实，给人留下深刻印象。作者考论，分为四步。第一步，以汉史诸表为基础，分析诸表结构和记事下限，印证司马迁“汉定百年之间”，“至太初而讫”的话头，得出结论，“太初为诸表记事终点。”第二步，从本纪、书、世家、列传各体提炼论据，以为记事讫于太初的佐证。第三步，进一步归纳出带理论性的几点依据：一、《史记》中“今上”、“今天子”、“今王”、“今侯”等，“今的概念以太初为分界线”；二、汉史诸表人物，入表人物及其记事，大势均以太初为断限；三、《史记》中凡特为标题的人，皆为太初以前的人和事，而不载太初以后大事。第四步，运用逻辑宏观推理，从司马迁的历史观来看，颂扬秦汉大一统，只有太初是“更具有象征意义的时间断限”；再从《史记》讫于太初的总体构架来看，“司马迁不记太初以后事，正是以牺牲局部来求取整体上的‘全’”。步步深入，既有微观实证，又有理论概括和宏观立论，结论自然从史中引出，所以结论坚实。

“论从史出”，是不可移易的原则，人人懂得。但结论依据的“史”，即论据，并不是现成的，它要求研究者运用各种方法和手段从漫漫文献中，或者相反在缺少文献依据中运用逻辑宏观推论，提炼出论据，这就是研究的过程。在研究过程中，方法是否得体，手段是否多样，具有重要意义。因此，一个学科的进步与发展，决定于方法的变革。传统考据方法，最常用的是排比资料、博采文献、引证甲说乙云，然后断以己意，提炼论据。这是一种微观实证的方法，达到精熟运用，研究者得有博学的基础，也是功力厚实的表现。赵著多篇论文均显示了这种功力，限于篇幅，不一一例举。但微观实证，若无宏观指导，往往只见树木，不见森林。把握全局和总体，赋予研究对象以理论结构，提炼论据上升为理论，称为宏观研究。两者综合运用才能开拓新局面，提高研究水平。当前《史记》研究领域的中青年学者，大都能将两者结合运用，所以一个个都作出了优秀成绩。赵著是其中之一。综观论集的三组论文，恰好是三个层次。第一组多是微观研究的具体问题，第三组是宏观理论考释，第二组介于二者之间。三组论文一组比一组发明较多，篇幅一组比一组宏富，质量和学术价值一组比一组提高。这一比较，联系作者在八十年代发表论文的先后时序，可以看出作者成长的足迹，由微观具体问题切入，一步步导向宏观综合化出，进而达到两者结合熟练运用，积累系列组论而成学术专著，表现了作者不断登高探索的精神，可以说这是赵著成功的秘诀，那就是孜孜以求，不断前进。

赵著的第五个特点，不盲从时论，自立为言。作者考释《史记》与《战国策》及帛书《战国纵横家书》的关系及史料价值，具有典型意义。《史记》与《战国策》历来有两种争议，一种观点认为《史记》有关章节取自《战国策》，另一种观点相反，认为《战国策》部分内容取自《史记》。作者对比两说均持否定，而主要是辨正后一说。《战国策》由刘向编定，成书在《史记》之后，当然《史记》不是直接取自刘向成书的《战国策》，反过来，是不是刘向校书采自《史记》呢？作者详细比勘《史记》与《战国策》两书相关资料90余条记事，进行分类统计，基本是两种情况。一是两书记载基本相同，共21条，不足四分之一，说明了两书的联系。二是两书记载明显不同，有叙事不同、详略不同、文辞不同、国名不同、人名不同、其他不同，总计70余条，占四分之三强。再考察刘向校定《战国策》的过程，依据多种本子写定。作者经过如此细密对照后得出结论，认为司马迁写《史记》与刘向校定《战国策》，各自依据了本人所见原始记载，有的部分相同，有的部分不同。作者的这一考释，澄清了两者的关系，并能给《史记》与帛书《战国纵横家书》两者史料价值的判定以有力的旁证，是很有意义的。

1973年，长沙马王堆三号汉墓出土了大批帛书，其中有关战国纵横家的文献，共27章，被整理者定名为《战国纵横家书》（以下行文简称帛书）。其中有11章的内容见于《史记》和《战国策》，另外16章是佚书。引人注目的是帛书中有关苏秦的记载比较集中，引起了学术界的高度重视。《史记》记事，苏秦早于张仪用事，合纵在连横之先；苏氏兄弟，苏秦为兄，苏代为弟。帛书记载，这两者恰好颠倒，张仪活动在苏秦之先；苏代为兄，苏秦为弟。帛书一出，学术界纷纷撰文论说，争鸣者断言《史记·苏秦列传》为传奇小说，甚至说伪作充斥于《史记》和《战国策》中，要用帛书来改写战国史，惊世骇俗。争鸣者不乏当代著名文字学、文献学和历史学专家。赵生群同志对此非常冷静，他逐一考察《史记》、《战国策》、帛书记事的史料依据、笔法特点，比勘苏秦的活动内容，对照司马迁的考辨，运用实证与逻辑推论的综合判断，认为司马迁、刘向已对帛书中提出的问题依据各自掌握的详实史料，“作出了毫不含糊的判断选择”。又说，“特别是《史记》的记载，都是经过司马迁细心甄别的材料，尤应予以重视”。换句话说，帛书所载，是经过司马迁、刘向两位大家甄别剔除的材料，怎能据以推翻《史记》舍本逐末呢？但是，“帛书的有些资料托名苏秦虽不可靠，但主名的正确与否与历史事件本身的有无是两回事”，因此，“帛书在较大程度上丰富和补充了战国时期的历史资料，特别是苏代等人的活动，对于战国史研究的深入具有重大意义。它的价值，理应受到重视”。作者的这些论述，颇具辩证目光，值得肯定。

战国历史，是《史记》载述的重点之一。合纵、连横是战国重大史事，司马迁记事岂能含糊。《史记》中的《秦本纪》、《赵世家》、《魏世家》、《六国年表》等多篇记事均可为苏、张两传注脚。二人活动年代，苏秦用世在公元前 334 至前 320 年，张仪活动在公元前 309 至前 328 年，连横得势在苏秦之后。苏秦在张仪前，合纵在连横之先。以历史大势考察，苏秦活动年代前后十五年，合纵占上风，恰好是秦兵不敢东出者的十五年。苏秦死后，张仪连横占上风，从公元前 317 年至前 284 年，秦兵连年东出，发动修鱼之战、观泽之战、岸门之战、丹阳之战、蓝田之战、宜阳之战、重丘之战、析之战、伊阙之战，称雄诸侯。按帛书研究者唐兰、马雍两先生所定苏秦活动年代在公元前 308 至前 285 年，则与上述历史大势不符。笔者举此，可为赵著佐证。

总上所述，赵著是一部研究《史记》文献获得了突破性成绩的学术专著，“史记学”园地又增添了一朵奇葩。毫无疑义，《太史公书研究》将立于学术之林。当然，学无止境，研究没有尽期，对《史记》疑案若干问题的考释，角度不同，研究方法不同，结论不同是正常现象。许多问题仍可继续深入。我们期盼作者更上层楼，一定会做出更优异的成绩来。

（原题《一部富有特色的文献学论著——读〈太史公书研究〉》，载《汉中师院学报》1996 年第 3 期）

《司马迁经济思想研究》[①] 评介

韦苇所著《司马迁经济思想研究》是一部探求中国古代经济理论的力作，体例缜密，理论见长，展示了作者与众不同的思维活力、个性特质与多学科知识结构交叉形成的深厚的理论功底，它无疑地将立于学术之林。由于探索中国古代经济理论的专题性论著如同晨星稀少，因此，是书的出版，无论在史记学研究领域，还是在中国古代经济思想史研究领域，都具有界碑的价值。在史记学研究领域，它开拓了一个新生面；在中国古代经济思想史研究领域，它提供了一个具体而入微地系统总结中国古代经济理论的范例。在这两个方面都具有填补学术空白的作用。是书给我留下了极深刻的印象。举其大端，有以下四个方面。

一、独树一帜的理论构架

韦著的理论框架，有四个层次，两条历史发展的线索，一目了然地显示在章节结构的安排上。第一章，开门见山地托出司马迁经济思想的理论体系，这是研究对象的思想本原，即本义，也是全书的基石，是为第一层。第二章渊源，第三章历史地位，第四章对后世的影响，共三章勾画了司马迁经济思想这一理论体系的历史发展轨迹，是本义的延伸，是为第二层。第五、六两章，分古代与现代两个历史阶段，总结学术界的研究成果，评述学术史的发展轨迹，亦即人们认识司马迁经济理论的历史过程，是为他义，这是第三层。最后，全书殿卷的第七章，评述了司马迁经

① 《司马迁经济思想研究》，学术专著，陕西人民教育出版社 1995 出版。作者韦苇，西北大学经济学院教授，博士生导师，著名经济史学者，中国经济史学会副会长，陕西省经济学会会长，全国政协第九届、十届、十一届政协委员。中国史记研究会常务理事。

济思想与当代市场经济的相关联系，这是作者集中阐发的我义，目的是翻新司马迁经济思想，引申和发掘它的现实意义，赋予学术研究以时代的内容，这是第四层。一、二两层勾勒思想史发展的历史线索，三、四两层总结学术史发展的历史线索。四个层次，两条主线井然有序地构成一个整体，表现了作者思维的缜密和匠心独运的安排，独树一帜，具有鲜明的个性特质。

二、全面、系统、准确地梳理了司马迁的经济理论

韦著第一章梳理了司马迁的经济理论，首次使用“理论体系”的概念，这一提法是高起点和新视角。作者站在把握历史发展大势和西汉当世的时代脉搏的高度，鸟瞰并洞察司马迁的经济思想，指出它是产生于社会实践，“是对整个西汉前期近70年建国经验的理论总结”。从这一高峰之巅，作者考察并凝练了寓于《货殖》与《平准》中的司马迁经济思想的真谛，并将它进行了全面、系统、准确的阐释，归结为义利观念、宏观治国、微观经营、财政货币、区域经济几大部分，形成一个严密的理论体系。

韦著对司马迁经济思想的这一理论建树是无前者可鉴的。前人研究司马迁经济思想，上自东汉班氏父子，下至宋、明、清和近代学者，均是没有把握司马迁经济思想的整体。他们或是从司马迁个人遭遇上寻找司马迁述《货殖》的动机，或是猜测《货殖》与《平准》隐藏于字里行间的深讥微讽，或是割裂司马迁对义与利的辩证思维仅执一端……从而无法圆通地理解和解释司马迁及其经济思想，认为司马迁“述货殖则崇势利而羞贫贱”，“是非颇谬于圣人”（东汉班固语），甚至发出“迁之罪不容诛矣”（金王若虚语）的责难。这皆因思想方法上的低起点而导致了一叶障目，不见泰山。20世纪80年代以来，司马迁的经济思想成为一个热点专题，发表的论文以百数十篇计，主要集中在微观经营的考察和义利之辨上，对宏观治国、财政货币、区域经济几大块都涉及不深不多，最薄弱的是区域经济这一块，见仁见智、众说纷纭的是义利论这一块。而韦著却在这两点上论述得最为生

动。作者对司马迁义利观的四个层次的辩证分析，解决了众多学者关于司马迁重利还是重义的争论，达到了国内同类研究的领先水平。对区域经济的研究，更是运用当代区域经济学理论对《货殖》中这一令众多学者困惑的重要内容作出了破译。

三、运用纵横比较研究方法，提供了剖析古代思想理论的一个范例

韦著第二、三、四共三章解剖司马迁经济理论体系产生的渊源、历史地位及影响，采用的是纵横比较的方法。纵横比较是一种开放的思维，它适用于对历史研究作贯通的考察，尤其是评价历史人物最为适用。纵向比较是看被研究对象的创造性，他所取得的功业是否承先启后，余韵留泽；横向比较是看被研究对象的时代性，他在自身所处的时代里，是否功过前人。由此，可将被研究对象在历史函数的坐标系上展示一个清晰的轮廓。韦著对司马迁经济理论的解剖，就达到这一境界，这是前人在这一领域的研究还没有做过的，故而她说，“似乎尚无前例”。这不是自炫，而是表达了一个探索者的艰辛。

韦著在纵向比较中首先梳理清楚了司马迁经济思想对先秦传统文化精华的师承关系。指出司马迁吸收了“道家内含朴素唯物论与辩证法”的“无为而治”思想；吸收了“孔子及儒家诸子关于礼、仁、义等道德规范对社会经济的制约与调节作用”的思想，以及孟荀等人“重农而不轻工商的思想”；吸收了管仲“士农工商四民分业定居”以及自由贸易的思想；还吸收了墨家尚贤、尚游侠、同情人民的思想……总之，司马迁在经济思想方面的“一家言”是对先秦百家所有经济理论的总括和升华，从而熔铸成一个博大精深的新的经济理论体系。其次，作者论述了“善因”论及司马迁其他思想对后世所产生的深远影响，准确地找到了司马迁在中国经济思想史上承前启后、继往开来的伟大地位。

韦著在横向比较中，不仅准确把握了产生司马迁经济理论的时代脉搏，指出它是“汉惩秦失”这一政治经济形势下国民经济

客观管理体制第一次重大转轨的产物，而且将司马迁与同时代的桑弘羊作了比较，总结“善因”论与“轻重”论两大中国古典经济理论的同与异、得与失，以及两大思想家的功过是非。作者认为司马迁是经济自由主义的代表，而桑弘羊是国家干涉主义的代表，两大经济理论，分别是西汉前期和中期两次国民经济管理体制转轨变型的指导理论。韦著不是简单地将两人比个高下，而是剖析历史变因、总结历史经验，论从史出，充满了辩证思维，是全书最精彩的一章。

纵横比较本是司马迁所创造的传统历史研究方法，他创造的类传与合传即是运用纵横比较方法给历史人物定坐标的，但其运用实践基本上是朴素的历史类比，同时未能在学术界得到发扬。韦著发展和丰富了司马迁纵横比较方法的内容，注入了马克思主义历史唯物论与辩证法的思维方法，不但在历史长河的激流与时代大潮的冲撞中找到了司马迁经济思想的时空位置，而且梳理清楚了这一伟大理论体系的内容和历史发展脉络。韦著这一方法论上所取得的成就超出了史记学的范围，使这一传统方法闪射出时代的光芒，为科学地研究古代学术问题，提供了一个范例，定会产生深远的影响。

四、翻新古学，开拓史记学新的思维活力

韦著五、六两章总结学术史的历史内容，评介前人对司马迁经济理论认识的历史过程，主线非常明确，为第七章翻新司马迁经济思想作了铺垫。尤其是自梁启超开始的近现代学者对司马迁经济思想所作的“古为今用”的探索，为作者在第七章阐发司马迁经济思想与当代市场经济的关系作了研究方法与前期理论的准备。在第七章，作者以马克思主义经济理论为武器，对司马迁经济思想注入了时代的活力，从而使蒙尘两千年之久的真理跨越时空，成为解决当代市场经济体制下宏观与微观经济问题的智慧宝库之一。作者认为，司马迁的“善因”论在尊重经济规律、建立社会主义市场经济体制方面，以及促进政府职能转换和建立现代

企业制度等方面可为当代提供重大借鉴意义。而司马迁的“治生之学”对当代工商企业的经营管理，对于企业的经营预测与决策；以质量树立企业形象、培养高素质的经营人才、发展乡镇企业、建立商品经济新秩序等方面，更有着直接可以操作的借鉴意义和指导意义。作者的这些论述，显然是通过对古学的翻新，表达个人理解的现代社会主义市场经济模式，即作者对现实社会改革开放实践的理论总结。

古学翻新，不仅要求被研究对象是历史上的先进思想，而且要求研究者要有锐敏的思想和见识。纵观韦著理论构架的四个层次，前三层是基础，最后一层是楼阁，基础是学术研究，楼阁是引申的时代思想。如果删去第七章，该书仍不失为一部完整的学术著作，但其社会价值势必损减。韦著唯其有第七章，方显出作者立意的高远和理论体系的完整。著名经济学家何炼成先生为该书所作的《序》中称赞作者“最后对司马迁经济思想于当代市场经济的借鉴意义的发掘与阐述，是我迄今所见到的国内同类言论中较为全面、深刻的‘一家之言’”，这当是最有权威的评价了。

总之，韦著对文化巨人司马迁所作的这一侧面研究所取得的成功，无疑在史记学园地绽开了一朵奇葩，它开拓了这一领域新的思维活力，必将引发连锁效应，流风所及，不可低估。且行文流畅，气势磅礴，激情澎湃而带政论色彩，这是一般学究夫子写不出来的。

（原题《一部探求中国古代经济理论的力作——〈司马迁经济思想研究〉》读后，载《人文杂志》1996 年第 5 期）

《史记的学术成就》[1] 评介

人们赞誉《史记》是一部百科全书，蕴含丰富的历史内容和学术思想。如果将《史记》喻为大江大河，研修者如临河饮水，各充其腹而已。迄今为止，历代研究《史记》而立名成家的人数以百计，当代也有数十人之多。凡取得突出成绩者，基本立足于某一角落，阐发《史记》某一侧面的内容或思想，即可获得丰硕成果。全面探索《史记》的学术成就，作出会通的阐释与归纳，也不乏有人尝试，但取得的成绩，反不如专论某一侧面深入。北京师范大学出版社 1996 年推出的杨燕起先生的《史记的学术成就》一书，可以说是一部“史记学”的会通之作，基本构建了“史记通论”的规模体制。这既是杨燕起先生的一部力作，也是他立身的代表作。全书 27 万字，我一气读完，有赏心悦目之感。杨著体系博通，内容丰富，创意颇多。本文限于篇幅，专就如何撰写“史记通论”与杨著体系的成就谈一点浅见，供作者“来日”订补参考，并以此自励。

怎样构建“史记通论”，笔者认为至少展开八个方面的主轴内容，并把握三个层次的论述。八个方面的内容是：《史记》成书的背景与历史条件；《史记》载述三千年通史的历史内容；《史记》创新体例的价值；对司马迁诸多思想几个主要方面的把握与阐释；抉发《史记》以人为中心的历史主体地位；司马迁作为一代宗师的语言文学成就；《史记》在学术史上承先启后的历史地位；研修《史记》的学术史轨迹的评述与总结。三个层次的论述内容是：吃透本义，即全面而准确地阐释《史记》的内容与思想体系；会通他义，即披沙拣金，总结两千多年来《史记》研究学

① 《史记的学术成就》，“史记学”专论，北京师范大学出版社 1996 年出版。作者杨燕起，著名《史记》研究专家，北京师范大学历史系教授，中国史记研究会常务理事。

术史成果；灌注我义，即赋予时代精神，升华新义，提出作者个人的独到见解。八个方面的主轴内容与三个层次的论述要有机地融为一体，才能是一部有见地的“史记通论”。智者见智，仁者见仁，每个人都有一个心中的尺度，不必强求一律。以上是笔者研读《史记》所形成的一个尺度，假定用这一尺度来衡量时贤往哲的论著，合于轨度者尚未发现。我们以此为尺度，审视杨著，尚有某些方面的缺略，但基本上构架了“史记通论”的格局，这正是杨著的过人之处。

杨著全书七章，加上余论，实为八章。八章展开为三级标题，共26节，81目。基本上每一目是一个专题，即全书论列了七八十个专题，内容博大。八章可归纳为五个方面的内容。第一章“绪论”，讲司马谈作史，发凡起例，以及对司马迁的培养，兼论《史记》的时代特色，所阐发的内容，恰是《史记》成书的条件与时代背景；第二章“我国历史上的第一部通史”，第三章“史记体例”，两章一表一里阐释了《史记》作为通史的会通内容和五体形式两个方面；第四、五、六、七共四章为全书重点，篇幅占全书过半，分别阐释司马迁的哲学思想、政治思想、历史思想、经济思想，抓住了司马迁诸多思想占主轴地位的几个方面；余论“史记研究史述略”，是对两千年《史记》学术史发展轨迹的评析。按“史记通论”前列的八个主轴方面，尚缺略三个方面：其一，《史记》以人为中心的历史主体地位；其二，司马迁作为一代宗师的语言文学成就；其三，《史记》在学术史上承先启后的历史地位。也许正是于此，作者将书名定位为“史记的学术成就”，是十分得体的。因为“学术成就”的提法比较灵活，展开的范围可大可小，可以是一个专题，也可以是全面的会通。作者在“前言”中留下意味深长的一段话，说：“按照设想，还有些内容是要予以探讨的，如《史记》中关于人的社会历史主体性思想的问题就是其一，但这只有等待来日了。”作者的这一揭示，说明预定的计划尚未完成，并在“来日”加以订补。由此可知，作者正是按照“史记通论”的格局来创作的，现在已经完成了十之八九，我们期盼着作者早日推出一部完整的“史记通论”

著作，这在“史记学”发展史上将具有里程碑的价值。

杨著在融会本义、他义、我义于一体的论述中完成得非常出色。一般性的涉猎《史记》，多用描述方法，笼统勾画，或者用列举方法论证抽象的总结，总是语焉不详。杨著全书均采用分析归纳的方法，微观分析，宏观立论，准确地把握了本义。在论证中精意地吸收前人的研究成果，或作论据，或作结论，并往往凝缩为节目标题，表明作者融会他义达到炉火纯青的境界。例如，第二章第三节讲《史记》的实录精神，两个节目的标题分别为：一、善序事理，辨而不华，质而不俚；二、“其文直，其事核，不虚美，不隐恶，”采自班固《司马迁传》的评语。第六章第二节讲司马迁的变革历史观，三个节目的标题分别为：原始察终；见盛观衰；承敝通变；直接采自司马迁的用语。第三章《史记》的体例中的节目标题：“天子称本纪”、“时势主宰者”、“八书著立政之纲”，是作者归纳前人研究《史记》成果凝缩成的结论用语。第六章，通、变、理、势的立目，是作者提出的新意，在全书结构的章节目录标题中鲜明地反映了作者融会贯通的本领和精熟手法，行文的论述更是如此，表现了作者研究的深入。

众所周知，研修《史记》有两难，一是难读，二是新意难出。杨著阐释《史记》，力透纸背，新意迭出，这就是它的价值所在。从表层意义看，《史记》文辞畅达，故事生动，浅尝辄止，人人可读，但愈是深入，愈觉难读。司马迁早有警言：“非好学深思，心知其意，固难为浅见寡闻道也。”（《五帝本纪赞》）。《史记》字面意义不难读，而言外之意，非好学深思的人不可领悟。例如《史记》五体，本纪、表、书、世家、列传，摆在那里，明明白白，人人均可言，然而只知其一，不知其二，像刘知几这样的史学理论大家，往往有失言，如他说“太史公曰”是画蛇添足，就没明白司马迁立论本旨。刘氏又以后世的《汉书》为准则去范围《史记》，批评司马迁为例不纯，说不应为陈涉立世家，不应为项羽立本纪，等等，更是立论偏颇。杨著钻研《史记》内容，综核历代研究成果，条分缕析，层层深入，然后归纳总结，凝缩结论为标目，如前所引，“天子称本纪”，“时势主宰者”，

“八书著立政之纲”，以及“十表提示出历史发展的阶段性”，“表体内容展现天下大势”，画龙点睛，标示出《史记》五体的精髓，没有一番深入的思索钻研，是不可能提出来的。

《史记》问世已历二千余年，中外学者研修《史记》者不可胜数，大大小小的论题，不知做过多少次的重复研究，近十余年来的《史记》研究论文就有一千七八百篇，历代所积三千余篇，要写出新意，实在很难。杨著蕴含的思想内容十分厚重，颇多新意。一是旧题新翻，二是独出心裁立新意。杨著第二章“我国历史上的第一部通史”，就是一个老生常谈的课题，而又是一个不可忽略不能不谈的重要课题。《史记》上起黄帝，下迄汉武，贯通三千年，似乎人人都能讲。但司马迁究竟是怎么“通”的，有些什么内容，是否大体上符合历史实际，提出了哪些历史理论，就很少有人具体阐述。杨著立足于吃透“通”字的内容，对上述问题做了一一回答，提出了令人信服的独到见解。杨著剖析《史记》通史内容，分为三个层次。第一层讲《史记》贯通三千年史事，作了五个历史时期的阶段划分，一一剖析不同时期的历史内容。第二层分析司马迁的文献整理，讲《史记》的撰写依据。第三层讲《史记》的实录精神，揭示司马迁记事的原则和笔法。每一层说理，都是引证《史记》的记事内容，层层分析，最后归纳作出总结，做到论从史出，往往出人意表。在实证的基础上，作者高度评价《史记》“在当时是无法取代的，是现代的、精深的和富于创造性的”（杨著第 54 页）。紧接着，又把这一评价意义分析为五点内容。杨著对《史记》通史内容具体清晰的阐释，给读者勾画了鲜明的轮廓，同时也为第六章剖析司马迁的历史思想作了铺垫。

杨著立论，角度新颖，总是独辟蹊径而又脚踏实地，所以结论中肯。例如第四章讲司马迁的哲学思想，不是一般的思维模式，讲《史记》的表层文章，即天人关系。杨著独辟蹊径，结合公羊传、公羊学，对司马迁哲学思想作了深层次的分析；第五章讲司马迁的政治观，突现诸多借鉴意义；第六章讲司马迁的历史观，用“通”、“变”、“理”、“势”四字概括，使人耳目一新；第七章讲司马迁的经济思想，认为司马迁肯定汉武帝财政改革的实际作用，但难以实现寓富于民，并揭示财政问题是一切社会政治活动的中轴。作者的这些论点以及论证方法，都不同于习惯的思维定式，勇于开拓，注入时代精神，展示作者个性以成一家之言。作者在研究中，又总是在分析中立论，运用材料说话，脚踏实地而立于无可置疑的不败之地，使人信服。“通”、“变”、“理”、“势”的历史观立论就是一个典型的例证。关于司马迁“势”的思想，作者早在1983年就发表了专论，从“理”与“势”，“天”与“势”，“通变”与“势”，“存亡”与“势”等方面的对“势”作了评述，在学术界是首次提出的课题。

杨燕起先生长期从事中国历史文献学、历史文选、《史记》研修等课程的教学与研究，具有扎实的功力。杨氏用力之勤又主要投放在《史记》研修上。他发表的《史记》论文，笔者所见十余篇，数量不算多，而质量皆可道。其中《司马迁关于势的思想》(1983)、《史记中的十表》(1985)、《司马迁与董仲舒》(1986)、《史记在经学与史学结合中的地位》(1992)等论文均表现了独具创作的思想。在《史记的学术成就》出版之前，杨氏与人合作出版了多种《史记》论著，计有《历代名家评史记》(1986)、《史记研究资料索引和论文专著提要》(1989)、《史记精华导读》(1993)、《白话史记》(1995)。这几部书构成一个系列，极具实用价值，表现出作者一步步治学深入的足迹。前两种是工具书论著，文献资料整理；后两种是带普及性的论著，有助于教学，也是对《史记》原文精读的产物。这些论著和《史记》论文，均是蓄势，打基础。如果杨氏对《史记》的研修到此止步，用孔子升堂入室的话作比喻，作者已在《史记》研修的殿堂作了一位堂上嘉宾，还未成为室内的主人。《史记的学术成就》一书出版，不仅将杨氏带进了《史记》殿堂的内室，而且将杨氏推向了个人学术的巅峰，真正跻身于学术之林。指出这一点，旨在说明，做一个学术工作者容易，做一个学术研究家难。真正的学术研究家，必须锲而不舍，长期积累，必达于巅峰而不止。杨氏先前的几部论著，是学术工作成果，他能做，别人也能做；而杨氏的《史记的学术成就》一书，是学术研究的结晶，是立身之言，表现了作者的独创个性。我们期待着作者按他“来日”的预定计划，将此书修订完善，成为一部“史记学”史上的经典之作，为期不远。“为山九仞补一篑”，这句结语作为我对作者的赠言。

（原题《构建“史记通论”的学术专著——读杨燕起〈史记的学术成就〉》，载《天人古今》1997年第1期）

附录：

引人入胜的讲座①

——《史记十五讲》评介

一、诚挚推荐

国家图书馆出版社近年来出版了一批优秀的古典名著以及研究论著，引人注目。尤其是国家图书馆举办的中国典籍与文化讲座丛书别具一格，延伸了国家图书馆的职能，受到公众的好评。国家图书馆的文化讲座，十年来已举办了五百多场，主讲人都是国内各学科著名的专家学者，他们用通俗演讲的形式传播知识。国家图书馆出版社精选讲座，分集出版，嘉惠社会大众，值得赞赏。2010 年 4 月，国家图书馆出版社推出的《史记十五讲》是对一部典籍名著系列讲座的尝试，引起社会关注，全国各地赴京办事的出差人员，闻讯也到馆听讲，听众场场爆满。主讲人张大可教授是国内知名的《史记》研究专家，他的讲题内容系统地全面

① 本文是对《史记十五讲》，即本卷系列讲座十五讲的书评。作者杨燕起，北京师范大学历史文化学院教授，著名的《史记》研究学者。中国史记研究会常务理事。

解读《史记》其书，评介司马迁其人，角度新颖，点评到位，是一本使人开窍的书，值得推荐，我也乐于向《史记》研究专家和广大读者推荐这部优秀图书。

《史记十五讲》，共十五个专题，宏观解读与微观抉发相结合，系统评说与重点专题相结合，构成了一本专书导读一部典籍名著的个性特色。从1980年以来，三十年间研究《史记》的学术论著有150余部之多，许多课题有众多学者从不同角度反复解读，几乎至于题无剩意，而《史记十五讲》仍然翻出了新意，这就是本书的个性特色，例如《史记》作为“无韵之《离骚》”的文学性问题，不仅许多论文、论著列入专题讲到它，而且中国各种文学史也列有专节评介，但如何评价司马迁文学理论的建树，多是语焉不详。《史记十五讲》首次提出司马迁是中国古代文学理论的先驱者，便是从宏观角度做了深入的挖掘，开拓了新领域。

《史记十五讲》前十个专题全是着眼于宏观视角，气势磅礴。第一讲“导论——《史记》民族的凝聚力与研究现状”，从民族凝聚力的角度评介《史记》，角度新颖而大器，指出《史记》是一部人人必读的国学根柢书，民族文化的浓缩，升华了人们领悟的境界，品读《史记》豁然开朗。从第二讲到第六讲，依次阐释《史记》的百科全书内容，对史学、文学的贡献、价值，以及写人艺术，共五个专题，层次井然地解读《史记》为什么是文史名著的特质，深入浅出，见解深刻，表述流畅，十分耐读。第七讲，司马迁悲壮抒怀，揭示《史记》的悲剧性；第八讲，秦汉之际天下三嬗，讲历史大事变；第九讲，评说楚汉相争，讲兴亡之变；第十讲，论秦皇汉武，说雄主。这几讲都是阐释司马迁写历史“通古今之变”的大专题、大节目，共同的重心是领悟司马迁的历史观，学习司马迁洞察时与势的方法，提高个人的学术修养，反思历史的思维能力。

《史记十五讲》中“西汉盛世时期的三大冤案”、司马迁写雪耻故事、写妇女形象，这三个专题特点是宏观立论，微观挖掘。例如三大冤案，晁错、周亚夫、窦婴，他们都是位列宰辅的大臣，有功于国，显赫一时，皇帝的左右手，突然之间也有冤案降临，并都发生在盛世，主上英明，而非昏暴，这样的鲜明背景，确实能引发人们的深思，制度瓶颈下的司法无可避免，司马迁所写雪耻故事，演绎的是能屈能伸的大丈夫，能屈者才能伸，说的是忍辱负重的精神。一个人，一个民族，一个国家，都避免不了他面临的黑暗时期，而对厄运，如何对应，不是消沉，而是积极进取。司马迁笔下的妇女形象，展示了女性在政治、在大义、在事业各个方面不让须眉的能力，以及对社会的贡献，司马迁的进步历史观高于圣人。

《史记十五讲》最后两讲集中评介司马迁其人。司马迁不只是历史学家和文学家，他的进步思想生动表明司马迁还是一位思想家。司马迁的成长道路，造就了他是身兼史学、文学、思想的一个文化巨人，是中华民族的骄傲，他留下的《史记》是中华民族的瑰宝。

《史记十五讲》，篇幅不大，只列了十五个讲题，对于百科全书的《史记》，似乎显露的是冰山一角，要讲的课题很多。但综上所述，对十五个讲题的剖析，主讲人抓住了关键课题，宏观的视角，微观的挖掘，深入浅出的表述，基本上阐释了《史记》其书，以及作者司马迁其人的整体精神，也表现了主讲人厚积薄发的功力。行文畅达，娓娓道来，主讲人的感情和音容笑貌融入其中，可读性强。学术性与通俗性完美结合，中等文化程度的人也能读懂，亦是本书的一大特色。总之，这是一本好书。

二、重点评议

在上述推荐的基础上，仅就本人的粗浅认识略作评议。

第一，根柢书。这是张大可教授在经过多年艰辛的研究之后，对《史记》的性质与作用，所能作出的深情、宏观，而且独具识见的结论。从讲座内容的分析看，所谓的“根柢书”应该从历史、文化、哲学、精神、学术等多方面去体会。《史记》以纪传体整理出自黄帝至汉武3000年间的史事，形成为表述中国历史发展的源泉根基，后代之正史由之而生，《史记》是中国历史的根柢书。《史记》以多地域、多层面、多角度，将政治，经济，军事，民族，社会等内容纳入历史的记述范围，正如《十五讲》所说具备“体大”、“思精”的特点，它是中国文化的根柢书，应该是可以肯定的。《史记》以变化发展的历史观，强调由民族融合而走向统一，尤其是大力宣扬与歌颂大一统思想，为炎黄子孙之所企盼，乃蕴涵着中国民族共同心理的历史哲学，当然是这方面的根柢书。司马迁自身以及《史记》所叙人物的奋发、创新、坚毅、勇敢等等的优秀品质，鼓舞着后代人们去立身扬名，或成就功业，或效死疆场，或秉公立法，或发奋著书，他们成为了后代人效法的榜样，《史记》成为人们品德修养的根柢书而备受赞扬。《史记》本持“究天人之际，通古今之变，成一家之言”的撰述宗旨，在学术上汇百家而为一家，“贬天子，退诸侯，讨大夫”，继《春秋》而为当代立法，自成体系，在学术上成为根柢书，也是情理之所系。由于是“根柢书”，它所产生的不可估量的影响，“以至于不研究司马迁和《史记》，就不知文化研究从何谈起”，其说法，当不会认为是一种危言耸听。本人还以为，《史记》从思想到内容，究其实是要表述出一种国家学说，所以提出要“稽其成败兴坏之理”，如果从国家学说的角度来立论，那么，《史记》更应该成为历代帝王及当政者，最必须加以研读的“根柢书”。

第二，自觉。这是指史学的自觉。《十五讲》说，先秦时代的思想家，“他们没有自觉地将历史单独地进行有体系的研究”，而司马谈，迁父子承担着“自觉的历史使命”，因此，他们“是自觉的历史学家”。依我个人的体会，谈及史学的自觉是有一个认识过程，故而大可教授在讲座中提及“自觉”，是极具科学价值的。上世纪80年代中，一位在《史记》研究方面很有成就的长者，曾对我说，司马迁是中国历史撰述自觉的第一人，当时我觉得很新颖，故将“自觉”二字记得很深。1990年代初，在安徽师大召开的《史记》研讨会总结时，有学者说中国文学的自觉形成于刘勰的《文心雕龙》，而《史记》肇其端。我接着发言称中国史学的自觉的标志是司马迁所写的《史记》，于是一位朋友当场反驳说中国史学的自觉标志是刘知几的《史通》，不是司马迁的《史记》，我没有再说话。会后我感到疑惑，难道长者说的“自觉的第一人”不对吗？经过两年的思考，我写了一篇叫《司马迁的〈史记〉与中国史学的自觉》的文章，发表在《史学史研究》1995年第1期上，因为没有听到不同的声音，我才平下心来。我说这些话，意思是想告诉大家，形成认识《史记》是史学自觉的标志，是有一个探索的历程的。而大可教授的讲座，以新颖的视角，是在巩固、提升和发展这一历程，是非常可贵的。从讲座涉及的内容分析，我以为他是以《史记》创作的宗旨——究天人之学，通古今之变，成一家之言；百科全书的通史内容——备载天地万物，囊括国家大政，展现古今社会，辨章一切学术，纳入遗事旧闻；由本纪、表、书、世家、列传构成的独立史体的创立；“厥协六经异传，整齐百家杂语”，加之网罗天下放失旧闻之后大规模文献整理为基础的“实录”精神等方面的《史记》研究成就，认定它们是奠定了中国史学的独立地位，规范了史学研究的对象和范围，创立了史学研究的基本方法，树立了中国史学的进步历史观，从而彰显出《史记》在中国史学发展史上的杰出贡献，而这一切，正是史学自觉的突出表现。大可教授的论述是坚实有力的。

第三，人为主体。关于这个问题《十五讲》有较为广泛的论述，它提及《史记》以人为主体的同时，还提到以人为中心或以人物为中心，以人为本位，以人为本。在评述一书之缺略待补时说“《史记》以人为中心的历史主体地位”，将人为中心与历史主体联系起来，另一个地方说，“《史记》在史学研究对象上作出的最大贡献，是确立了人本位，以人为中心”，是将人本位与人为中心联系了起来，表述不完全一样，但基本都体现出人为主体的核心思想。在通过全面考察之后，对此一思想有过深入阐发，撮其旨大约有：①改记事为写人，突出人的作用，反映了社会历史的变革，由神的历史进入了人的历史，首次体现历史是“人”的社会活动的发展史；②贯通古今，全面展现了古今社会；③以人为本位，创立了独立的纪传体史书体例；④锤炼了写人艺术，创造了历史与文学统一的范例；⑤以史为鉴，寓褒贬，别嫌疑，明是非，成为人们提高素质修养的必读教科书。这是从历史哲学，叙述体系，史书体例，艺术成就，借鉴作用等诸多方面，揭示出《史记》编撰以人为主体的价值，仔细阅读，对诱导开展这方面的研究有重要的启发作用。

《十五讲》对以人为主体没有停留在相关的理发论挥上，在特别的专篇论述写人的艺术之后，以七讲的宏大篇幅，实际展现出通过对人物事迹的记述与描写的分析，所体现的社会历史的巨大变迁与时代风貌，其中有天下三嬗的秦楚英雄，有马蹄声碎的楚汉相争，有千秋评说的秦皇汉武，有西汉盛世的三大冤案；以及诸多传主人物慷慨悲歌的壮烈情怀，和能屈能伸的大丈夫的雪耻故事，以及灼灼其华的众多妇女形象，人史相辉，声情并茂，分析入里，品评细微，文词优美，运笔流畅，同样表现出以人为主体的寓论断于序事般的点染笔法，是一段段，一篇篇耐读的好文章，比起那些只将《史记》记述内容当作历史事件、历史故事看待的讲坛来，更具备着甚为贴切通俗的史学与文学的韵味，值得赞叹！

第四，创新意识。《十五讲》是面向广大普通读者听众的，是以通俗易懂的语言，表述出学术研究的成果、心得，时代的要求，讲座中自然会闪烁出创新思维的光辉。前面推荐意见中提到的关于《史记》作为“无韵之《离骚》”的文学性的问题，讲座从宏观的角度做了深入的挖掘，就有很好的创新的意义。又如讲“通古今之变”，这是一个经常受到大家关注的题目，但讲座能以新的视角，从时势之变，兴亡之变，成败之变，穷达之变几方面多层次全方位地加以论析，而将原始察终，见盛观衰，详今略古，详变略渐，作为通古今之变的一套方法来理解，并作专题阐释，又何尝不是一种创新的理念呢！这种情况，仔细考察，讲座中还能举出其他的例证是无容置疑的。单个的评述也不乏闪光点。如说列国史官直笔是据礼直书，而非据事直书，司马迁是第一个不为尊者、亲者、贤者讳的人，是最尊重历史真实的一位历史家；肯定司马迁的“述汉非”，指出如果一个史家没有批判现实的勇气，没有直言不讳的精神，也就没有它应有的史家地位和历史价值；还说“太史公曰”，构成了系统的历史学理论，等等，也是可以给人以新的启发的。《十五讲》能在人们不注意的地方发掘其幽深宏远，在大家都谈到的地方显示其独到深刻。《史记》研究到今天，很难说有哪位还能提出系统的全新的看法，故能在平常处使自己的探索放射出点点光芒，就应对其贡献给予积极评价。在现实成就的基础上，以个人的深入研究为起点，能够广纳百家，融会贯通，形成自己的认识体系，也是需要学者有广阔的胸怀和不小勇气的，而且还需要具备一定的文史功力的积淀。这种凝聚众家之长并使之提升到一个新的境界的工作，发展到一定阶段，是必须有人来做的。做好了这样一项工作，他就具备有引领学术研究发展的气质。加上长年为学术发展辛勤奔忙，他作出的努力之受到大家的称许、尊重，会是很自然的。

杨燕起　2012 年 3 月 30 日

（河南《信阳师院学报》2012 年第 6 期，又载 2012 年中国史记研究会年会论文集《史记论丛》第九集，中国文史出版社 2012 年 10 月出版）